LES PORTES DU BONHEUR

Evelina Chao

Ce livre est une œuvre de fiction. Toute ressemblance avec des personnes ou des événements ayant existé serait pure coïncidence.

Réalisation de l'édition française : BOOKMAKER

Traduction : Michèle Albaret
Illustration couverture : Giorgetta Bell McKee

Direction technique : 9 bis, rue de Montenotte, 75017 Paris
Siège social : 27, rue de Surene, 75008 Paris

Publié sous le titre « Gates of Grace » par Warner Books, Inc.

ISBN 2-86804-258-9

A ma mère et mon père

Note de l'auteur

J'aimerais remercier ici tous ceux qui m'ont encouragée à écrire ce livre : Zdena Heller, amie très chère, qui la première m'a suggéré ce travail et dont l'aide m'a été précieuse tout au long de la rédaction de ce livre ; ma mère, Vera, mon père, Edward, mon frère, Daniel et ma sœur, Katherine, qui m'ont aidée à sélectionner des noms chinois pour mes héros et m'ont rapporté maintes histoires de famille ayant ensuite inspiré certaines scènes du roman ; mon agent et ami, Jonathan Lazear, qui, dès le début, m'a accordé sa confiance ; mon éditeur, Ed Breslin, qui a cru en moi et qui, par sa sagesse, sa délicatesse et son tact, a su me donner l'énergie nécessaire pour aller jusqu'au bout de cet ouvrage ; Pinchas Zukerman et la direction de l'Orchestre de Chambre de Saint-Paul pour m'avoir accordé un congé m'ayant permis de terminer mon livre en temps et en heure ; ma très chère amie, Mimi Zweig, pour m'avoir fourni le plan de San Francisco ; mes amis et collègues de l'Orchestre de Chambre de Saint-Paul pour l'intérêt qu'ils y ont porté et leur soutien, et enfin Fred qui a su m'apporter tout au long de ce roman espace, lumière et chaleur.

Avertissement

J'ai choisi d'avoir recours à une version modifiée du système Wade-Giles de translitération (romanisation) des noms chinois figurant dans ce roman pour en faciliter la prononciation. Par ailleurs, à l'époque où se situe l'action, ce système était beaucoup plus utilisé que le système pinyin.

PROLOGUE

LE DERNIER BATEAU
1949

Les vagues languides venaient mourir sur la coque rouillée du navire. Alentour, pourtant, l'impatience allait croissant.

Debout dans l'ombre du bateau, Mei-yu titubait pour garder son équilibre. Les autres, affolés, ne cessaient de pousser et la pressaient contre les cordages destinés à contenir la foule qui piaffait d'énervement.

On attendait. On attendait le coup de sifflet du capitaine. Alors, seulement, une nouvelle fournée de malheureux aurait le droit de monter à bord. Ce coup de sifflet, plus que l'espoir, signifiait le salut.

Des yeux, Mei-yu chercha son mari, Kung-chiao, parti chercher de l'eau... La jeune femme, inquiète de son absence prolongée, scrutait l'interminable file de familles qui patientaient, avec, à leurs pieds, le sac de toile enserrant tous leurs biens. Souvent, les gens, la main en visière, se retournaient pour observer les abords de la ville. Là-bas, au loin, on devinait, assourdis par les courbes des collines, les clairons chevrotants qui marquaient la progression des drapeaux rouges et annonçaient la chute de Canton.

Mei-yu, à son tour, remarqua le grand nuage blanc qui s'élevait vers le ciel, tumulte de poussière soulevé par une armée en marche.

L'angoisse au ventre, elle chercha à nouveau Kung-chiao. Pourquoi tardait-il ? Et si on lui refusait l'accès à la passerelle ? Bouleversée, la jeune femme se rongeait les sangs.

Au-dessus d'elle, le capitaine, appuyé au bastingage, rangeait ses jumelles. Il n'en avait plus besoin désormais. L'armée rouge était là !

Aux côtés de Mei-yu se tenait une famille composée du père, de la mère et de leur fille d'une douzaine d'années environ. La femme, dos au soleil, veillait sur leurs effets et pressait sur son sein une sacoche où ils gardaient sans doute tous leurs trésors. L'homme faisait, lui, de sa main, un bouclier destiné à protéger le visage de la fillette aux yeux immensément noirs. Il portait, comme tout le monde alentour, le traditionnel pantalon bleu délavé et serré aux chevilles. Il montrait une main douce et dénuée de durillons. Une main d'homme instruit. De poète peut-être.

Comment savoir... sans doute, la foule comptait-elle nombre de ses pairs, songeait Mei-yu. L'espace d'un instant, la jeune femme rêva... son père aussi avait les mains douces, naguère. Que de fois ne l'avait-elle admiré tandis qu'il s'exerçait à la calligraphie, le pinceau entre le pouce et l'index glissant et dansant sur le papier de riz pour y appliquer l'encre en longs traits sinueux !

Rien que d'y penser, Mei-yu évoqua les longues corolles stylisées, puis d'autres images lui vinrent : images de fleurs surgies d'entre ses mains d'artiste. Le professeur Chen adorait le jardinage et, souvent, Mei-yu l'avait observé qui plantait dans la riche terre noire ses chrysanthèmes préférés. Le geste précis et délicat, il ôtait le terreau collé aux frêles racines, puis, amoureusement, plaçait les plantes à l'endroit choisi. Ô ce père chéri ! Si doux, si tendre et... si cruel, comme ce jour où, les mains nouées sous les plis de sa robe, il lui avait dit ne plus la reconnaître pour sa fille :

— Ne t'avais-je pas interdit cette union avec un fils de paysan ? Je t'avais prévenue ! Tu t'es enfuie avec Wong-kung ! A toi d'en assumer les conséquences ! Ma maison te sera désormais interdite comme j'ai interdit à tous ceux demeurant sous ce toit de jamais prononcer ton nom. Par ta désobéissance, tu m'as infligé peine et déshonneur! Par ta désobéissance, tu t'es coupée des tiens : tu n'es plus ma fille!

— Papa! Je t'en prie!

Il tourna les talons et, d'une main vengeresse, balaya ses exhortations.

Alors, seulement, Mei-yu prit conscience de la fragilité de ce père aujourd'hui vieilli et fatigué, de ce père usé par un trop long séjour dans les geôles japonaises. La gorge nouée par l'émotion, Mei-yu comprit que la mort ne tarderait plus à réclamer son dû.

L'esprit vide d'arguments, elle murmura simplement :

— Au revoir, père.

Dehors, dans la cour, Kung-chiao attendait. A peine eut-il aperçu Mei-yu qu'il comprit.

— Il n'est pas revenu sur sa décision?

Sa question n'en était pas une. Il l'oublia vite et se borna à soutenir sa femme jusqu'à la porte principale. Sur le seuil, un dernier regret retint Mei-yu qui se retourna, lança un regard plein de larmes vers sa mère et sa vieille nourrice. Déjà, les trois femmes s'étaient dit adieu. Elles savaient que le professeur ne revenait jamais sur une décision, que Mei-yu serait bannie. La mère, impassible dans sa douleur, n'esquissait pas le moindre geste. Hsiao Pei, la nounou, se balançait à croupetons en pleurant à chaudes larmes.

— Allons-nous-en, maintenant! fit Kung-chiao en entraînant Mei-yu.

Une fois dehors, elle l'interrogea du regard.

— Où?

Il afficha un air un peu gêné, s'efforça de se montrer convaincant.

— Nous passerons la nuit à l'auberge. Ensuite, ensuite... nous en parlerons plus tard.

Plus tard, dans la pénombre, Mei-yu osa risquer une timide question à l'oreille de son mari :

— Où irons-nous?

— En Amérique.

Cette réponse n'étonna guère la jeune femme. Pourtant, aujourd'hui que son père la chassait, la seule idée de l'Amérique l'effrayait. Hélas ! Ils n'avaient guère le choix. La situation, en Chine, semblait désespérée maintenant que deux armées s'affrontaient dans un pays exsangue. Partout, les gens étaient contraints de quitter leur foyer, mais pour aller où ?

Cet épilogue, Kung-chiao le pressentait déjà cinq ans auparavant, lorsqu'ils s'étaient rencontrés :

— Nous devrons bientôt quitter la Chine. Le régime actuel s'effondre et l'avènement d'un nouveau pouvoir ne me donne guère confiance en l'avenir.

A l'époque, il avait dénoncé le Kuomintang, ce bastion des traditions qui battait en retraite pour mieux préserver ses forces et ses richesses. L'armée de Libération, pendant ce temps, accueillait chaque jour davantage d'hommes du peuple élevés dans une insigne pauvreté. Ce flot humain traversait désormais villes et villages pour pendre haut et court tous les collaborateurs du régime précédent. Les intellectuels se trouvaient tout particulièrement menacés. Cela n'empêchait pas les plus âgés d'entre eux, tels certains professeurs ou autres éminentes personnalités, de demeurer fidèles à la Chine et ce, indépendamment de l'armée victorieuse. Le père de Mei-yu était de ces patriotes et refusait d'abandonner sa patrie aux flots du désastre. Les plus jeunes, dont Kung-chiao, se méfiaient du nouveau régime et de ses orientations politiques susceptibles, à leurs yeux, de nuire à leur avenir tant en termes professionnels qu'en matière de liberté individuelle.

Aussi Kung-chiao répétait-il maintenant :

— Nous devons quitter la Chine.

A ces mots, Mei-yu se serra davantage contre son mari. Malgré leurs forces réunies, la peur ne la quittait pas. Sous ses paupières lourdes roulaient mille images où son père et la grande maison familiale ne cessaient de lui apparaître.

Comme elle se sentait fragile ! N'importe, elle décida de lutter, de se ranger à la décision de son époux. N'avait-elle pas entendu dire que l'Amérique était une terre promise ? La jeune femme avait beau se méfier des promesses, elle savait qu'à l'instar de nombre de ses compatriotes, il ne lui restait plus rien en Chine. Pas même un espoir.

Que faire quand les dés sont pipés sinon jouer de sagesse ? Ils se rendraient donc en Amérique !

Mei-yu, qui attendait au pied de la passerelle du bateau prêt à partir pour l'Amérique, Mei-yu détourna les yeux quand son regard rencontra celui de l'homme qui lui avait rappelé son propre père. Ils ne se ressemblaient d'ailleurs pas tant que cela, songea-t-elle. Son père avait les yeux très écartés et le front large, tandis que cet homme avait un visage étroit et fermé. Surprise par le brusque sentiment d'écœurement qui la saisissait, elle s'éloigna.

Au même moment, une énorme colonne de fumée gris-noir sortit de la cheminée du bateau et se répandit sur le pont supérieur dans un bruit d'enfer, alertant ainsi les gens massés sur la passerelle qui s'efforcèrent de reprendre leur progression vers le navire. Devant Mei-yu, un responsable défit une chaîne et, immédiatement, la jeune femme se sentit pousser par les centaines de personnes qui se tenaient derrière elle. Elle faillit trébucher, lança un regard affolé au-dessus des têtes dans l'espoir d'apercevoir Kung-chiao.

Le nuage de poussière soulevé par l'armée s'était rapproché et Mei-yu pouvait distinguer maintenant les minuscules taches que faisaient les drapeaux rouges flottant au-dessus de la colonne de soldats qui progressait vers eux d'une démarche chaotique de chenille géante. Les clairons continuaient à résonner et on les entendait très nettement. La sirène du bateau déchira l'air une nouvelle fois, la foule autour de Mei-yu hurla d'un même cri et, paniquée, se précipita vers la passerelle.

— Mei-yu !

Elle se tourna et aperçut Kung-chiao qui se frayait un chemin à travers la multitude. Sur ses épaules, deux énormes outres. Autour de Mei-yu, les corps se pressaient désespérément. D'un pied hésitant, la jeune femme chercha donc la passerelle, sentit enfin les planches de bois. En même temps, elle s'efforçait de ne pas perdre de vue Kung-chiao dont elle distinguait mal le visage, perdu qu'il était au milieu de cette marée humaine. Brusquement, il disparut tandis qu'une femme, devant Mei-yu, hurlait en dialecte cantonais tout en tenant son enfant à bout de bras afin de le soustraire à la folie collective. Le malheureux roulait d'ailleurs des yeux affolés, noyés de larmes. Alentour, les gens se bousculaient pour tenter de poser le pied sur la passerelle. Tous levaient un poing serré sur un billet froissé. Les membres des familles présentes criaient, s'encourageaient mutuellement, s'efforçaient de rester groupés. Ici, un homme, un poulet vivant sous l'aisselle, glissait la tête sous les cordages de protection, appelait son fils au-dessus de lui. Une fois encore, Mei-yu jeta un regard derrière elle. En vain ! Dans un dernier sursaut, elle hurla :

— Kung-chiao !

Le bruit était tel qu'elle n'entendit même pas sa propre voix. Chacun alentour vociférait :

— Vite ! Plus vite ! L'armée arrive ! Il faut partir. Maintenant !

C'était en effet le dernier bateau, le dernier espoir pour tous ces gens qui s'insurgeaient contre la fatalité, s'abandonnaient à la panique. Il y eut soudain comme un grand mouvement et Mei-yu se sentit soulever de terre, porter par le flot humain. Devant elle, sur le pont du bateau, des mains se tendaient, la prenaient aux épaules...

Le capitaine la vit, remarqua son état et demanda à l'un de ses officiers de l'escorter jusqu'aux étages inférieurs.

— Non ! s'écria-t-elle. Mon mari n'est pas encore monté à bord. Je dois l'attendre.

Aussitôt, elle courut jusqu'au bastingage, se pencha pour mieux scruter la masse humaine qui se déversait de la passerelle. Masse informe désormais où chacun luttait désespérément pour se frayer un passage. L'espace d'un instant, la jeune femme crut avoir aperçu Kung-chiao au beau milieu de la cohue, quand quelqu'un la poussa avec rudesse. C'était le capitaine.

— Ça suffit! Il n'y a plus de place. Remontez la passerelle. Nous devons lever l'ancre à tout prix!

Mei-yu entendait très nettement la sonnerie des clairons maintenant. L'armée se déversait dans la ville, approchait du port. Les marins s'attaquèrent aux chaînes, hissèrent la passerelle, ce qui provoqua immédiatement la chute des gens qui venaient de s'y engager. Les malheureux tombèrent sur leurs compagnons qui se ruèrent sur ces bouts de planches dans l'espoir d'un salut. D'autres s'agrippèrent à quelques cordages. Ils pleuraient leur peur de tomber, ils hurlaient leur angoisse de laisser derrière eux ces proches qu'ils aimaient. Mei-yu vit des gens lâcher prise, dégringoler vers l'eau verte... Des matelots leur jetèrent des cordes tandis que d'autres affectaient une indifférence souveraine. Quant à la passerelle, elle se relevait avec des gémissements affreux, offrait une apparence de monstre hideux et lippu sur les lèvres duquel s'agitaient des gens sacrifiés à sa convoitise.

Mei-yu, refusant d'écouter les injonctions des marins, s'avança jusqu'aux planches de bois, scruta les visages qui se tendaient vers elle. Au même moment, le bateau, libre de ses amarres, sembla rouler et Mei-yu vit la fumée noire qui s'échappait des cheminées : ils partaient!

Un jeune homme piétina les jupes de la jeune femme, hurla :

— Ma mère! Elle est tombée à l'eau!

Le regard de Mei-yu s'arrêta alors sur les malheureux qui se débattaient au milieu des eaux parsemées de sacs de toile et d'autres pauvres biens. La gorge nouée de peur, elle chercha

Kung-chiao, mais les silhouettes des gens, plus bas, étaient déjà si minuscules qu'elle ne put reconnaître quiconque. Leurs voix aussi, happées par le tohu-bohu alentour, se dissolvaient en un faible murmure. Horrifiée, Mei-yu se détourna pour ne pas voir la mer engloutir l'un après l'autre tous ces infortunés.

Le bateau s'éloignait, accompagné par les longues plaintes échangées entre ces êtres séparés. Certains, penchés contre le bastingage, criaient dans le vent, tendaient les bras vers leurs proches demeurés à terre. Puis un hurlement terrible monta de la foule. L'armée avait atteint le port ! Du navire, tout le monde observait la scène. D'aucuns ne pipaient mot tandis que d'autres jetaient quelques conseils inutiles en un moment où les soldats aux drapeaux rouges chargeaient.

Désorientée, la foule se dispersait avec d'étranges convulsions : les gens couraient en tout sens afin de gagner les quartiers sûrs. Les uniformes kaki de l'armée de Libération se rapprochèrent des corps vêtus de bleu, puis Mei-yu vit les matraques se lever, des gens tomber en lourds tas colorés... Une fois encore, la jeune femme se précipita vers l'avant du navire, où était pratiquée une mince ouverture, dans l'espoir de retrouver Kung-chiao. Était-il tombé à l'eau ? Tandis qu'elle s'interrogeait, le jeune garçon dont la mère avait été happée par les flots tentait de se jeter par-dessus bord. Un officier le retint par le bras avant de le repousser d'une gifle magistrale qui lui fit perdre connaissance.

C'est alors que Mei-yu aperçut Kung-chiao, agrippé aux bordages du bateau. La bouche tordue par une grimace hideuse et ridicule, il s'efforçait de se hisser à bord. Aussitôt, Mei-yu, en hurlant, supplia l'officier de lui venir en aide. Ensemble, ils parvinrent à ramener Kung-chiao sur le pont — Kung-chiao qui demeura là un bon moment avant de reprendre son souffle.

— Ça ira, ça ira, répétait l'officier de marine.

Sur ces paroles lénifiantes, il les laissa seuls afin d'aller prêter main forte à ceux qui, coincés sur l'échelle de coupée, s'efforçaient de poser le pied sur le pont. Tandis que les marins reprenaient le contrôle de la situation, calmaient les gens affolés et les envoyaient vers les étages inférieurs, Mei-yu et Kung-chiao tombaient dans les bras l'un de l'autre. Fous de joie et d'émotion, ils s'étreignaient désespérément, conscients du bonheur inouï qui leur était octroyé. Tant de gens avaient trouvé la mort durant ces moments de panique, tant de gens se voyaient condamnés à rester à Canton faute d'avoir pu embarquer à temps ! A genoux sur les planches de bois, ils échangeaient des gestes d'insigne tendresse. Au loin, ils percevaient le bruit des clairons déchaînés, les cris des malheureux demeurés sur le quai, l'affolement de la retraite. Ils écoutèrent la sonnerie de la fanfare jusqu'à ce que la sirène, impérieuse, mugisse.

Quand elle se tut enfin, Mei-yu et Kung-chiao n'entendirent plus que le bruissement doux des vagues sur la coque du bateau qui filait vers la haute mer.

Mei-yu gisait maintenant sur une couche de fortune ménagée dans un espace délimité par une volée de cordages, au milieu d'une quarantaine de lits ainsi installés. Allongée sur le dos, la jeune femme cherchait à occulter la douleur qui lui fouaillait les reins pendant que Kung-chiao déballait leurs pauvres effets. Dès qu'il en eut terminé avec cette tâche, il mouilla un mouchoir qu'il appliqua avec douceur sur le front de sa compagne.

— Comment te sens-tu ? demanda-t-il. Et l'enfant ?

Gentiment, Mei-yu le rassura tandis qu'il posait la main sur son ventre.

— Nous sommes en sûreté maintenant. Tu dois te reposer.

— Combien de temps durera le voyage ?

— Deux semaines. Nous ferons escale à Honolulu.

— En Amérique, où logerons-nous ?

— Chut ! Reste tranquille et essaie de dormir.

Mei-yu, pourtant, ne le quittait pas des yeux. Elle savait pertinemment qu'il n'avait pas la moindre idée de ce qui les attendait. Elle fixa alors son attention sur les gens alentour qui rangeaient furtivement leurs affaires dans les filets suspendus au-dessus de leur couchette. Ils riaient d'un rire nerveux tout en essayant de garder leur équilibre malgré le roulis. On manquait d'air. Puis, Kung-chiao s'allongea sur la couche voisine de celle de Mei-yu.

Un instant, Mei-yu l'observa quand une idée saugrenue lui vint à l'esprit. Leur petite malle ? Pourvu que le porteur l'ait bien montée à bord comme il l'avait promis !

Puis, l'enfant bougea, lança un coup de pied vigoureux. Mei-yu sourit, émue. C'était bon signe ! Oui, ils étaient en sûreté maintenant.

Elle ferma les yeux.

Quinze jours plus tard, le navire entrait dans le port de San Francisco.

Debout comme les autres, Mei-yu et Kung-chiao faisaient la queue pour permettre aux médecins de les examiner. Il leur fallut se prêter à un examen minutieux, ouvrir la bouche, tendre le bras afin d'être immunisés contre les étranges maladies américaines.

Hélas ! Rien ne put les immuniser contre le terrible choc que leur causa l'arrivée. Rien ne put atténuer l'horreur des premiers moments où ils se virent rejeter de place en place avant d'être enfermés dans une pièce minuscule en compagnie de bon nombre de leurs compatriotes qui les regardèrent d'un œil lourd de lassitude. Devant la puanteur, Mei-yu faillit s'évanouir. Pourtant, à mesure que les semaines passaient, Mei-yu et Kung-chiao se virent réduits au même état. Honte et gêne, désormais vains, s'estompèrent.

Le terme de Mei-yu approchait. Aussi Kung-chiao s'en alla-t-il supplier les responsables américains de les aider, de leur accorder un endroit tranquille et un point d'eau, mais on lui répondit simplement qu'ils étaient trop nombreux, que les autorités ne pouvaient pourvoir aux besoins d'un peuple entier. L'hôpital était déjà plein de malades, de cas sérieux ! Kung-chiao cependant insista. Finalement, quelqu'un lui parla d'une Mission proche susceptible de lui allouer une chambre, ou même de lui fournir les services d'une sage-femme.

Il s'y rendit donc, frappa à la porte en veillant à se tenir à distance respectueuse de la dame qui lui répondit afin qu'elle ne perçoive pas son odeur fétide.

— Bonjour, dit-il, je m'appelle Wong Kung-chiao. Ma femme et moi attendons que les services d'immigration aient visé nos papiers. Ma femme doit donner naissance à notre enfant très bientôt et je cherche... peut-être auriez-vous une place pour elle ?

— Où avez-vous appris votre anglais ? lui demanda la femme.

— En Chine.

Elle le regardait, observait sa manière de serrer les poings pour dissimuler ses ongles. Elle savait bien qu'à son arrivée, il avait reçu maintes piqûres destinées à l'immuniser, mais cette certitude pourtant ne servait de rien. La brave dame ne parvenait guère à dissimuler une lippe méprisante. Certes, il parlait un anglais parfait et montrait une déférence remarquable.

— Où est votre femme ?

— Là-bas !

Du doigt, il indiquait le centre d'hébergement, près des quais.

— Comme je vous l'ai dit, nous attendons nos papiers, à moins que notre cousin de New York ne se manifeste rapidement.

Ces gens-là, ils attendent tous quelque chose, songea la dame. Ils ont tous un cousin, un oncle ou une nièce quelque part. Comme ils étaient nombreux! Et tant d'autres encore allaient arriver. Et celui-là, en face d'elle, si différent, qui attendait patiemment sa réponse.

— Nous sommes une œuvre de charité et la Mission est bondée, mais amenez-nous votre épouse. Demain. Elle pourra rester parmi nous jusqu'à la naissance du bébé.

— Y aura-t-il un médecin?

— Nous sommes une œuvre de cnarıté, je viens de vous le dire. Nous n'avons pas les moyens de faire venir un docteur...

— J'ai de l'argent!

La dame hésita.

— Je souhaite un médecin. Je paierai. N'ayez crainte.

L'espace d'un moment, la brave dame observa le frêle Asiatique qui se tenait humblement devant elle. A quoi pensait-il? Elle n'en avait pas la moindre idée.

— Entendu. Amenez votre femme demain. Pour le médecin, je vais voir ce que je peux faire.

— Merci infiniment.

Elle refermait la porte quand un dernier doute l'arrêta.

— Autre chose?

Il hésita.

— Oui. Serait-il possible... J'aimerais tant prendre un bain. Avec de l'eau chaude. Ma femme aussi. Aujourd'hui? Je paierai l'eau, bien sûr.

A peine avait-il dit ces mots qu'elle perçut son odeur atroce. Elle recula vivement. Brusquement, cette situation lui pesait. Cet homme au regard impénétrable, ces requêtes insupportables... c'était trop pour elle!

— Non! La Mission est bondée, vous le savez! Demain. Amenez votre épouse demain.

Elle lui claqua alors la porte au nez.

Quatre jours plus tard, Mei-yu donnait naissance à une petite fille. Kung-chiao prit l'enfant dans ses bras, la contempla et oublia sur-le-champ qu'il avait souhaité un fils.

— Sing-hua, dit-il. Nous l'appellerons Sing-hua, « fleur nouvelle » ! N'est-elle pas ce plant qui marque notre arrivée en Amérique ?

Mei-yu acquiesça de la tête.

— Cela dit, il nous faut lui donner également un prénom américain, ajouta-t-il.

Épuisée, Mei-yu gisait sur son lit, écoutait sans trop comprendre pourquoi son mari tenait tant à donner à leur fille un prénom autre que Sing-hua.

— Ne vivons-nous pas dans ce pays, maintenant ? fit-il en guise d'explication.

Or, Mei-yu ne connaissait que des prénoms d'actrices de cinéma, de ces actrices admirées à Pékin ou Shanghai et répondant au nom de Dorothy, Elizabeth ou Rosalind. Il y avait aussi les héroïnes d'œuvres romanesques, des Jane, Anne ou Emma. Mei-yu préférait Sing-hua.

Kung-chiao réfléchissait. Il avait compulsé toutes les revues qui gisaient sur les tables du foyer de la Mission dans l'espoir de trouver le prénom américain de ses rêves. C'est ainsi qu'il avait fixé son choix sur William, mais pour une fille il désirait un prénom noble, charmant et synonyme de force. Au hasard de ses recherches, il avait aperçu la photographie d'une ballerine à la grâce éthérée, aux gestes puissants. Cette synthèse de deux qualités si différentes l'avait ébloui. Kung-chiao, ravi, avait donc cherché le prénom de cet être séduisant : Fernadina.

Malgré son apparence exotique, elle portait un nom bien américain. Indéniablement, elle plaisait à Kung-chiao. Il aimait son nom.

— Elle s'appellera Fernadina, dit-il à sa femme.

Mei-yu serra sa fille sur son sein, s'émerveilla de la chaleur de ce petit corps.

D'une voix lasse, elle murmura :

— Sing-hua, Fernadina...

Fernadina... après tout, si tel était le désir de Kung-chiao, pourquoi pas ?

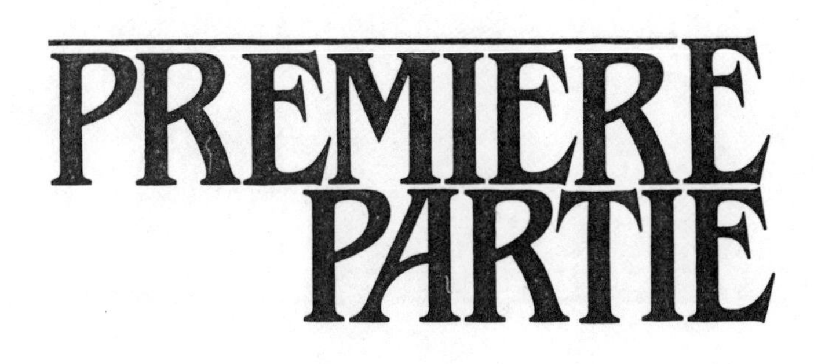
PREMIERE
PARTIE

NEW YORK 1954

Jamais Fernadina ne garda le moindre souvenir de San Francisco, de la pauvre maisonnette près des quais ni même de l'odeur affreuse des poissons morts collés au milieu de la rue. Quand son père reçut-il enfin la fameuse lettre du cousin de New York et comment réussirent-ils à gagner la côte Est, elle n'en savait rien non plus. Non, Fernadina n'avait pour tout souvenir que les limites de Mott Street, au cœur de Chinatown. Peut-être eût-elle pu évoquer les immenses tas de cageots entassés méthodiquement devant le restaurant voisin de leur logis ? Spectacle horrible dont les héros étaient ces pigeons à la paupière fripée dont l'œil rouge roulait encore quelques lueurs de vie, ces tortues à la tête pendante et dont la gorge laissait à grand-peine passer un souffle fatigué. Mais il y avait aussi des cohortes de crabes qui battaient des pinces et lançaient des bulles dans un fracas de fin de siècle.

Ainsi, Fernadina n'oublia-t-elle jamais ce jour atroce où Bao, le cuisinier, jeta dans un même carton une tortue et plusieurs crabes et pigeons. Le résultat fut dantesque car ledit carton, brusquement frappé de folie furieuse, se mit à sauter en tous sens en témoignage de cette riche confrontation. Cependant, le cuisinier, presque impassible, se borna à fermer les yeux et, les bras tendus comme pour une offrande, regagna ses fourneaux.

Ils se partageaient deux pièces sombres, poisseuses de cette fumée grasse montant directement du restaurant tout proche. Mei-yu avait beau frotter, gratter et lessiver régulièrement le linoléum blanchâtre, rien n'y faisait : l'endroit sentait toujours le graillon, l'ail, l'oignon et le gingembre. C'est dans la chambre que Mei-yu et Kung-chiao avaient installé leur lit et une table métallique dissimulée sous une nappe brodée de chrysanthèmes de soie rouge. C'est sur cette table qu'ils prenaient leur repas, que Kung-chiao étudiait à la lueur tremblante de la lampe qui d'ordinaire éclairait la couche du couple. A l'autre extrémité de la pièce, se trouvait le poêle où la jeune femme faisait la cuisine. Au mur était fixée une sorte d'étagère sur laquelle était posé le service à thé en porcelaine bleue et blanche à motif de dragon grimaçant. En face du lit, une armoire en carton où pendait un calendrier avec la photographie d'un danseur chinois. Au fil des mois, le danseur changeait ou cédait la place à un acteur renommé. Le mois de juin mettait ainsi à l'honneur un être souriant tout de rouge vêtu et dont la tenue brillante contrastait étrangement avec le fond de teint olivâtre du visage et les yeux lourdement fardés de noir. Octobre, en revanche, semblait prêt à en découdre avec le monde entier : un vrai foudre de guerre !

La chambre de Fernadina n'était autre que le vestibule et hébergeait, outre l'enfant, les manteaux bleus matelassés des parents, manteaux qui apportaient une note de couleur incongrue dans un univers confit de pauvreté. Ainsi la petite dormait-elle dans un lit qui n'était rien d'autre qu'un cageot amélioré d'où Fernadina surveillait, chaque nuit, les allées et venues des voisins dont l'ombre coupait le rai lumineux passant sous la porte de communication.

Bao, le cuisinier, vivait seul dans une chambre à l'étage supérieur. Il habitait juste au-dessus du lit de Mei-yu et de Kung-chiao et, tous les matins à 6 heures, la jeune femme l'entendait poser le pied par terre, tousser, cracher même. Mei-yu se levait une demi-heure plus tard et observait la plus grande discrétion afin de ne pas éveiller son mari qui dormait à poings fermés. Sans bruit, elle glissait jusqu'au lit de Fernadina qui, ravie, la regardait venir avec adoration. On eût juré un patient attendant le bon vouloir de son médecin. Alors, Mei-yu, désarmée, souriait à l'enfant.

Fernadina, bien sûr, en profitait pour s'asseoir et admirait longuement le beau visage nacré de sa mère, ses yeux en amande, ses pommettes saillantes.

Toutes deux observaient un rituel quotidien. Mei-yu, en effet, n'approchait jamais sans une grande baguette qui faisait les délices de l'enfant. Le geste sûr, Mei-yu tordait alors ses longs cheveux de jais avant de guider la main de la petite qui, fièrement, glissait le jonc de laque noire dans la chevelure de sa mère. Si Mei-yu riait aux éclats, Fernadina arborait, elle, un air grave des plus touchants comme si elle eut sacrifié à quelque coutume ancestrale.

Ensuite, c'était le moment du lever et Mei-yu prenait tendrement sa fille dans ses bras avant de la vêtir d'une pièce de coton et de l'emmener au bain.

Pour ce faire, elles descendaient jusqu'aux toilettes, cachées dans les sous-sols.

Kung-chiao, la tête sous un semblant d'oreiller, s'efforçait de voler quelques minutes encore au sommeil. Hélas ! il était déjà trop tard : le hachage des légumes et de la viande avait commencé. Tous les matins, en effet, Bao et Shen, son gâte-sauce, coupaient menu poulet, bœuf, porc, oignons ou céleri. Ils s'activaient méthodiquement pour faire face à l'ouverture, à 11 heures du matin, du Sun Wah. Vaincu, Kung-chiao se levait, remontait le store. Dehors, la chaleur pesait déjà. Par la fenêtre ouverte, les bruits de la rue montaient : ici des tonneaux que l'on poussait, là des portes que l'on claquait. Puis, Bao entamait sa ritournelle quotidienne. Il prenait à partie Shen et le vieil homme qui venait chaque jour s'installer dans le restaurant. Bao aboyait alors dans son dialecte cantonais qui, de l'avis de Kung-chiao, n'était pas sans ressembler aux cris exaspérés d'un vieux babouin.

— Vingt cents la livre de poulet! Vous rendez-vous compte ?

La hachette s'abattait sur le bréchet.

— Je ferais tout aussi bien d'utiliser du serpent ! On n'y verrait que du feu ! Ouais ! Le seul problème, c'est que le serpent coûte encore plus cher ! Ah ! ah ! Et le céleri ! Humm ! Le céleri ! Ils en veulent dans tous les plats, je vous dis ! Tiens ! Eh bien ! Je leur en donnerai du céleri, moi ! Au fait, cette semaine, il y en a eu combien, Kuo ?

A cette question, le vieillard répondait par un large sourire qui dévoilait une armée de chicots, tendait la main.

— Huit ! faisait Bao. Eh bien, je te parie qu'aujourd'hui on arrivera à onze.

Onze ! Onze Américains à déjeuner au cœur de Chinatown, à demander un chop suey. Consciencieusement, Bao notait les commandes en une sorte de relevé statistique pour le moins spécieux.

Puis, un bruit de claques interrompait le monologue.

— Mais non, idiot ! Tu fais tout en dépit du bon sens ! Combien de fois devrais-je te le répéter ! Petits, les morceaux, petits ! C'est de la bonne viande !

Et Bao poursuivait sa diatribe ponctuée par les coups sourds de la hachette et les cris d'oiseaux qu'émettait le pauvre Kuo. Kung-chiao entendait également les faibles protestations de Shen.

Cet immuable rituel lui arrachait des soupirs. C'était, pour lui, une intense lassitude qui l'étouffait. Kung-chiao vivait, en effet, une tension pénible. Mille soucis le harcelaient : ses examens, son cousin à ménager afin de lui soustraire une sorte de rente mensuelle, ainsi que Mei-yu et son regard impitoyable. Cinq jours ! Il lui restait encore cinq jours avant l'examen !

Il enfila ses sandales de caoutchouc et se dirigeait vers le lavabo pour s'y rafraîchir quand Mei-yu et Fernadina firent irruption dans la pièce. Dès qu'elle aperçut son père, la fillette se précipita, se jeta dans ses bras.

— Ah ! Ma petite souris ! s'écria-t-il en riant.

A la dérobée, Kung-chiao observait cependant Mei-yu qui serrait son vêtement contre elle et affectait un sourire pincé. Kung-chiao fit mine de s'en moquer et fit tournoyer la petite, ravie.

Comme elle ressemble à son père ! songea Mei-yu qui contemplait leur visage triangulaire à la peau mate, leurs grands yeux noirs et brillants. Fernadina riait rarement. En revanche, là, dans les bras de son père, elle rayonnait de bonheur.

Mei-yu le voyait bien, qui se détourna pour aller préparer le petit déjeuner.

Pourquoi mangeait-il si bruyamment ? Il le faisait exprès ? De toutes ses forces, Mei-yu s'efforçait au calme. Elle refusait d'entendre claquements de langue, chuintements et autres borborygmes que Kung-chiao s'obstinait à émettre tout en déglutissant l'énorme plat de riz du matin. Malgré elle, Mei-yu écoutait le bruit sec des baguettes sur la porcelaine et son irritation croissait avec le temps.

Mon mari mange comme un cochon ! se disait-elle avec amertume en observant le grain collé à la commissure des lèvres de Kung-chiao. Une sensation de dégoût lui venait, sensation qu'elle cultivait à plaisir pour mieux le mépriser. Kung-chiao était devenu comme les autres, comme tous les autres, comme ces ouvriers de Mott Street qui avalaient à grand bruit leur bol de nouilles. Ils les suçaient avec application, se délectaient de sentir sur leurs joues le contact gluant de la nourriture gagnée avec tant de peine. Autrefois, en Chine, Kung-chiao se comportait de façon très différente. Dès leur première rencontre, elle avait vu en lui un homme soigneux de sa personne, attentif à tout ce qui l'entourait. Elle avait perçu chez lui une certaine noblesse, une grande maîtrise de soi, une réserve délicate qui, chez un autre, eût pu passer pour de la timidité, et beaucoup de finesse. A l'époque, son attitude subjuguait Mei-yu. A l'époque, en effet, bien des hommes trichaient et jouaient les matamores. Bien des hommes... mais pas Kung-chiao !

Mei-yu n'avait pas oublié l'année 1944 à Pékin. Elle était alors étudiante à l'université de Yenching qui, malgré l'occupation japonaise, n'avait pas fermé ses portes. La jeune fille, qui suivait les cours du matin, avait l'habitude de déjeuner en compagnie de son amie Wen-chuan.

— Chang Kaï-chek un sale réactionnaire corrompu qui se goinfre de douceurs pendant que nous autres, prisonniers des Japonais, nous mourons de faim, disait Wen-chuan.

Mei-yu la revoyait avec ses cheveux qu'elle avait coupés par souci d'hygiène afin, affirmait-elle, de mieux lutter contre les poux.

Mei-yu n'était cependant pas dupe. Elle savait très bien qu'à Pékin toutes les jeunes femmes sacrifiaient leur chevelure sur l'autel du modernisme. Wen-chuan, le visage rond, la bouche large, avait deux promotions d'avance sur Mei-yu, qui lui trouvait l'air sévère avec ses petites lunettes d'intellectuelle. Assises sous l'unique arbre de la cour, elles discutaient en savourant le chaud soleil d'octobre.

— Personnellement, j'estime que nous, étudiants, devrions nous organiser afin d'aller à Chungking pour faire sauter ce vieux porc. Il est si gras qu'il suffirait à nourrir la Chine entière.

— Wen-chuan, Chungking est à plus de quinze cents kilomètres et, d'après les photos que j'ai pu voir, Chang Kaï-chek n'a rien d'un gros porc. Il est plutôt mince.

— Quoi ! Tu pactises avec l'ennemi, maintenant. C'était juste une image. Je voulais dire qu'il est assez riche pour nous nourrir tous. Il s'est engraissé en détournant l'argent des Chinois, puis des Américains.

Inquiète, Mei-yu jeta un coup d'œil autour d'elle avant de déclarer en riant :

— Attention, Wen-chuan, le Kuomintang se méfie des éléments subversifs tels que toi et l'université fourmille d'espions.

— La direction de l'établissement continue à soutenir le Kuomintang uniquement pour une histoire de crédits. Les étudiants ne s'y trompent pas. Il faut que les choses changent, Mei-yu, tu ne peux dire le contraire.

Brusquement, elle fixait son amie droit dans les yeux.

— Ne désires-tu pas que ton père sorte enfin de prison ?

L'espace d'une seconde, Mei-yu évoqua l'image de son père pâle et amaigri.

— Bien sûr que si !

— Tu vois bien ! Chang Kaï-chek n'a strictement rien fait pour libérer ton père ! C'est tout le problème. En fait, il se moque complètement des Chinois et nous, nous avons besoin d'un gouvernement nouveau, de sang nouveau !

Mei-yu savait à quoi son amie faisait allusion : au parti communiste. Déjà plusieurs mois auparavant, elles avaient eu une conversation presque semblable lorsque Wen-chuan avait annoncé à Mei-yu son adhésion au parti. Wen-chuan n'en faisait d'ailleurs aucun mystère et toute l'université se trouvait désormais au courant.

— Mei-yu, garde le silence, je t'en prie, mais sache que nous préparons une grande manifestation pour le printemps. Wu Teh-shan, bras droit de Mao Tse-tung dans la province de Shensi, doit venir ici négocier avec le commandant des armées japonaises, Fujiwara. Nous comptons profiter de l'occasion pour qu'une délégation pacifique d'étudiants remette à Wu-Teh-shan une pétition destinée à Fujiwara. Nous y parlerons de tous les crimes de guerre, des emprisonnements iniques de nombreux notables, dont ton père. Nous voulons aussi prouver la force croissante de notre mouvement et espérons obtenir des délégations de toutes les provinces.

— Quoi ! Comment est-ce possible ? Les Japonais surveillent toutes les routes !

— Ils devront certainement prendre de grands risques ! D'après un ami de mon frère, tout juste arrivé de Tientsin, les Japonais contrôlent tous les voyageurs sur la ligne de Pin Han. Ils vérifient les identités et les destinations. Toujours selon lui, l'armée du Kuomintang ne peut nourrir ses hommes et des centaines d'entre eux sont abandonnés en route. Ces malheureux affamés se voient donc obligés de mendier du riz auprès des Japonais qui leur demandent en échange de participer à la construction de grands ouvrages, des ponts par exemple. Il y aurait de véritables squelettes ambulants au hasard des chemins. Je ne te parle pas des jeunes qui ont cru à la puissance du Kuomintang ! Les délégués devront se défier des Japonais et du Kuomintang, mais ils réussiront à passer. L'enjeu est trop important.

Les yeux brillants, Wen-chu regarda Mei-yu et poursuivit :

— Nous ne sommes pas une poignée d'étudiants, une poignée de paysans, Mei-yu. Nous sommes des milliers et devenons plus forts de jour en jour. Montrons maintenant aux Japonais que nous savons nous organiser et leur résister. Par ailleurs, le bruit court que, dans le Pacifique, les Américains les ont battus. Ils sont donc aux abois, toujours puissants, certes, mais nous pouvons les harceler, les épuiser. Le parti communiste doit réaliser l'unité de la Chine et chasser toutes les puissances étrangères.

Dans les prunelles de son amie, Mei-yu déchiffra alors une conviction si intense qu'elle lui parut à la fois captivante et effrayante. Pourtant, elle ne parvint pas à soutenir ce regard, s'interrogea : pourquoi avait-elle donc l'impression que Wen-chuan l'étouffait, la cernait de trop près ? Peut-être à cause de son élocution rapide, de ses gestes trop appuyés. Elle lui rappelait les acteurs de l'Opéra de Pékin et leur maquillage outré destiné à incarner les passions exagérées, leur pantomime stylisée au point d'en devenir grotesque. Mei-yu ne niait nullement la réalité et ses évidences : la Chine avait besoin d'un changement profond. Cependant, l'agitation suscitée autour du nouveau parti par des êtres tels que Wen-chuan lui semblait irréelle, un rien théâtrale aussi.

— Cette manifestation a été préparée par le comité des étudiants de notre université avec, à leur tête, mon frère Tsien-tsung. Je suis la seule femme à en faire partie, mais il faut que d'autres suivent mon exemple et participent à ce combat. Mao Tse-tung a eu beau proclamer que, dans la lutte pour l'indépendance, la femme était l'égale de l'homme, les vieilles coutumes ont la vie dure. Cela dit, j'ai confiance : un jour viendra où les Chinois considéreront les Chinoises comme des êtres à part entière.

Tout en disant ces mots, elle serrait vivement le bras de Mei-yu.

— Suis-moi, Mei-yu ! J'aimerais tant que tu fasses partie de la délégation avec moi. Prouvons-leur que nous avons aussi un idéal, que nous voulons changer le monde !

Embarrassée, Mei-yu évitait son regard, jetait des coups d'œil alentour afin de s'assurer que personne ne les voyait.

— Je n'appartiens pas au parti, Wen-chuan, déclara-t-elle d'une voix faible.

— La belle affaire ! N'es-tu pas une patriote désireuse de te débarrasser de ces maudits Japonais et du régime corrompu du Kuomintang. Mei-yu, aide-nous !

A ces mots, Mei-yu se libéra de l'étreinte de son amie et récupéra ses livres.

— Je ne peux rien te promettre, Wen-chuan. Laisse-moi réfléchir d'abord.

L'espace d'un instant, elle hésita, puis tourna les talons avant que Wen-chuan ne la fasse changer d'avis.

Deux mois plus tard, en décembre, Mei-yu traversait la cour de l'université quand quelqu'un l'appela. C'était Wen-chuan qui, les pieds serrés dans de grosses chaussures de coton fourrées, venait vers elle en luttant pour ne pas trébucher sur le sol gelé. Le visage rougi et desséché par le froid, elle chuchota :

— Mei-yu, tu m'évites depuis quelque temps, je le sais, mais j'ai quelque chose de très important à te demander.

— De quoi s'agit-il ?

— Tu te rappelles ce que je t'avais dit sur les délégués devant se rendre à Pékin afin de participer à la grande manifestation prévue pour le printemps ?

— Oui.

Malgré elle, Mei-yu regarda autour d'elle. Par chance, les autres étudiants pressés de gagner leur salle de cours ne leur prêtaient pas la moindre attention. La jeune fille suivit donc son amie qui l'attira vers le mur d'enceinte.

Loin des oreilles indiscrètes, Wen-chuan s'expliqua :

— J'ai besoin de ton aide. Un homme est arrivé de Chungking, la semaine dernière. Il loge dans le nord de la ville, mais nous craignons que les Japonais ne l'aient repéré. La nuit dernière, ils ont perquisitionné dans la maison où il se trouvait. Il n'a pu leur échapper qu'en grimpant sur le toit du bâtiment voisin où il a passé trois heures entières. Il ne peut plus rester là, c'est trop dangereux. Il faut qu'il puisse venir se réfugier chez moi, dès ce soir.

Mei-yu la regarda avec stupeur.

— Mei-yu, j'ai besoin de ton aide, répéta-t-elle. Il m'est impossible d'aller le chercher seule. Imagine ! Une femme esseulée au milieu de la nuit ! Je m'exposerais à trop de dangers inutiles ! De plus, tu parles japonais beaucoup mieux que moi. Si une patrouille nous arrêtait, tu pourrais dire que nous revenons d'une visite chez des amis, que nous nous sommes attardées.

— Et ton frère Tsien-tsung ? Pourquoi n'y va-t-il pas lui-même ?

— Il doit assister à une réunion d'urgence avec d'autres étudiants. Et puis, ne crois-tu pas qu'il est temps que les femmes participent à la lutte ?

Puis, l'œil grave, elle ajouta d'un ton froid :

— Si tu ne peux pas, dis-le franchement !

Mei-yu songea à l'homme traqué, à son père emprisonné, remarqua la lueur de mépris dans le regard de Wen-chuan qui, déjà, s'éloignait. Elle la retint par le bras.

— Attends ! Je vais t'aider. Où dois-je te retrouver et quand ?

Méfiante, Wen-chuan insista :

— Es-tu bien sûre de ta décision ? Ne vas-tu pas changer d'avis à la dernière minute ?

— J'ai dit que je t'aiderai.

— Bon, alors, rendez-vous dans la ruelle derrière chez toi à 9 heures et demie. Dans l'obscurité, ce me sera plus facile de te rejoindre, puis nous gagnerons le nord de la ville. Oh ! ce n'est pas très loin, deux, trois kilomètres, peut-être. Te souviens-tu de mon ami Huang-sung qui était avec nous en classe de philosophie ?

— Oui.

— C'est derrière sa maison, à 10 heures, que nous devons retrouver l'étudiant de Chungking.

Tandis que Wen-chuan parlait d'une voix hachée par l'émotion, Mei-yu nota l'expression d'effroi qui brillait dans le regard de son amie. Elle en tira une curieuse sensation de soulagement, un certain apaisement aussi et s'éloigna, un rien rassurée.

A l'heure dite, Mei-yu ôta ses chaussures et se dirigea à pas feutrés vers la porte de derrière. Une fois là, elle se rechaussa, puis, courageusement, posa ses mains sur les gonds de cuivre, souffla sur la glace qui menaçait de révéler sa présence plus sûrement qu'un chien de garde. Dans l'après-midi, en effet, Mei-yu avait vérifié quelques détails. Elle avait ainsi constaté que la maudite porte chantait sans discrétion aucune.

Cette fois-ci, par bonheur, la jeune femme put sortir en toute tranquillité. Elle s'aventura donc dans la ruelle, attendit que ses yeux s'habituent à la pénombre touffue. Il faisait nuit noire et même le mince croissant de lune était noyé dans une mer de nuages.

C'est alors qu'elle entendit les pas de Wen-chuan, infimes craquements sur la neige dure. Wen-chuan, qui s'était couvert le visage d'un fichu noir, en tendit un à Mei-yu. Puis, les deux femmes s'enfoncèrent d'un pas vif dans les ténèbres.

Elles arrivèrent à un carrefour situé à la limite de leur quartier et passèrent devant un restaurant rempli de soldats japonais en train de festoyer. Ils riaient bruyamment en levant leurs timbales de fer blanc pleines de saké chaud. D'un trou percé au-dessus de la porte s'échappait une épaisse fumée, lourde des exhalaisons de graisse frite, odeur divinement appétissante pour les deux jeunes filles qui, depuis plus de deux ans, n'avaient pas mangé un seul morceau de viande.

Dehors, devant l'entrée, deux soldats, cigarettes à la bouche, faisaient les cent pas en attendant leurs camarades restés à l'arrière. De temps à autre, l'un d'eux poussait la porte et hurlait quelques mots destinés à presser les retardataires. Tapies sous un porche, Mei-yu et Wen-chuan attendaient, le cœur battant. Mei-yu sentait le froid lui glacer les os, mourait d'envie de taper du pied pour se réchauffer, mais s'efforçait au calme.

Enfin, deux autres soldats sortirent du restaurant. Il y eut encore un échange de plaisanteries, quelques rots sonores, puis les Japonais s'éloignèrent en riant à gorge déployée.

Vives comme l'éclair, Mei-yu et Wen-chuan traversèrent le carrefour, se coulèrent dans les rues noires. Il leur restait encore un bon kilomètre à parcourir.

Tout était calme et les portes des maisons environnantes paraissaient fermées à double tour. L'espace d'un instant, Mei-yu eut l'impression de passer entre les hautes parois d'une gorge profonde et gelée. La ville entière semblait placée sous le sceau du silence. En temps de paix, pourtant, les gens se rendaient souvent visite la nuit. On dînait chez l'un, chez l'autre, on jouait aux cartes, au ma-jong, on répétait de vieilles histoires inscrites de toute éternité dans la mémoire populaire. Cette époque-là était désormais révolue. Comment inviter quelque ami puisque l'on n'avait plus rien à offrir ? Comment raconter des histoires quand on n'avait plus le cœur à rire ?

Pour l'instant, chacun n'avait qu'une préoccupation : la faim. Une faim terrible qui vous tenaillait le ventre.

Quand, finalement, Wen-chuan et Mei-yu parvinrent à hauteur de la maison de Sung-lien, 10 heures n'avaient pas encore sonné. Elles aperçurent, à quelques centaines de mètres, des silhouettes noires de soldats. La gorge nouée par la peur, elles se collèrent contre le mur le plus proche et patientèrent tout en soufflant sur leurs mains pour essayer de les réchauffer. Le froid était odieux.

— Hé, vous là-bas ! Que faites-vous donc ?

Éberluées, les deux amies se retournèrent pour voir surgir un soldat à l'air furibond. Par chance, il semblait seul. Mei-yu le remarqua immédiatement et s'empressa de glisser son bras sous celui de Wen-chuan tout en réfléchissant à une réponse appropriée.

— Nous étions chez des amis et rentrons chez nous, maintenant.

— Chez des amis ? A cette heure-ci ?

Le soldat parlait un chinois impeccable. Sans doute se trouvait-il en poste à Pékin depuis le début de l'occupation.

— Où habitez-vous ?

Il s'approcha, observa Wen-chuan des pieds à la tête. Petit et trapu, il portait l'épais uniforme d'hiver de l'armée ennemie et, avec son bonnet de fourrure aux rabats relevés, ressemblait curieusement à un chien de berger.

— A quelques pas d'ici, lança Mei-yu.

Wen-chuan semblait, en effet, paralysée d'effroi.

— Plus exactement ? reprit le soldat.

— Mais c'est tout près ! dit encore Mei-yu.

— Comment savoir si vous me dites bien la vérité ? insista le Japonais.

Déjà, il levait la main, tirait sur le foulard de Wen-chuan qui se débattit.

— Vous pourriez avoir de gros ennuis, vous savez ! Et si je vous emmenais chez le commandant pour vous faire subir un interrogatoire ? Hein ? Que diriez-vous de passer la nuit en prison ? Hein ?

A ces mots, Mei-yu prit Wen-chuan par le bras et l'attira tout près d'elle.

— Taisez-vous, fit-elle.

L'autorité qui marquait sa propre voix la sidéra, mais elle n'en continua pas moins :

— Laissez-nous tranquille ! Nous n'avons rien fait de mal !

Elle sentait la panique s'emparer de Wen-chuan. Le soldat, lui, retenait son souffle, s'approchait davantage encore. Mei-yu se prépara alors au pire. A n'en pas douter, il fallait envisager la fuite. Elle se raidit, serra plus fort le bras de son amie. Au même moment, une porte de jardin s'ouvrit dans leur dos.

— Que se passe-t-il ? Pourquoi tout ce bruit ? Soldat, vous accompagnez mes sœurs ?

Apparemment très calme, un inconnu s'avançait.

— J'espère que mes sœurs ne vous ont pas trop importuné ! C'est incroyable ! Nous avons passé la soirée à nous inquiéter à leur sujet.

Étonné, le soldat s'exclama :

— Quoi ? Elles habitent ici ?

— Oui, bien sûr, mais, ce soir, ces jeunes demoiselles s'ennuyaient et se sont donc offert une escapade ! Que voulez-vous, c'est le problème de tous les jeunes Pékinois en ce moment. Ils ne savent plus quoi faire et ne se rendent absolument pas compte des problèmes qu'ils causent à leurs proches.

Le soldat, incrédule, examinait ses interlocuteurs avec méfiance. Alors, le jeune inconnu insista :

— N'avez-vous donc pas dit à ce monsieur que vous habitiez ici ? Attention, un de ces jours, vous aurez de sérieux ennuis ! Vous avez de la chance d'avoir rencontré un homme comme lui !

Perplexe, le Japonais hésitait encore.

— Je devrais vous demander vos papiers, dit-il enfin.

L'inconnu farfouilla dans ses poches, en sortit quelque chose qu'il tendit au soldat.

— Tenez, je vous en prie ! Ma famille vous est très obligée.

Le soldat contempla les boucles d'oreilles en or, puis se frotta le nez vigoureusement en signe d'émotion. Un instant, il hésita. Finalement, la cupidité l'emporta.

Il fourra les bijoux dans sa poche et grommela :

— Têtes de linotte !

Rassuré, l'inconnu prit les deux jeunes filles par le bras et les poussa rapidement vers le jardin dont il ferma la porte. Malgré leur apparente désinvolture, ils prêtèrent attention aux mouvements du Japonais, s'arrêtèrent pour écouter le bruit des pas du soldat décroître dans la nuit noire.

Une fois le calme revenu, l'inconnu se pencha, ramassa un sac à dos qui gisait à même la neige.

— Allons-y ! Avec un peu de chance, nous réussirons à atteindre la demeure de Wen-chuan sans autre problème.

Il regarda Mei-yu.

— Seriez-vous Wen-chuan ?

— Non, c'est moi, fit l'intéressée. Merci de votre aide.

— Ce n'était rien !

— Comment vous appelez-vous ?

— Wong Kung-chiao, de Chungking.

— Je vous présente Chen Mei-yu, mon amie.

Ils se serrèrent la main. Dans la pénombre, Mei-yu ne pouvait distinguer ses traits. Seules ses lunettes brillaient faiblement.

— Dépêchons-nous ! Ce sera plus sûr ! déclara Kung-chiao.

Wen-chuan examina la ruelle. Il n'y avait pas âme qui vive.

Vingt minutes plus tard, ils parvenaient à la maison de Wen-chuan qui les fit entrer dans la cuisine où se trouvaient son frère et un autre étudiant. Assis à une table, ils étudiaient un papier et Tsien-tsung faillit manifester une certaine mauvaise humeur, quand il aperçut Kung-chiao aux côtés des deux jeunes filles et se rasséréna.

— Bonsoir, camarade !

La main tendue, il allait au-devant du nouveau venu.

— Pardonne-moi de ne pas t'avoir accueilli moi-même, mais je devais présider une réunion d'urgence. Un délégué du Sian-Fu a été arrêté voici deux semaines et nous venons de l'apprendre aujourd'hui seulement.

Tsien-tsung jeta un coup d'œil sur le papier qu'il avait devant lui.

— Je ne le connais pas personnellement, cependant, on m'a dit qu'il s'agissait d'un membre important du parti et, a priori, la situation se présente très mal pour lui. Enfin, nous n'allons pas parler de ce problème-là, maintenant.

Il releva la tête et adressa un bon sourire à Kung-chiao.

— Bienvenue. J'espère que tu n'as pas eu de difficultés pour trouver la maison ?

— Non ! Tout s'est bien passé.

Wen-chuan, pendant ce temps, filait vers la cuisine afin d'y préparer le thé. C'est à peine si elle lança un regard à Mei-yu qui s'assit discrètement après avoir échangé un signe de politesse avec l'étudiant en qui elle avait reconnu Ping-sung, un camarade de classe. Paupières baissées, elle s'installa donc sur une chaise tout en gardant les mains soigneusement cachées sous l'écharpe que Wen-chuan lui avait donnée. Consciente d'être un élément étranger au groupe, Mei-yu évitait de se mêler de la conversation, mais à l'évidence les autres ne se formalisaient nullement de sa présence parmi eux.

Ping-sung se pencha :

— Wong Kung-chiao, dis-moi... ton voyage jusqu'à Pékin ? Comment s'est-il passé ? Tu as dû braver bien des dangers ?

Kung-chiao hocha la tête.

— Il m'a fallu plus de deux mois pour parcourir la distance séparant ma ville de la capitale. Tu penses bien qu'il s'agit d'une longue histoire et vous êtes sûrement tous très fatigués.

— Non, pas du tout ! Allez, raconte-nous !

Naturellement, les autres s'empressèrent de faire chorus. Un sourire aux lèvres, Kung-chiao déclara alors :

— Je vous assure que c'est une histoire interminable. Néanmoins, je peux vous affirmer que je suis très heureux d'avoir survécu à cette aventure.

Nullement rebuté par cette réponse, Ping-sung insista :

— Tu as pris le train ?

Un pauvre sourire aux lèvres, Kung-chiao acquiesça faiblement. Il paraissait éreinté. Mei-yu le devina aisément bien qu'il s'efforçât de faire bonne figure.

— J'ai commencé mon voyage en train, mais les Japonais n'ont pas tardé à me découvrir. J'ai sauté du wagon en marche et, des semaines durant, j'ai erré de-ci, de-là, en essayant de marchander ma pitance, de me faire transporter dans une charrette. Au début, les villageois se montrèrent très méfiants, mais ils brûlaient du désir d'obtenir des nouvelles de Chungking. D'autre part, ils respectaient ma condition d'étudiant. Pour eux, j'écrivais des lettres, je décryptais des articles, des affiches. Néanmoins, je crois que mes lunettes les impressionnaient par-dessus tout.

Il pouffa de rire. Kung-chiao avait les traits anguleux, un

front haut et les pommettes marquées dans un visage fin. Ses yeux sombres, très noirs derrière ses verres avaient une intensité qui frappa Mei-yu au point qu'elle ne put soutenir son regard.

Lui, cependant, poursuivait son récit entre deux gorgées de thé :

— Je dois beaucoup aux villageois. Sans eux, je n'aurais pu survivre. J'en suis certain.

Le groupe observait en silence cet homme qui venait de si loin quand, finalement, Tsien-tsung déclara :

— Te voici maintenant parmi nous, camarade, et, d'avance, nous te remercions de l'aide que tu vas nous apporter quant à l'organisation de la manifestation. Son succès prouvera aux Japonais l'importance croissante du parti.

— Oui, dit Wen-chuan, et, une fois les Japonais chassés, nous unirons nos forces afin que la Chine recouvre son indépendance et sa gloire.

Imperturbable, Kung-chiao taquinait les feuilles de thé au fond de sa tasse.

— Vous voilà bien tranquilles, mes amis, lança Tsieng-tsung. Douteriez-vous des résultats de la manifestation ?

Kung-chiao sourit.

— Non. Si la manifestation se solde par un succès, nous aurons accompli une véritable prouesse. Cependant, il nous reste encore beaucoup à faire au sujet de son organisation. Nous devrons attendre et nous montrer vigilants quant au développement des événements.

— Je suis convaincu que ce sera un succès ! s'écria Ping-sung.

Mei-yu remarqua le zèle patriotique qui transpirait sur son visage, l'agitation qui secouait sa grande main d'adolescent, puis son attention revint se porter sur les visages des gens présents autour de la table. Tsien-tsung se carrait à nouveau dans son fauteuil, ne relevait la tête qu'à de brefs moments pour sourire des éclats de Ping-sung. Ses yeux demeuraient braqués sur le bout de papier qu'il tenait à la main. Mei-yu voyait bien qu'il cherchait à mieux déchiffrer ces lignes qui dansaient devant lui, qui le narguaient. Sans doute cherchait-il une réponse.

Wen-chuan, elle, semblait possédée par une ferveur identique à celle de Ping-sung. Ces deux-là ont un grain de folie, se dit Mei-yu tandis que son amie, les yeux brillants, lui versait une nouvelle tasse de thé. Un peu gênée, Mei-yu évita le regard de la jeune femme, cacha vivement les mains sous le foulard noir et lâcha quelques remerciements confus.

Quelques instants durant, elle observa la vapeur qui s'élevait paisiblement au-dessus des tasses, puis releva la tête pour examiner Kung-chiao, assis juste en face d'elle. Leurs regards se croisèrent et Mei-yu comprit alors qu'il avait dû l'étudier depuis un bon moment. Elle devina également son assurance tranquille, sa force secrète et, embarrassée par cette certitude, se détourna. Elle ne put cependant nier l'évidence : Kung-chiao lisait en elle comme dans un livre ouvert. Quand, un peu plus tard, elle trouva le courage de soutenir le feu de ses prunelles, les deux jeunes gens se contemplèrent très longuement : ils s'étaient reconnus.

Aujourd'hui, nul ne les entourait plus et Kung-chiao, assis en face d'elle, avalait son plat de riz à grand renfort de bruits divers. Les lunettes couvertes de buée, il parcourait le livre posé à côté de l'assiette dont il raclait le fond avec une constance exaspérante. A croire qu'il engloutissait son dernier repas, songea Mei-Yu qui s'efforça de dissimuler son dégoût derrière quelque remarque enjouée :

— Vas-tu passer la journée à la bibliothèque? Je te prépare quelque chose à manger?

Elle s'exprimait en mandarin. D'ailleurs, tous les Pékinois s'exprimaient en mandarin.

Il releva la tête. Mei-Yu lui tournait le dos afin de mieux

dissimuler son mépris, il le savait. Une bouffée de colère le saisit. Pourquoi lui parlait-elle seulement ? Pour faire étalage de son bel accent précieux ?

Kung-chiao avait tellement conscience de ses intonations paysannes que la honte le brûlait, mais il répondit néanmoins d'un ton paisible :

— Ne t'inquiète pas. J'irai à la caféteria.

Bravade ! Il provoquait la jeune femme, cherchait à aiguiser sa colère. Il ne supportait plus ses gestes soi-disant généreux et se révoltait.

Elle, de son côté, pestait. Son mari ignorait-il donc qu'elle serait obligée de partager avec la petite quelques maigres légumes obtenus grâce à la générosité de Bao pendant qu'il se restaurerait à grands frais ?

— N'oublie pas que Roger et Diana viennent nous rendre visite ce soir, fit-il en boutonnant sa chemise.

Occupée à donner les restes de nourriture à Fernadina, Mei-yu ne pipa mot. L'enfant, cependant, très raide sur sa chaise, ne quittait pas son père du regard.

— Je serai là à 6 heures.

Au même moment, Mei-yu se tourna et, pour la première fois de la journée, le fixa droit dans les yeux. Kung-chiao sentit son cœur bondir dans sa poitrine. Légèrement penchée sur le couvre-lit, elle le contemplait, son visage ivoire noyé dans la masse de ses cheveux mousseux, aux reflets presque mauves et, dans ses prunelles de braise, il vit luire un puissant génie. Génie de la misère ? Des reproches amers ? songea-t-il sans pouvoir trouver de réponse.

— Le dîner sera prêt, dit-elle alors d'une voix qui vibrait bizarrement.

Cette fois-ci, elle avait gagné et le savait.

A 10 heures et demie du matin, Mott Street pétillait d'animation. Tout le monde se préparait pour les clients de midi. Mei-yu, Fernadina à la main, longeait les paniers de moutarde et de céleri, autant de légumes tout juste livrés du New Jersey voisin. Sur le seuil de leur magasin des commerçants agitaient avec conviction qui des banderolles colorées, qui des éventails en papier parfumés au musc et au santal, qui, enfin, des jouets en plastique fabriqués à Hong Kong. Devant les étals des bouquinistes frémissaient, ici, des cerfs-volants, déguisés en féroces dragons, là des carillons au son délicat. Le fumet de la viande qui, pendue à quelque crochet, dorait doucement au-dessus de braises de charbon donnait à l'air alentour une touffeur accrue. Il y avait aussi ce crépitement fou de la chair rôtie qui se répercutait, amplifié, jusque dans la rue et qui suscitait, chez Mei-yu, des fantasmes épouvantables et angoissants.

Pourtant, là n'était point la cause de sa précipitation. Non, elle se hâtait pour ne pas sentir le regard des autres femmes de la rue peser sur elle. Elle les entendait murmurer son nom avec leurs lourds accents cantonais. Ouvertement. Les mots portés par la brise légère provoquée par les éventails déchaînés flottaient jusqu'à ses oreilles. Alors, elle serrait plus fort la main de Fernadina, marchait vivement vers Pell Street.

Pell Street, une rue plus étroite, plus fraîche aussi. Les gens, assis sur le perron de leur demeure, lisaient, tête baissée, la presse chinoise. Les restaurants offraient des salles propres, des menus, et les murs tapissés de papiers ne portaient nulle inscription sordide.

Ensemble, Mei-yu et Fernadina parvenaient jusqu'au grand bâtiment rouge. Le hall, sombre et pétri de fraîcheur, sentait l'encens. Fernadina s'amusait à faire glisser sa main sur la surface inégale du crépi de plâtre. Elle aimait beaucoup Mme Peng.

— Entrez, entrez !

La vieille dame, dodelinant de la tête, les invitait à entrer, puis prenait Fernadina dans ses bras, la taquinait d'un pincement léger. En ces lieux, l'enfant se trouvait à l'aise, reniflait avec délices l'odeur curieuse et pourtant familière du camphre. A ses yeux, Mme Peng et ses sourcils épilés jusqu'à ne plus former qu'un mince filet brun évoquait un melon.

Mme Peng, elle, fourrait des trésors dans les poches de la petite et glapissait d'un ton triomphant :

— Petit écureuil, j'ai tes douceurs à la noix de coco ! Tu es contente ? Allez ! Va jouer avec Min-di, mais reviens ensuite me raconter tes fous rires.

Bien entendu, Fernadina refermait avidement les mains sur ses sucreries et filait vers la cuisine où elle savait devoir trouver le carlin brun foncé dont les gémissements s'entendaient de loin.

Mei-yu suivait Mme Peng au salon et, chaque fois, s'émouvait de l'obscurité des lieux. Elle avait tout d'abord des difficultés à s'accoutumer à la pénombre, comme si elle eût scruté un tableau à dominante noire durant de longues minutes avant de parvenir à distinguer enfin les silhouettes des sujets, mais, peu à peu, elle discernait les contours de la pièce. Il y avait ainsi, le long du mur, plusieurs meubles en bois de rose recouverts de soie vert foncé rebrodée de dragons bleu et or qui ondulaient sur les sièges avec un réalisme sidérant. Les fenêtres, elles, demeuraient résolument closes à la lumière du jour, et une lampe, une seule, placée à côté du sofa, distillait une vague lueur douce au travers de l'abat-jour en carton plissé. Au centre de la pièce, derrière la chaise qui faisait face au sofa, trônait un paravent en bois travaillé dont Mei-yu admirait les entrelacs compliqués et le parfait état. Aux pieds de la jeune femme, un tapis bleu foncé, épais, étouffait, tout comme les tentures de soie lourde, les moindres bruits. Mei-yu avait ainsi l'impression de déambuler dans une nef de ténèbres tranquilles, à l'écart du monde extérieur. Pourtant, sa sensation d'apaisement faisait vite place à un autre sentiment. Au bout de quelques minutes, en effet, Mei-yu trouvait que la pièce devenait trop noire, trop paisible, qu'elle s'inscrivait dans l'infini, et elle mourait d'envie de déchiffrer les ombres biscornues aperçues derrière l'écran du coffre de bois brun ou même dans le recoin le plus éloigné, le plus mystérieux peut-être.

Mme Peng s'asseyait sur le sofa et, de la main, invitait Mei-yu à prendre place sur la chaise en face d'elle. Mei-yu s'asseyait donc et il lui semblait alors sentir se refermer sur ses épaules les éléments rigides du paravent de bois sculpté.

— Je tenais à te parler personnellement aujourd'hui car j'ai quelque chose d'important à te demander, Mei-yu.

La vieille femme, incrustée dans les coussins du sofa, balançait de la tête comme si son corps n'eût pu supporter pareil faix.

— La nièce du colonel Chang m'a passé une commande. Elle aimerait qu'on lui fasse une veste de cérémonie sur mesures.

Mme Peng se frappa la tempe de la main.

— J'ai tout de suite pensé à toi ! D'ordinaire, je ne traite pas avec ce secteur de Chinatown, mais la nièce du colonel Chang est une belle et riche jeune femme et elle a offert une coquette somme pour ce travail. D'autre part...

Là, Mme Peng eut un rire un peu sec.

— Il me serait difficile de ne pas répondre aux souhaits de la nièce du colonel Chang, non ?

Mei-yu acquiesça. Qui aurait pu ignorer pareil nom ? Tout le monde, ici, murmurait que ledit colonel possédait Chinatown dans sa totalité.

— Je te laisse juge du motif, ajouta Mme Peng. Il serait présomptueux de ma part de te conseiller dans ce domaine, mais je me permettrai de te dire que la jeune femme désire quelque chose d'élégant et de simple. Rien à voir avec ces horreurs que nous recevons à l'heure actuelle de Hong Kong.

— Aurai-je de la soie de qualité supérieure ? s'enquit Mei-yu.

— Oui. J'ai prévenu Mei-ling. Elle te montrera la soie que l'Union vient de recevoir : une pure merveille !

Sur ces mots, Mme Peng observa Mei-yu assise à moins de deux mètres d'elle.

— Je te devine ravie, Mei-yu. Tant mieux ! Cette veste est très importante. En fait, la tâche la plus importante de l'année. A toi de donner le meilleur de toi-même !

— Oui, je comprends.

La jeune femme avait du mal à maîtriser l'excitation qui l'envahissait, l'impatience qui la poussait à courir jusqu'à l'Union pour y choisir le plus beau tissu, mais Mme Peng était loin d'en avoir fini avec elle.

La vieille dame agita la petite cloche invitant la servante à se présenter avec un plateau chargé de thé vert et de bonnes choses à manger, puis déclara d'une voix légère, presque frivole :

— Dis-moi... les autres femmes continuent-elles leur vilain manège à ton égard ?

Les yeux rivés sur le tapis, Mei-yu ne répondit mot.

— Oh ! Quelles paysannes stupides ! Je leur alloue les meilleures mains de Chinatown, je leur donne l'œil le plus apte à recréer formes et couleurs, et que font-elles sinon mépriser la chance ? Mei-yu, raconte-moi leur attitude : elles évitent de te parler ? Elles t'ignorent ?

Mei-yu acquiesça d'un signe de tête.

— As-tu terminé la robe du mariage Moy ?

— Oui.

— Quel chef-d'œuvre ! Je l'ai vu dès que tu l'as coupée !

Elle eut une grimace dédaigneuse.

— Je m'estime trop bien pour les fréquenter, pensent-elles.

— Quelles idiotes ! On pourrait croire que les vieilles rancœurs entre gens du nord et gens du sud seraient abolies, maintenant que nous voici tous en Amérique ! Et non ! C'est pire encore ! Sais-tu pourquoi ? Elles vous envient, toi et Kung-chiao, parce que vous parlez anglais, que vous avez fait des études en Chine. Elles savent qu'un jour toi et ton mari quitterez Chinatown pour devenir des Américains à part entière.

— Mais je suis fière d'être Chinoise ! s'écria Mei-yu.

Un rien agacée, Mme Peng rétorqua sèchement :

— Es-tu fière d'être pauvre aussi ? De manger des restes de porc trouvés au hasard des restaurants ? Allons, en ce cas, pourquoi avoir appelé ta fille Sing-hua, Fernadina ? N'est-ce pas un nom américain, Fernadina ?

— Tel était le désir de Kung-Chiao ! répondit Mei-yu d'une voix étrangement rauque.

— A quoi bon dissimuler ton orgueil, ma petite fille ?

Sous les sourcils hauts et finement épilés, le regard vif de Mme Peng exprimait un perpétuel étonnement.

— Voici trois ans que tu vis à Chinatown... dis-moi... n'as-tu jamais souhaité la mort ? N'as-tu jamais regretté ce voyage absurde qui a conduit tes pas jusqu'ici ? N'as-tu jamais proféré de mots amers à l'encontre du monde entier afin d'apaiser ta détresse ?

La main hésitante au-dessus de la baguette de laque noire qui retenait ses cheveux, Mei-yu n'osait répliquer. Satisfaite, Mme Peng se rejeta sur les coussins de soie du sofa. Pourtant, lorsqu'elle reprit la parole, sa voix parut lourde de fatigue.

— Quel âge as-tu ? Vingt-quatre, vingt-cinq ans ? Tu es bien jeune et, déjà, tu as souffert, mais tu n'as pas encore connu la vraie nature de la souffrance.

Ces mots piquèrent Mei-yu qui sursauta, révoltée. Et la faim qui, chaque matin, lui nouait l'estomac, était-elle donc insignifiante aux yeux de Mme Peng ? Cependant... Mei-yu n'avait-elle pas une famille, un foyer ? Brusquement, la jeune femme éprouva une honte terrible. Comment osait-elle dévoiler des préoccupations aussi vulgaires ?

Au même instant, la servante entra et posa sur la table basse un plateau où trônaient tasses, théière ainsi qu'une assiette remplie de flans. Mme Peng se pencha, huma les pâtisseries. Quand elle releva la tête, elle roulait des yeux furieux et agitait un doigt menaçant sous le nez de la servante.

— Où sont les gâteaux aux amandes, Ya-mei ? je suis allée les acheter moi-même, ce matin !

Pliée en deux, Ya-mei répondit :

— Je n'ai pas vu de gâteaux aux amandes, madame.

— Je les ai déposés sur le plan de travail de la cuisine.

Pour toute réponse, Ya-mei se plia encore un peu plus.

Ennuyée, Mme Peng déclara d'un ton pincé :

— Oh ! Tant pis, il va me falloir aller jusqu'à la cuisine !

— Je suis désolée, madame, fit Ya-mei en battant en retraite.

— Je vous en prie, ne prenez pas cette peine ! s'écria Mei-yu qui se leva d'un bond.

Mais Mme Peng avait déjà enfilé ses chaussons de soie tandis que la pauvre Ya-mei la suivait à petits pas coupables.

Seule devant la table basse, Mei-yu contemplait les flans, respirait les odeurs mêlées de la vanille, du sucre, des œufs. Souvent, elle avait observé son amie Ah-chin, dans la pâtisserie au bout de la rue, préparer pareilles merveilles. A base de saindoux, la pâte, tendre, croustillante, se défaisait dans la main. Quant à la crème, elle tremblait doucement lorsqu'on la portait à la bouche. Mei-yu n'avait pas mangé de flan depuis le jour où Kung-chiao en avait rapporté un à la maison, pour le nouvel an. En Chine, pourtant, dans la demeure de son père, il suffisait d'une simple fête pour que les tables croulent sous les gâteaux.

Rien que d'y penser, Mei-yu en fut si émue qu'elle se pourlécha les lèvres. L'espace d'un instant, elle osa même rêver en engloutir un avant le retour de Mme Peng. Hélas ! cette pensée ne l'avait pas plus tôt effleurée que la honte la saisit. Elle s'imagina prise sur le fait, la bouche pleine de flan. Décidée aussitôt à affronter la réalité, la jeune femme se carra dans sa chaise et attendit. Sous sa main, elle sentait la texture douce et polie du bois et suivait du doigt le dessin du travail sculpté. Sa famille possédait semblables meubles, aussi luxueux, aussi beaux. Elle revoyait les fêtes où membres de la maisonnée et invités s'asseyaient autour de la table et se servaient allègrement en litchis, oranges ou poires. Elle se revoyait main tendue vers le lieu du festin, elle se revoyait, enfant, qui veillait à ne pas tremper les manches de soie de sa tenue dans quelque triste piège. En face d'elle se tenaient ses frères, Hung-bao et Hung-chien. Hung-bao, le plus vieux des deux, avait deux ans de moins que Mei-yu et regardait avidement les flans. Mei-yu percevait d'ailleurs le léger tremblement du meuble, légères vibrations provoquées par les coups de pied répétés du bambin énervé. Hung-chien avait, lui, trois ans de différence avec Mei-yu et observait un calme olympien. Le gamin se contentait d'ouvrir des calots démesurément grands, de ces calots ronds comme des billes, tandis qu'il écoutait à demi la conversation des adultes dans l'espoir d'y trouver un signal au festin. Mei-yu était l'aînée. Consciente de son importance et de la dignité qui s'attachait à cet état, elle s'efforçait de détourner le regard et ne revenait poser l'œil sur les gâteaux qu'à de brefs moments. Elle aussi prêtait l'oreille au papotage des adultes tout en étudiant les visages de sa mère, de son père, des invités qui opinaient du bonnet avec une fâcheuse mollesse : tous avaient déjà beaucoup festoyé et il leur venait donc de ces somnolences digestives peu originales. L'air impassible, la toute jeune fille remarquait les bâillements étouffés sous les mouchoirs de soie, notait les longues plages de silence qui s'étiraient entre deux rires doux. Sa mère, alors, versait un peu plus de thé à ses hôtes et Mei-yu admirait ses mains blanches et fines, ses ongles délicatement bombés... Puis, à la dérobée, elle apercevait son père qui s'emparait d'une assiette pour la passer à l'un des invités. On s'esclaffait et l'assiette, enfin, lui revenait, à elle, Mei-yu. Les enfants d'abord, avait déclaré le brave homme. La table, comme par enchantement, cessait alors de s'agiter.

Ce jour-là, Mei-yu avait observé Hung-bao, son visage

pétri d'émotion. Dignement, elle avait posé son gâteau devant elle quand, soudain... d'un geste sec, Hung-bao avait englouti son trésor et offrait à tous une image désopilante car sur sa peau brune se mélangeaient pâte, crème et vague honte. Comme une traînée de poudre, le rire avait fait le tour de la table, puis la mère de Mei-yu, à nouveau, avait servi le thé.

Assise dans le salon de Mme Peng, Mei-yu contemplait les flans apparemment identiques à ceux de son enfance. Aujourd'hui, pourtant, personne ne lui tendait l'assiette. Mei-yu n'y avait pas droit et le savait.

— Devant ses yeux ! Elle n'a rien vu ! gémissait Mme Peng qui revenait avec, à la main, un plat chargé de gâteaux aux amandes. Souriante, Mei-yu observa la vieille dame tandis qu'elle versait le thé vert dans les tasses en porcelaine. Sur les doigts fatigués, des bagues de diverses formes où des pierres précieuses de toutes couleurs lançaient mille éclats dans un sertissage précieux... retenaient l'attention de la jeune femme qui s'interrogeait : d'où tenait-elle ces bagues ? D'où venait-elle aussi ? Mme Peng, chose rare chez les gens influents de Chinatown, parlait le mandarin, mais Mei-yu n'aurait pu définir l'origine de son accent. Certains affirmaient qu'elle avait été l'épouse d'un général tombé en disgrâce peu avant sa mort. Par ailleurs, si Mme Peng était maintenant une personne aisée, pourquoi continuait-elle à s'occuper de ses affaires de couture ? A son sujet, les langues allaient bon train. Chacun avait une histoire à raconter.

Mei-yu hésita, releva les yeux.

— Madame Peng, fit-elle.

La vieille dame lui sourit, puis lui passa l'assiette de gâteaux.

— Je t'en prie. Je crois savoir ce que tu vas me demander.

Mei-yu prit une pâtisserie, la posa à côté de sa tasse.

— Madame... si vous me permettez... pourquoi vivez-vous toujours à Chinatown ?

— Parce que je suis trop vieille pour changer mes habitudes ! répliqua vivement Mme Peng.

La main nerveuse, elle s'essuya les lèvres à l'aide d'un mouchoir de soie.

— D'autre part, je jouis d'un certain pouvoir ici. Les gens me respectent. Ailleurs, que serais-je ? Un malheureux oiseau à qui l'on aurait coupé les ailes, voilà tout ! Mon fils, lui, vit à Washington. C'est un avocat qui a la vie facile. Un vrai Américain, maintenant.

La jeune femme entendit le rire cristallin de Fernadina dans la cuisine, les grognements du carlin.

— J'ai peur, madame Peng.

La vieille dame acquiesça.

— Mon anglais n'est pas aussi bon que celui de Kung-chiao.

— En ce cas, retourne à l'école !

Découragée, Mei-yu haussa les épaules. A quoi bon caresser une telle absurdité ? Où trouver l'argent ? Et qui veillerait sur Fernadina ?

— Tu trouveras bien un moyen, Mei-yu. Tu es très douée. Dès que j'ai vu ton travail, j'ai compris que tu n'avais rien d'une paysanne ni même d'une ouvrière. Ensuite, j'ai appris que tu avais fait des études supérieures et je me suis dit : c'est incroyable, que fait donc cette perle au beau milieu de Chinatown ?

Sur ce, Mme Peng se tut, comme si elle attendait une explication.

Alors, précipitamment, Mei-yu lança :

— Kung-chiao a un cousin éloigné, un cousin au deuxième degré, à Manhattan. C'est grâce à lui que Kung-chiao a pu entrer à l'université de New York. Pour le logement, c'était Chinatown le quartier le moins cher. Ce cousin est très généreux, Mme Peng... je vous assure.

D'un geste, Mme Peng l'arrêta.

— Ne m'en dis pas davantage ! Je sais parfaitement ce qu'est ce genre de proche !

Le grognement dans la cuisine prit de l'ampleur. Fernadina d'ailleurs s'en mêlait. Mei-yu distinguait bien ses cris de ceux du chien.

— Madame Peng ! J'abuse de votre temps ! Il est l'heure maintenant d'aller tirer d'affaire ce pauvre Min-di ! Sing-hua ne lui laisse aucun répit !

— Ne t'inquiète pas, Mei-yu. Aïe ! Tu n'as rien mangé ! Ce n'est guère poli, ma chère enfant !

La jeune femme s'empara donc d'un gâteau aux amandes. Elle mourait d'envie de goûter aux flancs, imaginait la scène, les miettes sur sa robe, sur la chaise recouverte de soie... Mme Peng surprit son regard.

— Tu es bien trop mince, Mei-yu. Mange davantage.

Impassible, Mei-yu se borna à acquiescer de la tête, mais déjà la vieille dame se levait, ramassait l'assiette de gâteaux.

— Venez, nous allons emballer tout cela.

Bouleversée, Mei-yu sauta sur ses pieds et s'écria :

— Oh ! Madame Peng ! Je vous en prie ! Vous avez déjà tant fait pour nous...

— Balivernes !

Un rien bourrue, Mme Peng filait vers la cuisine. Sur le seuil, elle s'arrêta cependant :

— Quant aux autres femmes, ne te mets pas martel en tête, mon enfant ! Elles ne savent que médire. Laisse-les faire. Tu vaux mieux que cela. Ignore-les.

Pendant que, sur les ordres de sa maîtresse, Ya-mei empaquetait les gâteaux, Mei-yu attendit dans l'entrée. Quand, enfin, Mme Peng se retourna, elle lui confia :

— Je me suis efforcée de les ignorer et je crois que c'est précisément pour cette raison qu'elles m'en veulent tant !

— En ce cas, à toi de te montrer forte, n'est-ce pas ? Cela dit, je suis convaincue que tu as du courage à revendre ! riposta Mme Peng.

Gentiment, elle l'encourageait d'une caresse affectueuse sur le bras.

— Reviens me voir bientôt, Mei-yu, et transmets mes amitiés à Kung-chiao. Je me suis laissé dire qu'il était parmi les meilleurs de sa classe.

Ainsi, on parlait également de Kung-chiao, songea Mei-yu. Après tout, ce n'était pas surprenant !

A cet instant-là, Fernadina jaillit de la cuisine avec le chien sur ses talons et, une fois encore, Mme Peng lui emplit les poches de sucreries à la noix de coco. Amadouée, l'enfant consentit à se laisser caresser la tête l'espace d'une minute avant de suivre sa mère.

Madame Peng ignore-t-elle quoi que ce soit de la vie secrète de Chinatown ? se demanda Mei-yu tandis qu'elles cheminaient dans Pell Street. Apparemment, la vieille femme disposait de précieuses sources d'information qui lui permettaient de se repérer aisément dans ce véritable labyrinthe qu'était le ghetto chinois. Mei-yu n'avait pas oublié la manière dont Mme Peng l'avait invitée à se présenter devant elle. La jeune femme venait tout juste de terminer une superbe veste pour l'épouse d'un riche marchand de Mulberry Street. L'art de la couture n'avait, par chance, aucun secret pour Mei-yu qui le tenait de Hsiao Pei, sa servante à Pékin. A l'époque, c'était pour la jeune femme une activité plaisante, un passe-temps pour lequel elle montrait plus que des dispositions, du talent. Entre ses doigts de fée, le tissu obéissait, adoptait une élégance naturelle, une ligne parfaite et ses ciseaux accomplissaient des prodiges. Mme Peng affirmait d'ailleurs que les créations de Mei-yu débordaient de vie. Dès leur première entrevue, elle le lui avait dit dans l'ombre touffue de son salon douillet, ce salon où se concluaient tant de tractations. Plus tard, Mei-yu se demanda pourquoi Mme Peng lui accordait tant d'attention, pourquoi elle se faisait si proche, pourquoi elle aidait une fille de mandarin, mais ne put trouver de réponse satisfaisante.

Main dans la main, Mei-yu et Fernadina avançaient maintenant dans Mott Street. La mère, heureuse, regardait son enfant et souriait de la voir glisser entre les feuilles de laitue qui gisaient sur le trottoir ponctué de flaques d'eau grasse. Fernadina avait la poigne solide, ferme, et, parfois, sa menotte se refermait avec force sur la main de Mei-yu comme si elle eut voulu décider elle-même de la suite de la journée. L'expression de son visage était si éloquente que sa mère se laissait faire, suivait. Quand, enfin, elles parvinrent devant le Sun Wah, elles jetèrent un bref coup d'œil à l'intérieur.

Il était presque midi. Ouvriers chinois et américains se pressaient autour des tables. Aux Américains, Bao fournissait un menu gribouillé en anglais, mais les Chinois s'en passaient. Ils savaient ce qu'ils voulaient, ce que Bao leur proposait. D'ailleurs, si le chef avait, ce jour-là, un plat spécial à suggérer, il l'annonçait par l'intermédiaire d'une immense affiche pendue à mi-chemin entre la cuisine et la porte d'entrée. Les trois serveurs, à la taille de guêpe, notaient précipitamment les commandes et couraient tout aussi précipitamment les transmettre à qui de droit. De temps à autre, un Américain osait demander une explication. En ce cas, le serveur se tenait à distance respectueuse, fixait avec acuité son bloc de papier et attendait la suite.

— Pourriez-vous m'expliquer ce qu'est un rouleau de printemps ?

— N'méro cinque ? N'méro cinque vous voulé ?

— C'est un rouleau impérial ?

— Oui, bien sûr ! Préné n'méro cinque, m'sieur, je suis sûr que vous aimez beaucoup.

Tout en parlant, le serveur pointait un crayon agité sur le menu graisseux.

— Oui, mais je préférerais commencer par un rouleau de printemps, s'il y a bien des crevettes dedans...

Peine perdue ! Le pauvre bougre n'avait pas le temps

d'achever sa phrase que le serveur avait déjà disparu en glapissant des mots inintelligibles en dialecte cantonais.

Dans l'enceinte sacrée qu'était la cuisine, Bao faisait frire les fameuses crevettes, Bao dont le dos douloureux se pliait chaque jour davantage. Debout à 6 heures et demie, il hachait menu viande et légumes jusqu'à 10 heures passées. Ensuite, il lui fallait surveiller l'ordonnance des tables. Le couvert était-il bien mis ? Et le plongeur ? Tong avait trouvé mieux, sur Mulberry Street, il était donc indispensable de mettre une annonce dans le quotidien de Chinatown. Et puis... qu'avait-il d'autre encore à faire ? Ah oui ! Donner une calotte aux serveurs qui s'étaient présentés avec des chaussures sales, réfléchir au pot-de-vin pour le responsable de l'hygiène sous peine de se voir refuser la précieuse autorisation. Qu'allait-il lui donner cette fois-ci ? Deux canards rôtis, un panier d'œufs salés, une tête de cochon braisée ?

Pour l'heure, la cuisine avait drôle d'allure avec ses vapeurs d'huile qui envahissaient l'air ambiant. Bao et Shen offraient cependant l'image exemplaire de l'harmonie. Les deux hommes évoluaient avec un parfait synchronisme dans cet espace réduit et, sans la moindre anicroche, se jouaient des poêles noircies où ils jetaient du bout de leurs baguettes maints morceaux de viande.

Pour Bao, ces instants-là avaient tout d'un calvaire et le malheureux, rompu, pliait les genoux dans l'espoir de ménager son dos endolori.

Le restaurant ne fermait pas de l'après-midi et il arrivait, fréquemment, qu'un Chinois vienne, vers 3 ou 4 heures, afin de déguster un petit quelque chose, comme une friture de porc accompagnée de thé vert.

Un peu plus tard, c'était au tour des Américains de se manifester. Ils arrivaient en groupe et, comme s'ils avaient formé une grande famille, l'un d'eux expliquait d'un ton docte les spécialités de la maison. Invariablement, ce chef spontané finissait par passer commande, au grand dam de ses compagnons qui étouffaient difficilement leurs murmures de protestations. Eux, partager les mets ? Quelle idée !

Bao en personne apportait alors les plats devant les nouveaux venus. Très digne, il posait sur la table ovale un plateau immense où trônait une véritable débauche d'encornets aux tentacules appétissants, voire un poisson aux yeux encore ouverts. Puis, le chef improvisé s'avisait d'expliquer la technique des baguettes.

— Regardez, disait-il. Vous placez la première sur votre quatrième doigt tandis que l'autre se pose là, sur le dessus, de façon à former une pince. C'est simple !

Débordant d'enthousiasme, il piquait gaillardement au beau milieu des calmars avant de demander d'un ton inquiet :

— Avions-nous commandé tout cela ?

L'œil torve, il consultait Bao. Bao qui arrivait avec, dans les bras, les chow-mein ou les plats de nouilles désirés par le reste du groupe.

Six fois par semaine, le Sun-Wah fermait ses portes à 2 heures du matin. Le dimanche, Bao allait à Brooklyn, rendre visite à sa vieille tante.

La voix grasseyante, celle-ci lui disait à chaque fois :

— Oublie que la dernière s'est enfuie, mon enfant, et épouse donc une vraie Chinoise. Elle saura partager ton fardeau.

Bao avalait alors son dîner sans mot dire, dégustait son thé. A quarante-six ans, il était bien trop fatigué pour discuter davantage.

Fernadina dormait. Dans la fournaise de l'après-midi, Mei-yu, assise devant la petite table de métal, essuyait doucement la transpiration qui couvrait son visage tout en étudiant le dessin qu'elle venait de jeter sur le papier. L'air était si lourd d'humidité qu'elle en étouffait. Elle sentait même le poids de la chaleur peser sur ses paupières, sur le crayon qu'elle tenait en main. Le crayon se montrait buté, aujourd'hui, d'ailleurs. Il se refusait à bouger. Elle aurait souhaité trouver une ligne nouvelle, un modèle original qui lui trottait dans la tête.

Brusquement, avant même qu'il n'eût émis le moindre son, Mei-yu sut qu'il était là. Elle fila prestement vers le vestibule et ouvrit la porte avant qu'il eût pu frapper et réveiller la petite. Une fois sur le palier, elle lui fit face.

— Je vous avais demandé de ne jamais venir ici, de me laisser tranquille.

— Mei-yu... fit-il.

Elle détourna la tête. En bas, plus bas, une porte venait de claquer.

— L'escalier ! dit-elle.

Aussitôt, ils descendirent quelques marches.

— Il vous faut partir, ajouta-t-elle encore. Sur-le-champ.

Pourquoi avait-elle quitté son appartement ? Que faisait-elle dans cet escalier en sa compagnie ? se demanda-t-elle. Deux marches plus haut, Yung-shan la contemplait. Habillé à l'occidentale, Yung-shan portait des chaussures en cuir véritable et ses épais cheveux noirs avaient un pli naturel qui ne devait rien à ces huiles dont s'enduisaient les autres Chinois. Yung-shan n'avait pas davantage cette taille de guêpe que Mei-yu abhorrait. Non, il incarnait la virilité, la solidité. Mei-yu sentait sur elle le poids de son regard et une bouffée de chaleur lui brûla les joues, le cœur.

— Mei-yu, insista-t-il.

Il faillit lui prendre la main, mais, elle, têtue, se croisa délibérément les bras sur la poitrine, puis, un brin de panique dans la voix, lança dans un murmure :

— Jamais, je ne vous ai donné le moindre espoir ! Vous savez que je ne peux pas... que je ne peux pas faire ce que vous voulez.

Patiemment, il attendait tandis qu'elle remarquait ses prunelles claires, bien plus claires que celles de Kung-chiao, ses mains puissantes aux longs doigts fins, à la paume sensuelle.

— Je peux t'offrir tout ce que tu désires, dit-il. Tu connais ma situation.

A sa grande horreur, la jeune femme sentit ses résolutions fléchir. Ce fut très bref, bien sûr, pourtant, l'espace d'un instant, la tête lui tourna. Rapidement, néanmoins, elle se reprit et déclara :

— Je n'ai pas peur de vous, Yung-shan. Vous êtes le fils du colonel Chang, je le sais. Peu m'importe ! Je ne suis pas à vendre.

D'une voix très douce, il répliqua.

— J'avais espéré... enfin... tu as dû le deviner... Je ne songeais nullement à t'acheter. Loin de moi une telle idée.

Il semblait si gentil, si délicat. Pour un peu, Mei-yu eut juré qu'il avait du chagrin. Elle éprouvait même un rien de compassion pour lui, sentiment qui l'agaça bien vite. Comment pouvait-on éprouver de la compassion envers un être tel que Yung-shan ? Cette simple constatation lui redonna du courage.

— Il est grand temps que j'aille rejoindre mon enfant !

Elle aurait préféré qu'il redescende l'escalier, qu'il passe devant elle. Elle attendit donc. En vain. Yung-shan demeurait figé comme une statue de sel. En désespoir de cause, elle se résigna, grimpa les marches...

Yung-shan n'esquissa pas le moindre geste. En revanche, il remarqua d'une voix lasse :

— Tu commets une erreur, Mei-yu.

Déjà, elle avait regagné le seuil de l'appartement. Quand elle se retourna, Yung-Shan avait disparu.

Assis dans la bibliothèque de l'université, Kung-chiao s'efforçait d'oublier la faim qui lui nouait le ventre. Il s'était privé de déjeuner et, de toute façon, l'odeur des macaronis au fromage lui soulevait le cœur. Ici, à l'ombre des étagères surchargées de manuels, il pouvait s'abandonner à une souffrance physique perverse : la faim. De ce jeûne, il ne soufflerait mot à Mei-yu. Elle voyait en lui un gaspilleur, un profiteur qui jetait par les fenêtres l'argent qu'elle gagnait à grand-peine ? Tant pis pour elle ! Elle allait jouer de bouderies ? Servir le dîner d'un air pincé ? Lui jeter des regards noirs tandis qu'il baignerait Fernadina ? Tant pis pour elle ! Kung-chiao attendrait que la nuit tombe, que Mei-yu lui oppose un dos hostile pour lui remettre l'argent, le fruit de ses privations.

A cette idée, il hocha la tête. Son attitude était absurde et il en avait conscience. Que ne faisait-il pas pour venir à bout des défenses de Mei-yu ! Pour obtenir un sourire ou même une larme ! D'ordinaire, il était relativement facile de la faire pleurer, mais, depuis quelque temps, même cette victoire futile lui était interdite. Ne subsistait désormais que ces minces sourires cruels qui illuminaient son visage avec la violence d'un orage. Ces sourires-là l'anéantissaient, le déchiraient. D'où venaient-ils ? se demandait Kung-chiao. Avait-elle appris à imiter les malheureuses qui se gaussaient d'elle ? « Ta femme est trop belle et se tient délibérément à distance », lui avaient dit ses amis sans doute désireux de justifier le comportement de leurs épouses à l'égard de Mei-yu. Kung-chiao, cependant, n'était pas dupe : ses amis voyaient en Mei-yu un être profondément différent. Lui, pourtant, n'avait pas le moindre problème avec la population de Chinatown. Il était l'un des leurs. Par ailleurs, l'homme qui luttait pour améliorer sa situation jouissait de l'estime de tous et c'était bien le cas pour Kung-chiao. Mei-yu, certes, travaillait aussi, mais elle avait un défaut majeur : de par sa naissance, elle appartenait à une autre classe sociale. Et, bien sûr, c'était une femme !

En Chine, Mei-yu s'était montrée sous un jour bien différent. Son intelligence, son esprit vif ne l'empêchaient nullement de se montrer gentille, drôle, avenante. Tout homme aurait été heureux de l'avoir pour épouse.

A l'époque, ils se rencontraient de temps à autre dans les

jardins de l'université Yenching de Pékin. En cette année 1945, les Japonais venaient de perdre la guerre. La ville était libérée et le pouvoir, presque vacant, attendait de savoir qui, du Kuomintang ou des communistes, allait triompher. Les étudiants, cependant, poursuivaient leurs études vaille que vaille. Chacun savait que le dénouement était proche.

Lorsqu'ils s'apercevaient sur le campus, Mei-yu ne manquait jamais de le saluer d'un signe de tête. Lui, en revanche, répondait de manière fort brusque en fixant délibérément son attention ailleurs.

Un soir, pourtant, Tsien-tsung lui confia :

— Elle finira probablement par accepter le prétendant que son père lui choisira, tu le sais, et Dieu sait qu'il n'en manque pas autour de la maison Chen.

Ils venaient de discuter politique quand Tsien-tsung avait changé de sujet de conversation. Cela ne lui ressemblait guère, se disait Kung-chiao tout en observant attentivement son ami. Tsieng-tsung, d'ordinaire, s'immergeait avec délices dans les méandres de la théorie. Qu'il pût penser au sexe opposé, voilà qui paraissait incroyable ! Et pourquoi faisait-il maintenant allusion à Mei-yu ? A nouveau, il leva les yeux vers le visage fermé de son camarade.

— D'après mes informations, Lee Ta-wei, fils du doyen de l'université qui est lui-même un grand ami du père de Mei-yu, serait follement amoureux d'elle. Il aurait l'intention de la demander en mariage. Très bientôt. Tu sais que les Lee sont très fortunés, qu'il s'agit d'une vieille et honorable famille installée depuis fort longtemps à Pékin, que Ta-wei devrait se voir promu assistant de la faculté l'an prochain...

Kung-chiao évoqua l'interminable silhouette de Ta-wei, le sourire onctueux du jeune homme, retrouva son timbre de voix modulé, son expression élégante. Souvent, il s'était interrogé sur les secrets de son rival : comment, par quel miracle, avait-il la peau si blanche ? Pourquoi était-il si mince, si svelte ? Tant de perfection mettait Kung-chiao au désespoir. Il ne fallait pourtant pas oublier les autres soupirants, à commencer par les frères Chou, commerçants aisés, qui paradaient dans l'université avec des chaussures anglaises en cuir épais ! Bouleversé, Kung-chiao imaginait Mei-yu au bras de l'un de ces heureux, Mei-yu en épousée...

— Ta-wei devrait également hériter de quelque terre, ajoutait Tsien-tsung.

— Pourquoi insistes-tu pareillement ?

— Pour que tu cesses de jouer à la tortue ! Dépêche-toi ! Tu vas la perdre !

A ces mots, Kung-chiao fixa sur son ami un regard étonné.

— Tu ne sais guère dissimuler, Kung-chiao. Qui ignore encore tes sentiments pour Mei-yu ?

— Mes sentiments...

— Allons ! Tu t'es trahi depuis belle lurette !

Kung-chiao soupira à fendre l'âme.

— Je suis fou ! Cette histoire est impossible ! Je viens d'une famille pauvre et n'ai rien à offrir. Enfin, je connais le mépris que le professeur Chen peut avoir à l'égard d'êtres tels que moi.

— C'est un vieil homme malade, brisé même. Son séjour en prison l'a complètement métamorphosé. Le malheureux ne voit plus que par la tradition. Il y trouve un semblant de sécurité qui l'apaise. Mei-yu en est affolée.

— Mei-yu ? Tu lui as parlé ?

— Elle est l'amie de ma sœur, Wen-chuan, ne l'oublie pas ! Elles se font des confidences et il arrive que Wen-chuan me raconte quelques petites choses.

Un sourire taquin fleurissait sur les lèvres de Tsien-tsung, un sourire qui n'échappa nullement à Kung-chiao.

Finalement, un peu embarrassé, partagé entre le rire et la gêne, ce dernier fit :

— Eh bien ? Vas-tu continuer à te moquer de moi longtemps ? Arrête de sourire ainsi ! Allez, je capitule ! Que sais-tu ? Mei-yu parle-t-elle de moi, parfois ?

— Selon Wen-chuan, elle te porte aux nues.

Aussitôt, Kung-chiao éclata d'un rire bruyant. Il n'en croyait pas ses oreilles.

— Selon Wen-chuan, Mei-yu affirme que tu ne ressembles à personne. Tu n'aurais ni la prétention, ni la fatuité des autres.

— Peut-être mc considère-t-elle comme un type bien ? fit Kung-chiao, incrédule.

— Elle dit que tu es sérieux, brillant.

Peut-être a-t-elle raison ? songea Kung-chiao. Ne me suis-je pas vu octroyer le premier prix, cette année ? Ne suis-je pas le meilleur élément de ma section ? Mais... s'il se montrait si sérieux, comment Mei-yu pouvait-elle le trouver attirant ? Certains affirmaient qu'il riait moins encore que Tsien-tsung ! Ne voyait-elle pas en lui une sorte d'ermite qui consacrait tout son temps à l'étude ? Certes, il avait participé activement à la préparation de la manifestation qui devait avoir lieu peu après. Il en avait même dressé les plans et tout le monde avait applaudi. Tout le monde sauf Ta-wei, qui ne s'intéressait pas à la politique. Mei-yu, elle, appréciait peut-être les hommes sérieux et travailleurs. Auquel cas, il y aurait une certaine logique à cette soi-disant attirance, se disait Kung-chiao.

N'empêche, il ne parvenait pas à se convaincre. Mei-yu, aimer un rat de bibliothèque ? Impensable !

Alors, la bouche amère et l'esprit en déroute, il jeta à la tête de son ami :

— Tu es fou !

— D'après elle, tu es très séduisant, tu n'as pas l'air mollasson des autres étudiants.

Abasourdi, Kung-chiao posa son visage contre le bois de la table devant lui, noua les mains sur les rebords pour mieux contrôler le tremblement qui les agitait. Tsien-tsung détourna les yeux, puis pouffa d'un rire timide et moqueur.

— Elle a dit aussi qu'en matière de politesse, ton éducation était à revoir.

Devant l'expression horrifiée de Kung-chiao, Tsien-tsung eut un vague geste de dénégation comme pour rejeter la responsabilité de ces paroles. D'ailleurs, il précisait déjà :

— Je te rapporte les confidences de Wen-chuan. Ne me les avais-tu pas demandées ?

Pour toute réponse, Kung-chiao émit un vague grognement. Son attention était ailleurs. Incrédule, il regardait son ami et s'interrogeait : depuis combien de temps savait-il tous ces détails ? Son embarras, cependant, ne dura guère. Les deux jeunes gens éclatèrent vite de rire.

Lorsque Kung-chiao revit Mei-yu, elle se trouvait en compagnie d'un groupe d'étudiantes, devant le laboratoire de l'université. Hélas ! les révélations de Tsien-tsung ne lui servirent de rien : il n'osa lever les yeux sur la jeune fille dont le regard pourtant le suivait. Il s'éloignait donc d'un air faussement digne lorsque l'absurdité de la situation le frappa en plein cœur. Tout le monde savait. Tout le monde en faisait des gorges chaudes. Eh bien ! Ils allaient voir ce qu'ils allaient voir ! Brusquement, il fit demi-tour et revint vers le groupe. Il n'y eut alors pas la moindre moquerie, pas le moindre ricanement, mais un mouvement collectif où chacun s'effaça devant lui, où chacun s'empressa de lui laisser approcher Mei-yu, où chacun disparut, happé par un univers autre. Devant ses yeux, désormais, n'existait plus que le beau visage de Mei-yu. Lui oubliait ce qu'il aurait dû lui avouer, oubliait ce qu'elle venait de lui dire. Il n'avait plus qu'une certitude éblouie circonscrite à la main de Mei-yu posée sur son bras. Ils avançaient au milieu des autres qui tous pouvaient les voir, mais, Mei-yu, impassible, lui tenait toujours le bras. Son visage avait retrouvé la pâleur de leur première rencontre, deux ans plus tôt, lorsque en compagnie de Wen-chuan, elle avait dû affronter le soldat japonais. De la grille où il se trouvait, Kung-chiao avait admiré son courage fier, sa générosité aussi. Ensuite, autour de la table où s'étaient installés les autres étudiants, il l'avait observée attentivement et il avait compris. Il avait compris que cette femme lui correspondait.

Aujourd'hui, enfin, ils flânaient, quittaient l'enceinte de l'université, entraient dans un parc... Là, au fil des heures, ils échangèrent des confidences. L'apaisement leur vint. Puis Kung-chiao se rendit à l'évidence et, à la fin de l'après-midi, il confia à Mei-yu son désir de rencontrer son père.

Le professeur Chen refusa de le recevoir.

— Épouse-le, ce fils de paysans, et tu verras ! Ce serait renoncer à ta famille !

Les mois passèrent, mais le vieillard entêté ne changea pas d'avis. Jamais Mei-yu ne put venir à bout de ses préjugés. Elle finit donc par s'enfuir avec Kung-chiao.

Pour lui, elle n'avait pas hésité à se déshonorer. Conscient de la grandeur d'une telle décision, Kung-chiao voulut lui offrir une vie nouvelle. Il choisit donc de gagner l'Amérique. C'est ainsi qu'ils s'étaient retrouvés sur les quais sordides de San Francisco avant de connaître le ghetto de Chinatown. Il lui avait donné Sing-hua aussi, Fernadina dont le nom exprimait à lui seul tout l'espoir du monde. Certes, cet espoir paraissait bien vain aujourd'hui et il se demandait amèrement ce que l'avenir leur réservait !

Kung-chiao enfouit ses livres dans sa sacoche et consulta l'horloge : 5 heures et demie. Il était temps d'arrêter, d'autant qu'il se sentait fatigué, incapable d'ingurgiter davantage de connaissances pour la journée présente. D'ailleurs, vendredi, à la même heure, il en aurait terminé avec ses examens. Kung-chiao avait hâte d'en finir. Il se leva donc et remarqua la jeune fille brune qui étudiait avec un zèle désespéré. C'était une camarade de classe, Janet, comme elle s'était présentée. Il la trouvait trop effrontée, trop masculine aussi. Ces Américaines étaient intimidantes ! Elles avaient des mains immenses, de grands pieds et des yeux ronds où on lisait les moindres de leurs pensées. Par chance, Janet semblait extrêmement absorbée par son travail et Kung-chiao put s'esquiver discrètement. Elle ne lui demanda pas ses notes, ne le supplia pas de l'aider. Il ouvrit la porte et s'éloigna rapidement vers Broadway.

Bao, assis à une table, fumait une cigarette lorsque Kung-chiao passa la tête dans l'entrebâillement de la porte. Dans les rues, les gens commençaient à se presser.

— Hé ! Bao ! Tu deviens paresseux en vieillissant, dit-il, taquin.

L'air las, Bao haussa les épaules.

— Souhaiterais-tu gagner ta vie décemment, Kung-chiao ? Pourquoi ne remplaces-tu pas mon serveur, ce soir ? Il doit aller s'occuper de son père malade. La semaine dernière, c'était déjà le même refrain ! Crois-tu qu'il ferait preuve d'imagination et me parlerait de temps à autre de sa mère malade ? Eh bien, non !

Pour une fois, Kung-chiao éprouva un sentiment de joie à la pensée que Roger et Diana devaient venir les voir quelques heures plus tard.

— Désolé, Bao, mon cousin et sa femme nous rendent visite, ce soir.

Bao rejeta un grand nuage de fumée.

— La famille ! Toujours la famille ! Pourquoi faut-il que les parents se montrent tout à coup si gentils ?

Au même instant, Wo-fu, l'un des serveurs, sortit de la cuisine, accrocha sa veste de travail au portemanteau et lança à l'adresse de Bao :

— Oh, patron ! Vous me prêtez un p'tit sou pour mon jeton d'autobus ?

Bao se détourna, fixa son regard au loin.

Wo-fu avisa alors Kung-chiao qui n'avait pas bougé.

— Cela me permettrait d'aller voir mon père malade.

Kung-chiao lui donna vingt cents.

— Merci ! Je vous le rendrai !

Déjà, il s'éloignait. Kung-chiao allait l'imiter quand Bao le retint :

— Attends ! J'ai quelque chose pour Mei-yu.

Lentement, Bao s'éloigna d'une démarche de canard. A croire qu'il avait une jambe plus courte que l'autre ! Sur ses reins pendaient les attaches de son tablier qui battaient l'air avec régularité.

Quand il revint, il tendit à Kung-chiao un sac en papier que ce dernier rangea dans sa sacoche en murmurant des remerciements sincères.

— C'est de la queue de bœuf, expliqua Bao. Les enfants doivent manger de la viande.

— Merci beaucoup, Bao. Si demain Wo-fu n'est pas revenu, je serai ton serveur.

Bao haussa les épaules.

Mei-yu massait le corps de Fernadina avec de la maïzena. L'enfant qui venait de prendre son bain sentait délicieusement bon. Debout sur les genoux de sa mère, elle observait son père qui, du lit, les contemplait.

Il avait remarqué le malaise de Mei-yu, lors du dîner, et se demandait si la visite de Roger et Diana en était la cause. Pourtant, elle paraissait détendue maintenant. Il s'interrogea, taquina les pièces qui sonnaient au fond de sa poche, ces pièces de monnaie économisées sur un déjeuner dont il s'était privé, puis releva les yeux. Son regard s'arrêta sur le beau visage de sa femme, sur ses traits magnifiques, splendidement noyés dans sa chevelure défaite, sur ses bras trop minces sous la robe de coton. Il se leva, s'empara de Fernadina et, ce faisant, se pencha et posa un baiser furtif et très doux sur la nuque frêle de Mei-yu qui, surprise, se redressa brusquement.

Diana ne pouvait malheureusement pas être des leurs, déclara Roger.

Ce n'est pas étonnant, elle n'a jamais aimé venir ici, songea Mei-yu.

La jeune femme éprouvait un intense soulagement. Enfin, Diana choisissait de renoncer aux faux-semblants ! Diana qui, d'habitude, se forçait à maintes politesses pesantes et inutiles, Diana, en tailleur chic, que l'on devinait toujours prête à fuir vers les beaux quartiers, vers quelque restaurant douillet, prête à oublier au plus vite la famille du petit cousin de son mari.

Pauvre Diana ! Sans doute abhorrait-elle ce logement sordide où, pour s'asseoir, les hôtes ne disposaient que de deux tristes chaises et d'un lit au point qu'un jour, Kung-chiao avait dû passer debout trois heures interminables. Sans doute détestait-elle cette horrible petite armoire de carton, ce poêle si minuscule qu'il en était ridicule. A moins qu'elle ne les détestât, eux, les Wong...

Roger, lui, n'en laissait rien paraître. Très élégant dans son costume gris, il demandait :

— Et tes études ? Ça va ? Tu as tes examens cette semaine, n'est-ce pas ?

Roger vivait aux États-Unis depuis cinq ans à peine, mais son adaptation était en tous points remarquable. Déjà, il se comportait comme un Américain de longue date, affectait même une désinvolture irritante.

— Et cet entretien que je t'ai obtenu ? demandait-il.

Assis sur le lit, ils les dominait, eux qui s'étaient installés sur les chaises, fragiles comme des orphelines.

— J'ai rendez-vous lundi prochain, expliqua Kung-chiao.

Il n'eut pas un mot de remerciement, ce dont Mei-yu lui sut gré. Bien sûr, Roger avait appelé un de ses amis employé auprès des services municipaux, mais la jeune femme ne supportait plus cet état de dépendance qui, depuis plus de trois ans, les ligotait.

— Eh bien, j'espère que cela marchera ! Ce serait rudement intéressant pour toi si tu parvenais à décrocher un travail avec la mairie. Tu ne gagnerais pas des mille et des cents, bien entendu ! Cela dit, tu aurais de quoi quitter Chinatown ! Tu pourrais peut-être t'installer au Bronx.

Comme il faisait cette remarque, Roger plissa le nez. Les exhalaisons ambiantes révélaient sans conteste le détail de leur dîner. Ils avaient encore mangé du poisson séché ! Ne connaissaient-ils rien d'autre hormis cette puanteur ? songea-t-il. Ah ! Il y avait l'ail aussi ! Ils en avalaient de l'ail ! Des tonnes d'ail ! Diana affirmait que l'odeur se collait à leurs vêtements, qu'elle ne pouvait s'en débarrasser, des jours durant.

— Puis-je vous offrir du thé ? proposa Mei-yu poliment.

— Non, merci ! Il fait trop chaud.

Roger en profita pour sortir de sa poche un immense mouchoir avec lequel il s'épongea abondamment le visage. Il avait un visage étroit et un nez interminable, tout à fait surprenant chez un Chinois. Quand il souriait, il révélait une denture riche de couronnes en or. Il avait pris ce prénom de Roger en venant s'installer à Hong Kong et ce prénom lui avait rendu de grands services lorsqu'il avait décidé de se transporter à New York. C'est ainsi qu'il avait même gagné le cœur de sa femme, née dans l'État de New York de parents chinois.

Ce soir-là, il tira de sa poche une enveloppe pleine de billets et la posa sur la table derrière lui.

— Merci, Roger, fit Kung-chiao avec simplicité.

Roger dut faire un effort pour garder son calme. Il comprenait leur attitude. Ils enviaient son succès, ses vêtements, sa jolie femme. Sans doute le rembourseraient-ils comme ils le juraient, Roger n'en doutait d'ailleurs pas, mais, en attendant ils lui en voulaient. Certes, il avait bien de la chance d'avoir pour parents des réfugiés pleins de fierté. Les gens fiers étaient de loin préférables à ces parasites qui, parfois, vous suçaient le sang des années durant. Cependant, Kung-chiao et Mei-yu ne pouvaient-ils pas faire montre d'un peu plus de respect ? Après tout, il aurait pu oublier ses devoirs de petit cousin ! Qu'était un petit cousin, sinon un parent éloigné ? Et eux, qu'auraient-ils fait alors ? Où seraient-ils allés ? Il se leva d'un bond.

— Je ferais mieux de rentrer. Diana m'attend. Nous avons des invités ce soir.

Il s'exprimait en mandarin, mais languissait de revenir à l'anglais.

Kung-chiao ouvrit la porte et raccompagna Roger jusque dans la rue. Mei-yu, pendant ce temps, glissait la fameuse enveloppe sous la théière. Elle se sentait heureuse. La discrétion de Kung-chiao lui tenait chaud au cœur. Kung-chiao qui, quelques minutes plus tard, revint avec, à la main, un gros morceau de pastèque fraîche. Encore une folie ! songea-t-elle tout d'abord. Pourtant, il faisait si chaud qu'elle mordit avec délices dans la chair rouge et sucrée du fruit et en savoura le goût délicieux. Kung-chiao, de son côté, en donna un petit bout à Fernadina qui poussa des cris ravis avant que son père la couche. Mei-yu les observa durant ce rituel. Dehors, la nuit tombait. La brise se levait, balayait les ombres.

Plus tard, Kung-chiao éteignit la lumière et releva le store. La brise alors, comme si elle n'avait attendu que ce signal, redoubla de vigueur. Assis sur le lit, mari et femme contemplaient le jeu coloré des néons plus bas dans la rue. Ici, un dragon se trémoussait, là, des lettres dansaient, attirantes, dans une débauche de couleurs vives. Sur les trottoirs, les gens se pressaient, fixaient un œil envieux sur les dîneurs en terrasse qui se battaient avec un os de volaille ou avec leurs baguettes. Mei-yu admirait la main de son époux posée sur le rebord de la fenêtre : longue, sensible, forte aussi. Sur la chair brune, les veines bleutées tissaient un faisceau émouvant. Mei-yu savait où Kung-chiao avait trouvé l'argent pour acheter ce morceau de pastèque. Dans ses poches, les pièces ne sonnaient plus.

Dans la pénombre de la chambre, ils s'observèrent, surveillèrent les reflets que jetaient dans leurs prunelles les lumières de la ville.

— Mei-yu, dit-il doucement.

Il tendit la main vers elle.

Ils s'embrassèrent ensuite, se savourèrent même et, quand Kung-chiao referma les bras sur Mei-yu, il s'émerveilla de lire sur le visage de sa femme une douceur nouvelle, délicieuse.

Le lendemain matin, ce ne furent pas les coups sourds de la hachette qui éveillèrent Kung-chiao, mais la sensation d'être observé. Quand il ouvrit les yeux, il vit que Mei-yu, allongée à côté de lui, le surveillait entre le rideau de ses longs cils bruns. Il éprouva alors une drôle de crainte, un soupçon d'inhibition, comme s'ils venaient de passer leur première nuit ensemble. Il y avait bien longtemps qu'ils n'avaient connu pareille nuit. Pourtant, aujourd'hui comme alors, il s'émerveillait de la chaleur de ce corps si proche, tendait la main vers la chevelure épaisse de sa femme afin d'attirer son visage... Coquine, elle se cacha au creux de son épaule.

— Kung-chiao ! Pas maintenant, Fernadina est réveillée... Je l'entends chantonner.

— Eh bien, laisse-la faire ! Quel meilleur accompagnement pourrions-nous souhaiter ?

— Et si elle se levait ? Honte à toi, vilain égoïste ! Tu ne penses qu'à toi, comme toujours !

Le rire, la moquerie perçaient toutefois derrière son ton de voix grondeur et Kung-chiao y déchiffra la promesse secrète qui brillait au fond de ses yeux. Plus tard. Ce soir. Cette nuit.

De la petite pièce voisine résonna l'avertissement enfantin :

— Maintenant, j'arrive !

Fernadina annonçait toujours ses intentions avant de les mettre à exécution. On eut dit, manie d'enfant unique, qu'elle se contait sa propre histoire. Peut-être aussi choisissait-elle d'avertir ses parents afin d'observer une simple précaution rhétorique. Malgré l'éducation que lui donnaient son père et sa mère, Fernadina, en effet, ne faisait jamais que ce qu'elle voulait. A croire qu'elle avait la certitude qu'ils seraient toujours d'accord avec sa manière d'être.

Mei-yu s'étonnait d'ailleurs de l'intuition de sa fille. Celle-ci, bien que curieuse et même audacieuse, ne dépassait jamais les limites permises. Elle pouvait ainsi s'approcher du poêle, mais n'y posait point la main. Elle s'emparait parfois d'un vêtement auquel sa mère travaillait, l'examinait sous toutes les coutures comme si elle prévoyait d'y ajouter un petit rien de sa fantaisie. Pourtant, à la seconde même où Mei-yu commençait à éprouver une certaine gêne, Fernadina le rangeait soigneusement dans sa boîte et le couvrait d'un papier de soie. Elle essayait également de se peigner seule. Hélas, le peigne, trop grand, lui échappait. Elle filait alors vers sa mère et le lui collait sous le nez. Touchée, Mei-yu lui apprenait à maîtriser ses gestes et l'aidait à se faire une mèche autour de laquelle on enroulait un joli ruban de couleur. C'était la coutume chez les petites filles chinoises ; elles arboraient toujours une minuscule queue de cheval sur le dessus de la tête tant que leurs cheveux n'étaient pas assez longs pour être nattés.

Cette formalité accomplie, Fernadina s'asseyait sur le lit de ses parents et, le pouce droit dans la bouche, la main gauche refermée sur sa houpette, contemplait les mouvements de la rue. Alors, elle semblait heureuse et, de la voir ainsi, Mei-yu en avait le cœur content.

Pour Mei-yu, les seuls facteurs de contrariété surgissaient au cours de la promenade, lorsque, brusquement, l'enfant lui lâchait la main pour inspecter soigneusement les cageots abandonnés au milieu de la rue, le réservoir à poissons du poissonnier ou même saluer les chiens du voisinage vautrés par terre qui, pour la circonstance, se levaient immédiatement et lui rendaient la pareille à grands coups de langue appliqués. Il suffisait qu'à un étal, Mei-yu s'empare de quelques concombres et relâche la menotte pour sortir un peu d'argent et... la petite se volatilisait aussitôt. Plus d'une fois déjà, Mei-yu s'était livrée à des recherches éperdues afin de retrouver l'enfant disparue dans la foule. Cette recherche ne durait guère car Fernadina, bonne pâte, se manifestait toujours quelques magasins plus loin !

Voici maintenant que, son seul et unique jouet à la main, un lapin en peluche, elle entrait dans la chambre de ses parents.

— S'il vous plaît, laissez-moi sortir, dit-elle dans un chinois parfait.

Le doigt tendu, elle indiquait la porte et son visage traduisait une vive impatience. Prestement, Mei-yu passa son peignoir, rejeta ses cheveux en arrière. Il était très tard. Bao avait déjà commencé le hachage des légumes et on l'entendait même tarabuster Shen. Bien calé entre les oreillers, Kung-chiao ne bougeait pas. Une idée lui venait soudain. Pourquoi ne passerait-il pas la journée à la maison pour prendre un peu de repos, oublier ses études et ses révisions ? Cette simple idée l'étonna. Lui, envisager pareille récréation ? C'était si incroyable qu'il en fut alarmé un bref instant, mais, très vite, sa rêverie reprit le dessus. Il pourrait peut-être aider Mei-yu à faire les courses, garder Fernadina pendant qu'elle irait chercher son tissu à l'Union ? A moins qu'il ne l'accompagne et contemple ces mégères au nez camus qui osaient déblatérer sur son compte. Il rêvait et rêva tant qu'il se trouvait encore au lit lorsque sa femme et sa fille revinrent.

— Ah ! Paresseux ! Vas-tu passer la journée à somnoler ? lui lança Mei-yu tout en habillant la petite.

— Non, je la passe avec toi.

Éberluée, elle se figea, sans prendre garde à l'enfant brusquement coiffée d'un tee-shirt qui l'aveuglait, et s'écria.

— Kung-chiao ! Comment peux-tu te montrer si désinvolte ? As-tu perdu la tête ? Et tes examens ? Sais-tu depuis combien de temps nous attendons cette heure ? Comment obtiendras-tu un travail si tu n'as pas de diplôme ?

Amusé, Kung-chiao s'extirpa du lit en riant.

— Ta confiance en moi me touche beaucoup, Mei-yu, mais aide-donc Fernadina. Elle est coincée.

Mei-yu s'exécuta et Fernadina, enfin libre, décida de prendre l'affaire en main. Deux secondes plus tard, elle plongeait la tête dans l'ouverture du tee-shirt... au grand soulagement de sa mère. Mei-yu, en effet, s'offusquait du manque de décence de son mari qui s'approchait dans le plus simple appareil. De l'avis de la jeune femme, il n'était pas bon que les enfants voient ainsi leurs parents privés de dignité. Imperméable à ce genre de considérations, Kung-chiao posa les mains sur les épaules de Mei-yu. Comme elle est fine et délicate ! songea-t-il.

— Ne t'inquiète pas, Mei. Cela dit, si tu as tellement peur de me trouver à la maison, je repartirai à l'université dès le déjeuner terminé. Au fait, aurai-je le droit de grignoter un petit quelque chose, aujourd'hui ?

Outrée, Mei-yu lui écrasa le pied.

— Tu exagères !

Tout le temps qu'ils flânèrent dans Mott Street, Fernadina se pendit au petit doigt de son père. Une fois parvenus devant le bâtiment de l'Union où elle devait rencontrer l'assistante de Mme Peng, Mei-yu s'interrogea : était-ce le fruit de son imagination ou bien les femmes agglutinées au fil des couloirs se montraient-elles curieusement silencieuses ? Kung-chiao, de la tête, saluait Mme Liu, l'épouse du fabricant de nouilles. C'était l'une des plus féroces ennemies de la jeune femme et pourtant, aujourd'hui, elle ne pipait mot, gardait un visage impassible sous des cheveux courts tombés au champ d'honneur de la permanente américaine. C'était, hélas ! une pâle imitation des riches femmes de marchands. Kung-chiao, cependant, ne paraissait nullement rebuté par cette apparence tristounette. Gentiment, il la salua :

— Bonjour, madame Liu, fit-il en se courbant poliment. Transmettez, je vous prie, mes respects à votre époux qui, à mon avis, fabrique les meilleures nouilles de Chinatown.

Mme Liu esquissa un sourire qui engloutit une bonne moitié de ses yeux dans des joues grasses et secouées de tremblements ravis. Furieuse, Mei-yu pinça le bras de son mari.

— Flatteur ! Comment peux-tu t'abaisser avec pareilles gens ?

Le regard fixé droit devant lui, Kung-chiao répondit :

— De bonnes relations de voisinage ne nuisent jamais. Qui sait ? Un jour peut-être auras-tu besoin de leur aide ?

Ennuyée, Mei-yu hocha la tête. Elle n'oubliait pas les remarques acerbes de Mme Liu, cachée derrière son éventail. « Pour qui se prend-elle avec ses cheveux coiffés ainsi ? » avait-elle dit à son amie alors que Mei-yu passait dans la rue.

La jeune femme songeait au jour où elle aurait d'autres voisins. Des Blancs ? des Américains ? D'après ce qu'elle avait pu en voir dans les restaurants de Chinatown, Mei-yu savait déjà qu'ils la mépriseraient.

Ils atteignirent enfin l'Union.

Ce bâtiment, tout en briques rouges, était l'une des constructions les plus imposantes de Chinatown. A l'origine, la mairie de New York avait proposé que l'on choisisse un lieu destiné à stimuler l'intégration des Chinois à la société américaine. Les responsables n'en menaient cependant pas large et se demandaient comment procéder avec cette minorité représentée par un conseil d'Anciens. On se retrouva au restaurant à grignoter quelques petits plats tout en buvant du thé vert. Les Anciens écoutèrent tranquillement, puis, dès la présentation du projet achevée, Mme Peng frappa sur la table et déclara :

— Excellent ! Nous allons nous mettre à l'œuvre immédiatement !

Elle expliqua aussitôt comment les notables de la communauté allaient gérer l'Union. En effet, déclara-t-elle, l'Union ne pourrait constituer un lieu privilégié pour les Chinois de Chinatown qu'à ce prix. C'était une question de confiance ! Il fallait que les Anciens l'administrent et on fournirait donc, chaque mois, un rapport d'activités afin que les autorités aient la certitude que tout se passait conformément aux décisions prises.

— Et si l'on procédait à une inspection régulière ? suggérèrent les responsables américains.

— Croyez-vous qu'une telle mesure puisse engendrer des rapports confiants entre les deux communautés ? insista Mme Peng. Nous serions ravis d'inviter quelques responsables de temps à autre, mais des inspections... Enfin ! Voyons !

La municipalité fit donc marche arrière. On décréta qu'il fallait réfléchir. On finit par conclure que les Chinois constituaient un peuple fier et fidèle à ses dirigeants. Toutes les tentatives d'ouverture sur cette communauté s'étaient jusqu'alors soldées par un échec. Peut-être tenait-on enfin l'occasion... Bref, on décida de se ranger à l'avis de ce dragon en jupon...

Deux mois plus tard, les responsables américains revenaient signer le protocole d'accord. Il fallut ensuite trois bonnes années pour terminer la construction du bâtiment en briques rouges.

La famille Wong passa devant la réception et tourna à droite vers l'escalier qui menait à la section artisanat. L'Union ressemblait à une véritable fourmilière tant les gens se bousculaient. Il en venait de partout qui filaient vers les salles de danse, de musique classique occidentale et chinoise ou même vers la crèche où les parents qui travaillaient pouvaient laisser leurs enfants. Des femmes âgées veillaient sur eux, les nourrissaient et les consolaient lorsqu'une bagarre trop violente éclatait entre diverses... factions rivales !

C'est au deuxième étage que se trouvait la section couture. Les pièces, plus aérées, accueillaient de grandes tables rondes où les femmes tiraient patiemment l'aiguille. Certaines faisaient même de très beaux travaux de broderie. Le samedi, en revanche, les lieux appartenaient aux enfants qui y ânonnaient de vagues leçons d'anglais dispensées par un jeune Chinois étudiant à l'université Columbia et qui se déplaçait jusque-là pour se faire un peu d'argent de poche.

Les bureaux administratifs de l'Union se cachaient au sixième étage à côté du siège de l'Association des Chinois chrétiens et de l'Organisation de l'aide aux familles. Personne, naturellement, ne se rendait jamais dans ces hauteurs. Lors de leur première visite, les responsables américains avaient d'ailleurs fait grise mine quand ils avaient découvert... le pot aux roses. Ils émirent de vigoureuses protestations que tout le monde écouta avec un sourire benoît. On savait, certes, que les Chinois avaient la réputation de préférer autels bouddhiques et autres manifestations d'exotisme, mais de là à reléguer tous les services de gestion au dernier étage de l'immeuble... On n'en revenait pas. D'ailleurs, les Américains le proclamèrent haut et fort : l'Union et le budget qui s'y attachait avaient été prévus à des fins d'assimilation ! On consulta Mme Peng. Elle sourit et promit que les Anciens se pencheraient sur la question. L'affaire avait eu lieu deux ans auparavant et depuis... rien n'avait changé.

Un jeune Chinois chrétien et une assistante sociale se

partageaient toujours les locaux du sixième avec les soi-disant services de gestion qui ne géraient rien du tout !

Au hasard des couloirs, Mei-yu reconnut la femme du président de l'Union. Comment le cher président avait-il amassé sa fortune ? Nul ne le savait ! En revanche, personne n'ignorait que son épouse était une redoutable commère qui passait son temps à se répandre en ragots. Le mari, parasite peu nocif et remarquable potiche, montrait des dents couronnées d'or et on racontait qu'il passait ses journées à jouer aux cartes et au ma-jong avec quelques amis, là-haut, dans son bureau. Pour l'instant, il errait au deuxième étage à la recherche de sa femme qui lui avait préparé un repas abandonné Dieu sait où. Ce personnage distrait symbolisait admirablement la convivialité de l'endroit et le côté fortuit des événements qui s'y produisaient. Les problèmes se réglaient de façon très simple car le président détestait les complications. Il se bornait donc à choisir une ligne de conduite propre à ménager la susceptibilité de chacun à l'intérieur de la hiérarchie de l'Union.

Celui qui savait se faire entendre ou lui glisser quelques billets dans la main pouvait être certain d'obtenir, du moins pendant quelque temps, ses faveurs. Quant à ses notes officielles, il les promenait sans scrupules sur de petits bouts de papier qu'il fourrait au fond de ses poches en compagnie de maints fruits confis.

Mei-yu approcha l'assistante de Mme Peng tandis que Kung-chiao et Fernadina patientaient dans le couloir. Aussitôt, les conversations qui, autour de la grande table de travail, allaient bon train se calmèrent comme par enchantement. On bavardait, certes, mais les pauses se faisaient plus fréquentes afin de mieux suivre les détails de la discussion entre Mei-yu et Mei-ling.

— Vous deviez rendre la veste, aujourd'hui, disait Mei-ling.

— Personne ne m'a prévenue ! Je n'avais aucune idée des délais !

— Tant pis ! C'est comme ça ! Au fait, la nièce du colonel Chang a vu votre dernier modèle sur l'une de ses amies et insiste pour que vous ne lui fassiez pas une tenue fantaisiste, mais élégante. Vous entendez ? Pas d'exotisme !

Mei-yu sentit la colère l'envahir.

— Mes modèles n'ont rien d'exotique !

— Nous n'allons pas discuter ! Observez une élégance discrète ! Madame Peng apprécie peut-être votre style, il n'empêche que, moi, j'ai du mal à trouver des acheteurs.

Elle mentait, Mei-yu le savait. Les femmes de Chinatown et, en particulier les jeunes, s'arrachaient ses vestes et ses jupes.

Mei-ling, cependant, ne désarmait pas et fixait sur Mei-yu un regard dur sous le casque de ses cheveux bruns et courts.

— Je vous attends donc demain.

— C'est impossible ! Donnez-moi au moins jusqu'à jeudi.

Mei-ling haussa les épaules et se détourna tandis que les autres couturières, satisfaites, reprenaient le fil de leur conversation.

Dans le couloir, Mei-yu manqua bousculer Kung-chiao.

— Que se passe-t-il ?

Incapable de proférer un son, Mei-yu se contentait de hocher la tête. Il devina sa colère et suivit donc sa femme sans lui poser davantage de questions quand, au pied de l'escalier, quelqu'un le heurta.

— Wo-fu ?

C'était Wo-fu, en effet, qui leur jeta un coup d'œil pressé et poursuivit sa route sans même s'arrêter un instant.

Curieux de le voir ici à une heure pareille, songea Kung-chiao qui chassa vite cette pensée pour se consacrer à Mei-yu. Gentiment, il l'entraîna vers de calmes ruelles où il courut acheter un gâteau qu'il partagea entre la jeune femme et Fernadina. Mei-yu, malgré sa détresse, esquissa un sourire, puis finit par s'exclamer :

— Oh ! Kung-chiao ! A quoi bon ! Notre journée est fichue. Je dois rentrer pour terminer cette veste. Elle ne me laisse aucun délai !

Il la ramena à l'appartement. Pour le déjeuner, il fit cuire des nouilles, hacha menu quelques cacahuètes dont il saupoudra le plat. Quand Fernadina consentit enfin à faire la sieste, Mei-yu sortit ses ciseaux et la soie qui lui avait été donnée à l'Union. Kung-chiao attrapa sa sacoche.

— Je serai là vers 6 heures, dit-il.

Sourcils froncés, Mei-yu étudiait la pièce de tissu. Il referma la porte très doucement.

Le lendemain matin à son réveil, Kung-chiao aperçut sa femme, toujours assise à la table, qui posait la doublure des manches. Elle paraissait épuisée.

— As-tu dormi au moins ?

— Un peu, répondit-elle, sans relever la tête.

En partant, Kung-chiao emmena Fernadina avec lui afin de la déposer à la crèche de l'Union. Mei-yu les regarda partir à regret.

Dans l'après-midi, un coup sec frappé à la porte fit sursauter Mei-yu. Persuadée que le visiteur n'était autre que Yung-shan, la jeune femme ne bougea point, écouta simplement le bruit sourd de son cœur affolé.

— Mei-yu ! Ouvre ! C'est moi, Ah-chin !

Mei-yu obtempéra et découvrit son amie qui, un panier plein de minuscules pêches à la main, lui souriait.

— Regarde ! Tu sens cette odeur ? Ce matin, en partant, Kung-chiao s'est arrêté au magasin et m'a demandé de passer te voir. Il paraît que tu as besoin d'aide ?

Du doigt, Ah-chin désignait la veste à moitié faite qui gisait sur la table tout en tendant le panier à son amie.

La veste, en soie bleue à doublure colorée, était d'une simplicité exquise. Seul, un passepoil argent qui courait sur les bords avant et le col du vêtement apportait une note fantaisie.

— Oh ! Je peux l'essayer ? fit Ah-chin, le regard brillant.

Pour toute réponse, Mei-yu sourit et entreprit de rincer les fruits pendant qu'Ah-chin jouait les mannequins.

— Mei-yu, en matière de couture, tu es une artiste ! Cette tenue est fabuleuse ! Je l'adore ! Oh ! Si seulement je pouvais m'en offrir une !

— Je t'en ferai une, Ah-chin.

L'œil critique, Mei-yu récupéra la veste, l'inspecta...

— Dire que je dois l'avoir finie d'ici demain.

Elle la rangea soigneusement dans un carton qu'elle recouvrit d'un tissu propre et se tourna vers son amie. Menue, un peu voûtée et le visage creux, Ah-chin, qui avait pourtant le même âge que Mei-yu, paraissait bien plus vieille, sous sa chevelure triste qui lui mangeait le visage.

— Où est Sing-hua ? demanda-t-elle.

Ah-chin avait un fils, Wen-wen, qui était né pratiquement en même temps que Fernadina. Aussi n'omettait-elle jamais de prendre des nouvelles de la petite.

— Kung-chiao l'a emmenée à l'Union. Que faire ? C'était la seule solution ! Je dois terminer ce travail à tout prix et Kung-chiao a son examen vendredi.

— D'habitude, tu n'es pas aussi bousculée ?

— Non ! J'ai... déjà eu... quelques petits problèmes avec Mei-ling, mais c'est la première fois que, délibérément, elle évite de me donner la date de remise de la commande. Je croyais avoir tout mon temps !

— Curieux !

Pensive, Ah-chin caressait la soie tout en mordant dans une pêche.

— Cela dit, je ne suis pas vraiment surprise. Actuellement, il se passe des choses étranges un peu partout, Mei-yu.

Intriguée, Mei-yu releva la tête.

— Quoi donc ?

— Tu n'as rien remarqué dans la rue ? Les gens se surveillent, se cachent afin de raconter je ne sais quelles horreurs sur le compte d'Untel ou d'Unetelle...

— Oh ! Les potins ? Rien de bien nouveau !

Ah-chin remarqua le sourire amusé de son amie.

— Je ne parlais pas des femmes qui se répandent en méchancetés sur ton compte ! Crois-moi, elles sont inoffensives. Non, je songeais à quelque chose d'autrement plus sérieux. Il y a des rumeurs...

Elle s'interrompit brusquement.

Très calme, Mei-yu s'attaqua à une pêche.

Ah-chin attendait que son amie la supplie de poursuivre. Mei-yu le savait pertinemment et, amusée, surveillait la jeune femme du regard. Ici, à Chinatown, Mei-yu ne comptait qu'une amie et c'était Ah-chin. Honnête, intelligente et travailleuse, elle avait une curiosité et une naïveté d'enfant. Ainsi consultait-elle régulièrement quelque cartomancienne pour s'assurer, disait-elle, de la fidélité de son mari, lequel mari n'avait absolument pas le temps de courir le guilledou. Le couple travaillait, en effet, dans une boulangerie-pâtisserie sur Canal Street et c'était ensemble qu'ils allaient en fin d'après-midi chercher leur fils Wen-wen à l'Union. A les voir marcher dans les rues, Mei-yu croyait contempler l'image d'une paire d'animaux épuisés, prisonniers d'un même joug. La jeune femme savait aussi, par les confidences d'Ah-chin, que Ling ne jouait ni ne buvait jamais, qu'il tombait généralement de sommeil dès le dîner terminé. Cependant, si la méfiance d'Ah-chin à l'égard de son mari ressemblait à de la sottise, elle n'en était pas moins touchante, se disait Mei-yu.

Son principal défaut (Mei-yu la grondait souvent à ce propos) tenait à son amour du commérage, une manie qu'elle partageait avec la plupart des femmes de Chinatown. Elle semblait au fait du dernier ragot, du dernier scandale. Aucune rivalité entre deux familles puissantes ne lui était inconnue et, pour Mei-yu, elle constituait un lien d'importance avec la communauté cantonaise.

Ah-chin finit par capituler et, tel un oiseau gêné par quelques gouttes de pluie importunes, hocha la tête.

Indifférente au sourire de Mei-yu, elle déclara alors :

— On raconte que la police cherche à en savoir plus sur les agissements de certains individus de Chinatown.

Elle se pencha et, d'un ton confidentiel, ajouta :

— On parle de Lo, l'importateur, et du colonel Chang.

Mei-yu termina sa pêche. Des gens tels que Lo et le colonel Chang étaient toujours surveillés de près par la police. Déjà, au début de la semaine, elle avait remarqué les deux policiers qui arpentaient Mulberry Street. Et alors ? Si le père de Yung-shan s'était montré imprudent, en quoi cela la concernait-il ? La belle affaire ! Sincèrement, Mei-yu ne se sentait nullement touchée par les luttes internes de Chinatown ! Ce colonel Chang, qui était-il au juste ? Un trafiquant de drogue ? Un roi du jeu ? De Lo, les mauvaises langues disaient qu'il contrôlait un réseau de prostitution. A n'en pas douter, ce n'était pas là sa seule activité. Pourtant, Mei-yu ne parvenait pas à s'en offusquer : ce genre d'entreprises n'existait-il pas à Pékin, à Shanghai ou à Canton ? Pourquoi pas ici !

— L'autre jour, ils ont même interrogé Liu, le fabricant de pâtes, et les hommes de Chang n'ont pas cessé de tourner autour de lui afin de s'assurer qu'il ne dirait rien de compromettant.

Cette fois, Mei-yu pouffa de rire. Liu, au visage long et tristounet ! Liu, qui avait la vivacité des nouilles qu'il préparait, un homme de paille de Chang ! C'était grotesque !

Choquée, Ah-chin attrapa une pêche qu'elle mordit à belles dents :

— J'ignore ce qui te fait rire ainsi ! Nous sommes tous concernés, voyons ! Je te jure que, moi, ça me fait une drôle d'impression de voir tous ces policiers rôder dans le quartier !

Tu me diras que personne ne bronche ! C'est certain. Qui aurait assez de courage ? On continue son petit bonhomme de chemin. Chacun tient boutique sans oser lever les yeux du comptoir et chacun se tait. Il n'y a que toi et ton sacré orgueil ! Tu te crois différente, sans doute ? Eh bien ! Je te le dis, moi ! Tu n'es pas différente du tout ! Tu ne penses qu'à toi et à ta famille !

Elle eut un geste agacé, observa Mei-yu, puis, devant l'expression impassible de son amie, soupira :

— Bon ! Et Kung-chiao ? Comment va-t-il ? Ce matin, il semblait préoccupé, fatigué.

— Oui. Depuis trois ans que nous attendons la fin de ses études ! Je serai si heureuse vendredi soir quand tout sera terminé !

A ces mots, Mei-yu saisit son amie par le bras.

— Ah-chin, peux-tu garder un secret ? Je voudrais faire une surprise à Kung-chiao.

Ah-chin acquiesça, ouvrit grand les oreilles.

— Promets-moi de ne rien dire !

Devant la joie qui brillait dans les yeux de Mei-yu, Ah-chin hocha la tête vigoureusement.

— Grâce à l'argent que j'ai gagné la semaine passée, tu sais, les chemises et la veste que j'ai faites, je compte célébrer cet événement. Bao a dit qu'il m'aiderait. Crois-tu que tu pourrais venir, avec Ling, bien sûr ?

Ravie, Ah-chin pinça le bras de son amie.

— Naturellement ! Quelle bonne idée, Mei-yu ! Quand as-tu dit ? Vendredi ? Bien entendu que nous viendrons ! Wen-wen aussi.

— Il pourra jouer avec Fernadina.

— Elle le fait pleurer. Elle est vraiment dure, Mei-yu.

— Mais non ! Un peu hardie et maligne, voilà tout !

A quoi bon dire à Ah-chin que son fils se montrait trop timoré ?

— Je t'en prie, venez vendredi ! On s'amusera bien.

Chacune en avait terminé des pêches. Aussi, lorsque Ah-chin se leva pour aller chercher Wen-wen à l'Union, Mei-yu décida de l'accompagner. Après tout, la veste attendrait bien jusqu'au lendemain. Sa Sing-hua, sa Fernadina lui manquait.

Elle n'était toujours pas de retour lorsque Kung-chiao rentra. Il s'étonna de trouver l'appartement vide, mais jamais encore il n'était revenu aussi tôt. Le réveil, en effet, indiquait à peine 4 heures et demie. Peut-être Mei-yu était-elle en courses ou partie chercher Fernadina ? Machinalement, il revit la crèche, ce matin, le regard amusé des femmes en le voyant avec la petite. Peu de pères prenaient la peine d'accompagner leur enfant : n'était-ce pas une tâche de mère ? Il entendait le cri perçant de Fernadina lorsqu'elle avait aperçu Wen-wen. Elle s'était précipitée sur son petit camarade qui, affolé, avait immédiatement caché son visage entre ses mains pendant que la fillette lui dérobait sa voiture en plastique. Une matrone s'empressa de venir consoler le malheureux éploré tandis que Kung-chiao qui ne voulait pas donner l'impression de fuir s'obstinait à examiner minutieusement les lieux : ici, le piano droit fatigué, là, les coffres remplis de jouets ou encore ces piles de livres colorés. Les enfants, conscients de l'intérêt du visiteur, décidèrent de mettre un peu d'animation dans la crèche et se livrèrent aussitôt à une dispute remarquablement orchestrée.

Kung-chiao finit donc par battre en retraite et s'éloigna après avoir salué son monde d'un signe de tête. Il s'interrogeait pourtant : comment ces femmes pouvaient-elles supporter ces cris et ces hurlements durant une journée entière ? Il se le demandait encore quand il jeta un dernier coup d'œil par la fenêtre et aperçut alors sa fille qui bricolait gaillardement la voiture de Wen-wen. Cette vision lui arracha un sourire triste. Fernadina, manifestement, se plaisait en la compagnie de son père. Elle l'aimait, c'était certain. Mais son absence ne semblait pas lui peser. Sans doute vivait-elle la séparation plus facilement que Kung-chiao !

Pour l'heure, Kung-chiao errait comme une âme en peine dans l'appartement désert. Son esprit saturé lui interdisait tout travail. Il ne pouvait plus lire un mot, plus ingurgiter une seule ligne ! Le jeune homme approcha donc de la veste qui gisait dans un carton, sur la table. Il s'en empara et examina l'ouvrage de Mei-yu. Son regard bien que profane ne le trompait point. Il tenait là un modèle d'une grande qualité. Il en avait la certitude et s'émerveillait car c'était la première fois qu'il prenait véritablement conscience du talent de sa femme. Elle-même n'avait pas cru en ses dons jusqu'au jour où elle avait cherché un moyen d'accroître leurs maigres ressources. Maintenant, lorsqu'elle avait une commande, Mei-yu passait de longues heures à réfléchir avant de se lancer. Sa concentration, ensuite, était intense. Elle se donnait littéralement à son ouvrage à tel point que Kung-chiao en concevait une certaine envie. Son travail était loin de lui inspirer un tel intérêt. Il suivait, certes, des études d'ingénierie, mais chiffres et diagrammes n'avaient rien de particulièrement passionnant à ses yeux. Il savait que ce métier lui vaudrait, au plan social, la considération d'autrui tout en lui assurant des revenus confortables. Il savait qu'ainsi, lui et sa famille pourraient quitter Chinatown. Il savait que des jours meilleurs les attendaient.

Des jours meilleurs... ah ! comme il en rêvait ! Une pénible amertume lui serrait par instants le cœur. Il suffisait qu'il évoque Mei-yu, la nuit dernière par exemple, penchée sur son ouvrage. Kung-chiao s'était éveillé et avait trouvé sa femme, assise à la table, qui, à la lueur tremblante de la lampe, tirait encore l'aiguille. Comme elle lui avait paru fatiguée ! Mei-yu disposait d'une machine, mais refusait de s'en servir lorsque Fernadina dormait. Roger lui avait prêté la machine à coudre de Diana, une sorte de vieux tacot qui faisait un bruit d'enfer. Grâce à cet outil, cependant, Mei-yu n'avait plus à travailler en atelier. Elle l'avait fait, et, à l'époque, il lui fallait partager un espace plus que réduit au dernier étage d'un entrepôt vétuste avec trente autres femmes. Chaque soir, en rentrant, Mei-yu rapportait le nombre de malheureuses qui s'étaient évanouies. « Quatre aujourd'hui », disait-elle en essuyant son front qui perlait de sueur. A l'intérieur, il faisait, en effet, une chaleur épouvantable sans que la moindre brise vînt tempérer l'atmosphère de la fournaise. Tristes victimes d'un travail inhumain s'acharnant sur des vêtements qui leur seraient payés une bouchée de pain, certaines s'évanouissaient et tombaient lourdement sur le plancher. Peu à peu, Mei-yu revint avec les doigts entaillés par le fil à coudre. Elle perdit du poids. Elle commença à avoir des visions. Un soir qu'elle préparait la soupe, elle hurla : « Des canettes se dévident dans la casserole. Des canettes à pattes ! » Elle parlait en dormant, marmonnait : « Vingt, c'est trop peu. Il me faut avoir fait trente pièces avant le déjeuner ! »

Ces nuits-là, Kung-chiao ne les avaient pas oubliées. C'était l'époque où il partait travailler tous les soirs de 6 heures à minuit dans un restaurant où il faisait office de serveur. Il dînait en compagnie de sa femme qui, harassée de fatigue, donnait cependant le sein à Fernadina. Lui, tel un magicien, évoluait comme un feu follet de la cuisine à la salle à manger. Les bras chargés de plateaux, d'assiettes ou de verres, il courait presque, souriait, se penchait, attrapait au vol un pourboire, repartait à toute vitesse. Après 9 heures, le rythme se calmait. Kung-chiao s'intallait donc dans un recoin tranquille, une sorte d'alcôve cachée derrière l'établissement, où il pouvait étudier. Quand il regagnait l'appartement, Mei-yu s'éveillait et lui massait les bras et les épaules. Il n'avait même pas éteint la lampe qu'elle retombait, endormie. Ils partageaient alors un minuscule logement avec un couple de Cantonais et leur fille déjà grande. Mère et fille travaillaient dans un atelier tandis que le père vendait à la sauvette journaux et sucreries ; tous trois roulaient des yeux affolés devant la famille Wong.

Un jour qu'il entrait dans la cuisine, Kung-chiao entendit les murmures méfiants du trio. Il prit alors Mei-yu à témoin :

— Serions-nous des pestiférés ?

Cette remarque ne gêna nullement la fille qui continua à briser imperturbablement verres et assiettes, à claquer les portes. Chacun blâmait le Comité des logements de la communauté qui les condamnait à cette cohabitation effroyable, mais ces plaintes ne servaient de rien : on manquait de logements et voilà tout !

La nuit, alors qu'un simple paravent séparait les deux familles, Mei-yu entendait la fille protester en cantonais contre l'odeur nauséabonde, disait-elle, des couches de Fernadina. Elle affirmait également avoir surpris Mei-yu en train de voler de la nourriture. Devant tant de mensonges, la jeune femme se rebellait et, furieuse, chuchotait sa colère à l'oreille de son mari. Elle avait lavé les couches aussitôt après avoir changé la petite. Le riz, c'était le leur, celui provenant du sac rangé sous leur lit. Puis elle contemplait Fernadina qui dormait dans son berceau et murmurait :

— Hurle, petite fille ! Hurle ton indignation face à ces mécréants, à ces loups qui crachent sur leur propre espèce !

Dans ces moments-là, la rage de Mei-yu était telle que son énergie décuplait. Kung-chiao n'en revenait pas de voir sa femme se lever au beau milieu de la nuit pour tailler, recouper et coudre à la main des vêtements qu'elle s'en allait vendre, dès le lendemain pendant sa pause-déjeuner, sur Mulberry Street. Mei-yu dormit-elle durant cette première année à Chinatown ? Kung-chiao, parfois, en doutait.

Un an plus tard, les choses commencèrent à s'arranger. En raison de ses résultats extraordinaires, Kung-chiao se vit octroyer une bourse afin de poursuivre ses études. Il renonça donc à travailler tous les jours, ne conserva son emploi que durant les fins de semaine. Un mois ne s'était pas écoulé que Mei-yu était convoquée par madame Peng. Là, dans le salon obscur, elle accepta la proposition de la vieille dame. Elle gagnerait davantage, pourrait travailler chez elle et garder Fernadina à ses côtés. Puis, miracle, le Comité leur avait trouvé un nouveau logement !

Lors du déménagement, le trio cantonais s'arrangea pour disparaître. Sans doute préféraient-ils ne rien savoir de la chance qui souriait désormais à ces gens du Nord. Une autre famille vint s'installer à la place des Wong. Des Cantonais, cette fois. Ils venaient de la même région, parlaient le même dialecte, mais ils avaient deux jeunes enfants.

En pénétrant dans leur nouveau logement, Kung-chiao avait examiné les lieux d'un œil critique. Leur situation, certes, s'améliorait. Ils disposeraient enfin d'un peu d'intimité. Cependant, il ne fallait pas se leurrer. L'endroit était d'une propreté douteuse et se révélerait sûrement très bruyant. Au début, ils se crurent au paradis. Mei-yu hurla de joie, courut ouvrir le robinet d'eau proche de la plaque de cuisson à deux brûleurs ! Un coin-cuisine ! Rien que pour eux ! Au début aussi, Mei-yu refusa d'installer Fernadina dans la petite pièce qui faisait office de vestibule. Pourtant, il fallait se rendre à la raison : Kung-chiao étudiait durant la nuit et elle utilisait la machine pendant la sieste. Fernadina s'accommoda d'ailleurs fort bien de cet arrangement : nullement gênée par les cliquetis, crépitements et criailleries de la machine, elle dormait comme un ange.

Cette sacrée machine ! Jamais Kung-chiao ne pourrait oublier la nuit où ils étaient allés la chercher. Ils avaient laissé Fernadina chez Ah-chin car, de l'avis de Mei-yu, il faisait bien trop froid et puis le métro blessait les tympans d'enfants. Assis sur les sièges de métal glacé, ils se laissaient emporter dans la nuit. A chaque station, Mei-yu se bouchait les oreilles tout en déchiffrant fébrilement les messages publicitaires portés sur les affiches géantes à la gloire d'une marque d'aspirine, d'une compagnie d'assurances, voire d'une station radiophonique. Par chance, leur wagon était chauffé. Maints vagabonds en profitaient au mieux, tels ce vieux noir aux jambes envelop-pées de papier journal et cette femme qui serrait désespérément un horrible tas de guenilles. Tous deux semblaient savourer cette éphémère victoire sur le froid, ce répit, et, les yeux mi-clos, dodelinaient de la tête. Quand, enfin, Mei-yu et Kung-chiao descendirent au croisement de la 86e rue et de Broadway, la neige commençait à tomber. Grelottants et le souffle court, ils durent lutter de toutes leurs forces contre un vent démentiel qui menaçait de les jeter à terre. Lorsqu'ils finirent par apercevoir l'immeuble où vivait Roger, ils crurent rêver. Coincé entre deux constructions de briques rouges, le bâtiment distillait une impression de confort à cent lieues de l'aspect miséreux de Chinatown.

Dans le vestibule à la lumière tamisée, un portier en uniforme bordeaux leur demanda le nom des personnes qu'ils venaient voir. Il les observait du haut de sa visière, notait les manteaux fatigués, la neige collée sur leurs visages jaunes, son pauvre foulard de soie, ses mains à lui, nues. Plus tard, la voix de Roger, métallique, résonna dans l'interphone :

— Oui, Thomas, faites-les monter.

Son intonation était semblable à celle qu'il adoptait lorsque venaient la femme de ménage, les responsables de l'hygiène.

— Quelle joie de vous voir ! dit-il en ouvrant la porte.

Il souriait d'un air peu naturel et, d'un geste magnanime, les invitait à pénétrer dans l'appartement. Eux, debouts dans le vestibule, s'efforçaient de cacher leur émerveillement devant la beauté du dallage, les plafonds hauts, les antiquités de grand prix. Dans un vase, sous un magnifique miroir, trônaient une brassée de chrysanthèmes et de lys tigrés. Mei-yu les admirait quand elle se vit... Affolée, elle s'essuya vite le visage d'un revers de foulard.

— Je suis vraiment désolé de n'avoir pu vous apporter la machine moi-même, mais j'imagine que vous la vouliez avant ma prochaine visite. Trois semaines, c'est un peu long, n'est-ce pas, Mei-yu ?

La jeune femme s'efforça de sourire.

— Je vois que vous admirez ma dernière acquisition, ajouta Roger.

Très fier, il se dirigeait vers une élégante table en bois de rose aux pieds fins et interminables. Sur le plateau, de splendides oiseaux étaient sculptés en un mouvement plein de grâce fluide. Au grand agacement de Kung-chiao, Roger avait remarqué le regard fasciné de Mei-yu.

L'autre, d'ailleurs, insistait lourdement :

— A votre avis, combien vaut-elle ?

Éberlués, Kung-chiao et Mei-yu se consultèrent du coin de l'œil, puis, Kung-chiao finit par bredouiller qu'il n'était pas expert en la matière.

— Bonsoir ! fit alors Diana.

La jeune femme portait une jupe écossaise et un pull angora dont le col retombait gracieusement comme deux pétales. Ses cheveux bruns et courts avaient subi la traditionnelle permanente américaine. Ses lèvres roses brillaient. Quant à ses yeux, la jeune femme les avaient soulignés d'un trait de crayon qui les faisait paraître plus grands, plus ronds aussi. Gênée, Mei-yu tâtait le trop mince tissu de sa vieille veste, tremblait de peur que Diana ne remarque l'usure de son pantalon. Kung-chiao, lui, se détourna sans comprendre les motifs de son embarras.

— Vous prendrez bien un peu de café ?

Sans même attendre de réponse, elle se dirigeait déjà vers le salon, certaine qu'ils allaient la suivre et, en effet, ils la suivirent.

Elle est aussi effrontée, aussi impudente qu'une Américaine ! songea Kung-chiao tout en se demandant ce que l'on pouvait éprouver en embrassant pareille bouche. A n'en pas douter, cette femme n'avait pas la modestie d'une vraie Chinoise !

Diana, cependant, pouffait.

— Oh! Pardonnez-moi! Peut-être préféreriez-vous du thé? Je devrais en avoir quelque part.

Elle s'exprimait en anglais puisque c'était la langue qu'elle avait pratiquée depuis sa plus tendre enfance. Jamais elle ne s'adressait à Kung-chiao ou à Mei-yu en les appelant par leurs noms. Kung-chiao en connaissait la raison. En leur compagnie, la jeune femme se sentait mal à l'aise. Leur pauvreté la gênait. Elle était jeune, disposait d'une aisance relativement récente et s'en voulait d'être embarrassée en face de parents pauvres! Par ailleurs, elle préfèrait ne pas prononcer leurs prénoms de peur d'un défaut de prononciation. Elle n'avait pas parlé chinois depuis fort longtemps!

Ils s'assirent, burent un thé beaucoup trop infusé et grignotèrent les gâteaux que leur offrit Diana. Roger parla de ses affaires. Importer à bas prix de Hong Kong devenait de plus en plus difficile, disait-il, mais il se débrouillait. Son discours était tel que Kung-chiao ne parvenait pas à savoir si son cousin se plaignait ou se vantait. Peu importait, en fait, car son irritation allait croissant. Contre le mur, le radiateur sifflait et cliquetait comme une locomotive poussive. On eût juré qu'il s'agissait du vieux radiateur de Kung-chiao et Mei-yu. Ce bruit rivalisait avec Roger, cherchait presque à dominer son monologue pesant. A chaque toussotement de l'appareil, Diana sursautait, se retournait pour observer le coupable. Mei-yu, quant à elle, ne pouvait en détacher le regard comme si elle lui reconnaissait la place d'honneur au milieu de cette réunion.

Finalement, Diana eut un mouvement d'impatience, se leva en un envol ravissant de jupe plissée qui découvrit ses chevilles. Mei-yu remarqua l'intérêt que son mari portait à ce geste gracieux, mais elle avait noté aussi les bas de soie, les escarpins en cuir.

— Bien! fit leur hôtesse. Roger, tu devrais sûrement

apporter la machine de façon à ce que je montre à Mei-yu comment s'en servir.

— Oh ! Pas de problèmes ! J'en ai déjà vu, s'empressa de dire Mei-yu.

Kung-chiao n'était-il pas ingénieur ? Il saurait bien lui en expliquer le fonctionnement !

L'engin avait tout d'un cafard : l'aspect massif, la couleur noir brillant ponctuée d'éléments en laiton et, pour le transporter, il y avait même un emballage spécial. Du premier coup d'œil, Mei-yu vit avec soulagement qu'il ressemblait énormément aux machines à coudre dont elle s'était déjà servi.

Diana, pendant ce temps-là, lui tendait un petit paquet en expliquant :

— Tenez ! Je vous ai mis là quelques gâteaux pour la petite.

Très touchée, Mei-yu la remercia chaleureusement. Si la jeune femme se conduisait en enfant gâtée, elle avait tout de même bon cœur. D'ailleurs, à l'évidence, elle aussi avait trouvé ennuyeux le comportement de son époux.

Une fois à la porte, Roger se plia en deux, plissa les yeux à la manière d'un chat doucereux.

— Au revoir ! A dans trois semaines ! Et amuse-toi bien avec la machine, Mei-yu.

A peine arrivée dans l'ascenseur, la jeune femme ne put s'empêcher de questionner son mari :

— Que veut-il dire avec son « amuse-toi bien » ?

— C'est une façon de parler ! Il ne connaît pas du tout notre manière de vivre.

Au ton de sa voix, Mei-yu comprit qu'il valait mieux ne pas s'attarder sur le sujet. Elle se borna donc à contempler la machine à ses pieds. Le bonheur, soudain, lui gonflait le cœur. Elle savait trop le prix de cet objet. Son prix, en effet, n'était rien moins que la liberté ! Alors, elle partit d'un immense éclat de rire, jeta un regard de tendresse triomphante vers son mari... Tous deux riaient tant en sortant de l'ascenseur que le portier les examina d'un air méfiant. Allez savoir ? Peut-être avaient-ils commis un larcin ? Comment pouvait-on rire ainsi par une si triste nuit ? se demandait-il.

Kung-chiao retrouva brutalement la réalité quand la porte de l'appartement s'ouvrit à la volée sur Mei-yu et Fernadina. Dès qu'elle aperçut son père, l'enfant lâcha la main de sa mère et s'élança en criant :

— Papa !

Elle gloussait, grimpait sur ses genoux et ses cheveux chatouillaient le nez de Kung-chiao, émerveillé. Il la tint serrée très fort contre lui, heureux de sentir sa chair ferme, son corps si dense entre ses mains d'homme. Mei-yu, elle, posait son panier sur la table et Kung-chiao y vit trois œufs frais et un grand radis blanc...

Allons, la vie devenait plus souriante ! Ce soir, ils dormiraient le ventre plein. Heureux, il releva la tête et sourit à sa femme.

Vendredi, enfin, arriva. Ce matin-là, Mei-yu ajouta un bon morceau de poisson séché dans le porridge de son mari. C'était plein de vitamines, très énergétique et permettait de mieux réfléchir. Kung-chiao paraissait calme. Il avait bien dormi. Elle s'était éveillée à plusieurs reprises pour observer son visage, vérifier qu'il se reposait bien. Fernadina percevait sûrement le malaise de sa mère : assise par terre, elle mâchonnait une figue sèche sans la quitter des yeux.

Sur le seuil de la porte, Kung-chiao se retourna.

— Ne t'inquiète pas, Mei-yu, je ne serai pas le déshonneur de notre famille.

Puis, sérieusement :

— Je ne suis pas en retard.

A peine se fut-il éloigné que la jeune femme s'empressa de nettoyer le sol. Elle y dépensa une ardeur furieuse avant de s'attaquer à une vaisselle tout aussi systématique. Ensuite, ce fut au tour des vitres qu'elle frotta avec du papier journal. A 9 heures, tout était terminé. Or, elle n'avait rendez-vous qu'une heure plus tard, à l'Union. Mei-ling lui avait demandé de passer prendre sa paie. La veille, l'assistante de Mme Peng avait semblé satisfaite de la veste, mais elle n'avait pas parlé argent. Mei-yu ignorait donc ce qu'elle allait recevoir. Revenez demain, avait-elle dit. Un véritable refrain. A Chinatown, tout le monde répétait toujours : revenez demain.

Elle prit le porte-monnaie et le glissa dans son chemisier. Fernadina reconnut le geste familier et courut à la porte. L'escalier et le hall d'entrée fleuraient bon l'anis. Quelqu'un préparait un ragoût de porc rouge. Peut-être les voisins fêtaient-ils un anniversaire, un événement important ? C'était un présage favorable, songea Mei-yu.

Dans les cuisines du Sun Wah, elle trouva Bao qui nettoyait les branches de brocolis. Fernadina s'installa sur une chaise voisine et posa les mains sur la table comme si elle attendait sa part d'ouvrage. Mei-yu s'était déjà emparée d'un couteau. Shen, lui, pleurait abondamment sur des épluchures d'ail et d'oignon.

— Bonjour, petit singe ! J'ai quelque chose pour toi ! s'écria Bao à l'adresse de Fernadina.

Il se leva avec raideur, se dirigea vers le réfrigérateur et en revint les mains chargées d'une coupe de litchis laiteux. Fernadina ne perdit pas une minute pour embrocher du doigt l'un des fruits qu'elle se fourra dans la bouche avec délectation. Le litchi était doux, pulpeux : un régal que l'enfant pouvait savourer à loisir.

Mei-yu, pendant ce temps, travaillait vite. Plusieurs minutes durant, ni elle ni Bao n'échangèrent une parole. Pourtant, le mouvement lent et régulier du balai que Shen s'obstinait à passer finit par venir à bout de la nervosité de la jeune femme.

— Aïe ! A l'heure qu'il est, Kung-chiao doit être en train

de faire une description détaillée sur la construction des ponts et des canaux ! Hein ? Qu'en penses-tu, Mei-yu ? fit Bao d'un ton faussement désinvolte.

Mei-yu hocha la tête et partit d'un rire crispé.

— Sans doute, si c'est ce que lui demandent ses professeurs !

L'espace d'un instant, Bao observa la fleur de brocoli qui tremblait dans ses mains fragiles de femme. Mei-yu et Kung-chiao étaient jeunes et tendres comme la pousse de bambou, songea-t-il.

— Ne te fais pas tant de soucis. Kung-chiao est intelligent, et très vif aussi. Peut-être a-t-il déjà terminé ? Qui sait ? Imagine-le assis qui attend que les autres aient fini ! Ah ah ! Moi, je te dis qu'il s'offre une petite sieste !

La bouche grande ouverte tant il riait, Bao se remit au travail. Il fit un clin d'œil, puis adressa un sourire radieux à la jeune femme qui pouffa. Sacré Bao ! On pouvait compter toutes ses dents ! Oh ! Quelle tendresse elle éprouvait pour lui ! Il avait tout de l'oncle affectueux et, comme tel, il ne cessait de la gâter. Outre Ah-chin, Bao était l'une des rares personnes de Chinatown à avoir offert son amitié à Mei-yu. La jeune femme, au début, évitait obstinément le restaurant. Le bruit des pas du cuisinier le matin au-dessus de sa tête, sa toux incessante, son langage souvent ordurier et la manière dont il houspillait Shen l'effrayaient. Elle le trouvait grossier et brute comme tous les Cantonais. Aussi, de retour de l'Union, pressait-elle Fernadina pour passer devant le Sun Wah. Quand les affaires languissaient, Bao se tenait à l'une des tables de devant, assis, à fumer une cigarette. Elle savait qu'il les observait tous les après-midi. Peut-être même faisait-il exprès de fumer sa maudite cigarette à l'heure où elles rentraient ! Elle avançait donc, tête baissée, tandis que Fernadina l'interrogeait du regard. Parfois, quand Kung-chiao les accompagnait, Mei-yu osait jeter un œil à l'intérieur du restaurant. Kung-chiao lui avait dit que Bao était inoffensif, qu'il supportait seul le poids de son commerce, d'où sa mauvaise humeur chronique et ses grognements perpétuels. Le jeune homme, sans doute désireux de prouver à sa femme la véracité de ses paroles, ne manquait d'ailleurs jamais de s'arrêter pour échanger quelques mots avec Bao. Mei-yu se voyait alors obligée de saluer poliment le cuisinier. Bien qu'à contrecœur, Mei-yu parlait cantonais couramment. Hsiao Pei, sa nourrice et servante aux jours heureux de Pékin, était originaire du Sud et lui avait enseigné son dialecte. Ici, à Chinatown, cet effort lui coûtait énormément, mais Bao s'exprimait avec une grande courtoisie et paraissait totalement séduit par Fernadina qui se cachait entre les jambes de son père pour mieux l'observer. Au début, Bao lui donnait des pruneaux, puis des douceurs au riz. Peu à peu, Fernadina entreprit de tirer sa mère par la manche lorsqu'elles approchaient du Sun Wah où Bao lui offrirait soit un gâteau à la vapeur, soit une mandarine. Fernadina dévorait alors le fruit sur place. Mei-yu avait beau faire, elle ne parvenait pas à l'éloigner d'un pouce. Non, entre deux tranches de mandarine, l'enfant faisait la causette avec Bao. D'ailleurs, il fallait du temps pour la finir, cette mandarine. C'est ainsi que Mei-yu vit croître l'affection entre eux deux. Ensuite, pour être honnête, elle-même ne tarda pas à abandonner ses préjugés. Un jour enfin, Bao lui tendit un paquet et, sans lui laisser le temps de protester, regagna sa cuisine.

Une fois dans l'appartement, Mei-yu découvrit une paire de rognons de porc frais. Aussitôt, elle dévala l'escalier pour courir acheter un peu de gingembre afin d'accommoder ce mets de choix. Plus tard, tandis qu'elle cuisinait, Mei-yu eut naturellement quelques remords, essaya même d'en vouloir au malheureux Bao. Le fourbe n'usait-il pas de manœuvres pour gagner son affection ? Kung-chiao ne lui permit pas de s'égarer davantage. Il servait le riz quand il lui fit remarquer :

— Tu vois, Bao est vraiment gentil. C'est bien la

preuve que tu n'as pas besoin d'être aussi méfiante et dédaigneuse. Même à Chinatown, il y a des gens de cœur.

Aujourd'hui qu'ils épluchaient ensemble ces tiges de brocolis, Mei-yu releva la tête, observa le vieux cuisinier. Il travaillait vite et son couteau glissait sans peine sur les légumes blanchâtres. Ses petits yeux à demi enfouis dans les poches de fatigue qui lui mangeaient le visage et parcourus d'innombrables vaisseaux rougeâtres lui donnaient l'air d'un ivrogne. Mais tout le monde savait bien que Bao ne buvait guère que de la bière et ce, uniquement après la fermeture du Sun Wah et le dimanche après qu'il eût rendu visite à sa tante. Bao avait le nez court et camus et, pour un peu, on eût juré qu'il s'enduisait la peau avec l'huile de ses marmites. Il avait le cheveu fin qu'il tirait en mèches étiques sur son crâne ponctué de taches de rousseur. Pour l'instant, il sentait peser sur lui le regard de Mei-yu et, embarrassé, s'agitait désespérément sur sa chaise tout en grattant le dernier brocoli.

— Alors, pour ce soir, que veux-tu? Chez Kwong, j'ai vu des crabes superbes. A moins que tu ne préfères un loup à la vapeur? dit-il sans regarder la jeune femme.

Les yeux rivés sur son couteau, Mei-yu répondit :

— Bao, j'ai réfléchi. J'ai sept dollars sur moi et, normalement, je devrais en avoir davantage tout à l'heure. Je veux une très belle fête. Je veux que Kung-chiao et nos hôtes mangent aussi bien que s'ils se trouvaient au Palais d'été de Pékin. Je veux du thé vert, pas du noir. Je veux du canard rôti, des œufs de caille, des petits pois, les plus frais, les meilleurs qui soient et, oui, du crabe aux haricots noirs et à l'ail! Oh! J'en ai l'eau à la bouche!

Les yeux de Bao s'agrandirent.

— Combien serez-vous à partager ce festin?

— Kung-chiao et moi-même, Fernadina, Ah-chin et Ling son mari, leur fils Wen-wen qui a peur de goûter au crabe et puis... je serais très flattée si tu acceptais de te joindre à nous, cher Bao.

Le cuisinier, un rien cabot, soupira à fendre l'âme.

— Vendredi ? Le vendredi... j'ai beaucoup de monde. Je dois faire la cuisine, mais peut-être Shen pourra-t-il prendre les commandes pendant que je m'assiérai à votre table. Aïe ! pour venir à bout de toute cette nourriture... combien de jours penses-tu passer au Sun Wah ?

— Bao... voilà trois ans que nous attendons ce moment ! Aussi resterons-nous assis le temps qu'il faudra pour savourer notre bonheur.

La jeune femme souriait, sortait son porte-monnaie dont elle extirpait les sept précieux dollars.

En fait, tous deux savaient très bien que rien ne pourrait jamais effacer le souvenir amer de ces nuits terribles où la faim leur serrait le ventre d'une main de fer, de ces nuits où il n'y avait pour toute boisson que du thé noir et où l'on chantait quelques chansons pour oublier que l'on était triste.

Kung-chiao avait terminé la première de ses trois épreuves. Installé dans la caféteria, il buvait un thé tout en se préparant pour l'examen suivant, une heure plus tard. Le sujet s'était révélé plus difficile qu'il ne l'avait imaginé, mais il avait l'impression d'avoir réagi correctement. A moins qu'il n'y ait eu un piège... Pourvu qu'il ait répondu avec suffisamment de clarté ! Brusquement, un doute épouvantable lui vint. Une sueur froide lui glaça le dos. Avait-il donné ses réponses en anglais ? Ou s'était-il exprimé en chinois ? Il n'en savait plus rien tout à coup, et il eut presque juré avoir tracé sur sa copie ces caractères aux formes torturées dont se moquaient sans cesse ses camarades américains ou même son ami John. Il faillit courir vers son professeur, lui expliquer qu'il ne s'agissait que s'un simple oubli, lui prouver qu'il connaissait l'anglais, et bien, même ! Mais, il parvint à se calmer, retrouva le souvenir de sa feuille d'examen, les lignes horizontales...

soupira de soulagement. Peu à peu, la mémoire lui revint. Il évoqua même certains mots qui ne laissaient aucun doute sur la manière dont il avait répondu. Il finit par rire de son effroi, ferma les yeux. Oui, il avait besoin de se détendre.

Il était un peu moins de 10 heures et Mott Street respirait le calme lorsque Mei-yu et Fernadina quittèrent le restaurant pour gagner l'Union. Mme Liu se trouvait déjà dans la boutique de son mari et, calée derrière son comptoir, pesait inlassablement ses pâtes fraîches. Tous les commerçants avaient ouvert leur magasin et l'on voyait ainsi flotter au vent de la rue des chapelets de poupées tandis que des cerfs-volants dansaient, très haut, dans le ciel. Comme nul ne faisait mine de les importuner, Mei-yu s'approcha d'un petit cheval de bois aux pattes articulées. L'air radieux, Fernadina tendit la main. Son ravissement n'échappa point à Mei-yu. N'était-ce pas jour de fête ? se dit-elle. En un instant, sa décision fut prise et elle entra dans le magasin.

En sortant, quelle ne fut sa surprise de remarquer que deux policiers discutaient avec Liu. C'étaient des Blancs, vêtus de l'uniforme de la municipalité de New York. Les yeux baissés, Liu hochait la tête lentement, mais avec insistance. Sans doute les policiers lui posèrent-ils une nouvelle question car il haussa les épaules. Il ne parlait pas anglais. Toute son attitude, son regard intimidé, la méfiance de ses gestes, le disaient. Pour se faire plus convaincant, il répétait en écorchant chaque mot :

— Laissez-moi tranquille, je ne sais rien.

Les deux Blancs tournèrent alors les talons, s'éloignèrent dans la direction de l'Union. Ils ne tardèrent pas à s'arrêter de nouveau et Mei-yu, sur le trottoir d'en face, ralentit le pas. Elle aperçut Pan, le marchand de légumes, qui se cachait le visage derrière ses mains comme pour se protéger de coups éventuels. Les policiers, pourtant, se tenaient à bonne distance de lui.

Mal à l'aise, Mei-yu se dépêcha de gagner l'Union.

Mei-ling posa cinq billets froissés sur la table.

— Vous pourrez remercier madame Peng, dit-elle. La nièce du colonel Cheng n'était pas disposée à mettre plus de dix dollars, mais madame Peng a insisté pour qu'elle en paie quinze. Voici donc votre part.

Mei-yu savait qu'on avait dû vendre la veste à vingt, voire vingt-cinq dollars, mais, aujourd'hui, elle recevait tout de même beaucoup plus que les fois précédentes. D'ordinaire, elle touchait deux à deux dollars et demi. C'est donc la joie au cœur qu'elle rangea les billets dans son porte-monnaie tandis que Mei-ling remplissait quelques papiers. L'assistante l'avait oubliée ou feignait l'indifférence pour éviter toute manifestation de gratitude.

Dans la rue, Mei-yu surveilla les alentours, mais ne vit nulle part les policiers. Elle prit Fernadina par la main et se dirigea vers Pell Street. Il lui fallait remercier Mme Peng. La vieille dame était vraiment trop généreuse ! Tout en marchant à bonne allure, Mei-yu observait de temps à autre Fernadina qui serrait éperdument son cheval de bois sur son sein.

— Si Kung-chiao a autant de chance que nous, eh bien ! cette nuit, nous chanterons et pleurerons tous de bonheur, ma chérie ! dit-elle à sa fille.

Devant la porte de Mme Peng, Mei-yu s'arrêta un instant, prêta l'oreille. On entendait les jappements de Mindi, un bruit sourd de conversation. Sans qu'elle pût discerner une seule parole, Mei-yu crut distinguer une voix d'homme et une voix de femme, sans d'ailleurs être en mesure d'affirmer qu'il s'agissait de Mme Peng. La voix féminine, haut perchée, exprimait une grande colère, or Mei n'avait encore jamais vu Mme Peng courroucée. La jeune femme ignorait si sa protectrice vivait seule, ignorait maintes choses... Soudain gênée par sa propre curiosité, Mei-yu tourna les talons. Elle enverrait un message de remerciements. Comment avait-elle pu croire que l'on rendait visite à Mme Peng sans la prévenir auparavant ?

Ce soir-là, Bao leur fit un cadeau merveilleux : il ferma les portes du Sun Wah et, hormis la grande table ronde, repoussa toutes les autres contre les murs. Il installa un ventilateur portatif à proximité et le courant d'air entreprit d'agiter gaiement toutes les banderoles qui pendaient du plafond. Le lino eut droit à un nettoyage en règle. Quant à l'éclairage, il ne demeura pas en reste. Le brave Bao s'en fut quérir toutes les lampes qu'il possédait afin de donner aux lieux un nouvel éclat. Les passants ne purent s'y tromper. Les deux familles réunies ce soir dans l'enceinte du restaurant célébraient à coup sûr un événement d'importance.

Bao avait recouvert la table d'un épais linge blanc sur lequel il avait disposé sa plus belle porcelaine rouge et blanche. Du thé vert infusait dans de petits pots ronds et les baguettes étaient soigneusement placées à côté de chaque assiette. Tout était pensé : ici, les serviettes immaculées et les tasses, là, les verres à vin. Dans la cuisine, les crabes patientaient tranquillement dans leur caisse pendant que l'huile des marmites commençait à crépiter joyeusement.

L'heure tournait quand Ling, le mari d'Ah-chin, lança à l'adresse de Bao :

— Dépêche-toi de sortir le vin afin que nous portions un toast en l'honneur de Kung-chiao.

Petit et trapu, Ling était un homme affable. Ah-chin, elle, s'assit aux côtés de Kung-chiao qui semblait rompu, mais heureux. Il tenait Fernadina sur ses genoux.

— Comment te sens-tu, Kung-chiao ? N'as-tu pas l'impression d'avoir perdu dix kilos ? demanda Ah-chin.

Aussi curieux que cela puisse paraître, elle semblait soulagée, gaie comme si elle avait passé elle-même l'examen.

— Non, cinquante ! répondit-il.

Il souriait, bousculait Fernadina qui tenait toujours son cheval de bois. En face d'eux et à distance respectueuse, Wen-wen, assis sur un bottin, les observait. Une baguette dans chaque main, il surveillait avec inquiétude Bao qui, il le savait, leur servirait le repas.

Bao, en effet, apporta la bière de riz dont il remplit les verres des adultes. On trinqua.

— *Gan bei* à notre savant !

On but.

Quand Kung-chiao était rentré à la maison, Mei-yu n'avait pu réprimer un sursaut d'inquiétude tant son mari lui avait paru fatigué. Il l'avait prise dans ses bras, embrassée aussi, et lui avait confié que, malgré la difficulté des épreuves, il croyait avoir rendu une copie satisfaisante. Puis il ôta ses lunettes et ses chaussures et s'allongea sur le lit. Il s'endormit immédiatement.

Lorsqu'il s'éveilla une heure plus tard, Mei-yu lui annonça simplement que Bao souhaitait le féliciter. Kung-chiao se lava donc le visage à l'eau et changea de chemise. Il devinait l'énervement de sa femme et avait remarqué le joli ruban rouge qui ornait la chevelure de Fernadina. De même, Kung-chiao avait bien vu que Mei-yu n'avait pas fait cuire de riz. Son instinct lui soufflait la vérité. Pourtant, il ne put retenir un cri d'émotion lorsqu'il entra dans la salle du Sun Wah et trouva tous ses amis réunis autour de la grande table blanche. Il avait eu beau savoir qu'ils seraient là, ce soir, n'empêche... Quand il les vit devant lui, qui souriaient de joie et de fierté, Kung-chiao dut lever les yeux au ciel pour ne pas céder aux larmes.

Maintenant, se disait Mei-yu, il semblait plus détendu. Rassurée, la jeune femme avala un deuxième verre et s'abandonna au plaisir du repas qui allait suivre.

L'espace d'un instant, Bao s'assit et but son vin avant de courir à la cuisine. On l'entendit réprimander Shen, puis un grésillement de bon augure vint tinter aux oreilles de chacun. 7 heures et demie avaient sonné et tous avaient faim.

Enfin, Bao apporta le premier plat : des beignets de porc au gingembre et aux échalottes trempés dans de la sauce au soja et aux cerises. Posés comme ils l'étaient sur le grand plat de service, on eût cru des anneaux dorés indéfiniment enchaînés. Mei-yu s'empara du vinaigre et le tendit à ses hôtes afin qu'ils puissent savourer ces amuse-gueule appétissants. Bien entendu, Wen-wen s'empressa de disséquer son beignet. Il laissa de côté la viande pour mastiquer laborieusement la pâte. Fernadina usa d'une autre méthode : d'un coup de dent, elle réussit à pratiquer une petite incision qui lui permit de sucer tout le jus de viande avant de déguster son bien, petit bout par petit bout. Les adultes n'avaient pas ces complications. Ils enfournaient le beignet en entier en poussant des cris de plaisir. Un peu plus tard, Kung-chiao leva son verre.

— A la santé de Bao, le roi du beignet ! dit-il.

Bao venait tout juste d'arriver avec, dans les bras, le plat de crabes qui reposaient sur un lit de haricots noirs à la sauce à l'ail. Bien du temps s'écoula sans que quiconque prononçât un mot. On se concentrait sur la carapace des crustacés, on suçait la chair délicate et le silence n'était troublé que par ces claquements de langue qui accompagnent les repas de fête. Mei-yu guidait les petits doigts de Fernadina pour que l'enfant pût également goûter ce mets délicieux.

Ling leva son verre.

— A la santé de Bao, le roi du crabe ! dit-il.

Bao accompagné de Shen arriva précisément à ce moment-là, chargé de grands plateaux. Les convives redoublèrent d'ardeur. On les voyait jouer de la baguette avec un plaisir non dissimulé tandis que Bao déposait sur la table le porc caramélisé, les œufs de caille, les crevettes aux petits pois, le poulet aux épices et aux cacahuètes, le canard rôti, les brocolis nouveaux, le bœuf à la sauce à l'huître et surtout, ô merveille, un loup entier couché sur un lit de gingembre et d'échalottes, un loup à la chair nacrée. Pour le coup, toute l'assemblée se leva d'un même mouvement et tendit son verre. Mei-yu en avait le cœur gonflé d'allégresse.

— A la santé de Bao, le roi des cuisiniers !

Tous applaudirent vigoureusement, et des rires joyeux saluèrent Kung-chiao qui approchait une chaise pour ce cher Bao. Mei-yu, elle, invita Shen à se joindre à eux. Le malheureux gâte-sauce jeta un regard implorant vers son maître pour lui demander la permission, mais Bao expliquait déjà à Ah-chin comment Kwong lui avait cédé le poisson, le matin même, après qu'il eut surenchéri. Très intimidé, Shen s'installa donc aux côtés de Wen-wen, se confondit en remerciements quand son hôtesse lui servit le thé.

Durant une bonne heure, cependant, la conversation languit quelque peu. On poussait maintes exclamations ravies, on prenait le ciel à témoin au rythme des baguettes qui frappaient la porcelaine des bols de riz. Mei-yu choisissait les meilleurs morceaux, les tendait à ses hôtes jusqu'à ce qu'il ne restât plus que quelques petits pois et la grande arête du loup. La première à déclarer forfait fut sans doute Fernadina. Une fois repue, elle eut un de ces longs soupirs de contentement qui marquent les grands moments de la vie, puis ramassa son cheval qu'elle promena sur la nappe. Il broutait, disait-elle fièrement en profitant de l'occasion pour le montrer à tous. Wen-wen laissa tomber une crevette par terre et éclata en sanglots. Ah-chin reposa donc ses baguettes et le prit sur ses genoux pour le cajoler d'une chanson fredonnée et d'un baiser sur sa chevelure noire et brillante.

Bao se rejeta en arrière sur sa chaise, tendit la main pour attraper les cure-dents sur la table voisine. Ling lui en sut gré qui entreprit immédiatement de se nettoyer la bouche. Mei-yu observa chacun de ses hôtes : ils semblaient heureux et satisfaits.

Ling vida le vin qui restait encore dans son verre, puis regarda Kung-chiao, assis en face de lui. Quel homme heureux ! se dit-il.

A peine cette pensée l'avait-elle effleuré qu'une bouffée de honte l'envahit : Ling venait de comprendre qu'il jalousait Kung-chiao, qu'il l'enviait terriblement. Au début, il y avait de cela une éternité, Kung-chiao n'était guère que le mari d'une amie de son épouse. Ah-chin lui avait parlé de cette jeune Pékinoise au visage trop pâle et trop sérieux qu'elle avait rencontrée à la crèche, qui parlait cantonais aussi bien que mandarin et qui paraissait si seule. Un beau jour, Mei-yu s'était arrêtée à la pâtisserie pour y acheter un gâteau de lune pour Fernadina. Ling lui avait alors parlé. Il avait aussitôt deviné la grande vulnérabilité qu'elle cachait derrière son masque de froideur. Un soir, enfin, les deux couples se promenèrent ensemble dans le parc. Ils discutèrent longuement et se nouèrent d'amitié. Peu à peu, ils en vinrent à partager leurs repas et, lorsqu'elles avaient une course à faire, les deux femmes se confiaient mutuellement leurs enfants.

Depuis toujours ou presque, Ling savait que, dès qu'il aurait achevé ses études, King-chiao quitterait Chinatown. Ling, tout comme Ah-chin, était cantonais. Il n'oubliait pas que les Wong venaient de Pékin, mais s'efforçait de repousser les pensées qui, parfois, l'agaçaient. Certains soirs, en effet, il s'étonnait de l'amitié qui unissait quatre êtres aussi différents, comme s'ils eussent été des poissons nageant à contre-courant. Hors le temps qu'ils passaient ensemble, ces réflexions ne l'importunaient pas. Il appréciait l'esprit de Kung-chiao, son aisance avec tous ses voisins, la facilité avec laquelle il acceptait la vie à Chinatown. Peut-être cette désinvolture avait-elle une explication simple : Kung-chiao n'était-il pas certain de quitter Chinatown dans un avenir proche ? songeait-il avec amertume. Oh ! Ces gens du Nord ! Ils affectaient toujours un air de supériorité insupportable comme s'ils eussent possédé les clés du savoir, l'apanage de la culture !

Pourtant, Kung-chiao, lui, ne montrait aucune arrogance. Il ne ressemblait absolument pas aux autres mandarins. Ling en avait conscience, mais, il devinait aussi, et ce pour sa plus grande tristesse, que les barrières qui les séparaient ne céderaient jamais. Il y aurait toujours cette réalité impitoyable qui faisait d'eux un lettré et un ouvrier, un homme du Nord et un homme du Sud.

Sous le poids du chagrin, Ling se voûta légèrement. Bientôt, Kung-chiao et sa famille partiraient, l'abandonneraient à son sort limité aux murs livides de sa boutique, cette boutique où, dans une atmosphère surchauffée, il préparait inlassablement gâteaux de riz, gâteaux de lune et brioches aux haricots noirs.

Et s'il retournait à l'école? se dit-il. Il s'en voulut aussitôt. Quelle idée absurde! Ses connaissances en anglais étaient si minces que c'est à peine s'il pouvait saluer les Américains qui entraient dans son magasin. Il jeta un coup d'œil vers Ah-chin. Elle serrait Wen-wen dans ses bras et se berçait tout en le berçant. Elle était fatiguée. Aussi fatiguée que lui. Ling le voyait bien. Oh! Que la vie était difficile! Labeur incessant placé sous le signe d'une éternelle lassitude! Même allongé, Ling ressentait l'ampleur de son épuisement.

Pour l'instant, Wen-wen avait cessé de gémir. Ling contempla son fils, sa bonne tête ronde où se lisait la crainte, et se demanda brusquement ce qui, de l'envie ou de la tristesse, l'emporterait lorsque Wen-wen pourrait voler de ses propres ailes.

Bouleversé par ces pensées et aiguillonné par l'alcool, Ling se leva.

— J'aimerais féliciter encore une fois Kung-chiao qui a terminé ses études avec succès et qui, j'en suis sûr, connaîtra un brillant avenir.

Ah-chin regarda son mari avec fierté. Il le vit et, emporté par un brusque élan de générosité, poursuivit :

— Je voudrais dire aussi, mon cher Bao...

Il se tourna vers le cuisinier qui s'essuyait le visage du bout de son tablier.

— ... que jamais, jamais, je n'ai encore mangé repas plus succulent et que je pourrais m'estimer heureux s'il m'arrive, un jour, de goûter des mets à peine moitié moins savoureux que les tiens...

A ce point de son discours, Ling ressentit quelques problèmes d'élocution, surprit l'expression inquiète d'Ah-chin. Tu as trop bu, songeait-elle. Embarrassé, il consulta ses voisins du regard, vit leurs sourires radieux et se rassit, satisfait. Quelques minutes plus tard, Ah-chin remarqua combien il fixait son attention sur la nappe, comprit les motifs de sa morosité soudaine. Elle en eut le cœur serré. Allons, le métier de pâtissier n'a rien de déshonorant, se dit-elle. Ling et elle-même n'avaient-ils pas mené leur vie dans la dignité ? Une vie de dur labeur ! songea-t-elle encore avec fierté. Réconfortée, elle serra Wen-wen contre son sein, se composa un sourire.

Kung-chiao se leva à son tour.

— Mes amis, merci. Merci d'être tous présents, ce soir. Je suis vraiment heureux de vous avoir pour amis et de t'avoir, toi, Mei-yu, pour femme. Merci...

Derrière lui, il entendit une porte s'ouvrir, nota que Bao se retournait.

— Voici quatre ans maintenant que nous vivons à Chinatown.

Il s'interrompit. Ling tirait violemment sur sa chaise. Quant aux larmes qui roulaient sur les joues très pâles de Mei-yu, elles n'exprimaient plus la joie, mais la crainte. Une crainte intense devant les deux policiers en uniforme bleu foncé qui bloquaient le passage.

L'espace d'une seconde, Kung-chiao remarqua le brillant métallique des boutons, des badges.

L'un d'entre eux examinait la table avec un tel intérêt que, plus tard, Ah-chin jura qu'elle l'avait entendu humer l'air... sans doute n'avait-il pas encore dîné !

— Qui, parmi vous, est le dénommé Wong ? demanda le plus grand des deux.

Devant le silence de l'assistance, le policier avisa Ling :

— C'est vous ?

Wen-wen se mit à geindre. Fernadina fixait les boutons aussi miroitants que des écailles de poisson.

— C'est vous ? fit l'autre policier en prenant Bao à partie.

Imperturbable, Bao continua à sucer son cure-dents.

— C'est moi. Je m'appelle Kung-chiao Wong. Que me voulez-vous ? Je n'ai rien fait de mal.

— Nous avons un mandat pour perquisitionner à votre domicile.

Kung-chiao sentit sa gorge se nouer au point qu'il eut du mal à répondre :

— Que cherchez-vous ? Je n'ai rien à cacher.

L'officier de police sortit l'ordre de perquisition.

— Nous avons là un homme qui prétend en savoir long sur vos agissements criminels en matière de jeux. Il affirme également que vous lui avez donné de l'argent en échange de son silence. Aussi pensons-nous trouver chez vous des éléments de preuve.

Kung-chiao se tourna alors vers la silhouette qui se tenait encore dans l'ombre du seuil.

— Qui est-ce ? fit Kung-chiao.

Il était si troublé qu'il ne sentit pas la main de Mei-yu qui lui serrait le bras à lui faire mal.

— Nous avons même des témoins qui vous ont vu lui donner de l'argent, il y a trois jours, devant ce même restaurant.

La silhouette avança de quelques pas et Bao se leva d'un bond en un grand bruit de chaise renversée.

— Chien ! hurla-t-il. Maudit soit le jour où ta mère t'a enfanté !

Sous les néons du restaurant, l'homme révéla son visage verdâtre : c'était Wo-fu.

⁂

D'une voix glaciale, Kung-chiao remarqua :

— Dis-moi, Wo-fu, les vingt cents que je t'ai donnés t'ont rapporté plus qu'un jeton d'autobus !

Mais l'autre gardait un visage de marbre, il se bornait à suivre docilement les policiers qui entraînaient Kung-chiao vers la porte. Mei-yu se précipita à leur suite. Ah-chin essaya de l'en empêcher. En vain. Mei-yu lui parut si angoissée qu'elle décida de veiller sur Fernadina sans plus tenter de retenir son amie. L'enfant accepta de bonne grâce, mais garda les yeux rivés sur ses parents qui s'éloignaient dans la nuit.

— Papa ! cria-t-elle.

Son père, cependant, ne l'entendit pas.

Pour l'heure, Mei-yu se refusait à poser la moindre question à son mari. Dieu sait pourtant si elles étaient nombreuses à lui brûler les lèvres ! Non, mieux valait se montrer discrète. Ils grimpèrent donc les marches qui menaient à l'appartement. L'escalier sentait encore l'anis et le ragoût de porc. Une fois sur le palier, les policiers n'eurent qu'à pousser la porte pourtant bien fermée à clé quand le couple s'était rendu au Sun Wah. Mei-yu en était certaine. Elle faillit le dire aux policiers, mais une drôle d'intuition, ou son instinct, l'en empêcha. Une petite voix intérieure lui soufflait la prudence, la suppliait d'éviter tout geste compromettant ou susceptible d'être mal interprété. Elle se sentait rapetisser...

Les représentants de la loi jetèrent un coup d'œil sur la

chambre du couple, puis très vite se lancèrent dans des recherches plus tatillonnes. Ils plongèrent sous le lit, tournicotèrent autour de la table métallique. Dans l'entrée, Kung-chiao, Mei-yu et, derrière eux, Wo-fu observaient le manège des policiers. Wo-fu, soudain, se mit à tousser. Mei-yu, qui avait presque oublié sa présence, se retourna et faillit lui parler, mais son mari la prit par le bras et hocha la tête. Wo-fu ne méritait pas qu'on lui adressât la parole. Il n'inspirait que le mépris! lui dirent les yeux de Kung-chiao. Elle continua donc d'observer les deux hommes qui passaient leurs maigres effets au peigne fin, vit les pages du calendrier voleter lorsqu'ils ouvrirent l'armoire. Plus tard, on leur demanda leurs papiers d'identité. Kung-chiao s'en fut chercher la boîte à chaussures où ils enfermaient leurs valeurs : certificat de mariage, photos de leur famille respective en Chine, visas.

Quand, ensuite, les policiers se dirigèrent vers l'entrée, Mei-yu ferma les yeux, recula d'un pas. Force lui fut d'admettre, cependant, qu'ils n'avançaient pas sur elle, mais vers le lit de Fernadina. D'un mouvement brutal, ils soulevèrent le matelas, le retournèrent. Il y avait dans leurs gestes une violence telle que Mei-yu, horrifiée, crut voir son enfant assaillie. Elle poussa un cri d'effroi, puis se calma en voyant que l'officier de police sortait triomphalement un petit carnet. Il en tourna les pages rapidement tout en le montrant à son collègue. Mei-yu et Kung-chiao retinrent leur souffle. Le doute n'était pas permis. Le fameux carnet était rempli de colonnes de chiffres.

— C'est à vous? demanda un policier à Kung-chiao.

— Non.

— Est-ce le petit carnet dont vous nous parliez? demanda-t-on à Wo-fu.

— Oui.

— Il ment, fit Kung-chiao qui se tourna vers son détracteur.

— Le carnet est assez éloquent! ajouta Wo-fu sans regarder Kung-chiao.

— Mais notre porte était ouverte, alors que nous l'avions fermée en sortant tout à l'heure!

Malgré le regard de reproche que lui lançait son mari, la jeune femme élevait la voix.

— Quelqu'un s'est introduit ici afin de nous compromettre!

Elle releva la tête, fixa les policiers droit dans les yeux.

— Si Kung-chiao était un fraudeur, un trafiquant, pourquoi irait-il remettre de l'argent à cet homme au vu et au su de tout le monde?

Dans sa voix perçait une véritable terreur. Mei-yu avait beau savoir que Kung-chiao était innocent, il lui fallait pourtant se rendre à l'évidence : toutes les preuves étaient contre lui!

— Pourquoi avez-vous hurlé lorsque j'ai soulevé le matelas? demanda l'un des policiers.

Mei-yu lui jeta un regard rapide, mais ne put rien distinguer dans ces prunelles opaques!

— C'est là que dort Fernadina... ma fille. C'est son lit.

Incapable de s'expliquer, elle s'interrompit. Les forces qui s'exerçaient maintenant contre eux se révélaient par trop maléfiques pour qu'elle pût les comprendre. Comment donc aurait-elle pu les élucider aux yeux de ces étrangers? Le doute d'ailleurs pointait sur leur visage. Elle devina qu'il serait inutile de s'obstiner plus longtemps.

Les deux hommes considéraient Wo-fu, puis Kung-chiao.

— Veuillez nous suivre au commissariat, monsieur. Nous désirons vous interroger.

Kung-chiao acquiesça, puis se tourna vers Mei-yu. Ses cheveux, sagement ramenés sur la nuque durant le dîner, coulaient désormais en longues mèches folles autour de son visage tendu, illuminé de crainte.

— Combien de temps me garderez-vous? Pourrai-je rentrer chez moi, cette nuit?

— Je l'ignore, répondit l'un des policiers en consultant sa montre.

Son collègue attendait déjà près de la porte.

Kung-chiao s'adressa alors à Mei-yu. Gêné par la présence de ces étrangers, il n'ébaucha pas le moindre geste de tendresse.

— Va retrouver Ah-chin et Ling, Mei-yu, et reste auprès d'eux. Il y a un téléphone à la pâtisserie. Je t'appellerai là-bas.

— Allez ! On y va !

Le policier près de l'entrée s'impatientait. Il prit Kung-chiao par le bras. Ce dernier essaya de se dégager. Peine perdue. L'autre intervint, lui prit l'autre bras. Kung-chiao n'opposa nulle résistance, mais Mei-yu lut la colère sur son visage. Pourquoi l'emmenaient-ils ? C'était donc cela la justice de ce pays ? Mei-yu regarda les policiers, son mari. Brusquement, elle avait la certitude qu'à moins de s'opposer à son départ, elle ne reverrait plus jamais son mari.

— Kung-chiao ! Ne pars pas !

Elle hurlait, le prenait par la main comme pour l'arracher à la poigne de ces hommes.

La voix tremblante, Kung-chiao s'efforça de la calmer :

— Je t'en prie, Mei-yu, tu n'as pas à t'inquiéter.

Il releva la tête vers les policiers.

— Je n'ai rien fait de mal. Ils me relâcheront dès qu'ils en auront la preuve, mais, pour l'instant, je n'ai pas le choix : il me faut les suivre.

Affolée, elle se détourna. A quoi bon ?

Wo-fu sur leurs talons, les trois hommes s'éloignèrent tandis que la jeune femme écoutait le bruit de leurs pas décroître dans l'escalier. Puis, brusquement, elle pensa à Fernadina, claqua la porte et dévala les marches.

Plus tard dans la nuit, quelqu'un appela la pâtisserie pour avertir que l'on gardait Kung-chiao au poste. On avait besoin d'un peu plus de temps afin de l'interroger et de le confronter à d'autres témoins. Malgré les prières de ses amis, Mei-yu décida de regagner son foyer. Ling et Ah-chin partageaient une pièce proche de la pâtisserie avec un autre couple cantonais. Si elle restait, ils insisteraient pour lui céder leur lit tandis qu'ils dormiraient par terre ! Mei-yu le savait. Rien ne parvint à la faire changer d'avis. Aussi, Ah-chin, en gage d'amitié, lui tendit-elle un sac de gâteaux aux haricots noirs et la regarda s'éloigner avec Fernadina endormie dans ses bras.

— Tâche de ne pas trop t'inquiéter, Mei-yu, lui dit Ling en la raccompagnant jusqu'à Mott Street.

Sur les trottoirs, des badauds se pressaient. Les restaurants étaient envahis par la foule qui, le vendredi après la sortie des théâtres, baguenaudait dans Chinatown. Les néons des lampadaires et les lumières des vitrines illuminaient la nuit. A croire qu'un magicien avait transformé les ténèbres qui arboraient une étrange phosphorescence donnant aux passants un aspect souriant et verdâtre. Inquiet, Ling suivait Mei-yu pas à pas. La jeune femme, en effet, ne voyait rien ni personne. Elle semblait en transes et c'est à peine si elle remarquait qu'on la heurtait, qu'on la bousculait. Le front têtu, elle avançait et serrait Fernadina de toutes ses forces contre sa poitrine.

Alors, Ling s'approcha d'elle et murmura en cantonais.

— Tout cela, c'est de la faute au colonel Chang !

Il balayait du regard toutes les silhouettes tapies au creux des ombres, dans une encoignure de porte ou même dans quelque ruelle sombre et tirait la jeune femme par la manche. Déjà dans la pâtisserie, il avait voulu l'avertir, mais n'avait osé prononcer le nom tant redouté devant sa femme dont il connaissait assez l'émotivité.

— Je suis sûr que c'est le colonel Chang, le responsable, répéta-t-il. Il se sert de Kung-chiao pour égarer la police qui, ainsi, le laissera tranquille. Elle le serre de trop près en ce moment.

— Et que dois-je faire ? Comment prouver l'innocence de Kung-chiao ? s'écria-t-elle.

— Je ne connais pas grand-chose aux lois, répondit Ling, mais, pour l'instant, il me semble qu'il n'y a pas encore d'accusation formelle contre lui. D'après ce que tu me racontes, rien n'est vraiment clair. Peut-être la police en sait-elle suffisamment sur Wo-fu ? Peut-être la police cherche-t-elle à tendre un piège au colonel Chang ? Kung-chiao ne servirait qu'à endormir la méfiance du vieux renard !

— Soit ! Et si tu te trompais ? Si l'on soupçonnait véritablement Kung-chiao ? Je t'assure qu'ils avaient l'air persuadé que ce carnet était le sien !

Rien que d'envisager cette éventualité, Mei-yu sentait à nouveau la panique l'envahir.

— Nous n'avons pas d'avocat. Qui nous aidera ?

— Moi. Ah-chin aussi. Et Bao. Si tu as besoin d'un avocat, on t'en trouvera un. Ne perds pas espoir, Mei-yu. Pour l'instant, je crois qu'il faut nous montrer patients.

Ce discours, hélas ! ne produisit pas l'effet escompté. Devant son impuissance à réconforter Mei-yu, Ling haussa les épaules. Que faire ? Il voyait bien qu'elle ne l'écoutait que d'une oreille distraite.

Ils poursuivirent donc leur chemin jusqu'au Sun Wah où, en apercevant Bao qui fumait sur le pas de sa porte, Ling poussa un long soupir de soulagement. A peine les eut-il vus que le cuisinier se débarrassa de son mégot. Déjà, il tendait les bras pour porter la petite. Ling, comprenant qu'il n'y avait rien à ajouter, fit demi-tour quand Mei-yu le retint.

— Excuse-moi, Ling. Et merci de ton aide. Remercie aussi Ah-chin de ma part.

Ling eut un petit geste de la main et s'éloigna tandis que Mei-yu, les larmes aux yeux, chuchotait sa tristesse :

— Bao !

— Chut, chut ! Tu vas réveiller la petite prune !

— Bao, merci pour cette soirée. Ton dîner était vraiment

splendide. Kung-chiao en a éprouvé tant de joie, tant de fierté...

Elle s'interrompit, de peur que sa voix ne la trahisse.

— Allons, plus tard, nous aurons tout le temps d'évoquer ce dîner. Tu dois te reposer maintenant, fit-il d'un ton grognon.

Il était tard et, dès le début, Bao avait eu l'impression que Kung-chiao ne rentrerait pas immédiatement. Sans plus ajouter un mot, le cuisinier monta l'escalier en prenant grand soin de Fernadina, toujours endormie.

Une fois dans l'appartement, il nota le désordre du petit lit et déposa l'enfant sur la couche de ses parents. Il conforta ensuite Mei-yu d'un geste tendre, puis redescendit aider Shen à fermer l'établissement.

Assise sur le lit, Mei-yu contempla sa fille, lissa une mèche rebelle. Le ruban rouge était perdu et la gamine avait les cheveux en bataille, mais du moins n'avait-elle pas vu les policiers fouiller son logis, retourner son matelas, rejeter ses draps avec une indifférence méprisante. Rien que d'y penser, Mei-yu en frissonnait. Malgré la chaleur de la nuit, elle se sentait glacée comme, une fois déjà, longtemps auparavant.

Elle n'était alors qu'une petite fille quand les Japonais avaient poussé brutalement la porte de leur demeure. Ils avaient d'abord fait irruption un soir d'été et Mei-yu n'avait pas eu grand-peur. Elle s'était contentée de sursauter comme l'on fait parfois quand le tonnerre devient trop violent. Même s'il claquait très bruyamment, il s'éloignait vite. L'orage ne durait jamais bien longtemps ! Les Japonais pourtant s'obstinaient à revenir.

— Pourquoi ne cessent-ils de nous déranger ? avait demandé Mei-yu à sa mère.

Elle n'avait eu nulle réponse.

Mei-yu se souvenait d'un petit déjeuner qui réunissait sa mère, ses deux frères, les deux nourrices et elle-même. La cloche de la grille avait brusquement déchiré le silence du matin. Sa mère, Ai-lien, s'était figée. Depuis une semaine maintenant, cette maudite cloche sonnait à la même heure! Quelques instants plus tard, ils entendaient des bruits de bottes dans la cour principale. Ensuite, on frappa à la porte. Ce jour-là, ce fut Hsiao Pei qui alla ouvrir. De hauts responsables japonais entrèrent. Au début, ils s'étaient montrés polis, maintenant, leur désinvolture croissait. Ils passèrent donc devant Ai-lien sans même la saluer, donnèrent quelques coups de pied dans le tapis, tisonnèrent grossièrement le feu. Mei-yu vit sa mère baisser les yeux, croiser les doigts.

— Combien y a-t-il d'habitants dans cette maison? demanda le dignitaire japonais.

De sa poche, il avait tiré un carnet.

— Sept, dit Ai-lien. Sept, comme d'habitude.

Le Japonais fila alors vers l'endroit où Mei-yu et ses frères se tenaient et les observa un long moment. Méfiante, Ai-lien s'interposa.

Très brusque, l'homme la questionna sans ménagement :

— Et votre mari, où est-il?

— Dans son bureau. Il prépare ses cours.

— Nous voulons lui parler.

Les yeux toujours rivés au sol, Ai-lien s'inclina.

Discrètement, Mei-yu emboîta le pas aux Japonais qui se dirigeaient vers la retraite du professeur Chen, puis se cacha dans un renfoncement d'où elle put suivre toute la scène. Le plus vieux des Japonais se pencha sur la table de travail jusqu'à toucher le père de Mei-yu et hurla :

— Vous avez tenu des réunions sous ce toit! Nous le savons!

Yuan-ming ne se troubla pas pour autant.

— Il s'agit de problèmes universitaires qui ne vous concernent en rien! dit-il finalement.

— Vous nous permettrez de décider de ce qui nous

concerne ou pas, Chen ! moi, je vous avertis : il faut que cela cesse !

Sans lever les yeux de ses papiers, Yuan-ming se borna à dire d'un ton indifférent :

— Comme vous voulez !

Agacé, le responsable japonais décida de contre-attaquer.

— Et ça, qu'est-ce que c'est ?

— Des notes pour la conférence que je dois faire aujourd'hui.

— Donnez-les-moi.

Yuan-ming se rejeta dans son fauteuil, souleva ses mains...

— Donnez-les-moi vous-même, répéta le Japonais.

Yuan-ming tendit les papiers, mais demeura assis.

— Ils sont trop loin de moi, fit le Japonais qui ne bougeait pas plus qu'une statue.

Mei-yu vit alors son père se lever à demi de son siège et remettre la liasse de papiers à l'officier ennemi..

Ce dernier les consulta, mais sans doute n'y trouva-t-il point les preuves qu'il escomptait car il se mit à examiner les étagères. Mei-yu savait que les préférences de son père allaient aux ouvrages en langue anglaise : romans de Dickens, poésies de Donne, pièces de Shakespeare. Il s'arrêta devant l'un des livres qu'il parcourut avec négligence avant de le refermer brusquement. Puis, il le jeta à terre. Violemment. Yuan-ming sursauta, mais parvint à se dominer. Alors, le Japonais continua son odieux stratagème. Mei-yu entendait le craquement sec des couvertures qui s'écrasaient sur le sol, voyait les pages se froisser sous le choc... Le Japonais finit cependant par se calmer. Apparemment satisfait, il invita ses compagnons à venir le rejoindre. Mei-yu en profita pour s'esquiver et regagner sa chambre toute proche. Là, elle patienta jusqu'à ce que les bottes s'éloignent enfin. Puis la voix de son père, très claire, résonna dans la maison :

— Ai-lien !

Lui répondit alors le doux bruissement des pas de la mère de Mei-yu.

— Veux-tu avoir la gentillesse de demander à Tsu-lu de nous préparer quelques gâteaux. J'attends des invités, ce soir, après le dîner.

— Je t'en prie, Yuan-ming ! Pas maintenant, c'est trop dangereux !

— Ai-lien !

Il refusait la crainte.

— Comme tu voudras ! répondit finalement Ai-lien.

L'uniforme donnait-il donc toujours le droit d'entrer chez autrui pour y semer la peur et le malheur ! s'interrogeait Mei-yu, allongée à côté de sa fille endormie. Une fois encore, il y avait eu duperie. On avait trompé Kung-chiao. Écœurée, elle ferma les yeux dans l'espoir que le sommeil anéantirait tous ces mauvais souvenirs. Hélas ! Plus tard, dans ses rêves même, la jeune femme crut entendre le trop familier bruit de bottes !

Deux jours plus tard, le dimanche, Kung-chiao rentra chez lui. Sa chemise était humide, pleine de graisse aussi, et un mince duvet couvrait sa lèvre supérieure et son menton. Un soupir terrible lui échappa lorsque Mei-yu posa devant lui un bol de porridge et une tasse de thé. Sous l'effet de la fatigue, son œil droit ne cessait de tressauter. Fernadina s'installa sur ses genoux, le regarda boire et manger, renifla avec méfiance ces odeurs insolites et désagréables où se mêlaient des relents de tabac froid et de sueur.

— Ils ne se sont pas montrés détestables, mais n'ont pas arrêté de me poser des questions dont j'ignorais la réponse. Au début, je me suis mis en colère, puis j'ai eu honte de ma faiblesse. Cependant, je me suis rendu compte qu'ils me croyaient davantage lorsque je m'énervais. Ils semblaient surpris, d'une part à cause de ma connaissance de l'anglais et d'autre part parce que c'était la première fois qu'un Chinois leur parlait aussi franchement. Ils ont compris que j'étais disposé à leur révéler ce que je savais et à leur être utile dans la mesure de mes moyens. Mais pourquoi m'ont-ils laissé partir ? Je n'en sais rien ! Peut-être pour mieux me surveiller ! Nous devrons nous montrer très prudents, Mei-yu.

— Comment cela ? s'écria la jeune femme. De qui faut-il nous méfier ? De la police ? Du colonel Chang ? Devrons-nous faire attention à tout ? A tout le monde ?

Accablé, Kung-chiao soupira.

— Je ne sais pas, Mei-yu. Pendant que j'étais au commissariat, je n'ai cessé de réfléchir aux moyens de lutter contre le colonel Chang afin de le démasquer. Mais que puis-je faire, moi, face à son pouvoir ? J'ai fini par me dire qu'il serait sûrement plus sage de me tenir tranquille, que nous devrions quitter Chinatown le plus vite possible. Pourtant, je ne parviens pas à me décider. Si nous passions quelques jours ici ? Ah-chin nous apporterait à manger ? Oh ! Je suis trop fatigué ! Je n'arrive même plus à réfléchir correctement ! Laisse-moi me reposer. Demain matin, cela ira mieux. Fernadina, va-t'en maintenant. Je t'en prie, Mei-yu.

La jeune femme écarta donc l'enfant, puis prépara de l'eau chaude pour son mari. Une fois lavé, ce dernier sombra immédiatement dans un profond sommeil. Son corps, rompu de lassitude, ressemblait à celui d'un jeune garçon, songea Mei-yu qui le contemplait avec une émotion mêlée d'inquiétude. Il ne s'était pas exprimé comme le Kung-chiao qu'elle connaissait. Peut-être, comme il l'affirmait, la fatigue lui troublait-elle l'esprit ? Mei-yu ne doutait pourtant pas qu'il trouverait le moyen de confondre son ennemi. Il l'avait toujours fait auparavant. Un peu rassurée, elle tira le couvre-lit pour le protéger, puis s'assit à la table métallique et se servit une tasse de thé. Fernadina vint aussitôt près d'elle et, gage d'amour, lui tendit son cheval que Mei-yu caressa d'une main distraite. La police allait-elle revenir ? Le colonel Chang leur enverrait-il à nouveau ses hommes de paille pour les menacer ? Pourquoi d'ailleurs les menaçait-il ? Elle jeta un regard vers Kung-chiao, endormi, dont la respiration n'était plus qu'un souffle fragile.

— Kung-chiao, murmura-t-elle. Que nous arrive-t-il ?

Mais il dormait d'un sommeil profond. Mei-yu sentit alors la menotte de Fernadina se poser sur son bras. Elle souleva donc l'enfant et enfouit son visage au creux de son épaule. Elle écouta les battements rapides et légers de son cœur, puis se rejeta en arrière et observa la fillette. C'est à ce moment-là que, pour la première fois, elle remarqua la ressemblance. Elle le voyait dans la courbe du sourcil, dans le dessin des grands yeux noirs : Fernadina ressemblait à Yuan-ming ! Et elle n'en prenait conscience qu'aujourd'hui alors qu'elle avait tant besoin des conseils de son père, qu'elle mourait d'envie d'entendre sa voix ferme et posée lui dire comme à chaque fois qu'elle avait un tourment : « calme-toi ».

Dans ces moments-là, il plaçait la main sur sa tête, l'apaisait et ajoutait : « rassemble toute ton énergie, ma fille ! ». Alors, comme par enchantement, Mei-yu séchait ses pleurs.

Reste calme, se dit-elle en pressant le front contre le torse chaud de son enfant. Pourtant, du fond de sa détresse, une petite voix répétait encore : « que nous arrive-t-il ? ».

— La police a relâché Wong, cet après-midi. Sans doute n'a-t-elle pas cru l'histoire de Wo-fu !

L'homme qui parlait ainsi était grand, mince et vêtu à l'occidentale. Il portait, en effet, un costume gris sombre. Assis sur le sofa recouvert de soie, il fumait une cigarette à l'odeur sucrée. Un autre homme assis sur une chaise de bambou lui faisait face tandis que, debout près des rideaux tirés, un troisième leur tournait le dos.

— La police espère sûrement qu'il la conduira jusqu'à nous, fit l'homme sur la chaise de bambou.

Pourtant, on attendit la réponse du troisième personnage, celui qui se tenait à côté de la fenêtre.

Tam, car tel était le prénom de l'individu installé sur le sofa, ajouta alors :

— A notre avis, il sait qui est responsable de sa mésaventure, il sait que Wo-fu a partie liée avec notre organisation.

Il échangea un regard de connivence avec son vis-à-vis. Plusieurs secondes passèrent. Tam remarqua que le thé servi dans une tasse de fine porcelaine ne fumait plus. Il y avait plus d'un quart d'heure qu'ils étaient là !

— Nous voici dans une situation assez précaire, n'est-ce pas ? fit enfin le colonel Chang.

Il quitta son coin d'ombre et avança en pleine lumière. De taille moyenne et ramassé, il avait le cheveux un peu rare et frisé aux extrémités, le visage rond et lourd, marqué de ces bajoues qui viennent avec l'âge. L'œil, petit et enfoncé, paraissait terne, endormi, mais les hommes du colonel Chang ne s'y trompaient pas. D'un même mouvement, ils se levèrent lorsque approcha leur chef.

Lui les examinait l'un après l'autre avec une extrême gravité.

— La situation est devenue si précaire que, pour en arriver là, il a fallu l'intervention de véritables imbéciles !

Ce dernier mot, il le cracha. Il était furieux contre ses hommes et encore plus furieux contre lui-même pour ne pas avoir confié toute l'opération à son fils, Yung-shan ! Mais que pouvait-il faire avec un tel fils ? Il s'était montré très distant ces derniers jours. Certes, il avait vérifié les comptes et surveillé la bonne marche du bureau. Pourtant, il s'était débrouillé à merveille pour trouver quelque excuse afin de ne pas régler personnellement certains problèmes susceptibles de nuire à leurs affaires.

J'ai été trop indulgent avec mon fils ! se disait le colonel Chang. La faiblesse des Américains l'a contaminé ! Quel manque d'autorité ! En Chine, il ne se serait jamais conduit de cette manière ! Quel pourrissement des valeurs ! A cette pensée, un geste, spontanément, lui vint et le colonel toucha la plaie qui bizarrement lui rongeait le cou depuis quelques semaines. Puis, son regard se posa à nouveau sur l'homme assis sur le sofa.

— Ton thé est froid, Tam.

Il en profita pour agiter avec énergie une clochette en laiton avant de se tourner vers l'autre personnage présent.

— Alors, Lee, que proposes-tu maintenant ?

Mal à l'aise, le nommé Lee se tortilla sur son siège.

— A mon avis, c'est évident.

Le colonel Chang fixa sur lui un œil dur.

— Évident ? Comment cela ?

Lee releva brièvement la tête, puis son regard revint vers le tapis à ses pieds.

— Nous devons l'éliminer, dit-il enfin.

L'espace d'un moment, le colonel demeura de marbre. Puis un sourire découvrit sa denture.

— Quelle idée intéressante, Lee. Pardonne-moi, tout de même, de ne pas y avoir songé. J'ose dire que cela ne me paraissait pas évident du tout !

Le thé chaud arriva sur ces entrefaites. A peine le serviteur se fut-il éloigné que le colonel cherchait alentour un endroit où poser sa tasse. Brusquement, la solution lui apparut. Il eut comme un sourire d'excuse à l'égard de Lee et, d'autorité, installa l'objet de ses préoccupations sur le bras du siège de bambou. Lee, un rien coincé, battit en retraite, se tassa de l'autre côté.

— Lee... j'ai une objection à te soumettre. S'il est vrai, et là je suis d'accord avec toi, que la police surveille Wong, qui soupçonnera-t-elle s'il est assassiné ? Hein ? Tu y as pensé ?

— Wong pourrait être victime d'un accident sans que nul ne parvienne à remonter jusqu'à nous.

A ces mots, le colonel eut un sourire, noua les mains derrière sa nuque.

— Crois-tu réellement que ce Wong soit capable de nous

porter préjudice ? Comment saurait-il qu'il nous sert de pigeon ? Qu'il accapare les soupçons de la police ?

Il se tourna ensuite vers l'autre homme et reprit :

— Et toi, Tam, qu'en penses-tu ? Es-tu d'accord avec Lee ?

Tam écrasa soigneusement sa cigarette afin de se donner un temps de réflexion suffisant.

— La solution de Lee me paraît intéressante, mais, cependant, je ne partage pas ses vues. Pour moi, Wong n'est qu'un universitaire. Du menu fretin. Si nous le tuons, nous ne ferons qu'attirer sur nous l'attention de la police. A mon avis, nous devrions attendre. Après tout, nous ignorons ce que trament les policiers.

— Ah !

Le colonel filait déjà vers la fenêtre. Pour la première fois de sa vie, il était indécis. Malgré ce qu'en disait Tam, il savait que Wong pouvait leur nuire. Peut-être Lee avait-il trouvé la bonne solution ! Il soupira. Quel malheur que de vieillir ! Il avait besoin de l'opinion de Yung-shan. D'un geste las, il écarta les rideaux et observa les mouvements de la rue dans la lumière du matin.

— Bien ! Nous avons là quelques idées ! Non ?

Il laissa retomber les lourdes tentures, adressa un sourire à ses hommes et ajouta :

— Je vais consulter Yung-shan. Il se montre toujours très intelligent face à ce type de problèmes.

Les deux hommes échangèrent un regard de stupeur. Ils connaissaient assez les relations du colonel et de son fils. Pourtant, il ne leur appartenait pas de manifester leur stupéfaction. Ils s'inclinèrent donc devant leur chef et, sans lever les yeux vers ce visage noyé d'ombre, s'éloignèrent en silence.

Cette nuit-là, Mei-yu fit un rêve. Il y avait des années, depuis son enfance en fait, qu'elle n'avait pas rêvé de démon et celui-là se montra aussi menaçant que celui qu'elle avait entrevu, jadis. Il l'étranglait, la lacérait et elle hurla de toutes ses forces... sans qu'un son pût sortir. Mi-dragon, mi-serpent, il se tordait effroyablement, saisissait Mei-yu entre ses mâchoires puissantes, et elle se débattait et criait, criait... Hélas ! l'animal, en face d'elle ouvrait une gueule affreusement noire et si grande que ses hurlements s'y perdaient aussitôt. Parfois, il la relâchait pourtant et s'amusait à la taquiner du bout de ses longues dents acérées comme des faux et brillantes comme de l'acier.

Ensuite, au fil de ce rêve d'adulte, elle aperçut Kung-chiao. Le démon surprit son regard, remarqua son mari. Il se précipita et entreprit aussi de se jouer de lui. Il usait de ses griffes monstrueuses comme d'un piège qu'il tendait au-dessus de la tête de Kung-chiao qui, dans ses efforts désespérés, déclenchait l'hilarité de son tortionnaire. Mei-yu essaya bien de courir jusqu'à son époux, mais ses jambes refusaient de se mouvoir. La suite, qu'elle devinait, ne tarda pas. Le démon, en effet, planta les dents dans le corps de Kung-chiao qui disparut dans les profondeurs de la bête. Celle-ci, souriante, se recroquevilla peu à peu pour devenir ce kaléidoscope multicolore qui, plus tard, devenu balle, se mit à tourner de plus en plus vite et, enfin changé en un disque plat, s'évanouit dans l'atmosphère. Un nouveau rêve suivit. Pourtant, lorsque Mei-yu s'éveilla, elle ne se souvenait que du démon et de ce qu'il avait fait à Kung-chiao. « Ecoute la voix de tes rêves qui, seuls, te disent la vérité », lui avait souvent répété sa nourrice Hsiao Pei. Cette mise en garde, Mei-yu ne l'avait pas oubliée. Elle savait donc ce qu'il lui restait à faire.

*
**

Le lundi matin, Kung-chiao se rasa de très près. Debout face au miroir qui dominait le lavabo, il passa ensuite la veste bleue et la cravate rayée que lui avait données Roger. C'était bien les seuls vêtements qu'il eût jamais acceptés de son cousin! Mais Roger avait tant insisté pour que Kung-chiao soit habillé à l'occidentale. C'était l'unique façon d'impressionner les Américains, affirmait-il. Ses explications n'allaient cependant pas au-delà de cette phrase laconique et il demeurait également très vague quant à la teneur de l'entretien avec la municipalité de la ville qu'il avait arrangé pour Kung-chiao. Il fallait déjà s'estimer heureux d'avoir pu obtenir un rendez-vous, répétait-il avec conviction. Kung-chiao avait donc tenté de le remercier aussi chaleureusement que possible. Ses doigts, néanmoins, s'agitaient maintenant nerveusement sur ce maudit nœud de cravate!

Assise à côté de Fernadina qui prenait son bol de riz, Mei-yu ne quittait pas son mari des yeux. Elle s'efforçait de faire bonne figure, de dissimuler son extrême pâleur. De son rêve, Mei-yu avait décidé de ne pas parler.

Elle voyait bien les défauts de cette veste beaucoup trop grande pour Kung-chiao : les épaules tombaient, les revers flottaient comme des bannières! C'était affreux! Kung-chiao était plus que desservi : il avait tout d'une pauvre caricature! Elle devinait pourtant son intense concentration. Ce regard, en effet, elle le lui avait vu lors de leur départ de Canton, puis durant ses études et, enfin, le jour de son examen. Elle-même la possédait, cette détermination farouche qu'elle lisait également au creux des prunelles de Fernadina. Il suffisait de la regarder jouer avec son cheval pour être fixé.

Cependant, si Mei-yu percevait la force et la résolution de Kung-chiao elle n'en tremblait pas moins tant son mari lui paraissait grotesque dans ces vêtements empruntés. La peur lui revenait. Ce rêve au démon lui semblait trop proche de la réalité.

— Kung-chiao...

Sa voix frémissait.

— Ne disais-tu pas que tu éviterais de sortir durant quelques jours ?

Il vit sa crainte, ses doutes.

— Hier, je n'étais pas moi-même. Nous ne pouvons vivre dans la peur comme des animaux tapis dans leur terrier.

Mei-yu songea aux avertissements d'Ah-chin et de Ling. Selon eux, les hommes du colonel Chang étaient partout et surveillaient tout le monde.

— Je t'en prie, Kung-chiao, dit-elle d'un ton désespéré.

Il eut un soupir agacé.

— Roger s'est débrouillé pour m'obtenir ce rendez-vous ! Je ne peux pas lui faire ça ! Et si je l'avais, ce travail ? Cela nous rendrait grand service. Il faudrait être fou pour ne pas y aller.

Sa désinvolture horripila Mei-yu. Il ne voulait même pas admettre qu'il se trouvait en danger ! Elle l'observa tandis qu'il essuyait les verres de ses lunettes... Comme il paraissait vieux et sévère ! Émue, elle détourna les yeux quand il regarda dans sa direction.

Alors, gentiment, il demanda :

— Tu sors aujourd'hui ?

— Oui. J'ai des courses à faire.

— Mei-yu !

Il vint jusqu'à elle et posa les mains sur ses épaules.

— Crois-moi, il n'y a pas à avoir peur. Il nous faudra nous montrer un petit peu plus prudents, voilà tout. Si tu as l'impression que quelqu'un te suit ou te surveille, va donc t'asseoir à côté de Bao au restaurant ou à la pâtisserie avec Ah-chin. Comme cela, tu seras en sécurité.

Mais Mei-yu ne voulait pas l'écouter. Elle se recula d'un pas.

— Je suis tout de même capable de faire attention à moi-même ! Pourquoi mêler nos amis à ces problèmes ?

Surpris, Kung-chiao scruta le visage de sa femme. Il remarqua le tremblement de ses lèvres et finit par dire :

— Tu as raison, bien sûr. De toute façon, il ne se passera rien. Maintenant, vas-tu me souhaiter bonne chance ?

Mei-yu enlaça donc son mari mais ne put toutefois soutenir son regard. Elle mourait d'envie de le retenir par la manche. Kung-chiao, doucement, l'en empêcha.

— Au revoir, dit-il.

— Au revoir, Kung-chiao.

Du doigt, il caressa la joue de Fernadina et s'éloigna.

Au grand soulagement de Mei-yu, le bâtiment de l'Union était, ce matin-là, presque désert et la jeune femme constata qu'Ah-chin avait déjà déposé Wen-wen. Elle n'avait nulle envie de rencontrer quelqu'un susceptible de lui demander où elle se rendait. Elle donna un baiser d'adieu à Fernadina et attendit que la fillette s'intéressât aux nombreux livres éparpillés sur le sol. Puis, discrètement, elle quitta la crèche.

La jeune femme ne s'attarda pas dans Mott Street. Elle fila vers l'est où elle savait que se trouvaient les bureaux de Chinatown. Une fois devant un bâtiment de briques rouges, elle s'arrêta brusquement comme quelqu'un qui change d'avis, puis se dirigea d'un pas vif vers une minuscule buvette. Nul ne l'avait vue. Mei-yu s'était montrée prudente.

Par chance, le tenancier qui bavardait avec quelques clients ne la vit pas se glisser vers la cabine téléphonique. Mei-yu, comme la plupart des habitants de Chinatown ne disposant pas de cette facilité, savait, en cas de nécessité, où trouver un appareil. Là, dans la pénombre de la cabine, elle s'efforça de réfléchir. Mais que faire ? Il n'y avait pas d'autre solution. Mei-yu n'avait pas oublié les paroles qu'il avait eues en la quittant. Elle seule pouvait donc l'empêcher d'exécuter sa menace.

Elle dut chercher son numéro dans l'annuaire en lambeaux, hésita devant la vingtaine de personnes répondant au même nom de famille que le sien. Enfin, elle finit par le trouver. Il lui fallut alors composer le numéro. Quand elle y parvint, ce fut pour raccrocher brusquement tant elle se sentait incapable de proférer un son. En désespoir de cause, elle recommença tout en espérant qu'il ne serait pas là, qu'elle avait fait erreur...

— Allô ! dit-il.

Elle avait reconnu sa voix.

— Yung-shan ?

Elle en tremblait.

— C'est moi, Mei-yu.

L'après-midi était déjà bien avancé quand Kung-chiao quitta le bâtiment de la municipalité. Une fois dehors, il s'empressa de desserrer cet horrible nœud de cravate, respira à pleins poumons, ôta sa veste. Debout sur les marches, il repensa aux paroles du directeur du personnel. Son étonnement finissait par l'emporter sur sa colère initiale.

Carré derrière son interminable bureau, ce responsable au visage sec avait déclaré :

— Vos qualifications paraissent valables, monsieur Wong, mais nous cherchons néanmoins quelqu'un jouissant d'une meilleure expérience. Cependant, je peux, si vous le désirez, transmettre votre dossier aux services chargés de la surveillance. Peut-être auront-ils un emploi pour vous ?

Sans même laisser à Kung-chiao le temps de répondre, il avait sauté sur le téléphone. La conversation n'avait guère duré sinon pour épeler Wong, oui, W.O.N.G., puis le directeur avait tout simplement annoncé :

— Bureau 011, au rez-de-chaussée. Vous pouvez y déposer votre candidature.

Les mains coincées au fond de ses poches, il s'était levé et, apparemment satisfait de sa personne, souriait.

— Merci beaucoup de m'avoir consacré un peu de

votre temps et de vos efforts, mais je n'ai guère envie de visiter le rez-de-chaussée.

Dans le couloir, en sortant, Kung-chiao avait observé la file des postulants. Il remarqua leur habillement impeccable. Tous étaient Blancs.

Sur le bureau du directeur du personnel, il avait vu son propre curriculum vitae. Il n'ignorait donc rien de ses études et de ses qualifications ! C'était bien la preuve qu'il ne servait à rien de s'humilier.

Une fois à l'extérieur du bâtiment, il s'arrêta un instant pour réfléchir aux conseils de l'un de ses professeurs d'université. Sol l'avait mis en garde contre les pratiques peu ragoûtantes de certaines entreprises. A l'époque, Kung-chiao avait beaucoup apprécié ce tact et cette gentillesse. Hélas ! Sol se révélait encore bien loin de la réalité !

Malgré la distance, Kung-chiao décida de rentrer à pied jusque chez lui. Il n'était guère pressé de retrouver Mei-yu, de lui avouer son échec, de partager son humiliation. Il avait besoin de marcher, de délivrer son corps de cette tension qui le rongeait depuis plusieurs semaines. Il leva les yeux au ciel et, aussitôt, en éprouva un sentiment de grande exaltation. Voilà qu'il se sentait libre ! Il n'avait plus à étudier, à se plier à un horaire strict, à s'enfermer dans une atmosphère confinée. Sa réaction provenait peut-être du fait qu'il se trouvait si loin de Chinatown, se dit-il comme il pénétrait dans Times Square. Ici, personne ne le connaissait. Il était rare que les habitants de Chinatown franchissent les limites du quartier sauf, éventuellement, les hommes du colonel Chang. Mais Kung-chiao avait été vigilant. Il était sûr qu'on ne l'avait pas suivi. Ainsi, se trouvait-il seul, ou presque, sur la 42e rue. Presque... car on le regardait. Les Blancs lui jetaient des coups d'œil surpris. Que faisait-il là ? Ne ressemblait-il pas à ces oiseaux migrateurs perdus en terre étrangère ?

Dans ce quartier-ci de Manhattan, Kung-chiao était fasciné par les vitrines remplies de radios, d'appareils photos, de vêtements ou même de souvenirs bon marché. Ici aussi, des néons brillaient au-dessus des auvents, invitaient le passant à venir admirer tel film récemment sorti. Kung-chiao, soudain, s'arrêta pour contempler la silhouette d'une jeune créature pétrie dans le verre, qui chatoyait au seuil d'un théâtre. Ses cheveux blond platine tombaient en ondes souples sur ses épaules et ses seins énormes semblaient nichés dans de petites coupes de plumes. Autour de sa taille, une ceinture piquetée de fausses pierres précieuses lançait mille feux tandis qu'une jupe délicieusement transparente coulait jusqu'à ses pieds chaussés d'argent aux ongles peints d'un beau rouge carmin. Fasciné par cette caricature de femme, Kung-chiao observait cette vision sans pouvoir s'éloigner d'un pas. Tout en elle, depuis l'excès du maquillage jusqu'à l'abondance de la chair et l'expression du visage, le choquait. Il finit par tourner les talons et fuir à toutes jambes.

Les rues, très larges, se trouvaient parcourues par des hordes de taxis déchaînés qui s'agglutinaient au hasard d'un espace limité comme autant d'insectes belliqueux. A l'intérieur des véhicules, Kung-chiao aperçut des hommes et des femmes élégamment vêtus de vêtements pastel, coiffés, même par cette chaleur, de chapeaux, et figés en des expressions censées les prémunir du bruit, de l'agitation et de la crasse environnants. Ces gens-là, qui sont-ils ? Que font-ils ? se demanda Kung-chiao en observant un homme en taxi. Il portait un costume sombre finement rayé et tenait devant lui un journal qu'il ne regardait même pas. Pourquoi ne travaille-t-il pas ? songea Kung-chiao. Le feu qui passa au vert ne lui laissa pas le loisir de s'interroger davantage.

Un peu plus loin, les immeubles s'élançaient encore plus haut vers le ciel. Debout au pied de l'Empire State Building, le jeune homme leva la tête. L'espace d'un instant, il chercha à savoir si les gens, à l'intérieur, percevaient les vibrations de la structure. Quelle merveilleuse réalisation ! songea-t-il encore. Quelle fête de l'imagination ! A Pékin, la plupart des constructions étaient de plain-pied parce que, des siècles auparavant, un empereur avait interdit à ses sujets de vivre en un lieu qui dominerait sa propre résidence. En tant qu'être suprême, lui seul avait droit de regarder les autres depuis les hauteurs de son palais. Pourtant, ce palais de belle taille n'avait rien à voir avec cet incroyable gratte-ciel, se disait Kung-chiao avec émerveillement. Longtemps, il resta là à admirer cette merveille jusqu'au moment où la foule le bouscula et l'emporta.

Tout ici paraissait immense, chatoyant et spectaculaire, et Kung-chiao pouvait sentir l'atmosphère étrangement électrique de la ville comme s'il avait plongé aux sources qui le généraient. Il était porté par une force fabuleuse et succombait à son attrait impérieux comme il aurait succombé à toute interdiction. Un brusque désir l'envahit alors : vivre à Manhattan. Travailler à Manhattan. Respirer l'air de Manhattan. Bouleversé, il fit halte, hocha la tête comme pour s'éclaircir les idées. Était-ce l'effet de la chaleur ? de l'intensité lumineuse du soleil ? Que lui arrivait-il ? Mei-yu désirait quitter Chinatown. Il le savait. Mais accepterait-elle de s'installer ici ? Il en doutait et, dans son esprit, s'agitaient mille pensées confuses. Bref, quand il finit par atteindre Mott Street, son entretien décevant n'était plus qu'un lointain souvenir. Il y aurait d'autres occasions, ailleurs ! Mardi, il irait voir Sol. Il lui parlerait. Peut-être Sol connaissait-il quelqu'un susceptible d'avoir besoin de ses services, de ses compétences !

Lorsque Mei-yu posa le dîner devant lui, elle remarqua son trouble, sa distraction et en soupira d'aise. Il ne verrait donc pas le tremblement de ses mains. Il ne lui demanderait rien, n'essaierait pas de savoir ce qu'elle avait fait de sa journée. Elle pourrait ainsi lui cacher qu'elle avait appelé Yung-shan, qu'elle avait promis de lui téléphoner à nouveau dès qu'elle aurait un moment de liberté... pour le rejoindre.

Pourtant, elle l'étudia tandis qu'il partageait riz et légumes avec Fernadina, lança :

— Kung-chiao...

Il lui jeta un de ces regards pénétrants dont il avait le secret et Mei-yu sentit l'émotion lui nouer l'estomac. Elle se domina néanmoins et se borna à dire d'une voix blême :

— Non, ce n'est rien.

Qu'aurait-elle pu dire ?

Ce mardi-là, Mei-yu, assise aux côtés de Bao, devant le Sun Wah, brodait un chrysanthème sur un chemisier. Chaque semaine, la jeune femme faisait trois à quatre de ces broderies. Ce genre de travail était, pour elle, d'une simplicité enfantine et son aiguille filait avec grâce et légèreté sur le tissu auquel elle donnait un éclat tout particulier sans qu'elle eût à réfléchir. C'était une chance, car l'esprit de la jeune femme était ailleurs. Bao, lui, présentait à Fernadina un puzzle de bois que l'enfant décida d'essayer immédiatement.

— Non, non, prunette ! Attends que tonton Bao te montre sa profonde sagesse. Regarde donc comment il faut faire. Là...

Fernadina ne s'en laissait pas compter et, déjà, sa main autoritaire se tendait vers la poche du tablier d'oncle Bao.

— Ah ! Concentre-toi, Sing-hua, sinon tu n'apprendras jamais rien. Voyons... c'est un puzzle compliqué ! Mei-yu... sais-tu le reconstituer ?

Fernadina ne lâchait pas le tablier.

Bao soupira et passa le jouet à sa petite protégée. Puis, il capitula, fouilla sa poche et en sortit la friandise aux amandes tant convoitée. Aussitôt, la fillette s'installa par terre pour dévorer un trésor et examiner attentivement l'autre.

L'espace d'une seconde, Bao faillit demander à Mei-yu quelques détails sur l'arrestation de Kung-chiao, mais il se retint à temps.

— Et ton mari ? Où est-il allé sitôt le déjeuner fini ?

— A l'université. Il voulait s'entretenir avec son directeur de recherches. Il ne devrait plus tarder maintenant.

Tout en répondant à Bao, elle préparait son fil et son aiguille.

— Regarde ! Les policiers ! Les voilà encore, s'écria Bao.

Mei-yu leva la tête et reconnut les agents venus perquisitionner à son domicile, vendredi dernier. Puis elle aperçut également Kung-chiao qui s'engageait tout juste dans la rue. A cette heure chaude de la journée, les trottoirs étaient pratiquement déserts, exception faite des commerçants qui s'étaient installés, dehors, sur une chaise et s'éventaient mollement. La jeune femme put donc suivre toute la scène. Les policiers s'avancèrent jusqu'à Kung-chiao qui s'arrêta, les mains sur les hanches. Ils se placèrent de chaque côté du jeune homme...

Bouleversée, Mei-yu se leva d'un bond. La chemise tomba à terre. Fernadina délaissa un instant sa friandise aux amandes. Des commerçants sortirent de leurs boutiques.

— Les fous ! chuchota Bao. Ne savent-ils donc pas que Kung-chiao risque gros à se montrer en public avec des énergumènes de cet acabit ? Regarde... mais regarde ! N'importe qui peut les voir.

Et en effet, les commerçants, désireux de ne pas perdre une miette de ce qui se disait, avaient posé leurs éventails. Kung-chiao, furieux, hochait la tête vigoureusement. Les policiers rétorquèrent. Il hocha à nouveau la tête, puis eut un geste vif de la main comme pour mieux marquer son désir de mettre un terme à cette conversation et s'éloigna. On ne le suivit pas.

— Que te voulaient-ils ? lui demanda Mei-yu lorsqu'il se fut approché.

— Ils voulaient savoir pourquoi je m'étais éloigné de Chinatown, hier. Je le leur ai expliqué, mais j'ai l'impression qu'ils ne me croient pas.

Sur ces mots, il se retourna vers les deux hommes qui ne les quittaient pas des yeux. Un instant, ils se dévisagèrent, puis les deux policiers s'éclipsèrent.

— Pouah ! fit Bao. Pourquoi s'obstinent-ils à venir ici. Cela ne fera qu'empirer les choses.

Kung-chiao, déjà, refermait les bras sur sa fille qui lui donna généreusement un morceau de gâteau sec. Il ne put, cependant, le manger. Il sentait des dizaines de regards peser sur lui et frissonnait.

Le mercredi matin, Kung-chiao se sentit mal dès le réveil. D'horribles nausées le tourmentaient. C'était aujourd'hui le jour des résultats. Un bref instant, avant même qu'il eût ouvert l'œil, la tentation le prit de courir chez un cartomancien afin qu'il lui prédise un avenir idyllique, mais il parvint néanmoins à se dominer. Il saurait bien assez tôt ! D'autre part, n'incarnait-il pas la jeunesse moderne d'un pays moderne ? Les diseurs de bonne aventure n'avaient pas là droit de cité.

Au cours du petit déjeuner, il annonça à Mei-yu son intention de célébrer, le soir même et dans une taverne proche de l'université, les résultats. C'était une suggestion de son ami John, rencontré la veille quelque part dans les bureaux. Kung-chiao avait hésité un petit peu, mais John avait insisté. Comment aurait-il pu refuser pareille occasion ? Kung-chiao avait capitulé et s'en réjouissait pour le moment.

— C'est la première fois que je suis invité à une réunion hors de Chinatown et hors de l'enceinte de la faculté. A mon avis, c'est difficile de refuser. Qu'en penses-tu ? demanda-t-il à Mei-yu.

Kung-chiao dépensait des trésors de patience pour dissimuler son enthousiasme et son impatience.

Mei-yu demeurait de glace. Kung-chiao savait combien elle méprisait les hommes de Chinatown qui passaient leurs soirées à boire et à jouer aux cartes. Par ailleurs, ne fallait-il pas se méfier des tavernes américaines ? Allez savoir ce qui s'y passe ! Elle lui offrit pourtant un visage chaleureux et répondit en toute simplicité :

— Oui. Ce soir, il faut que tu fasses la fête avec tes amis. Cela te fera du bien.

Tout d'abord, Kung-chiao n'en crut pas ses oreilles, puis il poussa un soupir de soulagement. Peut-être Mei-yu avait-elle compris qu'une telle soirée l'aiderait à oublier son affreuse arrestation, ne serait-ce que durant quelques heures ? Ravi, il plongea à nouveau le nez dans son porridge : la journée s'annonçait bien !

Une fois le petit déjeuner terminé, Mei-yu lui demanda de garder Fernadina à la maison pendant qu'elle se rendait à l'Union afin d'y choisir un tissu.

Il nouait un ruban dans les cheveux de la petite, mais ne put s'empêcher de remarquer :

— Ne sommes-nous pas mercredi ? D'habitude, tu vas à l'Union le jeudi, non ?

Mei-yu lui jeta un bref regard inquiet, puis se calma : manifestement, le ruban lui posait un problème !

— Oui. Mais on a livré hier un nouvel arrivage de soie qui, d'après Mei-ling, est superbe. Je veux pouvoir choisir tranquillement. De plus, nous sommes à court de riz.

— Oh ! Ne t'inquiète pas. Fernadina et moi, nous trouverons à nous occuper, n'est-ce pas ?

— Oui, papa.

Kung-chiao adressa alors un bon sourire à Mei-yu qui, debout au milieu de la pièce, attendait, les doigts serrés sur les plis de sa jupe.

— N'oublie pas le porte-monnaie.

La jeune femme courut donc à l'armoire, s'empara dudit porte-monnaie qu'elle glissa dans son chemisier.

Lui, cependant, observait sa femme.

— Ça va bien ?

— Oui, oui. Ne t'inquiète pas. Je reviens bientôt.

A peine avait-elle dit ces mots qu'elle fermait la porte et dévalait l'escalier en courant.

Kung-chiao avait renversé le puzzle sur la table et

étudiait le comportement de sa fille. Le jeu ne comptait que douze pièces et il vit immédiatement que l'enfant ne mettrait guère de temps à en venir à bout. Son esprit, pourtant, l'entraînait aussi vers d'autres réflexions. Mei-yu, par exemple... Pourquoi semblait-elle si tendue, si crispée ? A cause des agissements du colonel Chang, ou à cause des résultats d'examen ? Par chance, la jeune femme avait un travail, une occupation. C'était salutaire. Il ne servait à rien de ressasser des problèmes dont la solution ne vous appartenait pas.

Il n'eut pas le temps de réfléchir davantage. Fernadina avait achevé son puzzle et hurlait sa joie :

— Encore, papa ! Encore. Et cette fois, tu commences.

Il assembla deux pièces et étouffa un rire heureux quand, d'un geste autoritaire, l'enfant le repoussa pour résoudre elle-même cette affaire.

Il faudra que je lui en achète un autre, bientôt. Celui-ci est trop facile ! se dit-il.

Kung-chiao commençait à trouver que l'absence de Mei-yu se prolongeait bizarrement quand, enfin, la jeune femme poussa la porte avec, sous le bras, plusieurs coupons de tissu. Mais de riz, point. Étonné, Kung-chiao se demanda ce qu'elle avait pu faire, l'observa...

D'ordinaire, Mei-yu jetait ses trésors sur la table et dépliait aussitôt les tissus car elle imaginait mille possibilités toutes plus enthousiasmantes les unes que les autres. Curieusement, aujourd'hui, il n'en était rien. C'est à peine si elle regardait ses coupons.

— Tu es contrariée parce que je sors ce soir ? fit Kung-chiao.

— Non ! cria-t-elle.

Elle se reprit bien vite et ajouta d'un ton plus posé :

— Non, pas du tout, Kung-chiao. Je t'en prie, vas-y. Va voir tes amis comme prévu.

— Tu n'auras pas de regrets ?

Elle défit alors le coupon de soie rose.

— Bien sûr que non !

Elle considérait le tissu avec une telle attention que Kung-chiao ne put décrypter l'expression de son visage. Il décida d'en rester là. Ne mourait-il pas d'envie de participer à cette petite fête ?

2 heures sonnaient lorsque Kung-chiao et une dizaine d'étudiants se pressèrent devant la feuille des résultats épinglée sur la façade du bâtiment administratif. On se bouscula donc. Le premier nom porté en haut de la liste n'était autre que celui de... Kung-chiao. John, lui, était reçu quatrième. Le cœur gonflé de joie et de fierté, les deux jeunes hommes se serrèrent vigoureusement la main et invitèrent deux de leurs camarades à se joindre à eux dès 9 heures du soir.

A 8 heures et demie, Kung-chiao se lavait les mains au lavabo quand il surprit dans le miroir l'expression angoissée de Mei-yu. La jeune femme ne cessait de jouer nerveusement avec son épingle à cheveux. Intrigué, il se tourna vers elle, mais elle eut tôt fait de baisser les yeux. On aurait juré qu'elle avait pleuré. Que s'était-il passé ? se demanda Kung-chiao. La police l'avait-elle questionnée elle aussi ?

Lorsqu'il fut pour s'en aller, la jeune femme leva pourtant sur lui un regard très calme. Certes, son front brillait sous l'effet d'une légère transpiration, mais il faisait si lourd que Kung-chiao ne s'en étonna point. Il embrassa donc sa femme et s'éloigna sans plus s'interroger davantage.

La taverne se révélait généralement très paisible le mercredi. Aujourd'hui, cependant, l'atmosphère était bien différente car le rire des trois amis de Kung-chiao emplissait la pièce et chargeait les lieux de bonne humeur.

— Vous le connaissez ? demanda le barman en désignant Kung-chiao.

— Bien sûr ! C'est le roi de la soirée ! répondit John.

Très sûr de lui, l'Américain poussa son ami vers le bar et commanda une tournée de bière.

Les trois Américains se livrèrent ensuite à maintes facéties sous l'œil indulgent de Kung-chiao. Ils imitèrent leurs professeurs. Celui-ci marchait en canard, tel autre avait un débit si ralenti qu'il les endormait à chaque exposé. Puis, à l'aide d'allumettes, ils réalisèrent les bâtiments qui, dans l'avenir, leur apporteraient gloire et renommée. Un peu plus tard, ces brillants chefs-d'œuvre succombèrent sous l'assaut fatal de boulettes en papier. A la deuxième tournée, on haussa le ton.

Amusé, Kung-chiao les regardait faire. A ses yeux, ses camarades se conduisaient en gamins indisciplinés. Et lui se découvrait des trésors de générosité.

Il écouta Howard raconter son entrevue avec un cadre d'une centrale thermique du New Jersey. Il était sûr d'avoir le poste, disait-il, même s'il savait, comme tout le monde ici, que seuls les premiers de classe obtenaient d'habitude les meilleurs emplois. Tout en discourant, il désignait Kung-chiao à qui un John écarlate, en sueur et le cheveu défait tendait une nouvelle bière. Brusquement, Kung-chiao remarqua que les bouteilles vides prenaient une place de plus en plus grande !

Au même moment, John se pencha vers son ami, lui flanqua une grande bourrade sur l'épaule et brailla :

— Alors, mon vieux Kungy ! T'es drôlement calme, ce soir ! Que t'arrive-t-il ?

— Rien du tout ! Je m'amuse bien, tu sais ! répondit Kung-chiao en souriant.

Du coup, John avisa Howard, le prit à partie :

— Il s'amuse bien, qu'il dit !

Puis il revint à Kung-chiao :

— Eh bien, on jurerait le contraire ! T'as l'air si sérieux ! D'ailleurs, t'as toujours l'air sérieux. T'es toujours l'étudiant modèle, hein, Kungy ?

Embarrassé, Kung-chiao détourna les yeux.

Son attitude ne calma nullement John : il s'adressa alors

à un nommé Steve qui s'efforçait de construire une pyramide à l'aide des bouteilles vides.

— Steve ! Tu te rends compte ! Kung-chiao dit qu'il s'amuse bien !

Il colla son visage sous le nez de Kung-chiao. Son haleine sentait la bile aigre.

— Kungy, le Chinois, peut se défoncer avec une bière et une seule ! Allez ! Dis-moi ton secret, Kungy. Comment que tu fais pour être premier aux examens et te défoncer rien qu'avec une bière ? C'est de la magie... jaune, non ? Hé, Howard ! Kungy connaît l'art de la magie jaune !

Kung-chiao vit le barman qui essuyait les verres lui adresser un sourire amusé. Quant à ses amis, ils riaient à gorge déployée et tout en eux, depuis leurs visages rougeauds jusqu'à leurs lèvres ourlées d'écume blanchâtre, indiquait l'ivresse. Dans le miroir en face de lui, Kung-chiao aperçut également son propre reflet. Lui aussi paraissait rouge et il avait les yeux injectés de sang. Machinalement, son regard se posa sur la bouteille de bière vide qu'il tenait encore à la main. Il frémit. Dire qu'il suffisait d'un demi-verre de vin pour le mettre dans cet état-là ! Écœuré, il se débarrassa de sa boisson. L'alcool brouillait l'esprit, se dit-il. Comme il avait la tête lourde ! Il avait même l'impression d'entendre le bruit sourd des battements de son cœur résonner à ses oreilles. Les autres s'étaient détournés de lui, cherchaient à construire une fois encore leur pyramide de bouteilles. Tranquillement, Kung-chiao fouilla ses poches, paya sa bière et abandonna son siège. Il tirait la porte de la taverne quand il perçut le bruit sec du verre brisé. La pyramide avait vécu ! 11 heures sonnaient presque. Une fois dehors, il réfléchit un instant. Il faisait chaud et humide, mais, sans doute, un peu de marche à pied lui serait salutaire. Il s'éloigna donc, accompagné par les grognements du barman furieux contre ses camarades.

Il redescendit Houston Street afin de se diriger vers Mercer Street, cligna des yeux. Comme il avait mal au crâne !

Son cerveau lui faisait l'effet d'un paquet de coton mou. Sa chemise lui collait à la peau. Alentour, tout paraissait trop brillant. Sous les lumières des lampadaires, la chaussée luisait et, sur les façades des immeubles voisins, des particules de mica étincelaient. Il marchait lentement et respirait profondément de sorte que, peu à peu, son malaise s'estompa. Il parvint à Mercer Street sans avoir rencontré âme qui vive. Là, il tourna, s'engagea dans une rue très sombre à peine trouée de lumières aux intersections. Il marchait et écoutait le bruit de ses pas dans la nuit. Il pensait à Mei-yu. Mei-yu dans l'appartement.

Une silhouette émergea soudain des ténèbres et bondit devant lui. Instinctivement, il recula, serra les poings. Il contempla sans le voir l'homme de l'ombre, ne vit que d'immenses béances en lieu et place des yeux qui, l'instant d'avant, le fixaient dessous le masque. Alors, il aperçut le couteau. En une fraction de seconde, il songea aux films qu'il connaissait, à ces vaillants héros qui se défendaient à mains nues et comprit qu'il n'avait, lui, qu'une seule et unique ressource : la fuite. Il jeta un regard désespéré vers le bout de la rue, espéra découvrir le profil d'un passant.

Quand l'homme avança sur lui, Kung-chiao recula, hurla. Quelqu'un, dans son dos, le saisit par les bras, lui interdisant tout mouvement. Bien sûr, il se défendit ! Bien sûr, il lança de nombreux coups de pied. En vain. L'éclair du métal l'aveugla. Il se raidit, se tendit, impuissant. Déjà, la lame glissait dans ses chairs trop tendres. L'espace d'un instant, Kung-chiao contempla le couteau, les flots de sang qui jaillissaient de ses viscères. Les hommes en noir s'enfuirent. Le couteau vira à l'anthracite. Kung-chiao tomba, entendit le bruit de ses os sur l'asphalte. A ses oreilles, le sang battait de plus en plus fort, de plus en plus violemment, source brûlante née de ses entrailles. Autour de lui, une incroyable brillance se levait : pierres, métaux et vitrages reflétaient de toutes parts l'aveuglante lueur de la ville. Pour Kung-chiao, cette radiance était insoutenable. Il ferma les yeux.

Peu après onze heures, Mei-yu, aux bras de Yung-shan, éprouva une sensation effroyable. Il lui semblait soudain qu'on la mutilait, qu'on lui arrachait une partie de son être, de son âme aussi. Elle gémit, frémit. Que se passait-il ? Un cauchemar pire encore que celui que je vis en ce moment ? se demanda-t-elle avec terreur. Pendant ce temps, Yung-shan, persuadé que sa compagne gémissait de plaisir, redoublait d'ardeur et de passion, embrassait follement la gorge de la jeune femme.

Quand, enfin, elle réussit à s'arracher à son étreinte et à se rhabiller, il murmurait encore des mots d'amour. Mais, elle ne l'écouta pas. Elle ramena ses cheveux en torsade sur sa tête, se dépêcha. Il était maintenant près de minuit. Une fois sur le palier, devant l'appartement, elle prêta l'oreille. Le calme le plus absolu régnait. Elle s'enfonça donc dans la nuit, frissonna sous la fraîcheur de l'air. Les rues, par ici, étaient fort sombres, aussi la jeune femme courut-elle de lampadaire en lampadaire, poussant à chaque fois un gros soupir de soulagement. Un silence terrible pesait sur Chinatown, à tel point que même dans Mott Street, Mei-yu n'entendit pas le moindre petit bruit.

Au Sun Wah, il ne restait plus que deux clients qui, le dos à la fenêtre, buvaient du thé. Sans doute, Bao se trouvait-il derrière, dans sa cuisine, à briquer poêles et marmites. Tant mieux. Personne ne l'avait donc vue !

Elle grimpa prestement les marches qui menaient à leur minuscule appartement et, le cœur battant, approcha lentement de la porte fermée... Kung-chiao n'était toujours pas là ! Soulagée, la jeune femme s'empressa d'entrer et s'agenouilla à côté du lit de Fernadina.

Pardonne-moi de t'avoir laissée seule pendant que tu dormais, murmura-t-elle à l'adresse de sa fille. Je ne voulais te confier ni à Ah-chin ni à Bao, car ils m'auraient demandé des explications. Mais, crois-moi, Sing-hua, je ne voulais vraiment pas te quitter. Jamais plus je ne le ferai. Elle posa une main légère sur le front de Fernadina, puis, devant la belle inconscience de l'enfant, gagna sa propre chambre et la fenêtre d'où elle fouilla la nuit dans l'espoir d'apercevoir Kung-chiao. En vain. La rue était déserte. Quelle étrange impression, songea Mei-yu. Au même moment, elle aperçut le cuisinier du restaurant en face du Sun Wah qui se glissait dans l'obscurité ouatée.

Elle s'en fut ensuite jusqu'au lavabo où elle se lava rapidement. Mei-yu ne put toutefois contrôler un frisson lorsqu'elle aperçut son visage dans la glace. Comment pourrait-elle regarder Kung-chiao droit dans les yeux maintenant ? Elle n'avait certes pas eu le choix, mais saurait-elle supporter le poids de la honte, des remords ? Allons, il lui faudrait désormais contempler l'univers au travers d'un masque, d'un écran. Un écran qui cacherait son infamie. Un écran de soie au travers duquel nul, pas même Kung-chiao, ne la devinerait.

Elle s'allongea sur leur lit. Minuit avait sonné depuis longtemps. Il était même près d'une heure. Brusquement, le sentiment qu'elle avait éprouvé auparavant lui revint. Une angoisse affreuse lui serrait le cœur. Kung-chiao n'était pas homme à rester dehors aussi longtemps. Jamais il ne veillait aussi tard. Sans doute, ses amis américains l'avaient-ils entraîné à quelque sottise ! Que ne faisait-on pas sous l'empire du vin ? Peut-être ne parvenait-il pas à retrouver le chemin de Mott Street ? Puis, à nouveau, la honte la reprit. Une joie amère lui vint et elle se réjouit de l'absence de son mari. Elle se sentait incapable de soutenir son regard. Elle s'assit ensuite dans le lit, souleva le store, observa encore une fois la rue. Bao avait éteint toutes les lumières du Sun Wah et Mott Street sombrait peu à peu dans l'obscurité. Elle entendit enfin les pas du cuisinier résonner dans l'escalier, puis devant sa porte, puis au-dessus de sa tête. Machinalement, Mei-yu ramena le drap sur sa gorge, ferma les paupières. Après tout, le sommeil lui garantirait un semblant de calme : ainsi n'aurait-elle pas à affronter le regard de son mari !

Plus tard, on frappa trois coups à la porte. On cria son nom.

— Madame Wong, entendit-elle. Madame Wong !

Mei-yu s'éveilla, jeta un coup d'œil affolé autour d'elle. Kung-chiao n'était pas rentré ! Sur la table, la lampe dispensait encore sa lumière dorée. Fernadina chantonnait. C'est alors qu'elle distingua nettement leur présence derrière la porte. Elle enfila son peignoir. Fernadina, debout dans son lit, lui envoyait des baisers. Mei-yu la prit dans ses bras. Un malaise terrible lui nouait la gorge. Où était donc Kung-chiao ?

— Qui est là ?

— La police, madame Wong.

Pourquoi ? Le ramène-t-on ? Dans quel état ? Elle ouvrit, aperçut les deux policiers qui avaient fouillé l'appartement.

— Madame Wong... pardonnez-nous de vous déranger...

Elle les regarda. Ils ne venaient pas perquisitionner. Elle le devinait. Kung-chiao n'était pas avec eux... Ils gardaient les yeux obstinément baissés. Pourquoi ? Que se passait-il encore ?

— Votre mari a été poignardé, madame Wong. Il est décédé.

Quelque temps plus tard, quand ? elle n'en sut trop rien, Mei-yu commença à grelotter. Elle n'aurait pu affirmer qu'il s'agissait d'un rêve, ou plutôt d'un cauchemar. Non, elle avait froid. Très froid. Il faisait nuit noire aussi. Ah-chin, les yeux gonflés de pleurs, ne quittait pas son chevet. Mei-yu le savait. Pourtant, elle ne pouvait respirer. L'odeur de l'encens, les fleurs de papier parfumées qui recouvraient le cercueil, le parfum qu'on avait répandu sur le corps de Kung-chiao, tout la suffoquait. Des mains, des mains d'amis se tendaient vers elle tandis que le visage de Yung-shan émergeait des ténèbres et murmurait : « Je n'y suis pour rien, Mei-yu ». Pourtant, malgré ses protestations d'innocence, malgré son visage triste, Mei-yu ne le croyait pas, ne voulait pas le croire.

***

Telle est parfois la nature du chagrin, déclara le vieil homme.

Ah-chin l'écoutait avec émerveillement. Elle était sous le charme. Cet homme respirait la sagesse. Son visage aussi lisse que celui d'un moine, sa longue et maigre barbe, son crâne rasé, tout, chez lui, suggérait l'ascète. Pourtant, Mme Peng l'avait présenté comme son médecin et non comme un moine.

Impressionnée par les deux personnalités qui l'entouraient, Ah-chin, brusquement, se mit à trembler.

C'était la première fois qu'elle pénétrait dans le salon de Mme Peng. Aussi jetait-elle des regards affolés sur le mobilier alentour tandis que l'on parlait de la santé de Mei-yu. Puis elle finit par comprendre que le médecin l'interrogeait.

— Depuis combien de temps est-elle dans cet état ?

Ah-chin s'assit, s'efforça de faire un récapitulatif...

— Depuis près de trois semaines, il me semble. Depuis les funérailles de son mari, elle vit sous le choc, dans une sorte de transe. Elle ne reconnaît plus personne, pas même sa fille. Jour après jour, j'ai préparé ses repas et l'ai obligée à manger. Mais j'ai peur, maintenant. Elle a perdu beaucoup de poids et j'ignore même si elle dort normalement ou pas. Elle reste, là, allongée, sans bouger et regarde par la fenêtre. On dirait qu'elle ne me voit pas, qu'elle ne m'entend pas. Un jour, je suis venue avec la petite. Je pensais que cela l'aiderait à reprendre conscience, mais non. Même pas. Sing-hua a d'ailleurs bien vu que sa mère ne la reconnaissait pas.

Les mains enfouies dans les vastes poches de son vêtement, le médecin s'assit.

— Oui. Elle a subi un terrible choc. J'ai déjà vu des cas semblables, en Chine, sur les champs de bataille. De tels cas sont très difficiles, mais pas impossibles à soigner. Il faut que je la voie. Peut-être pourrais-je lui donner quelque chose pour l'obliger à abandonner sa retraite, car elle se réfugie dans l'inconscience pour éviter l'horrible souffrance de l'instant. Où s'est-elle réfugiée ? Nous verrons ! peut-être dans le rêve, peut-être dans l'irréel, ou, qui sait, dans le passé ? De toute façon, j'essaierai de la ramener parmi vous.

— Heureusement que vous êtes là, Ah-chin, fit Mme Peng.

La vieille dame souriait gentiment.

— Mei-yu a bien de la chance de vous avoir pour amie. La pauvre enfant a subi un terrible choc, c'est certain. Comme Chinatown a changé ! Quelle horreur ! Heureusement, l'on m'a dit que la police a arrêté l'un des hommes du colonel Chang. D'ici peu, ce vieillard sera pris et puni comme il le mérite. Ce n'est plus qu'une question de temps ! Cette fois-ci, il est allé bien trop loin !

Un instant, Mme Peng s'interrompit, puis reprit.

— Pauvre Mei-yu ! J'avais entendu dire qu'elle n'allait pas bien et je lui avais envoyé des fruits et de la tisane. J'aurais bien aimé me rendre à son chevet, mais avec mes jambes !

A ces mots, elle éclata de rire, tapota ses cuisses rondes et courtes.

— Elles ne me sont guère utiles, comme vous le voyez ! Enfin, elles me portent encore dans cet appartement. Allons... que vais-je raconter ? Ah ! Maudite soit la vieillesse !

Elle agita un doigt prophétique devant Ah-chin :

— Priez le ciel que la mort vous emporte avant que vous n'ayez perdu l'esprit, mon enfant ! C'est la pire des calamités ! Oh ! Ma pauvre tête ! Il n'y a rien de pire, hormis le fait de partir sans héritier... Enfin... patience, montrez-vous patiente avec une vieille dame... ah ! oui, ne vous inquiétez pas pour Mei-yu, Ah-chin. Mon médecin fait beaucoup de miracles. Je l'ai vu guérir nombre de gens qui souffraient de diverses maladies et je suis certaine qu'il saura ramener Mei-yu à un état normal. En attendant, je vous le répète, vous avez agi en amie, en amie merveilleuse, en sœur aussi. Sans doute, ces semaines vous ont-elles été difficiles ?

Ah-chin hésita.

— Je ne tiens pas à me plaindre, madame Peng, et je continuerais volontiers à faire ce que je fais pour Mei-yu, mais, comprenez-moi, il y a ma famille, mon mari et mon fils. Nous vivons tous dans une seule pièce. Nous aimons beaucoup Sing-hua, la fille de Mei-yu. Malheureusement, nos voisins estiment que...

Elle haussa les épaules.

— C'est un problème de place, madame Peng.

— Une bouche de plus à nourrir aussi, fit Mme Peng avec une grande simplicité.

— Par ailleurs, le Comité des logements m'a annoncé que Mei-yu et sa fille ne pourraient pas continuer à vivre seules dans leur appartement. Elles doivent déménager, s'installer dans un endroit plus petit à moins qu'une autre famille ne partage avec elles leur logement actuel.

Agacée, Mme Peng s'agita sur son siège.

— Et le petit cousin ? S'est-il manifesté au moins ?

— Oui, madame Peng. Il a appelé la pâtisserie et a envoyé de l'argent. Mais il n'est pas venu voir Mei-yu. Je lui avait dit qu'elle ne le reconnaîtrait pas. C'est peut-être pour cette raison qu'il s'est abstenu de se déplacer. Je suis sûre que c'est un homme de devoir. Tenez, il semblait préoccupé pour les papiers de Mei-yu, par exemple. Je crois qu'il a parlé de son visa d'immigrante.

Mme Peng eut un geste d'impatience.

— Oui, oui. Légalement, elle ne peut plus se prévaloir de cette parenté. Après tout, elle n'est pas étudiante, elle ! Allons, on ne saurait blâmer cet homme-là. Après tout, un petit cousin n'est jamais qu'un petit cousin !

Ah-chin la regarda sans véritablement comprendre où elle voulait en venir.

— Peu importe ! Je sais, moi, ce qu'il faut faire ! C'est très clair, finit par dire Mme Peng.

Bien entendu, Ah-chin se crut obligée de rire poliment.

Déjà, cependant, la vieille dame ajoutait :

— Ne vous tracassez pas davantage, Ah-chin. Je m'occupe de tout. Vous avez fait plus que votre devoir. C'est assez. Maintenant, vous conduirez le docteur Toy au chevet de Mei-yu. Demain, venez me dire si elle se porte mieux.

Ah-chin et le médecin quittèrent donc l'appartement de Mme Peng, redescendirent Pell Street jusqu'à la boutique du docteur Toy. Là, Ah-chin attendit qu'il préparât un remède pour Mei-yu. Debout sur le seuil, elle contemplait les rangées de minuscules cases de verre que protégeait une immense vitrine. Il y avait une incroyable profusion de fioles, de flacons et de poudres noires, grises, bleu vif, rouges. Des racines aussi se tordaient désespérément, prenaient de faux airs de souffreteuses. Plus loin, des tubercules présentaient d'étranges excroissances en forme de fil torsadé. Le docteur Toy, lui, armé d'un pilon et d'un mortier, broyait consciencieusement quelques précieux éléments. L'espace d'un instant, il fit une brève apparition, se munit d'une pincée de poudre et disparut à nouveau dans les profondeurs de son antre. Il poussait même le zèle jusqu'à se parler tout seul et Ah-chin l'imaginait qui hochait la tête... Quand il revint, quelques minutes plus tard, Ah-chin se garda bien, cependant, de faire le moindre commentaire. Il agitait une enveloppe jaune.

— Allons voir maintenant comment va cette jeune femme! déclara-t-il tout en prenant bien soin de fermer la porte.

Mei-yu s'était retirée en un lieu où le temps n'importait plus. Elle dormait, s'éveillait, discernait ombres et lumières, mais demeurait au large de ce cycle éternel et flottait dans un univers ponctué de visages qui se manifestaient avec une réalité de marionnettes. Les voix, seules, l'atteignaient, comme la fumée qui parfois vous enveloppe. De temps à autre, son regard s'attachait à quelque détail : elle reconnaissait ainsi le calendrier accroché sur l'armoire en face d'elle. Les traits d'Ah-chin lui semblaient également familiers. Elle se souvenait avoir mangé une nectarine. Le plus souvent, cependant, elle errait derrière un écran qui la protégeait des regards d'autrui, un écran au travers duquel elle ne tentait même pas de scruter le monde. Sing-hua paraissait constamment postée aux frontières de cet irréel et ne disparaissait qu'en de brèves occasions, lorsque Mei-yu se tournait dans sa direction. Pourtant, rien de tout cela n'inquiétait Mei-yu. Elle savait sa fille en sécurité.

Puis, un autre visage troua cette pénombre, tira les stores de la fenêtre. Instinctivement, Mei-yu porta la main à ses yeux tant la lumière de midi la blessait. Le visage de cet homme s'approcha encore comme il se penchait et soulevait les paupières gonflées de chagrin.

— Elle est très faible. Préparez-moi de l'eau pour que je dilue la poudre, l'entendit-elle déclarer.

Des doigts coururent ensuite sur son menton, son cou, pressèrent doucement son ventre, ses flancs... Mei-yu tourna la tête, aperçut Ah-chin qui traversait la pièce avec, dans les mains, une tasse fumante. Elle avançait à petits pas, le dos un peu voûté, tandis que l'homme au crâne rasé ouvrait une enveloppe dont il vidait soigneusement le contenu dans le liquide chaud.

Plus tard, Ah-chin porta la tasse aux lèvres de son amie, murmura gentiment :

— Il faut te rétablir. Nous sommes tous inquiets à ton sujet. As-tu oublié ta fille, Sing-hua ? Allez... oui... comme cela. Bois. Le docteur dit que tu vas guérir. Bois... oui... finis la tasse.

Un instant, Mei-yu s'interrogea devant le liquide rougeâtre où flottaient quelques morceaux d'écorce ainsi que des plantes séchées. Il en émanait une légère odeur de terre brûlée, pas désagréable. Elle but. Quelques petites particules se collèrent sur sa lèvre supérieure et Ah-chin, avec une infinie tendresse, s'appliqua à l'en débarrasser.

Quand Mei-yu eut avalé la totalité du breuvage, le médecin s'adressa à Ah-chin.

— Vous pouvez nous laisser, maintenant. Je vais demeurer à son chevet. Cette journée est cruciale pour la bonne marche du traitement.

Al-chin, de son côté, apportait une coupe remplie de pommes. Pendant quelques instants, elle contempla tristement Mei-yu qui avait refermé les yeux et gisait dans une immobilité effrayante.

Mei-yu retrouvait pourtant la réalité de son corps. Elle se sentait plonger dedans les profondeurs du matelas. Finie, cette impression de flotter tel le grain de riz emporté lentement au gré d'une eau dormante. Pour l'heure, il lui semblait retrouver un puissant courant de vie. Elle aperçut des silhouettes, des formes bien distinctes. Elle entendit des bruits de voix, de pas précipités, de rires et le chant des criquets. Elle arrivait au terme d'un long, très long voyage et parvenait enfin en des lieux naguère familiers. Elle entendit quelqu'un venir vers elle en courant. Ô ce bruit de pas ! Elle le connaissait ! Elle l'avait entendu si souvent déjà !

— Hsiao Pei ? cria-t-elle.

D'un geste plein de douceur, le médecin ramena sur le lit les bras tendus de la jeune femme, arrangea les coussins.

Hsiao Pei. Elle avait prononcé ce nom très distinctement. Il s'agissait de quelqu'un ou de quelque chose de petit. Hsiao signifiait petit. Un ami d'enfance? Un animal aimé? Il examina le visage de Mei-yu, remarqua qu'elle transpirait légèrement, que des couleurs lui revenaient. C'était bon signe. Le remède agissait. La jeune femme suivrait désormais le fil qui la reconduirait vers la réalité.

— Hsiao Pei, répéta-t-elle.

Rassuré, le médecin s'épongea le front. Il avait réussi! Elle allait retrouver son chemin!

Dans le Pékin de 1938, Mei-yu avait dix ans. Ce matin-là, du fond de son lit, elle reconnut les pas de Hsiao Pei. L'amah était toujours pressée. On avait beau lui dire qu'un membre d'une famille de lettrés devait circuler avec grâce et dignité, elle s'en moquait! Pire même, elle l'oubliait! Ai-lien, la mère de Mei-yu, se déplaçait en revanche avec une extrême lenteur car ses pieds bandés ne lui permettaient qu'une progression difficile. Mei-yu ne manquait jamais de reconnaître la démarche de sa mère : c'était un bruit irrégulier, traînant même. Quant au père de Mei-yu, il n'y avait pas moyen de se tromper. Il portait, en effet, des chaussures en cuir, de style occidental, qui produisaient un son très doux, très particulier.

Quant à Hung-bao et Hung-chien, on les entendait à quinze lieues à la ronde avec leurs hurlements intempestifs et leurs cavalcades échevelées tandis que leur nourrice, affolée, les pourchassait d'un bout à l'autre de la grande demeure!

Ainsi, le matin, dans la tiédeur délicieuse du réveil, Mei-yu prêtait-elle l'oreille à ces mille bruits familiers qu'elle aimait tant.

Pour l'heure, dans la pénombre bruissante, elle retrouvait le pas de sa nounou qui, ô bonheur! approchait.

La porte de la chambre s'ouvrait toute grande.

— Réveille-toi, petit singe! Réveille-toi! C'est l'heure d'aller à l'école.

Figée dans ses gros draps de coton raide, Mei-yu gardait

les yeux résolument clos et... l'oreille bien ouverte! Les oiseaux, déjà, babillaient, mais il faisait encore nuit. Mei-yu le savait, qui sentait les doigts de sa nourrice tapoter, puis défaire les draps. Enfin, Hsiao Pei lui chatouillait le cou et l'enfant songeait alors que, en vérité, c'était Hsiao Pei le singe... le singe aux doigts malins et curieux qui l'aidait à enfiler sa chemise.

— Aie! Assieds-toi, méduse paresseuse!

De la paume, elle caressait une par une les vertèbres de Mei-yu tout en lui présentant son uniforme d'écolière, amidonné et repassé. Ce geste n'avait rien d'étonnant car il s'agissait en fait d'un rituel, mais Mei-yu, agacée à l'idée qu'il lui fallait aller en classe, fermait immanquablement les paupières. Cette ruse n'échappait pas à Hsiao Pei qui s'empressait d'attraper un bras, puis un autre... Docile, Mei-yu se laissait faire tandis que la servante boutonnait prestement le chemisier. Hsiao avait beau être une servante, une nourrice, c'était Mei-yu l'esclave. Esclave consentante que Hsiao Pei menaçait parfois d'un tablier vengeur ou grondait d'un doigt inquiétant. Cependant, jamais elle ne chassait l'enfant pour qui elle avait toujours une délicieuse gâterie à grignoter.

La nourrice de Mei-yu était de fort petite taille et c'était la raison pour laquelle on l'avait surnommée Hsiao. Pei était son patronyme. Hormis son menton pointu, Hsiao Pei avait un visage rond qu'éclairaient des yeux noirs comme des graines de pastèque. Un jour, Mei-yu demanda même à la servante si elle était bien chinoise : elle paraissait si différente d'Ai-lien. Cette question déclencha l'hilarité de Hsiao Pei. En effet, elle ne ressemblait nullement à Ai-lien qui mesurait dix bons centimètres de plus qu'elle. Ai-lien dont le visage offrait un ovale parfait ponctué de grands yeux en amande... Ai-lien aux longues mains fines, aux doigts fuselés...

— Naturellement que nous sommes différentes! Nous n'avons pas les mêmes origines! Ta mère vient du Nord et moi du Sud. Ta mère a vu le jour dans une famille aisée, moi, je suis la troisième fille d'une famille de onze enfants et mon père n'était qu'un pauvre paysan !

— Hsiao Pei... ne les regrettes-tu pas ?

— Oh ! Parfois, je pense à eux, petit singe ! Mais, à l'époque, la vie, là-bas, était très dure. Nous n'avions jamais assez à manger. La place manquait. Il me fallait partager une natte posée à même le sol avec mes quatre sœurs. Non, je suis heureuse de vivre dans le Nord, maintenant.

— Tu as toujours vécu dans la maison de mon père ?

— Non, je travaillais chez tes grands-parents paternels. J'ai commencé aux cuisines et j'avais... douze, treize ans alors. Ils n'étaient pas très fortunés, mais je n'avais pas besoin d'argent. Il me fallait seulement un lit et de quoi manger à ma faim.

— As-tu rêvé d'épouser mon père ?

A ces mots, Hsiao Pei éclata de rire. Elle rit tant que les larmes lui vinrent aux yeux.

— Oh ! Moi ?

Le fou rire la reprit.

— Un jour, je te raconterai l'histoire des noces de tes parents. Les miennes ont eu lieu peu après les leurs et j'ai alors quitté mon travail pour passer une année avec mon mari.

— Tu as revu mes grands-parents par la suite ?

— Oui.

Elle parut fouiller sa mémoire.

— A la mort de mon époux, j'ai regagné leur maison. J'y ai travaillé jusqu'à ta naissance.

— Vraiment ?

— Oui, et ce fut un grand jour. Tes parents ne ressemblaient pas aux autres parents, Mei-yu. Ils ne t'ont pas maudite pour avoir pris la place d'un fils, d'un héritier. Tu es née dans une famille de lettrés. A leurs yeux, tu étais belle et ils t'ont aimée immédiatement. Et moi, j'ai donc quitté le service de tes grands-parents pour me consacrer à toi. La voilà, mon histoire.

Hsiao Pei, à l'inverse de la mère de Mei-yu, n'avait pas les pieds bandés. Cette coutume se perdait peu à peu dans la classe paysanne où le travail était une nécessité vitale. Mei-yu, d'ailleurs, aurait eu du mal à imaginer ainsi sa servante qui bondissait dans la maisonnée avec la vivacité d'un oiseau sautillant sur le sol en béton.

La demeure familiale, à l'instar des constructions modernes de la capitale, était faite de briques et de béton. Si bien des gens méprisaient ces matériaux jugés souvent trop bon marché, trop solides aussi, Mei-yu, elle, y voyait une matière vivante et changeante : chaude, blanche et brillante comme la pierre en été, noire tels les murs d'une cave en hiver.

La cour constituait l'âme de la demeure dont portes et fenêtres s'ouvraient exclusivement sur cet espace dégagé. Les visiteurs qui se rendaient chez les Chen passaient par l'entrée principale et gagnaient le grand salon. La décoration de cette pièce, extrêmement sobre, s'ordonnait autour d'une table, de quelques chaises et d'un autel tout simple où Ai-lien, qui consacrait son temps à la méditation, brûlait des bâtons d'encens. Mei-yu n'avait guère l'habitude de s'y rendre car elle trouvait l'endroit austère et trop solennel. Comme la famille se comportait avec une grande simplicité, la plupart des visiteurs en faisait autant et filait vite vers la salle à manger ou la cuisine, où thé et amuse-gueule leur étaient servis.

Sur la gauche du grand salon se trouvaient les chambres de Hung-bao et de Hung-chien. Les murs qui séparaient ces deux pièces étaient si épais que c'est à peine si, la nuit, l'on entendait les coups sourds qui leur permettaient de communiquer. Eux-mêmes en étaient gênés. Ils préféraient donc discuter de leurs projets facétieux dehors. Parfois, quand leur nourrice ronflait fortement, on les voyait se glisser dans la cour où leurs murmures et le chant des criquets berçaient le sommeil de Mei-yu. A d'autres moments, Li Ma, leur servante, s'éveillait et les obligeait à regagner leurs chambres. En ce cas, leurs cris de jeunes garçons se mêlaient à ses hurlements de femme, mettant ainsi un terme au repos de l'entière maisonnée.

De l'autre côté de la cour se tenait la chambre des parents et, tout à côté, le bureau de Yuan-ming où trônait la superbe table de travail en bois d'ébène sculpté. Aux murs, les étagères logeaient maints ouvrages rédigés en anglais, chinois et japonais. La chambre de Mei-yu était située à côté du bureau de Yuan-ming, dans le coin exposé au nord-ouest. Les soirs d'été, quand il faisait trop chaud pour dormir, la petite fille se glissait discrètement dans la cour d'où elle observait son père. Quand il n'avait pas de réunion, c'est là qu'il avait l'habitude de se retirer dès les enfants couchés. Mei-yu admirait beaucoup son père qu'elle jugeait très séduisant. Elle surveillait le mouvement de sa plume, les volutes de fumée qu'émettait sa pipe, s'émerveillait. Puis, quand Hsiao Pei lui eut confié qu'elle avait l'épaisse chevelure et le teint pâle de Yuan-ming, elle scruta jour après jour le miroir afin de s'assurer que la servante avait dit vrai.

Au bout du couloir, à proximité de la salle à manger se tenait la cuisine avec son poêle et son évier de pierre brune. Un peu plus loin se trouvaient les chambres de Hsiao Pei et de Li Ma. Tsu-lu, le cuisinier, ne vivait pas à la maison Chen. Il arrivait tôt le matin, poussait vigoureusement la grille, chassait le coq de son perchoir. Chaque matin profitait donc de ce bruyant rituel marqué par le grincement de la porte, le braillement du coq, le raclement du seau à charbon et enfin le bruissement des pas de Hsiao Pei sur le sol.

A l'école, Mei-yu étudiait l'anglais et les classiques chinois quand on imposa à tous les écoliers et étudiants des manuels de base japonais. Les professeurs se gardèrent bien d'expliquer ce qui, brusquement, motivait ce surcroît de travail, mais chacun savait pertinemment que Pékin se pliait chaque jour davantage sous le joug de l'Empire du Soleil-Levant.

L'armée ennemie avait pénétré dans Pékin un an auparavant et avait désormais la mainmise sur l'approvisionnement de la ville. A ce propos, Hsiao Pei affirmait qu'on avait réquisitionné les trains de marchandises pour le transport des troupes japonaises, ce qui expliquait la pénurie des marchés. Le père de Mei-yu avait même été jusqu'à planter des choux d'hiver dans le jardin d'agrément qui, d'ordinaire, accueillait les chrysanthèmes, et seul son salaire d'universitaire leur, permettait encore d'acheter le peu de nourriture disponible.

Sur le chemin de l'école, le matin, Mei-yu croisait maints soldats japonais qui, ô surprise, avançaient toujours par deux. Ils ne cessaient d'arrêter les gens, de les questionner, de les rudoyer et affichaient un sourire arrogant.

Les professeurs essayaient d'expliquer à leurs élèves ce qui séparait les deux grandes factions politiques en Chine. Mei-yu, cependant, ne comprenait guère ce que le Kuomintang représentait et d'où provenaient les communistes. A ses yeux, les uns et les autres n'étaient pas autre chose que ces deux rubans de couleur différente que l'on avait accrochés sur l'immense carte murale de l'école, deux rubans qui flottaient furieusement dans le vent mauvais. La jeune Mei-yu, pour avoir vu les Japonais de près, les comprenait davantage. Ils venaient de plus en plus fréquemment chez les Chen et faisaient montre d'une incroyable agressivité verbale. Plus que les restrictions, plus que la présence continuelle des soldats dans la rue, ces incursions brutales terrorisaient Mei-yu, d'autant que le professeur Chen prenait maintenant l'habitude de disparaître sans que l'on sût où il se rendait. Un jour, en classe, une camarade s'assit à côté d'elle et lui dit :

— Mon père affirme que ton père est un idiot. Bientôt, tu vas te retrouver orpheline.

Mei-yu la regarda sans comprendre.

L'autre continua alors.

— Bientôt, tu auras tout perdu, même tes airs de princesse ! Ce sont les familles comme la tienne qui ont le plus à perdre.

C'en était trop et Mei-yu sauta énergiquement sur la queue de cheval de sa chipie de voisine. L'autre, aussitôt, poussa des hurlements violents tant et si bien que l'un des enseignants s'empressa d'intervenir.

Une fois à la maison, Mei-yu avait conté l'incident à Hsiao Pei qui, tout en lui brossant les cheveux, avait déclaré calmement :

— N'écoute donc pas ces sottises ! Ton père est un homme très courageux. Si seulement la Chine pouvait compter davantage de patriotes dans son genre, surtout en ce moment !

A en juger par le nombre de gens qui venaient consulter son père dès la tombée de la nuit, Mei-yu devinait que Huanming était un personnage important. La peur, pourtant, ne la quittait pas. Une nuit, par exemple, elle s'éveilla en grelottant et se glissa dans le couloir. Elle aperçut son père, en peignoir gris. Dans la lumière de sa lampe de travail, comme il paraissait pâle ! Elle se tapit près de la fenêtre et, bien que glacée jusqu'aux os, l'observa qui déambulait, les mains derrière le dos, à travers la pièce. Il s'arrêtait de temps à autre, soupirait, murmurait quelques mots incompréhensibles, rallumait sa pipe. Le cœur tremblant d'amour et de compassion, Mei-yu observa ce front barré d'une profonde ride, ces paupières alourdies par la veille. Puis, incapable d'en supporter davantage, elle courut jusque chez Hsiao Pei et se jeta dans le lit de sa nourrice qui brodait.

— J'ai peur, Hsiao Pei !

— Pour ton père ? Ne t'inquiète pas tant, c'est un homme intelligent.

La nourrice ne quittait pourtant pas l'enfant des yeux.

— Hmm ! Je vois qu'il me faut maintenant te conter l'histoire du grand mensonge ! fit-elle dans un gloussement.

Ravie, elle était ravie.

— Ton père avait dix-sept ans à l'époque. Moi, quatorze, et je travaillais aux cuisines, comme tu le sais déjà, chez tes grands-parents. Ton grand-père était forgeron. Un homme dur à la tâche, toujours couvert de suie et de sueur au point que, lorsqu'il venait se laver à la fin de sa journée, il ressemblait à une anguille anthracite et luisante. Cette douche dans ma cuisine transformait la pièce en véritable dégoûtation. Sa femme, ta grand-mère, le grondait bien, mais il s'en moquait. Enfin, pour en revenir à ton père, il venait de terminer l'école brillamment. Premier de sa classe, il connaissait ses classiques par cœur, discutait avec les meilleurs lettrés du village et, crois-moi, pour ton grand-père, il y avait de quoi avoir honte. Que veux-tu, c'était un homme du peuple ! Je ne dis pas ça méchamment, Mei-yu, mais il y avait une telle différence entre ces deux-là ! Non, ne ris pas, petit singe ! C'est vrai. Le soir, quand ton grand-père rentrait et trouvait son fils plongé dans une lecture quelconque, il en éprouvait une rage... Il lui arrachait le livre et le jetait dans le poêle ! Il réagissait comme si une pique lui eût fouaillé les flancs ! Qu'il eût un fils érudit ne lui donnait nulle fierté ! Il en allait différemment pour ta grand-mère ! Quand son fils aîné revenait de l'école, les bras chargés de récompenses, la mère en pleurait de joie. C'était une femme étonnante qui, bien que pauvre, savait lire. Elle avait un immense respect pour les lettrés ! Tu penses bien maintenant que ce couple-là ne cessait de se disputer quand on abordait l'avenir de Huan-ming. Le père voulait lui apprendre son métier. La mère suppliait son époux d'envoyer le fils à l'université afin que cet honneur rejaillisse sur toute la maisonnée. Ton grand-père poussait alors un grognement féroce : « Quoi ! Et moi ? Je ne suis pas assez bon pour toi, peut-être ? » Dans sa colère, il attrapait tout ce qui lui tombait sous la main et brisait vases, tasses et autres vaisselles. La cuisine ressemblait à un champ de bataille. Ces disputes durèrent plusieurs semaines. Tout le monde dans la maison en était bouleversé. Les sœurs de ton père s'étiolèrent. Ton grand-père s'inquiéta : qui voudrait épouser un laideron ? Or, trois jeunes filles représentent une lourde charge dans une maison ! Il en devenait fou. Puis, le démon décida de s'en mêler. Les poules se mirent à faire des poussins à trois pattes et à cornes. Les chiens, dans la cour, se cachaient derrière les arbres et hurlaient de rire. Quelques mauvais esprits me volèrent mon seau, mon balai. Je dus en racheter d'autres avec mon propre argent ! Tu n'imagines pas la confusion ! Ton père était extrêmement affligé. Lui, la cause de toutes ces disputes entre deux êtres d'ordinaire très unis ! Il soupirait à fendre l'âme. Moi, je devais le forcer à avaler son bol de riz ! Il n'arrêtait pas de chipoter !

Un jour, pourtant, j'eus une idée de génie ! Car c'est moi et personne d'autre, Mei-yu, qui parvins à mettre cette idée dans la tête de ta grand-mère. Pourquoi ne pas aller consulter l'astrologue ? lui dis-je. Il saura bien ce qu'il faut faire pour l'avenir de Yuan-ming. Ta grand-mère fut si heureuse qu'elle me donna un châle et quatre œufs de poule que j'ai gardés longtemps, comme tu imagines !

Ton père s'en fut donc voir l'astrologue qui vivait au village voisin. Un vieux bonhomme, aux dents jaunes, enroulé dans sa robe bleu sale et qui gribouillait à longueur de temps sur des bouts de papier chiffonnés. Il se tenait, assis en tailleur, devant une table basse en pierre sombre sur laquelle trônait son étui rempli de baguettes. Je te dis ça parce que Huan-ming m'a tout raconté un peu plus tard. Quand le bonhomme eut entendu la question de ton père, il se trouva fort embarrassé. Il se lissa la barbe consciencieusement. La question était difficile. D'ordinaire, l'astrologue fixait les dates d'un mariage, choisissait un lieu de funérailles, incitait les gens à se couper les cheveux. Les temps ont changé, Mei-yu, mais, à l'époque, on ne faisait rien sans consulter un sage. Surtout dans les petits villages ! Enfin, l'astrologue finit par prendre son étui et renversa sur le sol ses baguettes aussi minces que des chaumes. Yuan-ming, lui, observait le vieillard avec effroi. Naturellement, l'autre marmonna dans sa barbe jusqu'au moment où il confia à ton père... que le destin lui conseillait d'entrer en apprentissage chez ton grand-père ! Yuan-ming faillit en avoir une attaque. Il crut avoir le cœur brisé, comme piétiné par un buffle d'eau. Il paya le vieillard et reprit le chemin de la maison familiale.

A ce stade de son récit, Hsiao Pei abandonna son ouvrage. Les yeux brillant d'enthousiasme, elle poursuivit :

— Par chance, Huan-ming était venu à pied, ce jour-là. Or, il avait une vingtaine de kilomètres à parcourir. Il se mit à réfléchir, et c'est à ce moment-là, sans doute, qu'il mûrit véritablement. C'est à ce moment-là, je te le répète, Mei-yu, qu'il prit la décision qui allait changer sa vie. Quand il atteignit la maison, sa mère, pâle et tremblante, l'interrogea. Ton père répondit sans la moindre hésitation qu'il devait aller à l'université. Ta grand-mère s'en évanouit de bonheur et je lui jetai du vinaigre au visage afin qu'elle reprenne conscience. Moi aussi, j'étais extrêmement heureuse pour lui car je connaissais bien son inclination pour l'étude. Quand le père revint, tout noir de suie, il demanda à sa femme ce qu'avait dit l'astrologue. Lui aussi tremblait très fort car il avait été décidé que l'on ne discuterait pas l'avis du sage. Quand il apprit donc la nouvelle, il poussa un tel hurlement que toutes les chèvres du village s'arrêtèrent de ruminer, que le lait de leurs mamelles tourna immédiatement. Ton grand-père pourtant ne voulut point croire ta grand-mère. Il fit mander son fils. Yuan-ming vint et répéta une fois encore ce qu'avait dit l'astrologue. A l'époque, j'étais convaincue qu'il disait la vérité. Aussi éprouvai-je bien du chagrin quand je vis les jambes du père se dérober sous lui. Il dut s'asseoir près de la lessiveuse comme si le ciel lui était tombé sur la tête. Plus tard, bien plus tard, lorsque Yuan-ming revint en vacances à la maison après deux ans à l'université, il me confia son secret, son grand mensonge. Je lui donnais un bon coup de dé ! Je le tançais vertement ! Est-ce qu'on mentait à ses parents ? Quel déshonneur ! Son secret a été pourtant bien gardé ! Je ne dis jamais rien à personne hormis toi, Mei-yu. D'ailleurs, je suis sûre d'avoir bien fait. Qui aujourd'hui regretterait ce mensonge ? N'es-tu pas là, bien vivante, petit singe ? Ta mère et tes frères ne sont-ils pas là, bien vivants ? Et moi-même, ne suis-je pas heureuse malgré les malheurs qui frappent ce pays ? N'est-ce pas la preuve que l'on peut déjouer le destin ? D'ailleurs, le père de Yuan-ming finit par oublier sa blessure d'amour-propre et offrit à l'astrologue une grosse truie et ses sept cochonnets. N'est-ce pas aujourd'hui le plus heureux des pères de la région ? Yuan-ming ne s'est-il pas comporté en fils loyal et respectueux ? Alors, dis-moi, Mei-yu, as-tu jamais entendu histoire plus jolie ? Ton père n'est-il pas un homme intelligent ? Pourquoi t'inquiéterais-tu ?

Mais Mei-yu qui connaissait la conclusion de ce conte ne répondait pas. Elle dormait déjà à poings fermés.

Elle s'étirait maintenant, ouvrait avec difficulté des paupières trop lourdes sur une lune curieuse, une lune souriante qui se révéla être un homme au visage rond et généreux.

— Bonjour, je m'appelle Toy, docteur Toy.

Puis, il se recula quelque peu, ajouta à l'adresse d'une ombre tapie au fond de la pièce :

— La voici revenue à elle.

Intriguée, Mei-yu examina les lieux. Elle n'était plus sur l'étroite couche de son amah, mais dans un vaste lit... Puis, quelqu'un se pencha, quelqu'un dont les traits...

— Ah-chin ? fit-elle.

Sa voix, soudain, émergeait d'étranges profondeurs.

Son amie, elle, s'agenouillait déjà à côté du lit, lui prenait la main.

— Mei-yu ! Tu me reconnais, n'est-ce pas ?

Mei-yu observa Ah-chin, son visage émacié... nota les

cheveux gris qui tissaient sa chevelure, la fatigue, la marque des ans.

Que s'était-il passé? se demanda-t-elle tandis qu'Ah-chin murmurait quelques paroles à peine audibles.

— Quoi?

— Nous étions inquiets, Mei-yu. Tu étais si loin!

Mei-yu commença à retrouver le fil de la mémoire. Son menton retomba sur sa poitrine décharnée. Alarmée, Ah-chin consulta le docteur Toy du regard, mais ce dernier la rassura aussitôt.

Mei-yu poussa alors un long soupir.

— Oui. Je me souviens maintenant. Kung-chiao est mort.

Ah-chin, de son côté, luttait pour ne pas détourner les yeux tant Mei-yu lui paraissait méconnaissable. La jeune femme offrait, en effet, un pitoyable tableau : les joues creuses, la peau flasque et terne, la mâchoire saillante, elle semblait tout juste échappée de l'au-delà.

— Sing-hua? Où est-elle? demanda-t-elle encore.

— A la pâtisserie, avec Ling. Elle va bien, Mei-yu. Nous la traitons comme un membre de la famille. Mais elle te réclame tous les jours et pleure la nuit.

Ah-chin regretta aussitôt ses paroles maladroites.

Mei-yu eut tôt fait de rejeter draps et couvertures, de lutter pour s'extraire du lit. D'affreux sanglots lui déchiraient la gorge tandis que ses mains, presque transparentes, s'accrochaient à la literie. Le cœur serré, Ah-chin remarqua alors la maigreur des cuisses, le genou grotesque, l'extrême faiblesse... Heureusement, le docteur Toy intervenait déjà, obligeait la malade à se recoucher.

— N'allez pas vous épuiser, madame Wong, disait-il.

Mei-yu sentit la force qui émanait de cet être chaleureux et capitula. Pourtant, c'est d'une voix haletante qu'elle lança :

— Amenez-moi Sing-hua, je vous en prie.

Bouleversée par sa propre impuissance, Ah-chin jetait un regard désespéré vers le médecin.

— Je crois préférable que votre fille attende jusqu'à demain matin. Il vous faut manger, dormir, et dormir vraiment. Alors, peut-être Ah-chin pourra-t-elle vous préparer pour ces retrouvailles.

Affolée, Mei-yu porta les mains à ses joues et... comprit. Des larmes roulèrent sur sa peau livide.

— Je suis à faire peur ?

Elle criait. Les pleurs, cependant, la soulagèrent. Puis elle accepta docilement le mouchoir que lui tendait Ah-chin et s'essuya les yeux.

— Pardon... Pardonnez-moi. Je suivrai vos conseils. Je dois guérir... J'en ai conscience.

Elle se rejeta en arrière.

— Ah-chin, je t'en prie, demande à Sing-hua de m'attendre.

Alors seulement, sa respiration devint plus calme et elle sombra dans un sommeil réparateur.

— Docteur Toy ? fit Ah-chin, inquiète.

— N'ayez crainte ! C'était prévisible. Elle est encore très faible. Il se peut même qu'elle retombe dans le coma, mais ce serait sans gravité désormais. A mon avis, elle aura parfaitement récupéré d'ici quelques semaines. En attendant, faites-la manger. Des protéines, beaucoup de protéines, mais pas de viande trop riche. Tiens, pourriez-vous lui préparer une soupe avec du *tofu* * et du vermicelle ? Oui ! Très bien, très bien. Bon, alors, venez me voir demain matin. Je vous donnerai d'autres médicaments.

— Merci, docteur. Merci beaucoup. Dois-je rester à son chevet, cette nuit ?

— Inutile ! Elle va dormir comme un enfant et pourrait

* *tofu :* Pâte blanche censée être du fromage de soja, riche en protéines.

même faire deux tours de cadran. De toute façon, je passerai lui rendre visite demain après-midi. En fait, c'est une nature extrêmement solide, elle nous l'a prouvé.

Il s'éloigna, puis s'arrêta.

— Son rétablissement est tout à fait étonnant. J'ai vu des patients lutter des semaines durant avant de s'autoriser à revenir à la réalité consciente. D'autres, même, n'ont jamais retrouvé leur quotidien. D'autres enfin ont sombré dans la folie.

Sur ces paroles sentencieuses, le bon docteur s'éloigna en trottinant. Aussitôt, Ah-chin se pencha sur son amie, surveilla le léger tressautement des paupières fermées sur autant de rêves et bassina doucement le front de Mei-yu. A ce moment-là, elle aperçut un bref sourire fleurir sur ses lèvres exsangues.

— Reviens-nous vite, Mei-yu. Vite, je t'en prie !

***

Quelques semaines plus tard, Mei-yu, assise sur son lit, consultait du regard le fameux calendrier d'ordinaire accroché à l'armoire. Septembre avait pris le visage d'une paysanne aux joues appétissantes et rosies par le grand air. Ses yeux brillants disaient l'abondance de la prochaine moisson, la joie de la campagne. Émue, Mei-yu feuilletait le calendrier avant de le ranger dans cette boîte en carton épais qui gardait maints trésors de Chine : photographies, papiers et autres souvenirs.

La théière et les tasses se trouvaient déjà soigneusement emballées dans des journaux, glissées sous un lourd vêtement destiné à les protéger des chocs. De gros cartons, il n'en fallait guère. Pas plus de trois, en fait. Tous leurs effets y tenaient.

Sing-Hua se chargerait bien de transporter elle-même ses pauvres jouets. Pour l'instant, la fillette jouait tranquillement avec le dernier puzzle que lui avait offert Bao. Elle semblait heureuse. Pourtant, que de jours difficiles avaient passé depuis le décès de Kung-chiao. Mei-yu avait eu beaucoup de mal à dire la vérité à sa fille. Sing-hua qui avait à peine cinq ans maintenant n'avait jamais fait allusion à la mort qu'une seule fois, un jour que mère et fille se promenaient dans Mott Street. Elles avaient buté sur le corps d'un pigeon, jeté au milieu du caniveau. Sing-hua avait voulu le ramasser.

Mei-yu l'avait immédiatement retenue.

— Non, Sing-hua, non. Il est mort, et sans doute de maladie.

Les yeux rivés sur l'animal, l'enfant demanda :

— Que veux-tu dire ? Je ne comprends pas ! Que lui est-il arrivé ?

— Son âme s'en est allée. Seul son corps demeure qui s'en ira bientôt aussi.

— C'est quoi, l'âme ?

— La vie, mon petit. En perdant notre âme, nous touchons à la mort.

— Comme ces canards, là-bas ?

Du doigt, elle désignait les bêtes qui rôtissaient doucement derrière les vitrines voisines.

— Oui, tu as raison.

— Alors, quand on va les manger, ils ne sentiront rien ?

— Non.

— Oh ! Tant mieux !

Durant la maladie de Mei-yu, Ah-chin s'était contentée de dire à la petite que son père était parti, qu'il était parti pour un long, très long voyage et ne reviendrait pas avant longtemps. Dans un premier temps, Sing-hua avait paru satisfaite de cette explication, mais à mesure que les semaines passaient elle avait commencé à questionner son entourage.

Dès qu'elle alla mieux, Mei-yu comprit vite qu'il lui

faudrait bientôt avouer la vérité. Un soir qu'elle tenait l'enfant sur ses genoux, elle rassembla tout son courage. D'une main tendre, elle lui caressa les cheveux et lui apprit que son père ne reviendrait jamais.

— Pourquoi, maman ? Il est... comme le pigeon ?

Mei-yu, bouleversée, ne put lui répondre immédiatement.

— Quelqu'un lui fera-t-il du mal, maman ?

— Non, Sing-hua ! Ne t'inquiète pas. Là où il est, ton père ne connaîtra plus jamais la souffrance. Bien sûr, nous ne le reverrons plus car son corps nous a quittées, mais son âme nous guidera notre vie durant.

A cet instant-là, Mei-yu n'aurait su dire si la fillette l'avait comprise. Sing-hua n'avait pas manifesté la moindre émotion. Une nuit, pourtant, Mei-yu la trouva, cachée sous les draps, qui sanglotait à chaudes larmes tout en serrant quelque chose dans sa main. D'un baiser, Mei-yu sécha ses pleurs et lui ôta son précieux trésor... les lunettes de Kung-chiao !

— Où les as-tu trouvées, ma chérie ? demanda Mei-yu en sanglotant.

La voix mouillée de larmes, l'enfant répondit :

— Papa ! Papa !

Alors, Mei-yu sut que l'enfant avait compris.

Mei-yu rangea ses vêtements pliés dans le carton, puis se dirigea vers le vestibule. Sing-hua ne possédait pas grand-chose. Le lit... elles le laisseraient sur place. De toute façon, Sing-hua devenait trop grande pour y dormir plus longtemps ! Pourtant, que de souvenirs il évoquait, ce lit de cageots ! A l'époque, ni Mei-yu, ni Kung-chiao ne connaissait Bao. Aussi le cuisinier s'était-il fâché quand il avait vu Kung-chiao rôder autour du Sun Wah. Persuadé que son congénère voulait le voler, Bao hurla comme un beau diable jusqu'à ce que Kung-chiao lui explique les motifs de son intérêt. Bao s'était immédiatement radouci. Kung-chiao avait alors passé des heures à poncer les cageots. Savon gras, toile émeri, il avait tout utilisé pour parvenir à ses fins et avait fini, en effet, par obtenir un bois parfaitement poli. Une planche, au fond de l'installation, avait fait le reste. Il avait ensuite suffi d'y placer un morceau de mousse pour en faire une couche confortable. Depuis lors, c'est-à-dire depuis quatre ans, Sing-hua y avait passé presque toutes ses nuits. A présent, elle partagerait le lit de sa mère.

Mei-yu pliait une couverture quand Ah-chin fit irruption dans la pièce.

— Ah ! Je vois que tu n'as pas besoin d'aide ! Bonjour, Sing-hua, ta tante Ah-chin t'a apporté quelque chose de bon ! Regarde !

Du coup, la fillette délaissa son puzzle et courut s'emparer du gâteau aux navets qu'on lui tendait.

A peine Sing-hua eut-elle retrouvé ses jeux qu'Ah-chin souffla à l'oreille de son amie :

— Elle va bien !

— Oui, on dirait ! Tiens... je crois que ça y est !

Tout en parlant, Mei-yu inspectait du regard les deux petites pièces.

— Ah-chin ! Mon Dieu... jamais je n'aurais cru souffrir ainsi en quittant cet endroit !

Gênée, Ah-chin se borna à examiner le matelas abandonné sur le lit, l'étagère vide, avant de répondre d'une voix faussement enjouée :

— Allons ! Pense donc à ce qui t'attend, Mei-yu ! Tu as trouvé un logement parfait pour vous deux ! Tu te rends compte ! Avoir Mme Peng pour voisine !

Mei-yu acquiesça. En effet, cet appartement constituait la solution idéale. Ce n'était qu'un studio, mais il était d'une propreté extraordinaire, et sur son balcon qui donnait sur une allée paisible et ensoleillée poussait, ô merveille, un splendide jasmin. Mme Peng disait réserver ce logis pour ses visiteurs et, surtout, son fils Richard qui vivait à Washington.

Quand Mei-yu lui avait demandé le montant du loyer,

cette chère Mme Peng avait haussé les épaules. Ce studio ne lui coûtait quasiment rien, affirma-t-elle. Fort embarrassée, Mei-yu avait insisté. Mme Peng la comblait de bontés. C'était trop ! La vieille dame avait alors soupiré à fendre l'âme.

— Mei-yu ! Accorde-moi donc ce petit plaisir ! Nous autres, vieilles gens, aimons à nous croire généreux.

Elle comprit, cependant, que Mei-yu ne céderait pas. Aussi, finit-elle par déclarer d'une voix grondeuse :

— Entendu ! Entendu, cabocharde ! En ce cas... voici ce que je te propose. Accepterais-tu de t'occuper personnellement des clients qui viennent me voir chez moi ? Ce sont mes fidèles ! Ils se montrent extrêmement exigeants. Tu verras ! De l'ouvrage, tu en auras plus que ta part ! Ces tâches, ajoutées à ton travail régulier auprès de mon assistante, me dédommageront largement. Alors, tu es satisfaite à présent ?

Mei-yu n'était pas dupe. Elle savait assez la générosité de cette grande dame aux manières délicates ! N'importe ! Elle travaillerait comme une forcenée !

Elle finit donc par acquiescer, pour la plus grande joie de sa bienfaitrice.

Aujourd'hui, c'est à voix haute que Mei-yu déclarait :

— Je dois beaucoup à madame Peng.

— Tu peux le dire ! Il est rare qu'une personne de sa qualité s'intéresse ainsi à quelqu'un d'autre.

Ah-chin, manifestement, ne semblait point envieuse. Sa gentillesse en était d'ailleurs touchante.

— Oh ! poursuivit Ah-chin. J'ai failli oublier... Roger a téléphoné ce matin à la pâtisserie. Il désire te voir. Peux-tu le rappeler ?

— Je me demande ce qu'il peut bien me vouloir ! Lui as-tu dit quelque chose, Ah-chin ?

— Non... sinon que tu reprenais des forces et que tu devais déménager aujourd'hui même. Il a paru étonné.

— Tu ne me surprends guère !

— Oh ! Il a pris de tes nouvelles régulièrement quand tu

étais malade, Mei-yu ! Je t'assure, il n'a pas l'air d'un mauvais bougre !

— Je le sais bien, Ah-chin, mais nous avons des relations complexes. Enfin... nous aurons sûrement matière à discussion. Je l'appelerai dès cet après-midi.

Sans quitter Sing-hua des yeux, Ah-chin s'appuyait maintenant sur l'épaule de son amie.

— Mei-yu... tu m'as demandé de t'avertir si jamais j'apprenais la moindre chose... Eh bien ! Figure-toi qu'aujourd'hui, j'ai entendu une nouvelle drôlement intéressante.

Mei-yu jeta vite un regard inquiet en direction de la fillette toujours aux prises avec son puzzle.

— Chut, je t'en prie ! Je ne veux pas que Sing-hua entende quoi que ce soit concernant Kung-chiao.

— Oui. Alors, écoute... Lo, l'importateur, serait parti en vacances ! Tu penses que personne n'est dupe ! De plus, d'après le journal de Chinatown, le colonel Chang aurait juré de ne pas quitter le quartier afin de prouver qu'il n'a rien à cacher ! Que de bouleversements, Mei-yu ! On dirait que depuis le meurtre de Kung-Chiao...

Ah-chin s'interrompit.

— Oh ! Pardon ! Je ne voulais pas... Mei-yu !

Mei-yu posa une main apaisante sur le bras de son amie.

— Tant pis ! Allez, raconte-moi tout ce que tu sais !

— Pas grand-chose, en fait. La police a interrogé le colonel Chang et Yung-shan qui sont les suspects numéro un. On a également arrêté Lee, l'un des hommes de main du colonel, pour un prétexte mineur. On le fera parler, et moi je te parie que, sous peu, tout ce beau monde se retrouvera derrière les barreaux.

— En prison ! fit Mei-yu.

Elle prononçait ces mots d'une voix atone. Tout Chinatown vivait dans l'attente d'une arrestation imminente et, pourtant, à en croire les ragots, personne n'était au courant de rien. Cette nouvelle aurait dû réjouir Mei-yu. Hélas ! La jeune femme ployait sous le faix d'une immense lassitude. De toute façon, rien ne lui rendrait Kung-chiao et elle n'avait même plus la force d'en vouloir à quiconque.

— Quoi ? N'as-tu pas hâte de voir les assassins de ton mari sous les verrous ?

— Chut !

A peine avait-elle lâché cette injonction que Mei-yu jetait un coup d'œil en direction de l'enfant qui, les doigts serrés sur un élément du puzzle, les observait curieusement.

— Oui, bien sûr ! s'écria Mei-yu.

Terriblement embarrassée, elle prenait Ah-chin par le bras, la poussait vers la porte...

— Bien sûr que si, reprit-elle. Ah-chin ! Que de bonnes nouvelles ! Merci, merci beaucoup. Oh ! Je t'en prie, peux-tu dire à Ling que je me débrouillerai avec Sing-hua ? Nous n'avons pas grand-chose à transporter. Bao a d'ailleurs promis de se charger de la théière et des tasses. Merci, Ah-chin, je passerai demain à la pâtisserie.

— N'oublie pas d'appeler Roger.

— Oui, oui. Au revoir.

Mei-yu ferma la porte précipitamment sur Ah-chin, mais lorsqu'elle se retourna, son regard croisa deux prunelles très noires où dansait une insupportable gravité. L'enfant avait tout entendu.

Le lendemain soir, Mei-yu aidait sa fille à tapisser de papier journal la cage de leur nouvel hôte. Mme Peng leur avait fait cadeau d'un canari qui les attendait à leur arrivée dans le studio. C'était un mâle qui avait passé l'après-midi à siffler sa bonne humeur contagieuse et, pour la première fois depuis des semaines, Sing-hua avait ébauché un sourire. Un vrai sourire !

La journée s'était d'ailleurs montrée délicieuse et, debout sur le balcon, Mei-yu avait savouré la douceur automnale. Maintenant que tout était rangé et que la nuit tombait, la jeune femme sentait sur ses épaules cette fraîcheur annonciatrice des froids prochains. Maintenant aussi qu'elle dînait en compagnie de l'enfant, il lui fallait lutter pour retenir ses larmes. La pièce qui les abritait se révélait assez exiguë et... oppressante. Il y régnait une atmosphère d'étrangeté, pesante. Certes, l'ameublement était mille fois plus raffiné que ce qu'elle avait connu depuis son arrivée aux États-Unis, mais au hasard de ces surfaces polies et brillantes, que voyait-on sinon le reflet de la tristesse de deux êtres abandonnés à eux-mêmes ? Et la cuisine ! Remarquablement fonctionnelle avec son évier en aluminium, sa cuisinière ultra-moderne et une resserre, elle semblait totalement dépourvue de charme, allait même jusqu'à cacher la chère théière qui faisait le bonheur de Mei-yu depuis si longtemps. La jeune femme comprenait seulement maintenant combien ce simple objet avait égayé les jours passés ! C'était une part d'elle-même, un fragment des temps révolus qui l'avait suivie au gré de son long périple. Pour l'heure, elle fixait un œil désolé sur ces lieux inconnus. Quelle tristesse ! Nulle part, Mei-yu ne pouvait trouver le moindre réconfort !

Oh ! Je suis fatiguée, voilà tout, se répétait la jeune femme. Le geste las, elle feignait l'appétit. En vain. Sing-hua avait cessé de manger depuis belle lurette. Elle contemplait le canari, seul objet de son intérêt. Figé sur son perchoir, l'oiseau les étudiait d'une prunelle pensive, penchait la tête comme pour plus de réflexion. Brusquement, il paraissait morose. C'est de ma faute, songeait Mei-yu. Allons, courage !

Son regard, ensuite, se posa sur Sing-hua. En l'espace de quelques semaines, l'enfant avait terriblement changé, tellement changé que Mei-yu en avait le cœur serré.

Jamais Sing-hua ne deviendrait une beauté ! Mei-yu le voyait désormais : elle avait l'air grave et sombre de son père.

Sans doute, la fillette perçut-elle l'attention de sa mère car elle releva la tête...

Dans ce visage, pourtant, la jeune femme déchiffra une vitalité telle qu'une autre pensée lui vint.

Oh ! Ma chérie ! se dit-elle, à peine cinq ans et tant d'énergie, tant de forces déjà ! Tu es plus forte que moi, Sing-hua et, de cette épreuve, tu sortiras grandie. Je le vois bien, maintenant !

En cet instant, Mei-yu comprenait enfin qu'elle n'avait nul besoin de s'inquiéter pour sa fille.

Rassurée, elle débarrassa la table, vaqua à ses occupations habituelles en attendant Roger. Il avait promis d'arriver à 8 heures.

Il fut ponctuel, comme toujours. Mei-yu l'invita à s'asseoir, puis fila chez Mme Peng pour y laisser Sing-hua en compagnie de la servante et du carlin aux yeux proéminents.

— Je reviens très vite ! Sois polie surtout !

A son retour, Mei-yu trouva Roger sur le balcon.

— Quel endroit ravissant, Mei-yu, dit-il en rentrant à l'intérieur.

Puis, il en vint à ces considérations classiques sur la pluie, le soleil...

— Le temps fraîchit, ces jours-ci, n'est-ce pas, Mei-yu ?

Sans répondre, la jeune femme ferma la porte-fenêtre.

Comme Roger paraissait maigre ! A croire que son nez s'était allongé ? Et puis, il exsudait le malaise derrière ses grimaces cordiales.

— Mei-yu...

Affable, il s'approchait, mais comprit vite l'incongruité de son attitude, s'interrompit.

— Diana et moi-même sommes extrêmement désolés de ce malheur qui vous frappe... Nous avons du mal à communiquer, j'en ai conscience, mais vous devez savoir que nous espérions bien vous voir heureux, tous les trois, et... sa mort... C'est affreux ! Que vous dire ? Nous aimerions vous aider si vous le permettez.

Sa voix chevrotait d'émotion.

— Merci, Roger. Vous et Diana êtes très gentils, fit Mei-yu.

Toujours gêné, Roger jetait des coups d'œil furtifs alentour comme pour mieux s'appuyer sur la réalité immédiate.

— Je suis heureux de vous voir rétablie, Mei-yu. Vous paraissez maigrie, mais bien portante désormais. Excusez-moi de ne pas vous avoir rendu visite plus tôt... Ah-chin affirmait...

— Je vous en prie, Roger, je comprends.

Sur ces mots, la jeune femme mit l'eau à bouillir.

— C'est un studio... très bien. Vraiment très bien.

— Merci. C'est, en effet, une solution extrêmement pratique.

— Mei-yu...

Elle attendit la suite.

— Je me demandais... nous nous demandions, j'espère que ma question ne vous dérangera pas, ce que vous comptiez faire maintenant. Voyez-vous, nous souhaiterions vous aider. Tenez... le problème des visas. Vous en êtes-vous occupée ? Continuerez-vous à travailler pour madame Peng ? Ces revenus vous suffiront-ils ?

Mei-yu observa le cousin de son mari. Il se mordillait la lèvre fébrilement. C'était un tic que la jeune femme ne lui connaissait pas. Avait-il peur ? Que craignait-il donc ? Qu'elle lui demande de l'argent ? D'intervenir auprès de certains responsables pour régler nombre de formalités administratives ? Qu'elle mêlât son nom au meurtre de Chinatown ?

Intriguée, elle l'étudia de plus près. Comme il paraissait changé ! Il avait perdu de sa morgue, de sa superbe !

— Roger, je vous en prie ! Ne vous inquiétez pas pour nous. Mes amis, ici, se sont montrés merveilleux. Les visas ? Je m'en occuperai ! Maintenant, en ce qui concerne mon travail, madame Peng me fournit des tâches plus intéressantes et mieux payées. Ce studio me coûte moins cher que notre appartement de Mott Street. Vous voyez ! Je réussis à me débrouiller.

— Oui, oui. C'est vrai. Vous y parvenez très bien même !

Il pesait ses mots maintenant.

— En réalité, je songeais surtout à l'avenir... Y avez-vous songé, Mei-yu ?

— Chaque jour qui passe m'est une victoire sur l'avenir, Roger. Non ? A quoi pensez-vous ? A ce que sera notre existence dans un an, dans deux ans ?

— Oui, en quelque sorte !

Il s'exprimait avec précipitation.

— Mei-yu, bien des gens, bien des Chinois sont convaincus que leur avenir se trouve en Chine. Ils envisagent même de regagner la République populaire du président Mao. N'a-t-il pas fait appel à tous les citoyens ? Cette reconstruction est une œuvre gigantesque, un grand mouvement patriotique ! Vous en avez entendu parler ? N'aimeriez-vous pas y participer ?

Étonnée, Mei-yu riposta sur-le-champ.

— Que voulez-vous dire ?

— Eh bien... N'aimeriez-vous pas regagner la Chine pour y vivre tranquillement avec votre fille ?

— Regagner la Chine ?

Éberluée, Mei-yu répétait machinalement les paroles de Roger. Elle n'en croyait pas ses oreilles.

— Et votre famille, Mei-yu ? Ne souhaitez-vous pas les revoir ?

Repartir ? Retrouver mon père après ce qu'il m'a dit ? se disait la jeune femme, affolée.

— En Chine, vous pourriez recommencer à zéro...

Les yeux rivés sur la tasse de thé fumant, Mei-yu réfléchissait. Comment nier l'envie, l'envie terrible de retrouver sa maison, ses parents, de reconnaître ses erreurs... Hélas ! A l'instant même où Roger avançait cette suggestion, la jeune femme en percevait l'impossibilité. Ne s'était-elle pas coupée de sa famille pour suivre Kung-chiao ? Elle avait porté son enfant et toutes deux vivaient désormais, ici, dans ce pays neuf.

— Vous auriez la vie bien plus facile, Mei-yu, insistait Roger.

Brusquement, elle comprit ce qu'il entendait par là ! Bien sûr ! C'était évident ! Ne se trouvait-elle pas veuve, désormais ? Et seule avec un enfant ! Dans Chinatown, c'était une situation impossible. Les autres personnes seules de la communauté étaient en fait de vieilles gens ou des hommes en quête d'une épouse provenant de leur propre région, parlant leur propre langue, une épouse capable de partager leurs soucis quotidiens. Du vivant de Kung-chiao, elle avait parfois durement ressenti le poids de la solitude, mais, du moins, à ses côtés, pouvait-elle marcher la tête haute dans la rue ! Qu'en serait-il désormais ? Comment ses amis parviendraient-ils à l'aider ? Cela semblait une gageure !

Et vis-à-vis de sa bienfaitrice, la chère Mme Peng ? Que se passerait-il ? Les gens ne chercheraient-ils pas à se venger de ce qu'ils considéreraient comme une injustice ? Finiraient-ils par l'accepter ? Comment savoir ? La réaction d'autrui se révélait souvent imprévisible. Kung-chiao, derrière une façade affable, se moquait bien du qu'en-dira-t-on. A ce niveau-là, Mei-yu se sentait beaucoup moins forte !

— Pardonnez-moi, Mei-yu, reprit Roger, mais je suis sûr que vous avez pensé à l'avenir de Sing-hua, n'est-ce pas ? Croyez-vous qu'elle puisse grandir sans père ? Serait-ce souhaitable ?

Mei-yu regarda Roger. Il disait vrai. Elle le savait. Or, à Chinatown où les traditions avaient la vie dure, le remariage des veuves demeurait inacceptable. Si, par extraordinaire, l'idée, malgré tout, l'effleurait, Mei-yu n'en voyait pas pour autant qui elle pourrait bien épouser ! Jadis, les prétendants se pressaient à la porte de son père, mais aujourd'hui... les hommes respectables de Chinatown se faisaient rares. En Chine, les gens, peut-être, avaient changé ? On disait même que les femmes étaient devenues les égales des hommes. Elles avaient des droits et des chances équivalentes.

— Mei-yu...

Elle sursauta.

— Mei-yu, je vous en prie! Nous savons que vous devez prendre d'importantes décisions et souhaitons, de tout cœur, vous assister. Tenez. Il ne s'agit pas de charité. Vous y trouverez simplement le prix de vos billets de retour. Prenez, je vous prie.

Mei-yu n'esquissa pas le moindre geste tandis que Roger posait sur la table une grosse enveloppe blanche.

— Prenez votre temps, réfléchissez à loisir. Personnellement, je crois que le retour serait la solution la plus sage. Voilà ce qui m'a poussé à venir vous voir et vous proposer mon aide.

La jeune femme ébaucha un sourire las. Elle ne doutait nullement des motifs généreux de Roger... Cependant, elle le connaissait assez pour percer à jour ses arrière-pensées. Une fois Mei-yu et Sing-hua parties, Roger se verrait enfin dégagé de ses responsabilités. Il en aurait terminé avec ses parents pauvres! Pauvre Roger! Pour parvenir à ses fins, le malheureux était prêt à payer le prix fort alors que Mei-yu ne lui demandait rien!

— Je me suis renseigné pour vous. Il y a un bateau le mois prochain, vers le quinze. Si vous désirez le prendre, mieux vaut retenir vos places dès maintenant. Les départs sont rares.

Mei-yu considéra l'enveloppe sur la table. Cette fois, elle n'avait plus aucun doute quant aux intentions de Roger. L'espace d'une seconde, elle rêva de lui jeter son argent à la tête, puis s'imagina, Sing-hua à la main, sur le pont d'un navire... C'est alors qu'elle comprit! Si elle quittait ce curieux pays, elle y laisserait le souvenir de Kung-chiao et cela, non, Mei-yu ne pouvait l'accepter. Il fallait que Sing-hua grandisse sur cette terre qui avait représenté tant d'espoirs pour son père ! Mei-yu en avait maintenant la certitude absolue !

Quand elle releva la tête, la jeune femme souriait, mi-soulagée, mi-amusée. Roger, lui, retenait son souffle.

— Roger, comment vous remercier ? Je vous dois tant !

De la main, elle repoussait doucement l'enveloppe tentatrice.

— Vous m'avez convaincue. Je sais désormais que ma place est ici et non en Chine.

Roger, elle le vit bien, ne pouvait articuler un seul mot, ébaucher un geste. Aussi ramassa-t-elle la fameuse enveloppe qu'elle lui colla d'autorité dans les mains.

— Mais vous, Roger ? Vous êtes un vrai patriote, je l'ai toujours su. Pourquoi ne regagnez-vous pas la Chine ?

Sur cette flèche du Parthe, elle se leva, tourna le dos. Quelques secondes plus tard, il déclarait d'une voix évanescente :

— Au revoir, Mei-yu.

Ensemble, ils descendirent l'escalier jusqu'à la porte de Mme Peng. La vieille dame en personne ouvrit à sa protégée.

— Oh ! Quelle tristesse ! Je ne supporte plus les enfants ! Oh ! La vieillerie ! Quel chagrin ! Mais qui est ce monsieur-là ?

— Mon petit cousin Roger, madame Peng.

Roger, intimidé et donc maladroit, avança d'un pas afin de s'incliner.

— Ah ! Vous êtes le petit cousin ! Je vois, je vois !

Elle le tenait par la main et lui faisait subir un examen minutieux, tant et si bien que le pauvre homme ne savait plus où se mettre.

— Dites-moi, que pensez-vous de Mei-yu ?

Terriblement confus, l'autre balbutia :

— Je pense... je pense qu'elle a l'air... en forme. Enfin, compte tenu de ce qui vient de se produire récemment.

— Oui, c'est vrai !

Mme Peng adressait un sourire radieux à Mei-yu.

— C'est une jeune femme courageuse, dotée d'un tempérament fort, solide. Elle va se faire une vie nouvelle et, à mon avis, nous serons bientôt très fiers de sa réussite.

Pétrifiés, Mei-yu et Roger fixaient intensément le sol. Finalement, Roger marmonna qu'il lui fallait prendre congé.

Il descendait péniblement les marches que Mme Peng lui criait encore :

— Au revoir, petit cousin ! Revenez donc nous voir à Chinatown. Cela nous fera plaisir.

Quelques instants plus tard, Mei-yu reprenait Sing-hua et saluait Mme Peng. La vieille dame paraissait extrêmement fatiguée. Sur le seuil, elle avait murmuré quelque chose d'incompréhensible.

De retour au studio, Mei-yu débarbouillait Sing-hua quand un curieux fou rire la prit. Elle revoyait Mme Peng, la manière dont elle avait taquiné Roger ! Manifestement, sa bienfaitrice souhaitait la voir rester à Chinatown. Pourtant, les paroles de Roger trouvaient un curieux écho chez Mei-yu. D'ailleurs, en regardant la pièce et ce radiateur toussotant qui marquait l'apparition des premiers froids, la jeune femme devinait qu'il lui faudrait, aux beaux jours, s'aventurer hors de cet abri, hors de Chinatown...

Pour aller où ? C'est ce qu'elle se demanda ensuite lorsqu'elle se glissa dans le lit, aux côtés de Sing-hua.

Kung-chiao parlait souvent du jour où ils quitteraient ces hauts lieux de la communauté chinoise. Pourtant, il ignorait tout de l'Amérique, ignorait quelle serait leur prochaine destination. Aujourd'hui qu'elle se trouvait seule avec Sing-hua, saurait-elle se risquer dans l'inconnu ? Que découvriraient-elles ?

Dans la pénombre tremblante, Mei-yu, les yeux fixés sur l'enfant endormi, s'interrogeait.

*
**

Lee sentit ses paupières se fermer, sa tête rouler sur son épaule. L'agent Pino fit un pas, le redressa aussitôt. Le prévenu, meurtri par le bois de la chaise, frémit. Voilà que je m'incorpore à cette chaise, songea-t-il en un éclair. Quelle heure est-il maintenant ? Il s'obligea à fixer son attention sur le bureau en face de lui. Allons ! Il le savait très bien. Combien de fois ne s'était-il pas assis à cette même place ? Tiens ! Il l'oubliait désormais. Peu de choses avaient changé. Voyons, la pile de dossiers s'était vaguement modifiée... mais l'agrafeuse, la boîte de trombones, l'assiette remplie d'élastiques n'avaient pas bougé d'un iota. La machine à écrire avec sa feuille de papier blanc, non plus. A croire que la police n'avait rien d'autre à faire que de s'occuper de son cas !

Le seul détail qui l'aidât à demeurer en prise avec la réalité était simplement... le cendrier. Le cendrier où, au fil des heures, s'entassaient toujours plus de mégots. Ces policiers ne regardaient d'ailleurs pas à la dépense, se disait Lee. Jamais, en effet, ils ne finissaient vraiment leurs cigarettes. C'était un véritable gâchis ! De plus, ils ne lui en avaient même pas offert une !

Cependant, ce cendrier l'avait aidé. Il avait pu ainsi éviter de regarder l'individu installé derrière le bureau. La voix, pourtant, avait changé. Il s'en apercevait. Le brigadier Kravitz perdait patience. Tant mieux ! Mieux valait discuter avec les gens énervés. On y gagnait toujours. Lee le savait. Enfin... il fallait maintenant attendre l'arrivée d'un responsable du Bureau d'immigration. Parfait ! De toute façon, lui patienterait tant qu'il faudrait. Quand ils seraient prêts, il en viendrait là où ils le voulaient.

Lee jeta un coup d'œil sur sa gauche. Fong était toujours là, ce vendu, ce chien, cet espion à la solde des autorités ! Il faisait office d'interprète, mais Lee ne lui dirait rien ! Qu'il lèche donc l'écuelle que la police lui tendait, là, sur le sol ! Qu'il aille donc cacher son indignité plus loin. Les yeux mi-clos, Lee attendait.

Là, tout près de lui, quelqu'un s'écriait :

— Monsieur Lee !

Lee ouvrit les yeux.

— Bonjour, je m'appelle Thomas et je travaille au Bureau de l'immigration. J'aimerais vous poser quelques questions.

Lee garda les yeux fixés sur le cendrier.

— Nous avons toute raison de croire que vous êtes entré illégalement dans le pays. En effet, depuis votre arrivée, vous n'avez jamais fourni les références de votre répondant ici. En quelle année êtes-vous entré aux États-Unis, monsieur Lee ?

Thomas fit un signe à l'adresse de Fong qui approcha.

— Demande-lui, Fong ! lança Kravitz.

Pourtant, Lee, en cantonais, crachait son mépris.

— Éloigne-toi de moi, sale chien !

Fong consulta Kravitz du regard, puis Thomas, et finit par hausser les épaules.

Très calme, Thomas reprit alors :

— Monsieur Lee, nous ne possédons aucun dossier sur votre entrée dans le pays, du moins pas sous le nom que vous nous donnez. Nous sommes convaincus que votre véritable patronyme n'est autre que Gow. Vous n'avez pas d'oncle Lee, n'est-ce pas ? Vous n'en avez jamais eu ! Le cher parent n'a jamais été qu'un proche en papier, quelqu'un qui... portait le chapeau en quelque sorte ! Combien avez-vous payé pour obtenir le droit d'adopter cette identité ?

Thomas attendit quelques instants, puis reprit.

— Si vous refusez de coopérer, nous vous ferons expulser.

Lee, lui, contemplait la cigarette de Kravitz, la cendre qui menaçait de tomber.

Quelqu'un l'attrapa par les épaules. Le visage de Kravitz le frôla. Lee plissa le nez tant l'odeur de tabac l'écœurait.

— Écoute-moi bien, Lee ! disait Kravitz. Quatre mois de ce cirque, c'est assez ! Alors, on te propose un marché. On a maintenant suffisamment de preuves contre toi pour obtenir ton expulsion. Tu sais ce que ça signifie ? On va te mettre dehors et tu iras t'expliquer avec les communistes. Note bien qu'en cassant des cailloux avec des petits gars de ton espèce, t'auras le temps de réfléchir ! A moins que tu préfères qu'on te dirige sur Hong Kong. T'as des copains là-bas qui seraient drôlement content de s'occuper de toi ! Hein ! Je me trompe ? Tu passerais pas un mauvais quart d'heure ?

Cette tirade furibonde terminée, Kravitz desserra son étreinte, hurla :

— Traduis, Fong ! Traduis, bon sang !

Lee fit mine d'écouter les propos de Fong. Ils avancent, songea-t-il. Néanmoins, les Américains ignoraient tout de l'art du marchandage !

— Parlez-nous de l'assassinat de Wong. En échange, nous pourrions vous dénicher un oncle Lee, un vrai. Vous savez ce que cela signifie, non ?

A nouveau, Fong vint lui débiter des âneries à l'oreille.

Kravitz interrogea Thomas du regard, mais ce dernier se borna à hausser les épaules.

— Si vous coopérez, on pourrait peut-être déplacer le dossier concernant vos activités dans Chinatown, Lee. Pensez-y.

Lee vit alors que la cigarette de Kravitz était éteinte. Il regarda le mégot dans le cendrier, s'obligea à compter lentement jusqu'à dix, puis acquiesça de la tête.

— Pino, apporte-nous le papier ! cria Kravitz.

Aussitôt, le brigadier agita une feuille dactylographiée sous le nez du prévenu.

— Lee, tu n'as plus qu'à signer. Fong, explique-lui.

Fong se pencha. Lee attendit qu'il s'approche davantage encore et lui décocha un coup de pied tel que l'autre tituba, se raccrocha au brigadier Pino. Kravitz, lui, maîtrisait déjà Lee, lui bloquait les bras derrière le dos.

— Pino ! hurla Kravitz.

Le malheureux brigadier fonçait, s'énervait quand il comprit que Lee lui indiquait le papier qui avait volé jusqu'à la porte.

D'une voix rauque, Lee disait d'ailleurs :

— Papier ! Signer papier !

Kravitz le relâcha donc pendant que l'un ramassait ladite feuille et que l'autre préparait un stylo.

— Signez ici. Vous admettez ainsi la responsabilité du colonel Chang dans l'assassinat de Kung-chiao Wong.

Pas une minute, Lee ne s'était trompé sur le contenu de la déclaration. Il s'empara du stylo.

A peine eut-il signé que Kravitz lui arrachait la feuille en hurlant :

— Ça y est ! Nous tenons le vieux !

Lee soupira. Le sort en était jeté.

*
**

Mei-yu marchait d'un pas vif dans Mott Street, ramenait frileusement son manteau sur sa poitrine. A 4 heures et demie de l'après-midi, le ciel s'assombrissait déjà. Le soleil se montrait tellement moins chaud en l'espace de quelques semaines ! C'était incroyable ! songeait la jeune femme. Le vent fouettait les enseignes, les banderolles et les cerfs-volants des échoppes avoisinantes, s'attaquait aux maigres cordelettes qui les retenaient, cherchait à les rompre. Ça et là, des commerçants sortaient de leur boutique, examinaient le ciel avant de rassembler quelques objets exposés sur le trottoir. La veille, dans le parc, Sing-hua frissonnait tout en jouant avec l'épais tapis de feuilles mortes. Il lui faudrait un nouveau manteau pour cet hiver ! se dit Mei-yu. La tête légèrement rentrée dans les épaules, la jeune femme se dépêchait dans l'espoir d'éviter la pluie.

Elle poussa la porte de l'Union et se fraya un chemin au milieu d'un essaim de bambins.

Nombre d'enfants, tout juste sortis de l'école américaine, se bousculaient consciencieusement. Ils venaient assister au cours de chinois de 5 heures de l'après-midi. Ils discutaient à tue-tête, qui en cantonais, qui en anglais, et ce au beau milieu d'une invraisemblable pagaille.

Il serait temps que Sing-hua se mette à l'anglais, songea Mei-yu qui se promit de lui parler cette langue plus souvent. Elle venait de prendre cette ferme résolution quand elle aperçut devant l'une des classes le président Leong. Il s'attaquait, d'une dent vengeresse, à une malheureuse pistache qui, à l'évidence, faisait montre d'une résistance peu commune. Le président, manifestement, ne parvenait pas à briser cette vilaine coquille. Aussi Mei-yu, pleine de tact, attendit-elle que le brave homme en vînt à bout, qu'il dégustât avec délectation la graine délicate. Il avait à peine fini qu'il la vit. Les bras tendus, il se dirigea vers la jeune femme.

— Ah ! Wong Mei-yu ! Comment allez-vous ? Il y a si longtemps que je ne vous ai vue ! Ça va ?

— Bien, je vous remercie, président Leong.

Elle eut un regard vers le bout du couloir, expliqua :

— Je viens chercher ma fille. Elle doit m'attendre.

— Excellent ! C'est ainsi que l'on enseigne la patience

aux enfants ! Alors, comment vous débrouillez-vous ? Vous me semblez aller beaucoup mieux, si je ne me trompe ?

— Oui, président Leong, et merci de votre sollicitude. Effectivement, j'ai été très occupée ces derniers temps.

— Tous les vœux de la communauté vous accompagnent, Mei-yu. Sachez également que vous pourrez toujours compter sur nous. Nous n'abandonnons jamais l'un des nôtres, vous le savez. N'hésitez pas à faire appel à nous si vous avez besoin de quoi que ce soit, entendu ?

— Merci beaucoup. Je ne l'oublierai pas.

Il eut alors un drôle de regard flou, avisa les escaliers puis déclara :

— Bien ! J'ai quelques affaires à régler. Souvenez-vous de ce que je viens de vous dire.

L'espace d'un instant, Mei-yu observa le vieillard qui posait une main couverte de taches brunes sur la rampe. Il disait vrai, songea-t-elle. L'Union avait toujours aidé les foyers en détresse. Peut-être, comme Kung-chiao avait coutume de le répéter, existait-il des âmes charitables à Chinatown ?

Pourtant, était-ce bien la gentillesse qui éclairait les prunelles de ces gens qui la regardaient passer à présent ? Mei-yu s'interrogeait. Au début, quand elle avait recommencé à sortir, elle avait lu de la pitié sur les visages, trouvé des colis de nourriture devant sa porte. Puis elle s'était aperçue que personne ne jalousait son installation dans l'immeuble de Mme Peng. Du moins, personne n'avait rien dit. Désormais, les femmes ne murmuraient plus sur son passage. Pourquoi ? S'agissait-il de compassion ? Ou se moquaient-elles de cette misérable veuve maintenant privée de tout statut ? Aujourd'hui, on la saluait poliment, on la traitait comme n'importe quel autre membre de Chinatown. C'était une situation apaisante et Mei-yu, soulagée, avait l'impression de pouvoir enfin disparaître dans l'anonymat, de pouvoir se fondre au hasard des rues. D'autre part, la majorité des habitants du quartier, à l'approche de l'hiver, vaquait à mille et une occupations en s'emmitouflant dans des vêtements chauds. Comme, de surcroît, la jeune veuve semblait assumer décemment ses difficultés, on ne cherchait pas à en savoir davantage.

Seule, Mme Peng avait remarqué :

— Comme tu as mauvaise mine, Mei-yu !

Elles se trouvaient alors au salon. Un client venait de partir et Mei-yu rangeait tranquillement ses affaires dans sa boîte à couture.

— Tu travailles dur, Mei-yu. Très dur. Mei-ling m'a même appris que tu allais chercher du tissu à l'Union tous les jours. Approche donc et montre-moi tes mains.

Les joues brûlantes, Mei-yu s'était figée. Personne n'avait plus regardé ses mains depuis... Oui... elle avait à peine quatorze ans le jour où sa mère le lui avait demandé pour la dernière fois.

— Une jeune fille de bonne famille doit avoir les mains très blanches et très douces, avait déclaré Ai-lien d'un ton sans réplique.

Maintenant, c'était au tour de Mme Peng de déclarer :

— Viens vite. Pose ta boîte sur le sofa et montre-moi tes mains.

Mei-yu, au supplice, avait obtempéré.

— Aïe ! Mon enfant ! Mon enfant ! On dirait que tu travailles dans un restaurant ! Regarde ! Que de coupures ! de callosités ! Et tes ongles, ma fille ! Quelle honte !

Gênée, Mei-yu s'était dérobée. Elle détestait cette inspection. Pour qui la prenait-on ? Pour une vulgaire marchandise ?

Mme Peng, cependant, faisait claquer sa langue.

— Ce n'est pas un travail de forçat qui atténue la solitude, Mei-yu ! C'est pour cela que tu peines, Mei-yu, non ? Je me trompe ?

Pour toute réponse, Mei-yu garda le silence, mais la vieille dame comprit qu'elle avait vu juste.

— Écoute donc, tu es jeune et esseulée, c'est normal.

N'est-ce pas le lot de la jeunesse ? Nous autres, vieilles gens, avons nos souvenirs pour compagnons quand nous ne sombrons pas dans la décrépitude. Ce dernier cas réglant, bien évidemment, tous les problèmes ! Ha !

Elle s'arrêta brusquement de rire.

— Excuse-moi. C'était une mauvaise plaisanterie, je te l'accorde. Après tout... que sais-je de la jeunesse ! Pour moi, elle remonte à des siècles !

Mei-yu récupéra sa boîte à couture.

— Mei-yu, ma chère enfant...

Surprise par cette intonation presque caressante, Mei-yu se retourna vers la vieille dame.

— Je sais moi-même ce qu'être veuve veut dire.

Mei-yu poussa un long soupir et avoua :

— Pardonnez-moi, madame Peng. Je ne cherche pas à me montrer grossière, mais les mots me manquent...

— Ah !

Mei-yu observa son interlocutrice qui, immobile, semblait attendre quelque explication plus satisfaisante.

— C'est difficile... voyez-vous, malgré toutes vos bontés, malgré le confort dont nous disposons à présent...

Intimidée, elle chercha un encouragement que Mme Peng lui octroya bien volontiers.

— Je crois que mon cousin avait raison. Ni Sing-hua ni moi-même n'appartenons véritablement à Chinatown.

Mei-yu s'interrompit. Seul le silence lui répondit.

— Pour me donner du courage, me préparer aussi, j'ai décidé de travailler énormément pour faire des économies.

Confuse, elle se tut à nouveau. Une évidence s'imposait brutalement à son esprit : elle mourait d'envie de quitter Chinatown ! Dire qu'elle n'en avait même pas parlé avec Ah-chin ou avec Bao !

— Je vois ! fit simplement Mme Peng.

Assise sur le sofa, elle semblait réfléchir. Enfin, elle déclara d'une voix lasse :

— Eh bien ! Je me suis trompée, voilà tout ! Sans doute, mon attitude a-t-elle été égoïste ! Mais tu ne saurais reprocher à une femme d'affaires de saisir la chance quand elle se présente, n'est-ce pas, Mei-yu ? Tu es, et de loin, la meilleure couturière de tout Chinatown ! Enfin, tu dois également savoir que j'ai toujours agi pour ton bien...

— Oh ! Je vous en prie, madame Peng ! J'ai une telle dette envers vous !

— Et que je n'essaierai pas de te retenir contre ton gré. Cela dit... quitter Chinatown ! Quand ? Pas cet hiver, j'espère ?

— Oh, non ! Ce serait bien trop tôt !

— Où voudrais-tu aller ? Tu y as réfléchi ?

Mei-yu hocha la tête.

— As-tu de la famille, des amis dans le pays ?

— Non.

— Je vois... Cela complique un peu les choses, non ? Personnellement, je ne connais guère les États-Unis, à part Boston et Washington. De belles villes. Pas aussi intéressantes que New York, mais elles offrent de grandes possibilités... Es-tu déjà allée à Washington, par exemple ?

— Non, madame.

— C'est la capitale des États-Unis. Enfin... tu dois le savoir ! Une cité agréable, surtout au printemps. Quant au climat, il ressemble beaucoup à celui de Pékin. Les deux villes sont situées pratiquement à la même latitude.

Mei-yu essayait d'imaginer Washington. Elle avait vu, un jour, une carte postale représentant l'obélisque géant, les bâtiments administratifs éclatant de blancheur. Puis elle rêva de Pékin, de ses ruelles sinueuses, de la Cité interdite, du palais d'Été, se demanda comment deux villes aussi éloignées pouvaient jouir d'un climat identique. Elle songea aux hirondelles qui revenaient invariablement à chaque printemps, aux senteurs des fleurs de prunier. Y avait-il des fleurs de prunier à Washington ?

— Tu es née à Pékin, n'est-ce pas ? faisait Mme Peng.

— Oui.

— Mon fils, Richard, apprécie beaucoup Washington. Bien entendu, il a connu d'autres villes avant de s'y installer et il dit se sentir chez lui dans la capitale. La ville chinoise n'est certes pas très développée, mais la communauté prend une importance croissante et de plus en plus de responsables d'origine asiatique travaillent désormais auprès du ministère des Affaires étrangères, ou même auprès d'autres ministères. Ils vivent dans la banlieue, à ce qu'on dit. Enfin... mon fils, apparemment, se plaît à Washington. C'est un juriste, tu sais ?

— Oui, vous me l'aviez dit. Je m'en souviens.

— Voilà ! tu auras au moins une destination possible. Je comptais y monter une petite affaire, mais Richard m'a conseillé la patience. A son avis, Boston serait peut-être préférable. Néanmoins, la communauté chinoise de Washington pourrait sûrement t'aider. Si cela te tente, j'essaierai de joindre quelqu'un afin de...

Mei-yu hocha la tête.

— Non, merci. Madame Peng, je vous prie, n'allez pas si vite ! Il me faut réfléchir à bien des problèmes, ne serait-ce que mon visa...

A ces mots, la vieille dame partit d'un énorme éclat de rire.

— Oh ! Ma petite fille ! J'ai complètement oublié de te dire ! Tout est réglé. Oh ! Vois les ravages de l'âge ! Une question aussi grave et je ne pense même pas à te rassurer !

— Que voulez-vous dire ?

— Pendant ta maladie, j'ai su par Ah-chin que tu craignais de perdre ton statut d'immigrante. J'ai donc demandé à mon avocat de s'occuper de ce problème. Oh ! Il y a des mois de cela ! Tu devrais recevoir tes papiers bientôt... d'un jour à l'autre, en fait.

— Je ne comprends pas, madame ! Quel sera donc mon statut à présent ?

— Ne t'inquiète pas, Mei-yu ! L'avocat s'est chargé de tout. Il connaît la loi ! Ton statut, tu le verras bien en consultant tes papiers !

— Eh bien...

Mei-yu hésitait.

— Merci beaucoup, madame Peng. Vous m'avez aidée, une fois encore ! Oh ! Je vous dois tant ! Comment vous rendre jamais tous vos bienfaits ?

— Sois heureuse, Mei-yu, et tu contribueras grandement à mon bonheur.

L'espace d'un instant, elle parut réfléchir intensément.

— Je n'ai pas oublié les jours qui ont suivi mon arrivée dans ce pays. Je n'avais nulle famille, je ne connaissais qu'une poignée de gens et ne pouvais me fier à personne. Bien sûr, la communauté m'a aidée et je ne suis pas morte de faim. J'ai fini par me tirer d'affaire, mais je me suis promis une chose : d'aider toute personne en butte aux mêmes difficultés que moi !

— Madame Peng...

— Ne dis rien, Mei-yu. Nous devons nous aider les uns les autres, tu le sais. C'est un principe de la communauté. Si tu ne l'as pas encore appris, tu le sauras bientôt. Ne sommes-nous pas étrangers en ce pays ?

Mme Peng se tut un instant.

— Allons ! Ne terminons pas cet entretien sur une note triste. Je suis heureuse, Mei-yu, que tu m'aies ouvert ton cœur. Nous reparlerons de Washington, d'accord ? Pour le moment, je vais prier Mei-ling de limiter l'importance de tes fournitures ! Tu te verras allouer par semaine trois pièces de soie, une de laine et une de flanelle, un point c'est tout. Voilà qui protégera un peu tes mains ! D'autre part, je souhaite te voir grossir ! Tu es beaucoup trop mince. Suivras-tu ce dernier conseil ?

— Oui, madame.

— Ah ! Enfin ! Un sourire !

Mme Peng, ravie, applaudissait avec enthousiasme.

— J'ai réussi à te faire sourire ! Ça va mieux. J'ai accompli ma bonne action de la journée. J'ai la conscience tranquille. Tu peux t'en aller.

Mei-yu s'inclina, mais n'eut même pas le temps de remercier sa bienfaitrice. Mme Peng, d'un geste autoritaire, la congédiait déjà.

Dans la rue, la jeune femme se prit à penser que, pour la première fois depuis la mort de Kung-chiao, son avenir semblait s'éclairer. Les portes de la cage s'ouvraient enfin, le monde lui appartenait.

Elle avait également l'impression de voir les enfants de Chinatown pour la première fois. Ces enfants qui galopaient dans le hall de l'Union avec, sous le bras, leurs livres d'anglais et de chinois tout en pépiant dans les deux langues. Même leurs vêtements trahissaient leur appartenance à deux civilisations ; certains vêtus à l'américaine, pantalon de velours et chemise à carreaux, les autres arborant la traditionnelle veste molletonnée. Qu'adviendra-t-il de ces enfants ? se demanda Mei-yu. Resteraient-ils à Chinatown pour reprendre le commerce familial et peiner toute leur vie à l'instar de leurs parents ? Ou s'éloigneraient-ils de leur communauté, en quête d'une autre existence ? Kung-chiao voulait que Fernadina reçoive la meilleure éducation possible. En Chine, ses études avaient toujours été au premier rang de ses préoccupations : lectures, choc des idées, sciences et lettres. Autant de sujets passionnants ! Mais, ici, à Chinatown, Sing-hua pourrait-elle apprendre quoi que ce soit à part le minimum d'anglais nécessaire au quotidien et un certain nombre de tâches ménagères, la couture, la cuisine, le repassage ? Rendre la monnaie... Était-ce vraiment une perspective exaltante ? Mei-yu se refusait à imaginer sa fille courbée sur une machine à coudre, se fatiguant les yeux à travailler la nuit. Une certitude lui brûlait l'esprit. On pouvait vivre mieux. Elle-même n'avait-elle pas connu des jours heureux? Il fallait absolument que sa fille jouisse de la même chance.

Elle en était là de ses réflexions quand elle aperçut Sing-hua par la vitre de la crèche. La fillette avait réussi à construire, à l'aide de cubes de bois, une tour qu'elle surveillait maintenant d'un œil féroce. Elle repoussa fermement un enfant qui s'approchait par trop de sa précieuse réalisation.

C'est bien, songea Mei-yu. Elle a de la volonté. Son instinct lui soufflait que Sing-hua ne pourrait pas davantage vivre en cage ! Elle aussi se verrait contrainte de lutter pour s'échapper, gagner sa liberté.

Ravie de cette certitude, elle poussa la porte avec une énergie nouvelle et frappa dans ses mains

— Sing-hua ! On rentre à la maison ! C'est l'heure.

Étonnée par l'intonation de sa mère, l'enfant hésita une seconde avant de se lever, manifestement à contrecœur. Les autres bambins demeuraient certes à distance respectueuse, mais Sing-hua savait parfaitement qu'ils anéantiraient son œuvre dès qu'elle aurait tourné les talons. Cependant, la joie de retrouver sa mère l'emporta. Elle tendit les bras.

Dans le hall, elles butèrent sur le président Leong, le nez collé aux vitres.

Sans s'adresser à quiconque en particulier, il déclarait entre deux hochements de tête :

— Quel vilain temps ! La pluie est glacée, le vent épouvantable !

D'un coup d'œil, Mei-yu put vérifier que le président ne mentait pas. Sur les trottoirs, les gens se pressaient tout en tenant fermement un journal, un sac ou n'importe quoi de tout aussi incongru en équilibre au-dessus de leur crâne. Le ciel, d'ailleurs, offrait une couleur noire des plus sinistres.

La jeune femme ouvrit donc son manteau et appela sa fille :

— Viens ici, Sing-hua. Tiens ce pan de vêtement.

Attention ! Ne le lâche pas. On va courir en longeant les magasins. D'accord ? Après tout, nous n'allons pas si loin que cela.

A peine eut-elle poussé la porte que la pluie glaciale lui fouetta le visage comme autant d'aiguilles. Elle tourna à gauche, tenta de se frayer un passage au milieu du flot de gens qui avançait sur elles, mais dut bien vite se rendre à l'évidence : mieux valait traverser.

— Viens, Sing-hua !

D'un geste décidé, elle poussa la fillette devant elle. C'est alors qu'elle les vit, ces quatre policiers en uniforme qui se dirigeaient droit vers le commissariat le plus proche. Ils encadraient quelqu'un et Mei-yu, comme tout le monde alentour, chercha à distinguer le malheureux. Elle aperçut un bout de crâne chauve, quelques mèches de cheveux collées sur les tempes. Aux côtés de la jeune femme, tout un chacun se dressait sur la pointe des pieds pour mieux voir, comme lorsque dans un restaurant un client se trouve mal et que la foule bloque le passage, empêche les ambulanciers de passer. Agacée, Mei-yu se glissa sur la gauche afin d'avancer, mais cette fois, c'était sur elle que venaient les policiers. Au même moment, elle comprit enfin le sens des cris alentour.

— Colonel Chang ! Colonel Chang !

Elle se trouvait si proche qu'elle le vit parfaitement. Elle remarqua le bandage qui barrait le cou du vieil homme, la marque de l'infection qui le rongeait, puis, quand il se retourna vers la foule, ses yeux jaunes, sa bouche tordue en une grimace féroce et pathétique. Il leva un poing vengeur et hurla quelques mots aussitôt emportés par le vent. Sur ses épaules, un imperméable semblait avoir été jeté à la hâte, qui lui battait le dos avec régularité. Il arborait les traditionnelles chaussures chinoises, pour l'heure complètement trempées, et ses semelles de caoutchouc frappant la chaussée asphaltée émettaient de drôles de bruits tandis qu'il s'efforçait par instants de repousser son escorte. Il défiait toujours ses compatriotes, criait son mépris et sa colère.

Mei-yu courut alors se réfugier sous le store d'un magasin proche, serra Sing-hua contre son sein et ferma les yeux pour ne plus voir tous ces gens qui continuaient à surgir de partout et de nulle part en maudissant le vieillard, pour ne plus voir le visage de cet homme, meurtrier de son mari.

Des mots amers lui vinrent aux lèvres, des pensées sordides lui traversèrent l'esprit. Elle serra les poings furieusement, domina les pulsions haineuses. N'avait-elle pas aperçu les stigmates du poison dans ce regard si jaune ? N'avait-elle pas compris que la mort rôdait déjà autour de cet être-là ?

Elle patienta, s'efforça de reprendre son souffle quand Sing-hua repoussa doucement le pan du manteau.

— Je l'ai vu, maman !

Très émue, Mei-yu contempla un instant le petit visage grave qui se tendait vers elle.

— Chut, chut, ma chérie ! fit-elle, le doigt sur les lèvres.

Un rien inquiète, elle scruta les environs. Les hommes du colonel les surveillaient-ils ? Allons, c'était absurde ! songea-t-elle enfin. Quels autres méfaits auraient-ils pu commettre désormais ? Elle sentit Sing-hua frissonner et déclara d'un ton ferme :

— Allons-y ! Plus que cinq cents mètres ! Viens, Sing-hua. Il n'y a plus rien à craindre. Dépêchons-nous de rentrer.

Elle jeta un dernier coup d'œil alentour. La foule refluait vers Elizabeth Street, dégageait la rue.

— Allons-y, Sing-hua, répéta-t-elle.

Et toutes deux s'élancèrent vers Pell Street.

⁂

Mei-yu avait beau rire et jouer à frotter vigoureusement les cheveux mouillés de Sing-hua, l'enfant ne cessait de la fixer gravement et, chaque fois que glissait la serviette, Mei-yu découvrait ses deux prunelles empreintes de sérieux.

Cette petite en a trop vu, songeait la jeune femme, mal à l'aise. Elle en avait la main tremblante. Pourtant, elle aussi avait partagé la colère de la foule rassemblée derrière le colonel. Elle aussi avait appelé de ses vœux sa chute infamante ! Combien de fois n'avait-elle pas espéré le voir implorer la clémence ? Aujourd'hui, cependant, Mei-yu devait accepter une réalité autre. Elle ne pouvait supporter l'amertume qui brillait dans les yeux du vieux colonel, pas plus que l'idée de la maladie qui le rongeait. Non, elle n'avait plus qu'un désir : oublier ! Oublier cette vision atroce de la décadence d'un vieillard. A nouveau, son regard s'arrêta sur Sing-hua. Sa fille aurait-elle partagé ses sentiments ? Si l'enfant se montrait calme, un feu étrange brûlait dans ses prunelles ! Oh ! comment apaiser ses craintes ? se demanda Mei-yu. Elle se détourna, retrouva des gestes machinaux, étendit la serviette...

— Sing-hua... ce que tu as vu cet après-midi... tu es trop jeune pour comprendre.

Sing-hua s'assit sur le lit, ôta lentement ses chaussettes trempées.

— La justice décidera du sort du colonel Chang. Il sera puni. Sing-hua... tu m'écoutes ?

La fillette se débarrassait maintenant de son maillot de corps.

— Tu n'as plus rien à craindre désormais. Nous ne le reverrons plus jamais. Tiens !

Mei-yu lui sortait un change propre. Elle n'aurait pu dire quelles pensées traversaient l'esprit de l'enfant, ni même si elle avait vraiment écouté...

Sing-hua, en effet, tirait sa caisse de jouets, s'emparait de ses crayons et d'un peu de papier.

Soit. Mieux valait qu'elle s'amuse. D'ailleurs, que lui expliquer d'autre ? se dit Mei-yu.

La jeune femme entreprit ensuite de préparer le riz. Voilà. La casserole... l'eau... la plaque électrique qui rougissait peu à peu...

Comment dire à nos enfants les problèmes qui nous hantent ? se demanda encore Mei-yu. Était-ce juste seulement ? Avait-on le droit de leur imposer ce fardeau supplémentaire ? De les effrayer en leur racontant des choses souvent incompréhensibles pour eux ? Mei-yu savait pourtant que les parents ne pouvaient protéger constamment leurs enfants. Enfin, les uns et les autres se voyaient parfois aux prises avec des forces qui les dépassaient formidablement. Du temps de son enfance, Mei-yu elle-même n'avait-elle pas assisté à des scènes horribles que l'arrestation du colonel Chang venait de lui rappeler cruellement ?

Ses frères aussi avaient été témoins de ces horreurs. Elle revoyait cette nuit, après la guerre, où elle avait longuement discuté avec Hung-bao et Hung-chien. Ensemble, ils avaient rebâti la trame des événements et ce cheminement commun s'était révélé moins douloureux. Hélas ! elle avait quitté ses frères en quittant la Chine. Où se trouvaient-ils maintenant ? Demeurait-elle la seule dépositaire de ces souvenirs ?

Ce fut Hung-bao qui, le premier, lui parla des activités que leur père menait secrètement contre les Japonais. Par un après-midi de l'hiver 1943, alors que ses frères rentraient en hurlant de l'école, Hung-bao s'était précipité au-devant de Mei-yu.

— Mei-yu ! Mei-yu ! Papa est un révolutionnaire ! Nous avons appris aujourd'hui qu'il se trouve dans le Nord du pays afin d'aider les étudiants à organiser la guérilla. Formidable, non ? Papa est drôlement courageux, n'est-ce pas ?

Depuis quelque temps, en effet, Yuang-ming faisait

parfois de brefs voyages. Cette fois-ci, cependant, il y avait bien deux semaines qu'il était absent et l'on ignorait tout de l'endroit où il pouvait bien se trouver. Ses collègues étaient même venus demander des nouvelles à leur mère, mais tous avaient invariablement quitté la maison en soupirant, après la traditionnelle tasse de thé. Quant aux enfants, ils avaient eu beau questionner Ai-lien, cette dernière était demeurée muette.

L'excitation de Hung-bao et de Hung-chien était maintenant bien compréhensible. Le premier ne cessait de tirer les tresses de sa sœur tandis que l'autre sautait allègrement sur le lit.

— Qui t'a dit ça ? demanda Mei-yu.

— Un ami qui a entendu son père discuter avec l'un de ses proches, répondit Hung-bao.

— Tu es sûr qu'il dit vrai ?

— Oui, et ils ne parlent que de cela à l'école. Papa n'est pas le seul mêlé à cette histoire. Il y aurait d'autres professeurs.

— Et où sont-ils maintenant ?

— On te l'a dit ! Dans le Nord ! Dans-le-Nord !

Ravis de l'occasion qui leur était fournie, les deux gamins criaient à tue-tête, chantonnaient gaillardement les trois petits mots clés tout en se distribuant force coups de point sous l'œil méprisant de Mei-yu.

Depuis que Li Ma, leur nourrice, avait quitté la maison sous prétexte qu'elle se sentait plus en sécurité avec sa propre famille, dans l'Ouest du pays, les deux garçons se comportaient comme de véritables chenapans. Des démons, même. Ils ne pensaient qu'à se battre !

Par chance, la fillette reconnut alors le pas de Hsiao Pei qui passait comme le vent au bout du couloir.

Elle s'était donc élancée en criant :

— Hsiao Pei !

— Que t'arrive-t-il, ma fille ?

C'est à peine si Hsiao Pei avait levé les yeux, occupée qu'elle était à trier des haricots secs. La malheureuse se voyait désormais chargée de tous les travaux ménagers : même le cuisinier avait déserté la maisonnée. Quelques semaines auparavant, Tsu-lu avait en effet décidé de rejoindre son fils, fermier dans le Sud.

— Hung-bao raconte que papa organise un mouvement de guérilla.

— Chut, mon enfant ! Baisse la voix ! Que t'ont donc dit ces idiots ? Et pourquoi vont-ils répandre pareilles sornettes ? Hung-bao ! Hung-chien ! Venez ici ! Tout de suite !

Les deux garçons entrèrent dans la cuisine. Un rien embarrassés, ils se tortillaient tout en ricanant bêtement. Hsiao attrapa illico l'oreille de Hung-chien.

— Tu vas m'écouter maintenant ! Il ne s'agit pas d'une plaisanterie. Il ne faut absolument pas parler de ton père ! Tu n'as pas à dire ni où il est, ni ce qu'il fait.

Pour toute réponse, Hung-chien éclata de rire.

Rouge de colère, Hsiao Pei avait alors changé de ton. Jamais encore, Mei-yu ne l'avait vue aussi fâchée.

— Ah ! Rigole ! Rigole, malheureux, pendant que ton père risque sa vie ! Te rends-tu compte au moins que ton attitude lui complique encore la tâche ?

A ces mots, Hung-chien devint livide. Devant sa détresse, Hsiao Pei baissa le ton, s'expliqua :

— Allons, je me suis emportée. Mes paroles ont dépassé ma pensée. Je ne veux pas dire que sa vie est menacée à cause de toi, mais tu sais que les ennemis sont partout. Parler peut se révéler dangereux. Voilà pourquoi tu dois garder le secret. Tu comprends ?

Hung-chien opina du chef sans pour autant relever les yeux.

— Et toi, Hung-bao, tu comprends ?

Hung-bao acquiesça à son tour.

— Très bien, j'en suis heureuse. Soyons patients ! D'ailleurs, à mon avis, votre père ne tardera guère.

Elle souligna ces paroles rassurantes d'un geste tendre à

l'égard de Hung-chien qui esquiva prestement cette marque d'affection et s'éloigna en courant. Devant un tel comportement, Hsiao Pei poussa un grand soupir et retourna à ses haricots.

Yuan-ming réapparut trois jours plus tard. Hsiao Pei remuait le millet sur le feu quand elle l'aperçut à la grille. Elle en laissa tomber sa cuillère et se maudit pour avoir oublié le couperet bien en évidence sur la table. A ses yeux, l'arrivant n'était autre qu'un bandit de grands chemins.

Lui se pencha respectueusement et ramassa la cuillère qu'il lui tendit en déclarant gentiment :

— C'est moi, Hsiao Pei.

Elle l'observa attentivement et dût admettre que c'était bien le maître de céans !

— Quelle joie de vous revoir, maître Chen, dit-elle. Je vais prévenir Madame.

— J'ai besoin d'un bain, Hsiao Pei. Veux-tu avoir la bonté de m'apporter ma serviette, mon rasoir et des vêtements.

Une heure plus tard, Hsiao Pei emportait ses effets sales. Il lui avait demandé de les brûler. Elle n'avait jamais vu pareils vêtements : en coton rêche vert sombre, ils étaient raides de boue et de graisse. Au dîner, les enfants saluèrent leur père avec émotion : comme il paraissait vieilli dans sa longue robe gris pâle ! Mei-yu approchait pour recevoir sa bénédiction quand elle remarqua les traces de ce curieux changement. Autour des yeux, à la commissure des lèvres, diffusait un réseau serré de ridules marquées, et, dans le regard, une gravité nouvelle qui semblait franchir des horizons inconnus. Bouleversé, Hung-chien noua les bras autour du cou de son père et éclata en sanglots. D'un geste doux, mais ferme, Yuan-ming écarta son benjamin tout en lançant un coup d'œil interrogateur vers sa femme. Hung-bao, qui, en sa qualité de fils aîné, avait le premier salué son père, ne savait plus que faire de ses dix doigts tant il avait honte pour son frère. Il fixait donc ces cicatrices qu'il ne connaissait pas sur les mains et les avant-bras de Yuan-ming.

Très émue, Mei-yu observait la scène quand un détail lui serra le cœur : les cheveux de sa mère ! Ils avaient perdu leur éclat ! Et elle, comme elle paraissait tendue, fatiguée ! Ai-lien aussi se rongeait d'inquiétude.

Les collègues de Yuan-ming arrivèrent, à peine le dîner terminé. On servit le thé, mais, dès ce rituel accompli, les hommes se retirèrent dans le bureau du maître de maison. Ai-lien regagna sa chambre et Mei-yu demeura à la cuisine en compagnie de Hsiao Pei. De là, elle avait un poste d'observation relativement sûr : cinq hommes se trouvaient aux côtés de son père.

— De quoi peuvent-ils bien parler ?

Imperturbable, Hsiao Pei essuya ses casseroles en déclarant :

— Si ton père voulait que tu le saches, il te l'aurait dit.

Agacée, Mei-yu se débarrassa aussitôt des baguettes qui lui servaient de jouets.

— Et pourquoi ne me dit-on jamais rien ?

Interloquée, Hsiao Pei l'avait regardée sans pouvoir proférer un son.

— Ici, on vit comme des fantômes ! Des secrets, toujours des secrets ! L'attente, toujours l'attente ! Oh ! J'en ai assez ! Et pourquoi ma mère n'oblige-t-elle pas mon père à renoncer à ces réunions dangereuses ?

Le regard mauvais, elle défiait les ombres de la fenêtre paternelle.

— Mei-yu ! Comment oses-tu ? Parler ainsi de tes parents ! Et en plus, tu ne comprends rien à ta mère !

Mei-yu avait beau dépasser sa servante de plusieurs centimètres, elle n'en rougit pas moins devant son expression courroucée.

— Ta mère a bel et bien essayé, mais nul ne peut faire changer ton père d'avis lorsqu'il a pris une décision. Même pas Ai-lien ! Enfin, Yuan-ming a résolu, pour mieux vous protéger, de garder le secret absolu sur toutes ses activités. Cesse donc de te mettre martel en tête pour des choses que tu ne peux comprendre. Entendu ?

Furieuse, Mei-yu avait quitté la cuisine d'un pas vif. Elle fila directement jusqu'à la porte du bureau de son père où elle s'arrêta. A l'intérieur, deux hommes échangeaient des propos acerbes. Mei-yu entendit son père intervenir, apaiser les passions, puis, vive comme l'éclair, l'enfant gagna la cour. L'amertume la taraudait. Quinze ans ! Elle avait quinze ans maintenant et, pourtant, c'était à croire qu'elle ne connaissait et ne connaîtrait jamais rien ! Ses parents étaient complices et vivaient dans un monde distinct d'où ils la considéraient avec une bienveillance distante et affectueuse. Quant à Hsiao Pei, elle la traitait toujours comme un bébé ! Horripilée, Mei-yu courut jusqu'aux chambres de ses frères. Eux, peut-être, en sauraient davantage ! En arrivant devant la fenêtre de Hung-bao, elle l'aperçut qui étudiait tandis que Hung-chien, dans la pièce voisine, travaillait la flûte. Il s'y était mis, un an auparavant seulement, mais jouait déjà fort joliment certains airs folkloriques. Pour l'instant, il répétait un morceau très mélancolique où Mei-yu déchiffra une immense tristesse. Bouleversée, elle frissonna. De froid sans doute, se dit-elle tout d'abord. Il lui fallut pourtant se rendre à l'évidence. Elle retrouvait l'écho de ses propres sentiments ! Subitement, Mei-yu brûlait de parler à son frère. Hélas ! Elle connaissait déjà sa réaction. Il rirait, se réfugierait immédiatement dans quelque gaminerie, lui tirerait les cheveux. Brusquement, le silence se fit. Intriguée, Mei-yu se pencha et découvrit son frère, penché sur son instrument, l'air lointain.

Comme il paraît troublé ! se dit-elle. En effet, Hung-chien semblait soudain beaucoup plus mûr. Il n'avait plus rien d'un gamin.

Apeurée, elle regagna vivement sa chambre, passa devant chez Hsiao Pei, aperçut la lumière... Non, elle n'irait pas se réfugier chez sa nourrice ! Ce soir, elle était suffisamment vieille pour ne pas céder à la peur.

Une fois dans son domaine, elle se déshabilla en se répétant maintes paroles d'encouragement. Elle se força à fermer lentement les paupières, tant et si bien que des lueurs bleutées finirent par danser devant ses yeux.

Bien des heures passèrent. Puis Mei-yu commença d'entendre un bruit, au loin. Peu à peu, le bruit se rapprocha. Des hommes hurlaient maintenant. Où se trouvait-elle donc ? Des gens couraient, pieds nus. On poussait des meubles aussi. La jeune fille se retourna dans son lit, souleva péniblement la tête, puis le cri de Hsiao Pei l'arracha définitivement à sa torpeur. Aussitôt, elle bondit sur ses pieds, courut, ouvrit la porte...

Des soldats japonais bloquaient l'entrée du bureau de Yuan-ming. Il y en avait beaucoup, au moins une douzaine. Peut-être plus. Tous étaient armés et le gradé responsable aboyait sous prétexte d'obliger les compagnons du maître de maison à sortir. Peu après, les participants à la réunion avancèrent ; tous avaient les mains liées derrière le dos. Parmi eux... Yuan-ming !

Les Japonais avaient dû intervenir dans la discrétion la plus totale car Mei-yu voyait la pipe de son père, là, dans le cendrier, qui émettait encore de délicates volutes de fumée. Puis elle sentit la main de Hsiao Pei s'abattre sur son épaule, l'attirer dans la zone d'ombre, le long du mur. De l'autre côté de la cour, Mei-yu aperçut également Hung-bao et Hung-chien qui frissonnaient dans leur peignoir. A la lueur des multiples lanternes des Japonais, tous deux étaient l'image même du désespoir. Un peu plus loin, dans l'allée, Mei-yu découvrit sa mère, les cheveux défaits, vêtue de son long peignoir blanc. On eut cru une statue tant l'émotion la figeait.

Le gradé japonais aboya un nouvel ordre, les soldats collèrent aussitôt leurs fusils dans les reins des prisonniers et les six hommes se mirent lentement en marche.

— Papa, hurla Hung-chien.

Il s'élança, mais ne put aller bien loin. Un soldat l'en empêcha. Hung-chien lui décocha un bon coup de pied et tenta de se libérer. En vain, le Japonais le tenait trop bien.

C'est alors que s'éleva la voix de leur père :

— Hung-bao, ramène ton frère à sa chambre !

Hung-bao s'empressa d'obtempérer.

— Ai-lien, fit encore Yuan-ming.

Sa voix se perdit dans la nuit. Un soldat venait de lui enfoncer son fusil dans les côtes.

— Papa ! s'écria à son tour Mei-yu.

Seul le silence fit écho à son cri. Déjà, l'obscurité retombait sur la cour. Le lugubre cortège s'éloignait dans la nuit à peine martelée par le bruit assourdi des bottes.

Quelques secondes plus tard, Hsiao Pei filait comme une flèche pour soutenir Ai-lien, tombée à genoux sur le sol. Mei-yu la suivit, prit la main de sa mère dont le regard n'exprimait plus qu'un vide affreux. Toutes deux la ramenèrent doucement vers sa chambre.

Le lendemain matin, Mei-yu s'éveilla en frissonnant dans le silence glacial de la maison. Elle n'avait point entendu Hsiao Pei courir comme à l'accoutumée d'un endroit à l'autre. Elle n'avait point entendu le raclement sec du seau à charbon.

Quand elle pénétra dans la grande salle commune, elle y trouva sa mère qui allumait l'encens.

Gênée, mais désireuse de montrer son souci et son amour, Mei-yu s'approcha et déclara simplement :

— Maman !

— Mei-yu, ma fille !

Ai-lien regarda Mei-yu qui frémit de la voir en larmes.

— Hsiao Pei et Hung-bao sont partis à la recherche de Hung-chien. Il s'est enfui.

Mei-yu posa le bol de riz devant Sing-hua. Jamais encore, elle ne lui avait parlé de son oncle Hung-chien qui, à peine âgé de douze ans, s'était lancé sur les traces de son père. Il avait suivi la compagnie japonaise qui emmenait Yuan-ming et une centaine d'autres prisonniers vers le Nord, à Fushun. Pieds nus, il suivait. Les villageois, émus par son obstination courageuse, l'aidaient de temps à autre. Finalement, les Japonais le renvoyèrent chez sa mère quatre semaines après sa fugue.

De ces quatre semaines, Mei-yu gardait un vif souvenir. Elle revoyait ainsi des collègues de son père venus rendre visite à sa mère qui les avait fait congédier. Très froide, Ai-lien avait, en effet, demandé à Hsiao Pei de les éloigner.

— S'il a été arrêté, c'est à cause d'eux. S'ils ne l'avaient pas supplié de prendre la tête du mouvement, Yuan-ming ne se serait pas exposé à pareils dangers !

Hsiao Pei exécuta les ordres de sa maîtresse. En son for intérieur, elle savait bien pourtant que seul le chagrin poussait Ai-lien à agir ainsi. Yuan-ming n'avait rien d'un pantin. Il ne décidait rien à la légère.

Durant cet interminable laps de temps, il y eut des rêves aussi, ou plutôt des cauchemars. De nombreuses nuits, Mei-yu crut vivre ainsi la mort de son père et, sous ses yeux fous, apparaissait l'image insupportable d'une flûte brisée, jetée à même le sol. Deux semaines s'écoulèrent quand, finalement, Mei-yu décida d'aller trouver Hsiao Pei.

Elle frappa doucement à la porte.

— Hsiao Pei, murmura-t-elle.

La servante devait méditer dans l'obscurité. Elle s'empressa néanmoins d'ouvrir la porte, d'allumer la lumière.

— Ah ! Mei-yu ! M'avais-tu oubliée ? Je commençais à me demander si tu m'aimais encore ! Je me disais que tu devenais trop vieille pour venir raconter tes secrets à ta nourrice !

Pour la première fois de sa vie, Mei-yu trouvait à son amah un air fatigué, vieux même. Le malheur s'était abattu sur leur maison. Jamais auparavant, Hsiao Pei, la courageuse, la solide, n'avait paru si fragile, si désarmée. Cette constatation était si pénible que Mei-yu détourna les yeux un instant. Son regard se posa alors sur une broderie inachevée.

— Tu m'apprendras ? demanda-t-elle.

Hsiao Pei ramassa son ouvrage. C'était un châle de soie ivoire avec, sur sa bordure, un splendide lacis de fils roses.

— Regarde ce que je fais maintenant, répondit-elle.

Longtemps, Mei-yu l'observa attentivement, puis supplia :

— Laisse-moi essayer.

— D'accord, mais prends le fil bleu cette fois-ci. Tu commenceras par là et tu suivras... comme ça. Voilà. Puis tu me montreras. Fais de petits points, surtout, et n'oublie pas de travailler fil par fil. Pas de trous non plus, hein !

Elles passèrent ainsi un long moment de silence. Mei-yu plissait désespérément les yeux pour ne pas commettre d'erreurs quand, à bout de nerfs, elle abandonna sa tâche.

— Tu as déjà fini ?

— Non.

— Eh ! Ces larmes ? Pourquoi ?

— Hsiao Pei !

— Le dîner ne t'a pas plus ? J'ai pourtant fait de mon mieux !

— Non, il ne s'agit pas du dîner !

Mei-yu était bien obligée de rire entre ses larmes.

— Je n'arrête pas de faire des cauchemars. J'ai peur pour papa. Et pour Hung-chien !

Hsiao Pei poussa un interminable soupir.

— Je crains de ne jamais les revoir, ajoutait Mei-yu.

— Il n'y a rien à faire sinon attendre, Mei-yu, mais je suis certaine que ton père reviendra. Hung-chien aussi. L'amour que Yuan-chien porte à sa famille lui est une grande force. Hung-chien ressemble à son père. Ils reviendront.

Elle attendit, surveilla Mei-yu du coin de l'œil. Mei-yu ne pipait mot.

— Hum ! Je vois qu'il est temps que je te raconte le grand voyage de ton père, quand il s'en fut étudier en Angleterre.

Mei-yu releva la tête, contempla Hsiao Pei qui se rejetait dans sa chaise maintenant et offrait son visage à la lumière orangée de la lampe.

— C'est une histoire merveilleuse. La plus belle de toutes mes histoires, en fait.

— Oh ! Hsiao Pei !

— Ne t'en ai-je jamais rien dit, vilaine fille ? dit la nourrice, moqueuse.

Mei-yu, cependant, s'installait déjà confortablement sur le lit.

— Très bien ! Tu vas voir comment ces aventures sauront effacer tes cauchemars !

Hsiao, qui aimait l'art du conteur, s'appliqua à mesurer un morceau de fil bleu. Il était bon que l'auditeur s'impatiente. Il n'en savourait que mieux la suite. Elle vérifia sa broderie, s'éclaircit la gorge.

— Lorsque ton père eut obtenu ses diplômes auprès de l'université où il enseigne aujourd'hui, il décrocha une bourse afin de poursuivre ses études à Oxford, en Angleterre. L'Angleterre, tu sais où c'est, non ?

— Bien sûr, Hsiao Pei ! Arrête de me taquiner. Raconte !

— Très bien, très bien ! A l'époque, bon nombre d'étudiants chinois se rendaient à l'étranger, en Amérique, en Angleterre, en France. Ton père était extrêmement flatté d'avoir été choisi. Oxford était et demeure l'une des universités les plus prestigieuses du monde. Il y allait donc pour étudier la littérature et la philosophie britanniques. Sa mère pleura beaucoup ce départ. Son fils, jusqu'alors, ne s'était jamais aventuré bien loin de chez lui. Tout au plus avait-il gagné Pékin, à quelque cent cinquante kilomètres de son village. Et voilà qu'il quittait la Chine !

Il prit un steamer. Il lui fallut deux mois pour atteindre

l'Angleterre où, une fois arrivé, il tomba malade. A mon avis, il fut victime du mal de mer lié aux vapeurs océanes. Le climat anglais par là-dessus n'avait rien arrangé. J'ai même entendu dire que le système de chauffage britannique fonctionnait plus mal encore que le nôtre. Bref, ta grand-mère fut extrêmement affligée lorsque lui parvint une lettre d'un de ses amis en voyage d'affaires à ce moment-là. Cet ami avait rencontré ton père. Il le décrivait en des termes épouvantables : livide, maigre à faire peur ! Il ajoutait cependant qu'il y avait à Londres des restaurants chinois où il se promettait d'emmener ton père. Apparemment, cette solution donna les résultats escomptés car, un mois plus tard, Yuan-ming en personne écrivait à sa mère pour lui dire qu'il se portait comme un charme et qu'il étudiait comme un forcené. Les professeurs se montraient très exigeants, pourtant Yuan-ming se sentait confiant. Je revois ta grand-mère en train de lire cette lettre à ton grand-père dans la cuisine. Tu penses si j'ai tout entendu ! Elle lisait à voix haute ! Je n'en ai rien perdu !

Yuan-ming écrivait de fort belles lettres et souvent ! Il dépeignait les bâtiments de son école, ces édifices de brique et de pierre qui s'élevaient haut, très haut dans le ciel, et présentaient des tours à chaque angle important. Tu sais qu'ici, à Pékin, c'est tout le contraire, vu que l'empereur désirait pouvoir regarder tous ses sujets de haut. N'empêche que les Anglais devaient sûrement penser la même chose pour faire des constructions pareilles, non ? Yuan-ming n'en disait rien, mais ne crois-tu pas que j'ai raison ? Bien, je reprends... Dans d'autres lettres, Yuan-ming vantait la beauté des jardins pleins de roses, de chrysanthèmes et autres fleurs splendides inconnues en Chine. Il nous expliqua aussi que les Anglais adoraient manger d'énormes quantités de viande. Il décrivit un dîner chez l'un de ses professeurs. On lui avait donné un morceau de vache aussi gros qu'une chaussure ! Te rends-tu compte ? Oh ! oui ! Leur thé était, paraît-il, d'un rouge très sombre importé des Indes et ils y mettaient des tonnes de sucre. Quels barbares ! Oh ! Cette lettre-là, je m'en souviens très bien. Ta grand-mère en avait perdu l'appétit et, de ce fait, je n'ai pas cuisiné ce soir-là.

Nous attendions les lettres de Yuan-ming dans la fièvre ! A chaque fois, c'était un événement. Un jour même, l'une d'elles se trouva accompagnée d'une photographie. A l'époque, Yuan-ming vivait à Oxford depuis plus d'un an. Nous le vîmes donc habillé à l'européenne ! La photo fit le tour du village et chacun s'extasia devant Yuan-ming en chemise à col empesé, cravate et pantalon (trop serré si tu veux mon avis), les pieds emprisonnés dans des chaussures de cuir. Ensuite seulement, nous vîmes sa moustache. Pour ma part, je fis semblant d'avoir avalé de travers pour quitter la pièce discrètement tant je craignais de pouffer devant ta grand-mère !

Maintenant, attends... que disait donc sa dernière lettre ? Enfin, pas vraiment sa dernière, mais juste avant qu'il n'arrête d'écrire pendant longtemps... Ah ! oui ! Il brossait un portrait des Anglais pas très flatteur ! A notre grande tristesse, nous apprîmes qu'il était fort mal reçu par les gens n'appartenant pas à l'université. Certains commerçants lui refusaient l'entrée de leur magasin, d'autres de le servir. Les gens, choqués de l'entendre s'exprimer dans leur langue, se sentaient parfois insultés ou peut-être simplement déconcertés. Dans cette lettre, il demandait à ta grand-mère de bien remercier le père Joseph, un missionnaire qui lui avait enseigné l'anglais durant ses études secondaires. Il disait qu'exception faite de quelques incidents déplaisants, il était en général bien accueilli grâce à sa maîtrise de la langue. Il comprenait, ajoutait-il, les réactions des gens autour de lui et les attribuait à des différences culturelles. Il terminait sa lettre en disant qu'il avait rencontré des êtres charmants, intelligents et même séduisants !

Ensuite, tes grands-parents n'eurent plus de nouvelles pendant trois mois ! Ta grand-mère se fit des cheveux blancs.

Quant à ton grand-père, il désertait son atelier de plus en plus tôt afin d'attendre le courrier. Ta grand-mère, excédée, finit par écrire à son ami et lui demanda si Yuan-ming était toujours en vie. Nous guettions la réponse avec impatience. Tous les soirs, les sœurs de ton père couraient interroger les étoiles jusqu'au moment où le ciel leur donna la réponse avant même que l'ami de ta grand-mère n'eut écrit. Yuan-ming était amoureux ! Mais quel choc lorsque nous apprîmes que Yuan-ming s'était épris d'une Anglaise ! Une blonde aux yeux bleus ! Ta grand-mère s'évanouit sur-le-champ. Quant à moi, j'étais si bouleversée que je lui humectais le visage avec de la sauce au soja au lieu d'utiliser du vinaigre ! Elle en devint noire ! Oh ! Comme je pleurai lorsque je vis les conséquences de mon étourderie ! Ton grand-père eut, lui, une réaction tout à fait classique : il en laissa tomber son marteau au beau milieu de la cuisine ! Naturellement, il y eut un trou, un trou énorme juste à côté du poêle ! Puis, il maudit son fils qui déshonorait la famille ! Les sœurs couraient de-ci, de-là, comme des poulets fous sous la pluie. Elles savaient bien le sort qui les attendait une fois leur nom souillé : nul ne voudrait plus les épouser !

Deux jours s'écoulèrent dans le chagrin le plus total, quand j'eus une véritable idée de génie. En vérité, j'y avais pensé dès le premier instant, mais j'avais préféré garder le silence en attendant que tout le monde se calme suffisamment pour pouvoir m'écouter. Je suggérai donc qu'on allât consulter au plus vite un marieur. A mon avis, Yuan-ming respectait trop ses parents pour leur désobéir si ceux-ci lui trouvaient une épouse. Ta grand-mère, ravie, se jeta à genoux devant moi pour me remercier. Je me sentais extrêmement confuse, mais acceptai tout de même les huit œufs et ce collier qu'elle me donna alors. Tu l'as déjà vu ! Je le porte tout le temps ! Il est beau, n'est-ce pas ?

Le lendemain, ton grand-père filait voir le marieur. Je t'épargne mille détails. Sache seulement qu'il y avait quatre partis possibles, mais finalement tes grands-parents arrêtèrent leur choix sur la fille d'un riche marchand du village. D'après le marieur, tous les présages étaient bons et Ai-lien, puisque tel était son nom, avait, en plus de sa beauté, de grandes qualités : gentille et obéissante, elle savait broder, tenir sa maison, gérer un budget. Dotée d'une santé parfaite, elle pouvait porter de beaux enfants. Bien sûr, elle ne savait pas lire, mais tous convinrent que c'était peu important puisque Yuan-ming était, lui, un fin lettré. Un seul dans la famille ferait amplement l'affaire. Enfin, la dot se révéla fort rondelette. Ton grand-père en fut enchanté. Au début, il avait craint un refus de la part de ce riche marchand. L'autre, pourtant, consentit aisément à donner sa fille à un fils de forgeron. La réputation de ton père n'était, en effet, plus à faire ! Ce mariage flattait la vanité du négociant.

Tes parents allèrent ensuite trouver l'écrivain public afin qu'il rédigeât au mieux cette lettre cruciale. Ils purent ainsi annoncer à ton père ces fiançailles ainsi que la date de son mariage. Après consultation de l'astrologue, on avait retenu le jour du 10 mai. Bref, on envoya la lettre, et l'attente commença.

Un mois plus tard, il n'y avait toujours pas de réponse. Ta grand-mère écrivit une nouvelle fois à son ami de Londres qui répondit, un mois plus tard, que Yuan-ming, victime d'une peine de cœur, s'était rendu en France pour réfléchir. Personne n'en savait davantage. Nous étions alors en janvier. En février, l'ami écrivait à nouveau pour dire que Yuan-ming était de retour à Oxford et... qu'il avait changé d'adresse. L'ami ajoutait qu'il était navré, mais qu'étant lui-même obligé de regagner la Chine, il n'avait pas le temps de rechercher Yuan-ming.

L'attente se prolongeait donc, et nous étions tous dévorés d'impatience. L'enjeu n'était-il pas primordial ? Yuan-ming déshonorerait-il le nom de la famille ? Finalement, en mars, une lettre arriva. Une lettre de Yuan-ming lui-même. De longues minutes durant, ta grand-mère resta assise à trembler sans oser ouvrir l'enveloppe. Pourtant, lorsqu'elle eut lu les premières lignes, elle poussa un hurlement de joie. Oh ! Je n'ai pas oublié ce jour-là ! J'essayais une nouvelle recette, un poulet braisé aux pignons de pin ! Ta grand-mère hurla donc que Yuan-ming revenait, qu'il se pliait à la volonté de ses parents. Quelle fête nous fîmes, ce soir-là ! On m'a même donné un peu de saké ! Ta grand-mère, radieuse, me serrait dans ses bras. Tes tantes tressaient à nouveau leurs cheveux. Oh ! Quelle belle soirée ! Même les poulets étaient délicieux ! Ils fondaient dans la bouche !

Deux mois plus tard, Yuan-ming était de retour. Il paraissait plus grand, plus mince et très sérieux. Il avait rasé sa moustache. Au début, il eut l'air étonné, fit le tour de la cuisine comme s'il ne l'avait jamais vue auparavant. Il ne mangeait plus, mais cela ne dura guère. Ensuite, il fallut s'occuper des préparatifs ! Nous faillîmes en devenir fous ! Par chance, le 10 mai fut une journée splendide ! Il faisait si doux et le ciel était si pur ! Je t'ai déjà raconté le mariage de tes parents, mais cette partie-ci est tellement extraordinaire que je dois te la répéter. Yuan-ming et Ai-lien ne se rencontrèrent qu'une seule fois avant les noces. Pourtant, cette rencontre fut décisive. Je peux te dire, moi, que ton père était amoureux lorsqu'il en revint. Enfin, le jour même du mariage, Ai-lien se montra si rayonnante, vêtue de rouge et d'or comme elle l'était, que tout le monde s'éprit de son teint nacré, de ses yeux pétillants de bonheur. Ta grand-mère en pleura de joie.

La fin du récit telle que la racontait Hsiao Pei, Mei-yu ne l'avait pas oubliée non plus. Il y avait belle lurette que la servante avait rangé son ouvrage et, la tête légèrement penchée, elle errait en aveugle sur les sentiers du souvenir qu'elle décrivait avec passion. Elle en vint à la chambre nuptiale, aux facéties des neveux qui refusaient d'abandonner les époux à la solitude des jeunes mariés. Enfin, Hsiao

Pei et Mei-yu éclatèrent de rire jusqu'au moment où la nourrice, soudain sérieuse, décréta :

— Il est temps de regagner ton lit, Mei-yu. Profite donc de cet instant heureux. Emporte cette histoire et sers-t-en pour mieux rêver, mon petit. Elle chassera les cauchemars ; je te le promets.

Sans les contes de Hsiao Pei, à quoi mon enfance aurait-elle ressemblé ? se demanda Mei-yu tandis qu'elle rinçait le bol de Sing-hua. Hsiao Pei avait tout d'abord commencé par les histoires magiques du roi des singes. Quand l'un d'entre eux se plaignait d'un genou écorché, d'un gros chagrin ou d'un jouet cassé, Hsiao Pei s'empressait de faire intervenir le fameux roi des singes qui se transformait mystérieusement à chaque épisode. Tantôt oiseau, tantôt poisson, il volait ou franchissait courageusement les rapides du Fleuve Jaune. Il sauvait les enfants des griffes des horribles monstres, parcourait des kilomètres au cœur de forêts inextricables pour les arracher à un destin cruel. Chacune de ces histoires constituait un véritable baume pour le cœur des bambins. Quand, ensuite, ils eurent grandi et connu diverses souffrances, Hsiao Pei leur conta d'autres récits qui mettaient en scène les dirigeants du pays ou même... leurs propres parents.

Chaque histoire avait une vertu thérapeutique et, au début du moins, l'histoire du mariage de ses parents apaisa Mei-yu. Ses cauchemars l'abandonnèrent. En revanche, elle se prit à rêver au retour de son père et de son frère et, en effet, deux semaines plus tard, Hung-chien réapparaissait. Ce présage favorable réconforta Mei-yu qui y vit la preuve du retour proche de Yuan-ming. Malheureusement, deux ans s'écoulèrent sans que l'on eût de nouvelles.

Mei-yu cessa alors de quémander des histoires à Hsiao Pei. Elle avait suffisamment vieilli et mûri pour s'en passer, se disait-elle. Le roi des singes... que pouvait-il contre les Japonais ?

Par ailleurs, l'histoire du mariage avait-elle ramené Yuan-ming ? Non ! A quoi bon rêver ? L'amertume au cœur, Mei-yu en vint à s'interroger : qu'inventaient donc les adultes pour apaiser leurs souffrances ?

Mei-yu aida sa fille à enfiler sa chemise de nuit, défit le ruban qui retenait encore ses cheveux avec des gestes d'automate. Elle ne cessait de réfléchir.

Sing-hua en a trop vu aujourd'hui. La peur ne la quitte pas. Je lui ai confié tout ce que je savais, je lui ai répété qu'il n'y avait rien à craindre. En vain. Elle ne comprend toujours pas. Elle est trop jeune, se dit-elle.

Finalement, Mei-yu tendit la main...

— Viens, Sing-hua !

Quelques instants plus tard, la fillette s'installait sur les genoux de sa mère.

L'espace d'une seconde, Mei-yu ferma les yeux, évoqua son enfance et la chère Hsiao Pei.

— T'ai-je jamais raconté l'histoire magique du roi des singes ? Plus fort, plus intelligent que n'importe qui au monde, il a pour mission de sauver les enfants, tous les enfants en détresse ?

Sing-hua eut un geste de dénégation.

— En ce cas, je vais tout te dire. Une fois, par exemple, le roi des singes entendit parler d'une petite fille vivant dans un village qui avait été attaqué par un très très méchant tigre.

Peu à peu, les mots fleurissaient sur ses lèvres. Puis, à mesure qu'elle dévidait le fil béni de cette histoire, Mei-yu vit l'apaisement gagner le visage de son enfant...

Elle s'en remit donc à son imagination et offrit au bon roi une superbe cape tissée d'or, une corde miraculeuse et... le don d'invisibilité !

*
**

Le lendemain matin, en tirant les rideaux, Mei-yu découvrit un soleil radieux, un ciel parfaitement dégagé au-dessus de sa tête. Il lui vint une envie de respirer à pleins poumons. Jamais plus le colonel Chang ne lui empoisonnerait la vie ! Elle en sourit, se posa, moqueuse, une question malicieuse : combien de temps faudrait-il pour qu'Ah-chin vînt lui conter l'arrestation par le menu ? Tiens, cette fois-ci, c'est elle qui pourrait surprendre son amie.

Rien que d'y penser, Mei-yu en avait le fou-rire. Elle pourrait même déclarer d'un ton sentencieux :

— Tout cela, Ah-chin, je l'ai vu de mes yeux ! Il ne s'agit pas de ragots !

Plus tard, Mei-yu étudia sa fille qui laçait ses chaussures. L'enfant devenait un expert en la matière maintenant et, de la voir ainsi, Mei-yu en éprouvait une fierté étrange, nouvelle. Elle en vint à se dire que la journée s'annonçait bien, que les dieux leur étaient favorables.

Pourquoi ne pas en profiter pour faire part de sa décision à ses amis ? Pour l'instant, elle avait économisé cent dollars. D'ici le printemps, elle en aurait assez pour aller jusqu'à Washington. Maintenant que le colonel Chang se trouvait sous les verrous, Mei-yu se sentait libre, libre, libre !

Une fois encore, son regard s'égara vers l'allée verdoyante et les arbres proches. Il était encore bien tôt, mais Mei-yu brûlait de s'éloigner du studio. Tant pis ! Elle n'attendrait pas Ah-chin !

— Sing-hua, mets ta veste ! Ce matin, nous irons voir oncle Bao et tante Ah-chin ! dit-elle en enfilant son manteau.

Ravie, Sing-hua obéit entre deux gloussements de joie.

— Oncle Bao ! Oncle Bao !

En descendant l'escalier, Mei-yu faillit frapper à la porte

rouge, mais se ravisa. Il était si tôt ! Ya-mei, la servante, n'était sûrement pas encore arrivée. Or, pour rien au monde, Mei-yu n'aurait voulu déranger madame Peng. Par ailleurs, la jeune femme souhaitait réfléchir à la meilleure façon de demander à sa bienfaitrice comment trouver un travail à Washington. Eh bien ! Elle s'arrêterait chez Mme Peng, plus tard. Forte de cette décision, Mei-yu s'éloigna en entraînant Sing-hua.

L'homme les attendait sûrement depuis un bon moment déjà car, à peine eurent-elles mis le nez dehors qu'il leur agitait une carte professionnelle devant les yeux. Choquée, Mei-yu recula d'un pas, serra instinctivement sa fille.

— Je m'appelle Frank Collins, du *Daily News,* disait l'inconnu.

A l'évidence, sa carte confirmait ses dires. La photographie lui ressemblait : même visage blême aux joues creuses. Pourtant, Mei-yu hocha la tête, reprit sa route. L'homme leur emboîta le pas.

— Vous êtes bien madame Wong, n'est-ce pas ? L'épouse du malheureux qui a été assassiné sur Mercer Street au printemps dernier ?

Mei-yu accéléra l'allure.

— Écoutez ! Je ne vous veux pas de mal. Nous aimerions simplement savoir ce que vous ressentez à la suite de l'arrestation du colonel Chang. D'ordinaire, nous ignorons tout des intrigues de Chinatown et c'est la première fois depuis des années que la police consent à parler un peu !

Mei-yu avait atteint Mott Street. Elle tourna à droite, mais l'homme ne désarmait pas.

— Écoutez ! Pourquoi courir ainsi ? Arrêtez-vous. Rien qu'une minute, quoi !

Maintenant, il tendait la main, touchait le bras de la jeune femme qui se dégagea brusquement. Mais, bien décidée à en finir cette fois, elle l'affronta résolument. Sur le trottoir d'en face, des passants les observaient.

— Laissez-moi tranquille ! fit Mei-yu.

L'autre, la respiration haletante, émettait de véritables nuages de vapeur. Aux yeux de Mei-yu, il s'apparentait à un ours immense, enveloppé dans un manteau ridiculement vaste qui ne servait qu'à accentuer sa carrure monstrueuse. Et puis, comble d'horreur, il avait les yeux larmoyants, le nez rouge !

Il insistait cependant.

— Allons, vous pouvez bien nous parler un petit peu de votre famille ! Dans Manhattan, les gens aimeraient bien en savoir plus !

Maintenant, il scrutait la rue, cherchait une solution miracle pour venir à bout de l'entêtement de cette jeune femme bizarre.

— Dites-moi, vous avez déjeuné ? Je peux vous offrir un café ? C'est votre fille ?

Mei-yu cacha Sing-hua derrière elle, puis, d'une voix coupante, lança à nouveau :

— Laissez-nous tranquilles !

Elles étaient libres désormais ! Pourquoi cet individu s'acharnait-il ainsi ? Elle n'avait rien à dire, ne voulait rien dire. Elle n'aimait pas cet homme aux manières grossières, au physique déplaisant. Étranger à Chinatown, il avait tout du Martien ! D'ailleurs, tous ces étrangers se ressemblaient : ils ne venaient à Chinatown que pour y dénicher des ragots aux relents exotiques. Agacée, elle jeta un coup d'œil en direction des badauds qui surveillaient la scène. Ils se détournèrent.

L'homme y vit-il un avantage ? Toujours est-il qu'il en profita pour insister de plus belle :

— Allons ! Si on parlait ?

Il fouillait fébrilement ses poches maintenant.

— Et votre fille ? Elle n'aurait pas besoin d'un bon manteau pour l'hiver ? Tenez !

Mei-yu vit le billet de vingt dollars devant elle. Elle

hésita, puis... cracha. Lui, pétrifié, sortit son mouchoir et jura tandis que Mei-yu prenait sa fille par la main et s'éloignait en courant.

— Maudite Chinoise !

Mei-yu l'entendit, mais n'en eut cure. Elle était déjà loin et savait pertinemment qu'il ne la suivrait pas.

Le Sun Wah était encore fermé au public. Cependant, Bao, dès qu'il les vit, leur ouvrit avec empressement.

— Mei-yu.

Il remarqua immédiatement l'expression inquiète de la jeune femme et la conduisit très vite vers la cuisine où Shen la débarrassa de son manteau, aida Sing-hua à ôter sa veste et leur servit du thé. Là, dans la tiédeur odorante de la pièce, Mei-yu reprit ses esprits. Les battements fous de son cœur se calmèrent progressivement.

— Que s'est-il passé ? demanda Bao.

Mei-yu poussa un long soupir avant d'expliquer l'incident. Compatissant, Bao posa une main paternelle sur l'épaule de Mei-yu et la rassura.

— Ne t'inquiète donc pas ! Il ne viendra pas te chercher ici. As-tu déjeuné ?

Il se tourna vers Sing-hua.

— Et toi, petit singe, tu as mangé ce matin ? Non ! Attends ! Oncle Bao va arranger cela.

Il s'empressa de sortir du pain qu'il passa au four aussitôt. La louche à la main, Shen prélevait du bouillon de porc où l'on avait cuit des œufs durs dans de la sauce au soja et de l'anis.

Mei-yu, pendant ce temps, dégustait son thé à petites gorgées apaisées. Devant elle s'étalait le journal de Chinatown avec la photo du colonel Chang qui la regardait. C'était un cliché ancien. Peut-être avait-il à peine cinquante ans à l'époque ? Il offrait alors un visage très rond, très plein. Exactement tel que Mei-yu l'avait imaginé. Le visage d'un homme comblé par la fortune. Rien à voir avec l'être aperçu dans la rue, encadré de policiers. L'être dont la peau desséchée portait les stigmates de l'âge.

Très émue, Mei-yu s'attacha à lire les caractères qui dansaient devant ses yeux :

« La police de Chinatown a arrêté, hier, C. K. Chang, l'un des chefs de gang les plus célèbres du quartier chinois, censé porter la responsabilité du meurtre de Mercer Street. En effet, d'après les déclarations de Y. C. Lee, l'un des hommes de main de Chang, le colonel aurait commandité le crime. Selon les policiers, Lee devrait être le principal témoin de l'accusation lors du procès.

L'affaire de Mercer Street est demeurée une énigme pour la police depuis le 23 juin dernier, date à laquelle Kung-chiao Wong, étudiant à l'université de New York, a été poignardé sauvagement alors qu'il regagnait son domicile après une réunion amicale à la Gough Tavern... »

Mei-yu abandonna là l'article. Bao, qui n'avait rien perdu de la scène, appela Shen :

— Emmène Sing-hua dans la salle de restaurant, s'il te plaît. Prends de quoi manger et emporte ce puzzle aussi. Je l'ai trouvé hier chez Kwong et comptais bien le lui offrir. Je suis sûre qu'elle s'en débrouillera bien.

Mei-yu adressa un sourire reconnaissant à l'adresse de Bao lorsque Shen entraîna Sing-hua vers une retraite plus paisible. Cet interlude fournissait à la jeune femme une précieuse occasion de souffler une minute.

Bao, lui, étudiait de près la photo du colonel Chang. Quand il reposa le journal, un commentaire, pourtant, lui échappa :

— Lorsque au sein d'une troupe de loups, le meneur trébuche, les autres le dilacèrent. Lee avait trahi ? Eh bien, il paraît que Tam a disparu maintenant. Il aurait quitté la ville. En tout cas, la police ne l'a pas trouvé ! Cela nous fera désormais une drôle d'impression que de nous promener dans

Chinatown sans apercevoir ces oiseaux de mauvais augure. Et Wo-fu... tu savais que Wo-fu avait disparu aussi ? Dire qu'il travaillait pour moi !

Mei-yu observa encore la photo du colonel.

— Bao... c'est vrai que Lee et Tam risquent de ne pas être jugés ? Je sais bien qu'il s'agit d'hommes de main ! Pourtant, une telle indulgence me semble dangereuse !

Bao hôchait la tête, avouait son ignorance.

— La police a sûrement proposé un marché à Lee pour le faire parler. Quant à Tam, il est peut-être à San Francisco à l'heure qu'il est. Va savoir si on le rattrapera jamais ! Si on fera l'effort de le retrouver ! Pour l'instant, ils ont pu arrêter le cerveau, le chef ! Pour eux, c'est l'essentiel. Le reste n'est que menu fretin. Enfin...

A cet endroit de sa tirade, Bao s'interrompit, hésita :

— Je crains bien que ce ne soit pas la fin de l'histoire. Reste encore le procès !

Accablée par cette perspective, Mei-yu baissa la tête. Quelle sentence se verrait donc infliger le colonel Chang ?

— Personnellement, je vis à Chinatown depuis trop longtemps pour ne pas redouter pareille épreuve, reprit Bao. En général, il n'y a pas de fin. Tiens, et Yung-shan, par exemple...

— Que veux-tu dire ?

— Il est le seul et unique descendant aujourd'hui. Malgré leurs divergences, Yung-shan demeure le fils et l'héritier de son père. Or, il est extrêmement intelligent et très, très têtu. Je parierais volontiers une semaine de salaire que c'est pour lui et lui seul que les policiers couvent Lee avec autant de zèle !

Yung-shan. Mei-yu avait tenté d'oublier ce nom, mais, hélas ! il la poursuivait. De quoi Yung-shan était-il donc capable ? Que savait-elle au juste de lui ? Pouvait-elle prétendre le connaître ? Certes non ! Quelques heures d'intimité ne vous dévoilaient pas miraculeusement la personnalité d'un inconnu. Brusquement, Mei-yu frissonnait sous la morsure de l'amertume. Voyons... Yung-shan était le fils du colonel Chang, le fils d'un criminel et un traître qui avait abusé de sa confiance pour, avec la bénédiction de son diabolique de père, tramer un misérable assassinat ! Et cet homme était libre aujourd'hui ! Que manigançait-il maintenant ? Inquiète, Mei-yu observa Bao. Savait-il quelque chose, Bao ? Durant ces longues années à Chinatown, qu'avait-il vu au juste ?

Le bruit de la porte les ramena à la réalité.

— Ah-chin.

Cette dernière serra Sing-hua dans ses bras, puis fila vers la cuisine en se frottant les mains.

— Bonjour Bao ! Ah ! Mei-yu ! Je te cherchais. As-tu appris la nouvelle ?

Mei-yu poussa sa chaise afin de faire de la place pour son amie.

Ah-chin aperçut alors le journal, bien en évidence, sur la table.

— Oh ! Je vois ! Décidément, la presse s'améliore ! Voilà qu'elle donne les nouvelles en temps et en heure ! Bravo ! Alors, Mei-yu, tu as entendu ? Ils ont fini par arrêter ce vieux bonhomme.

— Oui.

Tout en acquiesçant, la jeune femme contemplait sans les voir les feuilles de thé qui flottaient au fond de sa tasse. Puis, un rien taquine, elle lança :

— J'ai vu la police l'emmener au commissariat, hier en fin d'après-midi.

— Tu les as vus !

— Oui.

La réponse était cette fois dénuée de moquerie. Mei-yu, soudain, s'en désintéressait.

Ah-chin, elle, s'asseyait cependant, acceptait la tasse que lui tendait Bao. Elle examina Mei-yu, puis le cuisinier, revint à son amie. Elle semblait vouloir percer le mystère de leurs pensées.

— Cela a dû être horrible, non ? On m'a raconté qu'il était sur le point de dîner dans son restaurant habituel, le Quon Luck, quand il sont venus le chercher. Il paraît qu'ils l'ont poussé sans ménagement sous la pluie battante. Oh ! la la ! Quelle fin ! Remarquez que c'était un affreux bonhomme. Il n'a que ce qu'il mérite !

Ah-chin parle trop ! songea Bao. Ne voit-elle pas combien Mei-yu est bouleversée ?

Il poussait vers elle un petit pain rond dans l'espoir qu'il mettrait un terme à ses commérages, mais l'autre entreprit d'en faire un jouet, poursuivit.

— Enfin... avez-vous entendu parler de Yung-shan ?

Mei-yu releva la tête.

— Il ne s'agit pas de ragots ! reprit Ah-chin. Je connais la femme qui fait le ménage chez Yung-shan, une fois par semaine. Elle est formelle : Yung-shan aurait disparu depuis deux jours. D'après elle, on l'aurait averti et il a donc eu le temps de leur filer sous le nez. Mais imagine-t-on un fils capable d'abandonner ainsi son père !

Le cœur gros, Mei-yu se demandait fébrilement quels autres secrets la femme de ménage connaissait encore. Pourtant, l'expression d'Ah-chin la rassura. Apparemment, son amie ne savait rien.

— A mon avis, Yung-shan n'a pas laissé tomber son père. En revanche, il a dû gagner un lieu sûr afin d'y réfléchir en toute tranquillité, d'établir un plan. Non, ce n'est pas le genre de garçon à renoncer avant même d'avoir essayé.

— Eh bien, moi, je pense qu'il a fait comme Lo et tous les autres, riposta Ah-chin d'une voix pincée.

Bao avait une manière de lui rabaisser le caquet qui l'agaçait ! Brusquement, pourtant, une idée lui traversa l'esprit et ses yeux s'illuminèrent.

— Finalement, cela ne nous laisse plus que les Anciens.

— Les Anciens ! De quoi parles-tu, Ah-chin ?

— Elle fait allusion au groupe qui avait coutume de s'opposer au colonel Chang. Ce sont eux qui fondèrent l'Union. Aujourd'hui, ne nous restent plus que madame Peng et le président Leong, expliqua Bao.

— Oui, reprit Ah-chin, nous voici avec la vieille garde Peng-Leong, ces dames munies de leurs dés à coudre, ces messieurs de leurs tapettes à mouches ! Oh ! Oh ! Que de symboles modernes pour Chinatown ! C'est trop !

Ah-chin hurlait de rire, s'étouffait presque quand, brusquement gênée, elle parvint à dire entre deux hoquets :

— Oh ! Mei-yu, je ne voulais pas insulter ta bienfaitrice, mais tu vois bien ce qui se passe maintenant ! Madame Peng et le président Leong représentent la Chine traditionnelle, la vieille garde. Ils ont toujours lutté contre Chang et ses semblables, ces criminels qui suscitaient tant de problèmes au sein de la communauté et ternissait la réputation de ses habitants. Cependant, ils ne parvinrent jamais à briser les menées de Chang. Ils réussirent, certes, à préserver quelques bons aspects de Chinatown afin de mieux nous protéger tous. Voilà pourquoi ils organisèrent l'Union. Nous leur en sommes reconnaissants. Nous ne voulions plus de problèmes, surtout de la part des gens extérieurs à la communauté. Nous autres voulions vivre. Il nous fallait des clients. L'image apaisante de la Chine d'avant la révolution servait nos buts. Il arrivait certes que le colonel Chang effrayât quelques touristes, mais dans l'ensemble, les affaires ne marchaient pas trop mal ! Maintenant, nous en sommes débarrassés ! Vive le commerce !

— Arrête donc, Ah-chin ! s'écria Bao plus rudement qu'il ne l'eut souhaité. Vous autres jeunes ne pensez qu'aux affaires ! Nos Anciens méritent tout de même un peu plus de respect. Ne se sont-ils pas efforcés de faire observer les lois pour le bien-être de la communauté ? Ils croyaient en des valeurs telles que la dignité, l'honnêteté, la justice. Aussi, plutôt que de parler de ton commerce qui consiste à vendre n'importe quelle pâtisserie, nous ferions mieux de nous intéresser à ce qui se passe véritablement dans Chinatown. Il reste encore bien des problèmes graves à régler, le procès par exemple.

A peine piquée par les reproches de Bao, Ah-chin s'empressa de répondre, mine de rien :

— Oh ! Moi, j'espère qu'ils ne traîneront pas ! La plupart des gens affirment que le colonel Chang n'en a plus pour longtemps.

Elle vit un éclair de surprise briller dans les regards de Bao et Mei-yu.

— Même s'il meurt seul comme un chien galeux, oublié dans sa cellule, ce lui sera une mort encore trop douce, s'écria Ah-chin avec conviction.

— Ah-chin !

— Mais c'est vrai, Mei-yu ! D'ailleurs, tu devrais te réjouir, toi, après ce qu'il t'a fait.

— Ah-chin, demanda Bao, qui t'a dit qu'il allait mourir ?

Ah-chin, très grave, trempa son petit pain dans le bol de sauce. L'intérêt soudain que lui portaient ses deux amis la flattait et il lui venait de furieuses envies de les faire marcher.

— Ah-chin ! D'où tiens-tu cette nouvelle ? demanda Mei-yu.

La bouche encore pleine, Ah-chin finit par avouer :

— Tout le monde est au courant. Voilà maintenant des mois qu'un médecin se rend régulièrement chez le colonel. Certains prétendent même que Yung-shan aurait fait venir un Américain pour examiner son père. Chang a une tumeur, un cancer. Il ne vivra plus très longtemps.

Interloqués, Bao et Mei-yu regardaient d'un air apathique Ah-chin qui mastiquait avec zèle son morceau de pain.

— Tu veux donc dire qu'il n'y aura peut-être pas de procès ? insista Mei-yu.

— C'est cela.

— Tu parles ! gronda Bao. Le vieux est un dur à cuire. Je

te parie qu'il tiendra jusqu'au procès, histoire de cracher sur tous les gens présents.

Mei-yu, cependant, avait vu le vieil homme. Elle savait donc qu'Ah-chin disait vrai. En ce cas... le vieillard ne voyait-il pas la vie d'un œil différent? Sûrement, bien des choses devaient lui paraître futiles! Cette constatation eut brusquement une curieuse conséquence sur Mei-yu. Cette fois, la jeune femme avait vraiment l'impression que l'épisode Chinatown prenait fin, qu'elle n'avait plus rien à y faire. Un seul lien d'importance demeurait : Yung-shan. Yung-shan qui, malgré la vigilance de la police, pouvait réapparaître à tout moment! Enfin, presque! Mais sans doute attendrait-il quelque temps avant de se manifester à nouveau, et d'ici là... Mei-yu serait loin!

Lentement, Mei-yu regarda ses amis, Bao qui tournait fébrilement les pages du journal, Ah-chin qui s'attaquait à un autre petit pain.

— Bao, Ah-chin! fit-elle en les frôlant d'une main timide.

Ils relevèrent la tête d'un même mouvement surpris :

— Je viens de prendre une décision dont j'aimerais vous parler.

Patiemment, les deux autres attendirent la suite.

— Je compte m'établir avec Sing-hua à Washington.

— Mei-yu! cria Ah-chin.

— Mais pourquoi? demanda Bao avec brusquerie.

En proie à un violent émoi, il fila vers ses fourneaux.

Déjà, Mei-yu regrettait sa confidence. Ses amis paraissaient si choqués, blessés même. La honte l'envahissait. Elle faisait montre d'un égoïsme insensé! Eux qui l'avaient toujours tant aidée! Voilà qu'elle leur annonçait calmement son départ! Elle tenta alors de leur expliquer les motifs qui la poussaient : l'éducation de Sing-hua et la solitude qui, malgré leur indéfectible amitié, la rongeait, le fait qu'elle avait l'impression, ici, à Chinatown, d'être toujours une paria.

— Washington ! Mais c'est si loin ! s'exclama Ah-chin. Pourquoi ne pas t'installer dans le Bronx, à Brooklyn ou même dans la grande banlieue ? Qui t'a soufflé pareille idée ? madame Peng ?

Mei-yu commença par nier. Hélas ! Elle dut admettre qu'Ah-chin avait raison.

— Oui, madame Peng m'a parlé de Washington, l'autre jour, quand je lui ai demandé conseil. En effet, la vie à Chinatown me pèse depuis longtemps. Cependant, de mon côté, je me suis renseignée, j'ai lu quelques livres sur Washington et, à mon avis, c'est effectivement une ville où il fait bon vivre.

Elle parlait maintenant à toute vitesse comme pour empêcher Ah-chin d'intervenir.

— Tout comme Pékin, c'est une capitale !

Ah-chin ne s'en laissait pas compter. Elle hochait la tête, l'air triomphant.

— Ah oui ? Et tu crois peut-être que tu vas en finir avec Chinatown ? Attends un peu. Tu vas voir ! Inoffensive, madame Peng ? Moi, je suis sûre qu'elle a des projets pour toi !

Furieuse, elle pointait le doigt sur Mei-yu, laquelle, emportée par une sainte colère, riposta avec animation :

— Tu te trompes ! Elle ne fait que m'aider, que m'encourager ! Jamais elle ne m'a obligée à faire quelque chose que je ne voulais pas faire ! C'est vrai qu'elle m'a proposé de me trouver du travail à Washington. Et alors ? Où est le mal ? Que vas-tu encore chercher, Ah-chin ? As-tu donc peur que je continue à travailler pour elle ? Voyons, depuis que je vis ici, seule, madame Peng m'a constamment fourni de l'ouvrage, et heureusement que j'ai eu cette chance-là ! Maintenant, pour ce qui est de m'installer à Washington, je t'assure que personne n'a décidé pour moi !

Mei-yu avait haussé le ton.

A ce moment-là Bao revint et se planta, mains dans les

poches, devant Mei-yu. Il poussa un très long soupir et déclara :

— Bien, je vois que tu vas nous quitter, Mei-yu. Je l'accepte.

Puis, il se tourna vers Ah-chin et la prit à partie :

— Mais toi, quelle amie es-tu donc pour réagir comme tu le fais ? Comment peux-tu ne pas te réjouir du bonheur de Mei-yu ?

Ah-chin leva les bras au ciel.

— Washington ! Washington ! Tout le monde dit que c'est une ville truffée de fonctionnaires qui courent d'un bâtiment officiel à l'autre, qui se chuchotent des tas de secrets derrière des portes fermées à double tour. Et ce serait un paradis pour les honnêtes gens ? Mei-yu, comment te feras-tu des amis dans un lieu pareil ?

Là, Bao ne put tenir. Il hocha la tête et ajouta :

— Moi, on m'a dit qu'il n'y avait pas un seul bon restaurant chinois. Quant à l'approvisionnement, il est rare et il n'y a que deux magasins !

Il s'interrompit une seconde, puis, généreux, reprit :

— Mais je t'enverrai des provisions si tu en as besoin, Mei-yu. Toutes les semaines.

— Ah ! Mei-yu.

Éplorée, Ah-chin la serra sur son sein. Mei-yu lui rendit ses marques d'affection. Quant à Bao, il regagna ses fourneaux, entreprit de remuer quelque préparation tandis que Mei-yu, émue aux larmes, songeait.

Moi qui avait tant de mal à quitter la famille qui me maudissait ! Comment vais-je supporter de quitter ces deux-là ? se disait-elle.

Une heure plus tard, Mei-yu et Sing-hua reprenaient le chemin du studio. Après un détour par le magasin de Liu où elles achetèrent un assortiment de nouilles, mère et fille firent halte dans une mercerie. Mei-yu voulait faire un manteau à la petite. De ses travaux pour l'Union, il lui restait une bonne quantité de laine et du molleton. Ne manquait plus que le gros fil.

En sortant de la mercerie, Mei-yu posa un regard neuf sur le quartier chinois et les gens alentour. Chacun se pressait vers quelque obligation et rien, absolument rien ne semblait avoir changé. La jeune femme en était secrètement choquée et découvrait avec émoi qu'un curieux espoir l'avait bercée depuis l'arrestation du colonel Chang. Fallait-il qu'elle soit rêveuse ! Elle avait beau se le répéter, cela ne servait de rien. L'aspect figé du quotidien de Chinatown l'oppressait.

L'œil triste, elle observait le bijoutier derrière son comptoir, qui nettoyait avec méthode un lot de cuillères en argent. Un peu plus loin, Kwak, le marchand de produits séchés, sortait pesamment une énorme poubelle. Nul ne prêtait attention à Mei-yu. A croire qu'il ne s'était jamais rien passé.

Elle sentit que Sing-hua la tirait par le bras et releva la tête. Devant elles, au coin de Mott Street et de Pell Street, le président Leong sortait de leur immeuble. Il s'arrêta, le temps d'allumer une cigarette. Jamais encore, Mei-yu ne l'avait aperçu en dehors des limites de l'Union. Elle hésita sur la conduite à tenir : fallait-il approcher et le saluer comme s'il s'agissait de la chose la plus naturelle du monde ou attendre qu'il s'éloigne ? Son instinct lui dicta la réponse et, sans prendre le temps de réfléchir davantage, la jeune femme se rejeta dans l'encoignure d'une porte. Par chance, le président fila d'un pas étonnamment leste dans la direction opposée. Mei-yu n'en revenait pas. Lui qui, d'ordinaire, se mouvait comme un infirme ! Et puis, que faisait-il donc là ? Sans doute avait-il rendu visite à Mme Peng ? Rien de bien surprenant ! Tous deux n'appartenaient-ils pas au Comité de l'Union ? Ils devaient sûrement avoir maints problèmes à résoudre ! Enfin, Mei-yu avait du moins une certitude : elle pouvait se permettre de frapper à la porte de sa bienfaitrice. Elle recevait maintenant.

Ce fut Ya-mei qui leur ouvrit.

— Entrez, entrez ! Madame vous attendait avec impatience. Elle t'a même préparé quelques sucreries, Sing-hua. Viens voir.

Mei-yu regarda sa fille s'éloigner vers la cuisine, puis se dirigea vers le salon où elle savait trouver Mme Peng.

Installée, comme d'habitude, sur le sofa, la vieille dame invita d'un geste Mei-yu à s'asseoir sur la chaise en face d'elle. Bien qu'elle l'eut déjà vu à maintes reprises, la jeune femme ne put s'empêcher d'examiner tout particulièrement le paravent derrière son dos. C'était un travail magnifique, de facture traditionnelle, où chacun des cinq panneaux dépeignait par un jeu d'incrustations de nacre une scène différente. Quant aux contours de cette merveille, ils faisaient l'objet d'un ciselage délicat, inouï de beauté, qui dispensait dans la pièce un lacis fabuleux d'ombres diaphanes.

Cependant, si Mei-yu s'extasiait devant tant de magies, elle dut s'arrêter sur un sentiment dont la fulgurance lui était pourtant limpide. La jeune femme venait, en effet, de retrouver cette sensation oppressante qui, une heure plus tôt, lui nouait encore la gorge. Ces panneaux splendides avaient dû, un jour, jouer leur rôle protecteur. Pour l'heure, ils semblaient emprisonner dans leurs rêts de très lourds secrets. Pourquoi cette certitude ? Mei-yu l'ignorait. Elle se dit simplement qu'elle émanait peut-être des vapeurs odorantes qui, dans la pièce, mêlaient camphre, cèdre et santal. Quel esprit malin avait donc ouvert le coffre aux souvenirs ? se demanda Mei-yu tout en contemplant Mme Peng, superbe, dans sa veste de satin bleu dont les attaches en forme de grenouilles fermaient un col sans doute trop raide et trop digne.

Ah-chin avait raison, songea encore Mei-yu. Comme madame Peng demeure attachée au passé, à la tradition ! Elle en vient à ressembler à ces antiquités dont elle s'entoure comme autant de remparts ! Elle incarne à la perfection la Chine des jours révolus et, sans doute, la prendrait-on pour un phénomène, une créature loufoque, si elle s'aventurait dans les rues du Chinatown actuel. Quelle serait la réaction de ces enfants américanisés devant ce témoin d'une culture reléguée au rang des souvenirs ? Le rire, probablement...

— Les nouvelles sont bonnes, Mei-yu. Qu'en penses-tu ? C'est un jour de fête, non ?

Prise en flagrant délit de rêvasserie, Mei-yu sursauta.

— Je devrais me réjouir de l'arrestation du colonel Chang et, d'ailleurs, je m'en réjouis, madame. Pourtant, j'éprouve une sensation de vide étrange, comme si tout cela n'avait finalement que très peu d'importance.

— Oui, je te comprends !

Comme la vieille dame prononçait ces mots, Mei-yu l'observa et s'étonna du changement survenu sur ces traits d'ordinaire si impassibles. On eut juré que madame Peng avait passé une nuit blanche. Ses yeux semblaient gonflés, presque bouffis ! Et son regard trahissait une inquiétude surprenante, rare. Une fois encore, Mei-yu songea aux paroles mauvaises d'Ah-chin. Bien sûr, la vieille dame avait une forte personnalité, mais elle semblait vraiment trop âgée pour concevoir quelque sordide dessein. Mei-yu en était certaine !

Mme Peng ne lui laissa cependant pas le temps de méditer plus longuement sur le discours emporté d'Ah-chin.

— Je suis heureuse, Mei-yu. Je suis heureuse de cette arrestation, même si cela ne te ramène pas ton mari. Vois-tu, la justice, enfin, fait son devoir. Je suis heureuse pour Chinatown et pour la communauté, car cet homme a eu une influence diabolique sur bien des nôtres. Il a terni notre réputation dans le pays tout entier. Depuis longtemps, nous attendions le moment où il ferait le fatal faux pas. Je n'ai qu'un regret, mon enfant : que ce faux pas ait coûté la vie à ton époux.

A ce point de sa tirade, la vieille dame étudia Mei-yu.

— De nombreux mois passeront avant que tu ne connaisses à nouveau le bonheur, mais n'oublie jamais ce que je vais te dire : Kung-chiao n'est pas mort en vain ! Au contraire, il a accompli le sacrifice suprême. Il a donné sa vie afin d'anéantir les démons qui hantaient Chinatown.

— Oh ! Madame ! Vous en faites un martyr !

La jeune femme en avait la voix tremblante d'émotion.

— Il n'avait pas choisi un tel destin ! dit-elle encore.

Mme Peng acquiesça.

— C'est vrai. Allons, je vois mon erreur ! Pardonne-moi ! Je voulais simplement te montrer que la mort de Kung-chiao n'aura pas été inutile. Nous autres, habitants de Chinatown, lui en sommes reconnaissants.

Elle s'interrompit une seconde, parut chercher ses mots.

— Voilà pourquoi je te demanderai une faveur : accepterais-tu que nous ayons une petite cérémonie en l'honneur de Kung-chiao dans deux semaines à l'Union ?

Surprise, Mei-yu releva la tête.

— Il ne s'agirait pas d'un service religieux, mais d'un cérémonial destiné à exprimer notre respect et notre affection. Ce serait d'une grande simplicité, je t'en donne ma parole. Nous y annoncerions la création d'une bourse d'études. Cette bourse Kung-chiao Wong serait attribuée chaque année au plus méritant des étudiants de l'Union. Voilà. Qu'en penses-tu ?

Mei-yu n'en savait trop rien. Elle n'avait encore jamais assisté à une réunion de la communauté. Par ailleurs, elle n'était pas certaine de désirer, pour Kung-chiao, un tel rituel ! La bourse, en revanche... Et puis, elle devinait que Mme Peng attachait une grande importance à cette cérémonie.

Aussi finit-elle par dire, avec une pointe de lassitude :

— Je... je suis très touchée, madame.

— J'ai donc ta permission ?

— Oui.

— Merci.

Un soupir accompagna ce remerciement, puis la vieille poursuivit.

— Je suis ravie d'avoir obtenu ton accord. Je dirai au président Leong de s'occuper des préparatifs dès maintenant. Tu verras, Mei-yu, combien la communauté peut se montrer reconnaissante ! Même si tu songes à nous quitter !

Mei-yu, poliment, baissa la tête quand une idée lui traversa l'esprit. Dire qu'elle allait oublier !

— Madame...

La vieille dame prêta l'oreille.

— Vous faites allusion à mon départ... j'en profite donc... euh... vous souvenez-vous m'avoir parlé de Washington ? Vous y connaissez des gens qui, peut-être, pourraient...

— Mei-yu ! Dis-moi, as-tu décidé de t'y installer ? C'est cela ?

— Oui, madame.

— Très bien. Oui, c'est parfait.

Elle prit le temps de réfléchir.

— Je crois être en mesure de t'annoncer de bonnes nouvelles bientôt. J'attends un mot de mon fils, Richard. Tu sais que je veux ouvrir un magasin dans la capitale. Je lui ai transmis mon projet final. J'espère qu'il sera d'accord. Si tel est le cas, pas de problèmes ! J'aurai besoin d'une première main. Cette proposition t'intéresserait-elle ?

— Oh ! Oui ! Énormément !

— Très bien. Marché conclu, en ce cas ! Entendu ?

Sur ces mots, elle s'empara de la clochette qu'elle agita vigoureusement.

— Profitons-en pour boire quelque chose !

Tout en attendant que Ya-mei apportât thé et gâteaux, Mme Peng aborda maints détails concernant la cérémonie. Mei-yu l'écoutait d'une oreille distraite. Elle rêvait déjà de Washington. C'était décidé : elle quitterait Chinatown au printemps. Elle releva néanmoins la tête lorsque la vieille dame mentionna le nom de Kung-chiao. Une certitude lui brûlait le cœur. Ils peuvent faire ce que bon leur semble, se dit-elle. Quelle importance ? Kung-chiao n'appartenait à personne. S'ils souhaitent honorer son nom... Eh bien ! Qu'ils le fassent !

Deux semaines plus tard, le président Leong finissait de donner quelques ordres péremptoires quant à la disposition de la grande salle de couture lorsque quelque cent cinquante personnes se pressèrent au deuxième étage de l'Union afin d'assister à la fameuse cérémonie.

On avait poussé les grandes tables de travail contre les murs pour installer le plus grand nombre possible de chaises. Comme cette opération semblait loin d'être terminée, chacun décida de participer et ce fut bientôt un véritable défilé, un va-et-vient joyeux et follement bruyant. On échangeait des politesses, on choisissait son siège, l'endroit idéal et c'était des exclamations ravies, fort peu adaptées à la solennité de l'instant. Du moins, tel était l'avis de Mei-yu qui observait la scène avec un brin de surprise.

A mesure que les gens s'installaient, la jeune femme reconnaissait des visages familiers. Ici, Ah-chin, Ling et leur fils Wen-wen. Là, Kuo, le vieillard édenté qui passait la majeure partie de sa journée au Sun Wah, plus loin encore M. et Mme Liu. Il y avait même Kwak, l'épicier et sa minuscule épouse ainsi que plusieurs femmes qui faisaient des travaux de couture à l'Union. A l'autre bout de la pièce, Mme Peng et le président Leong paraissaient en grande conversation. Le président avait trouvé un lutrin, sans doute égaré dans le bâtiment, et se l'était approprié sans façon. Pour l'instant, il s'y appuyait négligemment et semblait boire les paroles de son interlocutrice.

Jamais encore il n'avait présidé une cérémonie du souvenir. L'Union était un lieu de travail, un point de rassemblement pour la communauté, mais certes pas le théâtre de services religieux, de cérémonies commémoratives. Mme Peng, cependant, avait vivement insisté. Comment lui refuser cette faveur ? Elle affirmait que, pour le bien de la communauté, il fallait rendre hommage à Kung-chiao ! Qu'allait-il dire ? Il n'en savait trop rien, regardait d'un œil absent la foule qui se pressait. Les instants de liberté étaient rares. Aussi ne fallait-il pas en abuser ! Le président Leong chercha un moyen d'être bref... Par chance, Mme Peng le poussa de côté. Elle présiderait elle-même la cérémonie !

Soulagé, le président s'écarta. Il avisa une chaise au milieu de l'assemblée...

Assise au fond de la salle avec Sing-hua sur ses genoux, Mei-yu n'entendit guère le discours de sa bienfaitrice qui parlait pourtant d'une voix claire et nette. Elle songeait aux gens qui l'entouraient, et qui, gentiment, consacraient une heure de leurs moments de loisir à subir pareille cérémonie. Pourquoi ? Par respect pour la mémoire de Kung-chiao ? Par respect pour la communauté ? Affection généreuse ou soumission aux règles de Chinatown ? Ils étaient là, tous. Et Mei-yu en éprouvait un sentiment de gratitude infini. Puis, elle entendit que Mme Peng prononçait son nom et elle les vit qui, d'un même mouvement, se retournaient, la regardaient en souriant. Vivement émue, elle leur rendit ce sourire. Les joues la brûlaient. Puis elle aperçut Kwak, l'un des commerçants les plus importants de Mott Street, remettre un chèque à Mme Peng. Fièrement, la vieille dame l'agita devant elle, prenant chacun à témoin. C'était la première mise de fonds au bénéfice de la bourse Wong, s'écria-t-elle d'un ton triomphant. Cinq cents dollars qui seraient remis à l'étudiant le plus méritant. Tout le monde applaudit. C'était une somme énorme. Puis, à nouveau, on adressa un sourire chaleureux à Mei-yu qui frémit devant tant de gentillesse. Alors, elle les observa les uns après les autres : Mme Liu qui ne lui avait jamais souri auparavant, Kwak qui, d'ordinaire, ne levait jamais les yeux de ses caisses de vivres. Tous l'applaudissaient maintenant et elle se leva pour les remercier sans quitter des yeux ses vrais amis : Ah-chin, Ling et Bao. Dans leurs prunelles sombres, elle trouva l'encouragement qu'elle cherchait. Enfin, le président Leong fit un dernier discours assez confus où il était question du colonel Chang, discours très applaudi, et on finit par comprendre que la réunion était terminée. Il y eut un grand bruit de chaises et tout le monde se leva pour gagner la sortie. A ce moment-là, Mei-yu aperçut Mme Peng qui venait à sa rencontre.

— C'était une belle réunion, n'est-ce pas, Mei-yu ?

Elle eut un petit geste tendre à l'égard de Sing-hua et poursuivit.

— Merci d'avoir autorisé la communauté à rendre hommage à ton époux. Je crois que cette cérémonie marque le début d'une ère nouvelle pour Chinatown. Chacun saura désormais que nous comptons aussi bien des êtres courageux, travailleurs et honnêtes.

Sur ces entrefaites, le président Leong intervint.

— Merci beaucoup, Mei-yu. C'était une excellente idée.

— Je vous en prie, c'est moi qui vous suis reconnaissante, fit Mei-yu respectueusement.

Mme Peng décida cependant d'en finir avec ces politesses. Elle prit sa protégée par le bras et l'entraîna dans un coin tranquille.

— Mei-yu, j'ai encore d'autres bonnes nouvelles à t'annoncer !

De loin, elle saluait le président Leong qui n'eut plus qu'à répondre aux amabilités de certains participants.

— Je viens de recevoir une lettre de mon fils. Il est d'accord pour que j'ouvre le magasin et dit avoir trouvé un local. Selon lui, nous pouvons commencer à préparer notre installation dès maintenant. Il aurait même quelqu'un pour l'aider à diriger ce commerce. Alors, sommes-nous toujours d'accord, mon enfant ? Puis-je lui annoncer que ma première main arrivera au printemps ?

Mei-yu n'en croyait pas ses oreilles. Tout allait si vite ! Lentement, elle hocha la tête.

— Parfait ! Je vais dépêcher trois couturières qui travailleront sous tes ordres dès que vous aurez ouvert, ajouta Mme Peng. Richard pense que cela devrait marcher. Quant à ton salaire, eh bien, tu toucheras le double de ce que tu perçois pour le moment. Plus même. Ça te va, Mei-yu ?

— Oh ! madame ! C'est beaucoup trop ! Jamais je n'aurais cru que les choses pourraient s'arranger aussi rapidement.

La vieille dame pinça affectueusement le bras de Mei-yu.

— Allons ! Nous aurons bien quelques menus détails à régler, mais pas de quoi nous inquiéter ! Nous verrons cela au printemps, non ? Pour l'instant, je dois m'en aller.

Éberluée, Mei-yu regarda Mme Peng quitter la salle de sa démarche un peu raide. La pièce était vide désormais à l'exception d'Ah-chin et de Bao qui l'attendaient. Ling, lui, s'en était allé promener Wen-wen qui n'avait cessé de gémir tout au long de la cérémonie. Ses amis l'avaient vue s'entretenir avec Mme Peng. Mei-yu les devinait gênés. Elle courut les embrasser et les rassura :

— Ne craignez rien ! Je reviendrai vous voir souvent.

Hélas ! Leur expression tourmentée lui brisait le cœur. Brusquement, elle s'interrogeait : n'avait-elle pas pris cette décision à la légère ? Quelques instants plus tôt, n'avait-elle pas eu l'impression d'appartenir à la communauté ?

Bao comprit son désarroi.

— Viens, allons manger quelque chose, Mei-yu. Viens aussi, Sing-hua. Ah-chin, débrouille-toi pour retrouver Ling et Wen-wen. C'est aujourd'hui le jour de Kung-chiao ! Eh bien ! Nous en profiterons pour nous offrir un repas de gala ! J'ai de la soupe au melon d'hiver et du jambon fumé, ainsi que des pâtes aux fruits de mer. Appétissant, non ?

Mei-yu acquiesça. Pourtant, elle ne pouvait détacher ses yeux du visage fermé d'Ah-chin. Elle n'aurait su dire à quoi pensait son amie. Finalement, elle renonça à chercher plus longtemps. Heureusement, Bao avait avancé une excellente suggestion !

Plus tard, cependant, Mei-yu rêva une fois encore à sa vie future, à Washington. Quelle expérience extraordinaire ! Mei-yu en frémissait d'aise.

A mesure que passait l'hiver, Mei-yu découvrait de nouveaux visages. Ses yeux semblaient se dessiller. Était-ce la cérémonie à l'Union qui en était cause ? Toujours est-il que désormais on la saluait cordialement dans la rue. Certains allaient jusqu'à la taquiner.

Un jour, la jeune femme n'y tint plus. Elle cheminait ce matin-là en compagnie d'Ah-chin quand la question lui vint spontanément :

— Que se passe-t-il ? Les gens ont changé à mon égard, non ?

Ah-chin écarta une mèche de cheveux rebelle avant de répondre :

— Je crois qu'ils ont fini par se rendre compte que tu n'avais rien d'une étrangère, que tu étais des leurs. Ils t'ont vue souffrir aussi. Désormais, tu appartiens à la communauté. Tu es comme les autres. Ni meilleure ni pire. Ils t'acceptent. Ceci dit, ici à Chinatown, nous sommes d'emblée méfiants. Peut-être parce que nous avons dû subir des êtres tels que le colonel Chang ! Quant aux étrangers, nous jouons avec eux la politique de l'autruche en espérant ainsi éviter le pire. En un sens, nous avons obtenu ce que nous cherchions. Désormais, ils ne nous voient plus ! Hélas !

Incrédule, Mei-yu regarda Ah-chin d'un air horrifié et perplexe. Pourtant, dans ces rues frappées du sceau de l'hiver, Mei-yu finit par comprendre la portée des paroles de son amie. Effectivement, jamais les Chinois ne regardaient un Blanc dans les yeux. Elle observa les serveurs du Sun Wah face à leurs clients américains. Jamais au grand jamais, ils ne levaient la tête du malheureux bout de papier sur lequel ils gribouillaient leur commande. Non, c'étaient des coups d'œil à la dérobée quand les garçons ne fixaient pas leur attention sur une tache de graisse ou quelque autre détail aussi peu intéressant.

Quand elle lui en fit la remarque, Bao émit une sorte de grognement lugubre et de mauvais augure.

— Si tu les regardes droit dans les yeux, adieu le pourboire, Mei-yu ! Quant à la Chinoise qui essaie ce genre de plaisanterie dans la rue, malheur à elle ! Ces gars-là sont aussitôt persuadés qu'elle a succombé à leur charme !

Mei-yu, gênée, s'éloigna un peu de son vieil ami.

— Crois-moi, Mei-yu, mieux vaut offrir un visage de marbre. Ne voir et ne regarder rien ni personne afin d'éviter tout problème ! Nous travaillons avec les Blancs à des fins commerciales, un point c'est tout.

Ces mots-là, Mei-yu ne les oublia pas. Et plus elle observait la manière dont les gens de Chinatown se comportaient avec les Blancs, plus elle réfléchissait. Bao avait-il raison ? Elle n'en savait rien. Par instants, cependant, les paroles de Mme Peng lui revenaient en mémoire. La vieille dame ne lui avait-elle pas parlé de certains hauts fonctionnaires d'origine chinoise ? Des banlieues de Washington ? N'était-ce pas la preuve qu'un Asiatique pouvait mettre bas le masque ! Il y avait sûrement un moyen de trouver le bonheur sans demeurer éternellement prisonnier de la cage !

La machine filait comme l'éclair et Mei-yu, le cœur lourd de joie, ne cessait de se répéter : je pars, et avec ma fille ! Leur départ, elle en avait parlé à Sing-hua. L'enfant, tout d'abord, ne comprit pas le sens de ces mots. Elle comprendrait plus tard, se dit Mei-yu. Des remords, pourtant, lui venaient. Elle ne voulait pas que la fillette oubliât ses souvenirs d'enfant à Chinatown. Aussi, pour le Nouvel An chinois, avait-elle soigneusement emmitouflé Sing-hua dans son beau manteau neuf. Ensuite, mère et fille s'étaient installées, comme tous les badauds, sur le trottoir afin d'admirer la danse du dragon qui marque les festivités.

— N'oublie jamais ces moments-là, Sing-hua, avait-elle murmuré à l'enfant ravie.

Plus tard, elle avait ajouté :

— Regarde, Sing-hua. C'est notre histoire, nos racines.

Les gongs, proches, ponctuèrent son témoignage.

Quant au dragon, il serpentait gaiement dans Mott Street grâce à l'habileté de cinq danseurs émérites. Le meneur manœuvrait l'énorme tête en papier mâché de l'animal censé poursuivre un chou accroché à un bâton provocateur. Il suffisait que la cadence se ralentisse pour que le dragon se calme. Tout à coup, surveillant sauvagement sa proie... végétale, on l'eût cru prêt à bondir. Par instants, on apercevait les jambes de ces magiciens de porteurs et Mei-yu, brusquement redevenue gamine, tendait le doigt, dévoilait à sa fille la supercherie. Quand la cadence s'accélérait, le monstre se mettait à courir, devenait mille-pattes. Il y eut même un moment effrayant. Le dragon, en effet, s'approcha très près de Sing-hua, roula des yeux menaçants et la petite crut voir des flammes jaillir de sa gueule entrouverte. Elle poussa un hurlement. Sa mère, émue, s'efforça de l'apaiser :

— Ne t'inquiète pas, c'est un bon dragon, fier et fort, qui porte bonheur pour l'année nouvelle.

Enfin, après maintes contorsions dramatiques, le dragon s'empara du fameux chou. Sing-hua tourna vers sa mère un œil plein de fièvre.

C'est alors que les pétards entrèrent en action. Le quartier crépitait de toutes parts. Une fumée âcre emplit les rues. Main dans la main, Mei-yu et Sing-hua coururent jusqu'au Sun Wah où elles avaient prévu de dîner en cette soirée de fête.

Elles couraient encore que Mei-yu criait à sa fille :

— Noublie jamais cette journée, ma chérie ! Ne l'oublie jamais !

Les pieds agiles sur un tapis de pétards claqués, l'enfant

eut pour toute réponse un gloussement heureux, un sourire complice.

Mei-yu posa une feuille de papier devant la fillette, puis, très consciencieusement, écrivit en majuscules F.E.R.N.A.-D.I.N.A.

Ensuite, elle tendit un stylo à la petite et déclara :

— C'est ton nom américain, Sing-hua. Tu dois apprendre à le reconnaître et à l'écrire, maintenant que tu vas bientôt aller à l'école. C'est ainsi que l'on t'appellera.

Elle laissa l'enfant s'entraîner, s'appliquer sur son morceau de papier, l'observa aussi, mais le cours de ses pensées la ramenait vers un interlocuteur disparu, un interlocuteur auquel elle disait : « Voilà, Kung-chiao. Que ta volonté soit faite. En classe, ta fille se nommera Fernadina comme tu le désirais, mais, à la maison, elle demeurera Sing-hua. A la maison, elle demeurera chinoise. »

Plus tard, Mei-yu avisa les livres qu'elle avait empruntés à la bibliothèque, ouvrit un ouvrage touristique sur Washington. Elle le consulta longuement, s'émerveilla devant les bâtiments splendides qui ponctuaient cette ville où résidaient les présidents. Plus loin, elle s'étonna : son livre parlait d'une importante communauté noire. Mei-yu avait aperçu quelques Noirs dans Manhattan, mais elle n'avait pu déchiffrer leur visage fermé. Comment se comportaient-ils ? Comme les Blancs ? se demandait Mei-yu qui, dans le doute, décida qu'il valait mieux jouer de prudence avec eux aussi.

Sing-hua avait fait une page d'écriture et relevait la tête.

— Maintenant, je vais t'apprendre à compter, lui dit sa mère.

Peu après, la petite fille traçait des colonnes de chiffres sous l'œil attentif de Mei-yu.

Mei-yu qui s'émouvait devant la superbe chevelure de sa fille, son regard brillant, sa peau dorée à souhait. La jeune femme savait pourtant que Sing-hua serait sûrement mal acceptée par ses camarades de classe, mais elle espérait aider son enfant en lui donnant les armes de la connaissance.

Elle poussa une nouvelle feuille devant la fillette.

— Encore un effort, ma chérie. Ensuite, nous irons rendre visite à Ah-chin et Wen-wen. Il fait un temps délicieux, aujourd'hui.

Un soupir lui répondit. Manifestement, l'enfant se lassait.

— Allez ! Écris maintenant ton nom de famille : Wong. W.O.N.G. C'est ton patronyme, Sing-hua. Un nom honorable. Écris-le donc.

Tandis que la fillette s'appliquait, Mei-yu sentait une émotion toute-puissante lui nouer la gorge et, en son for intérieur, une petite voix répétait : « apprends ton nom, ma chérie, le nom que ton père t'a laissé. Apprends à le respecter, car là est ton identité. »

*
**

Bao connaissait bien Port Authority, le terminus des cars à Manhattan. Il y était venu, des années auparavant, pour accompagner sa femme qui allait rendre visite à sa sœur à Oklahoma City. Deux mois durant, il n'avait reçu aucune nouvelle. Ses clients qui, au début, avaient commencé par lui demander la date de son retour, un mois plus tard le taquinèrent. Sans doute avait-elle rencontré un beau Chinois propriétaire d'une teinturerie prospère. En fait, Bao finit par recevoir une lettre de sa femme. Elle vantait le bon air de Oklahoma City, les senteurs de la plaine voisine. La vie y était moins difficile et sa sœur lui proposait de travailler au magasin, de faire un peu de couture avec elle. Des retouches, en quelque sorte. Elle était donc désolée, mais ne reviendrait pas. Elle ajoutait pouvoir comprendre que Bao veuille divorcer. Elle serait même heureuse de le savoir remarié.

Quant aux clients, dès le jour où ils virent Shen s'activer dans le restaurant, ils cessèrent leurs plaisanteries faciles.

Pour l'heure, Bao vivait une nouvelle séparation tout aussi douloureuse. Il lui semblait soudain que son destin se trouvait ficelé à ce sac de papier brun qu'il serrait très fort, à cette boîte en carton épais où Mei-yu avait rangé ses porcelaines. Ah-chin, elle, transportait un paquet rempli de patrons, ces modèles précieux qui alimentaient les talents de couturière de son amie. Quant à Mei-yu, elle tirait péniblement deux valises bon marché qui contenaient leur entière garde-robe, quelques photographies, des bijoux jadis offerts par Ai-lien ainsi que quatre recueils de poésie qui avaient traversé le Pacifique.

Plus tard, tandis que les adultes patientaient afin d'acheter les billets, Sing-hua s'installa sur l'un des bagages et fièrement contempla ses proches : Ah-chin qui ne cessait de danser d'un pied sur l'autre, agacée, malheureuse et impatiente de regagner le magasin pour que Ling puisse avoir le temps de manger. Ah-chin qui, entre deux coups d'œil sur l'horloge, observait son amie. Mei-yu l'inquiétait : elle n'avait guère grossie, paraissait quasiment diaphane et offrait désormais un teint triste et terne au point qu'on en avait le cœur serré. Bien sûr, elle avait déjà recouvré beaucoup de vigueur, se disait Ah-chin pour se rassurer, et sans doute la beauté ne tarderait pas à lui revenir également. Une beauté plus mûre, plus intérieure aussi.

Bao, lui, se tordait le cou afin de mieux suivre la progression des huit personnes précédentes. Or, rien n'avançait ! L'employé n'en finissait pas de tripoter ses tickets et d'absurdes feuillets. Il se grattait l'oreille d'un air dubitatif, se levait, revenait. Ensuite, c'était au tour du client de retourner ses poches à la recherche d'une hypothétique et indispensable pièce de monnaie. Alors, Bao, presque résigné, reportait son attention sur une kyrielle de mégots qui, en compagnie de maints papiers gras, ponctuait le sol, sur ces femmes vêtues de pourpre ou de violine qui tanguaient sur d'interminables talons aiguilles et laissaient dans leur sillage des relents de parfum bon marché. Pourtant, aux yeux du cuisinier, la plupart des passants ressemblaient à monsieur tout-le-monde.

Mei-yu l'avait supplié de ne pas venir jusqu'à la gare routière. Elle savait assez le poids des souvenirs douloureux et alla même jusqu'à lui proposer de faire envoyer sa précieuse théière ! N'avait-elle pas survécu à des expéditions autrement plus aléatoires, comme lors du voyage de Canton à San Francisco ? Bao se borna à répondre qu'il ne pouvait accepter un tel marché, qu'elle n'irait jamais seule en compagnie de Ah-chin à Port Authority !

Deux femmes et une enfant constituaient des proies trop faciles pour les innombrables mécréants qui erraient dans la ville tentaculaire. Il pestait et affirmait que les Américains n'avaient aucun respect pour le bien d'autrui et, pour mieux illustrer son propos, décrivait ces livreurs de la Petite Italie, quartier voisin de Chinatown. Du fond de leur monstrueux camion, ils dominaient, cigare au bec, des hordes de caisses qu'ils jetaient à terre sans ménagement. C'était, bien entendu, un désastre de laitues, de tomates ou autres fruits et légumes. Fort de ces expériences dûment constatées, Bao assurait que Mei-yu retrouverait théière, tasses et bols... en mille morceaux. Bref, il ne la laisserait pas se rendre seule à Port Authority. Tout était dit. Il ne fallait pas y revenir ! Les souvenirs... les souvenirs ! Il n'en avait plus rien à faire !

Alors, Mei-yu, tremblante d'émotion, consultait maintenant l'horaire, se rassurait : apparemment, il y avait des liaisons fréquentes entre New York et Washington. Soulagée, elle jeta un coup d'œil vers sa fille qui bavardait allègrement avec Bao tout en câlinant son lapin en peluche. Mei-yu avait essayé de lui expliquer ce qu'un départ signifiait, de la préparer à la séparation. Sing-hua s'était contentée de hocher la tête. Mei-yu l'observait attentivement : dans ses prunelles ne brillait nulle peur.

En cet instant, cependant, la jeune femme éprouvait une immense gratitude à l'égard de Bao qui avait eu la gentillesse de les accompagner. Les souvenirs, en effet, se pressaient dans l'esprit de Mei-yu. Elle revoyait leur arrivée à San Francisco, leur interminable voyage jusqu'à New York. Combien de jours cette épopée avait-elle duré ? Quatre ou cinq ? Mei-yu n'en savait plus rien. Elle avait dormi, énormément dormi dans ce wagon brinquebalant qui la berçait doucement. Kung-chiao, lui, s'occupait de Sing-hua qu'il promenait au hasard des couloirs. A l'époque, comme aujourd'hui encore, leurs voisins, des Blancs, jetaient des regards intrigués sur leur tenue bizarre. Kung-chiao gardait les yeux baissés ou simplement fixés sur la plaine alentour. De temps à autre, Mei-yu sortait de sa torpeur. Elle apercevait alors le bleu étincelant du ciel et ses reflets dans le regard lumineux de son mari. Quand, par moments, elle sentait qu'on l'étudiait, la jeune femme fermait les paupières, se retranchait dans une immobilité prudente.

De plaine, elles n'en verraient point, cette fois-ci. Mei-yu, qui s'était plongée dans maintes lectures, le savait. La route menant à Washington filait entre de douces collines, longeait quelques vallées verdoyantes que la brise de l'océan caressait parfois de son souffle salé.

Mei-yu finit par obtenir son billet et le quatuor fila aussitôt vers le bus. Là, Bao refusa de confier les bagages au chauffeur. Il insista pour les ranger lui-même dans le coffre et ce, au grand dam du malheureux responsable qui tenta, en vain, de s'y opposer.

— Moi pas comprendre anglais ! fit-il d'un ton sans réplique.

Ensuite, il se tourna vers Mei-yu et, en cantonais, lui conseilla :

— Fais bien attention quand il va sortir tes valises, Mei-yu. Ces gens-là sont des brise-fer.

Sans doute, le chauffeur se douta-t-il du sens des paroles de Bao. Il grommela quelques mots désagréables, mais, l'autre, imperturbable, lui adressa un sourire idiot des plus réussi.

Quelques minutes plus tard, on ramassait les billets, le signal du départ en quelque sorte.

— Ah-chin ! s'écria Mei-yu.

D'un même élan, les deux amies s'enlacèrent. Très émues, elles eurent de ces petits rires gênés qui trahissent les grandes souffrances, essuyèrent des larmes amères...

— Écris-moi vite, fit Ah-chin. Envoie-moi des photos de Sing-hua. Je t'en enverrai de Wen-wen. Tu verras, bientôt, il la rattrapera. Il va encore grandir.

Puis elle glissa la main dans son chemisier, en tira un minuscule paquet qu'elle tendit solennellement à Mei-yu.

— Ling et moi sommes heureux de t'offrir ce présent, dit-elle.

Mei-yu hésita, puis défit l'emballage. Elle découvrit alors un ravissant bracelet constitué de maintes boules d'ivoire sculpté. Une merveille !

— Oh ! Ah-chin !

— Accepte-le, je t'en prie. En souvenir de nous ; il vient de Chine, tu sais.

Les larmes aux yeux, Mei-yu rangea soigneusement ce précieux gage d'amitié et sourit à Ah-chin qui cachait son chagrin derrière un mouchoir. Elle se tourna ensuite vers Bao qui lui colla d'autorité le sac de papier brun dans les mains. Elle reconnut bien vite l'odeur délicieuse des brioches de porc rôti.

— Pour le déjeuner ! dit-il en reculant d'un pas.

— Merci, Bao.

Longtemps, ils se contemplèrent en silence, se laissèrent porter par l'immense vague d'émotion qui leur nouait la gorge. Les autres passagers, indifférents à leur peine, les poussaient sans ménagement afin de prendre place à l'intérieur du véhicule.

Combien de temps s'écoula-t-il ? Mei-yu n'aurait pu le dire. Il lui fallut pourtant feindre la sévérité :

— Dis au revoir à oncle Bao et à tante Ah-chin !

L'espace d'une seconde, l'enfant fronça les sourcils, observa les adultes, puis Ah-chin s'avança, la serra à l'étouffer. Enfin, Mei-yu poussa la petite vers Bao.

— Va, ma fille ! dit-elle aussi.

Il était temps de grimper dans le car.

— Oncle Bao ?

Sing-hua levait le nez vers le cuisinier. Son lapin lui avait échappé tant l'émotion était forte. Bao comprit. Il se pencha.

— Oncle Bao ! répéta-t-elle.

— Chut ! Chut ! Prunette !

Gentiment, il la confortait alors qu'elle sanglotait sur son épaule. Il tira même son mouchoir et essuya ses beaux yeux baignés de larmes.

— Allons, petit singe ! Crois-tu que je pourrais t'oublier ? Regarde donc ce que j'ai pour toi.

Il fouilla sa poche, en sortit un joli pendentif en fleur de jade.

— Tiens, ma belle ! C'est pour toi !

Il ne put le lui passer autour du cou. L'enfant, affolée, hurlait maintenant :

— Non, non ! Je ne veux pas partir ! Je ne veux pas !

A ce moment précis, le conducteur demanda les billets à Mei-yu qui tendit les bras à sa fille. Sing-hua fit mine de ne pas voir le geste de sa mère, enfouit davantage son visage au creux de l'épaule de son cher Bao qui lui souffla à l'oreille :

— Regarde ce que j'ai d'autre.

Elle leva la tête, montra des yeux gonflés et larmoyants, un nez rougi.

Bao fit alors surgir un nouveau puzzle de bois, un puzzle

pour grands où il fallait assembler maints éléments multicolores. Cette vision mit un terme aux pleurs de la fillette.

— Si je te le donne, tu reviendras me voir, dis ? Tu me le promets ?

Sing-hua réfléchit un instant à cette proposition. Finalement, elle tendit une main tremblante, renifla sérieusement entre deux hoquets.

— Ah non ! fit Bao. Tu dois d'abord me promettre d'être sage, d'obéir à ta maman et de revenir me voir très bientôt. Alors seulement, tu auras ton puzzle.

— En voiture, s'il vous plaît ! déclara le conducteur d'une voix de stentor.

Sing-hua observa sa mère à la dérobée, puis acquiesça lentement. Bao lui donna le puzzle et...un baiser en prime.

Il y eut ensuite des adieux déchirants, des gestes tendres et pleins d'espoir, des mouchoirs agités derrière une fenêtre...

Bao garda pourtant les mains résolument enfoncées dans ses poches. Cette scène ravivait des souvenirs lointains, soulevait une question aux prolongements douloureux : Mei-yu reviendrait-elle jamais ?

Le car filait en pétaradant dans les rues de New York. En ce milieu de matinée, le ciel était encore si gris qu'il avait tout d'une aube languide. Il pesait sur la cité, il pesait sur les gens qui se hâtaient au long des trottoirs, et Mei-yu qui observait ces passants leur trouvait bien des similitudes avec les habitants de Chinatown. Là, devant un étal de fruits, une cordonnerie ou une buvette, les différences raciales s'émoussaient. Partout, chacun cherchait à gagner sa vie du mieux possible. Partout, chacun luttait à sa manière. Personne ne regardait personne droit dans les yeux.

Le car plongea ensuite dans les ténèbres d'un très long tunnel. A peine l'eut-il franchi que Mei-yu s'abandonna au spectacle des gratte-ciel peu à peu happés dans le lointain. Sing-hua avait niché son visage dans les plis de la jupe de sa mère tandis que sa petite main serrait son beau pendant de jade.

Plus tard encore, Mei-yu observa le paysage alentour. On longeait maintenant des réservoirs à essence, des centrales électriques, des armées de poteaux téléphoniques. L'air ambiant paraissait plus que pollué. Inquiète, découragée, elle se laissa aller contre le dossier de son siège.

— Sois sans crainte. Tout a été parfaitement organisé, avait déclaré Mme Peng. Quelqu'un viendra t'attendre à Washington, une nommée Kuei-lan Woo. Elle t'emmènera à ton domicile et, lundi, te montrera en quoi consiste ton nouvel emploi.

A écouter Mme Peng, tout était si simple ! Curieusement, d'ailleurs, la vieille dame avait paru aussi enthousiaste que Mei-yu lors de leur entretien. Puis elle avait remis à la jeune femme une enveloppe gonflée d'une coquette somme d'argent en prévision des premières dépenses.

— Dans les banques et les bureaux, méfie-toi des Blancs, Mei-yu. Vérifie l'argent que l'on te donne. N'hésite pas à recompter devant les employés. Dans les rues, méfie-toi aussi des Noirs. Marche vite et assure-toi que l'on ne te suit pas. Madame Woo t'aidera. Richard affirme que c'est une personne très gentille et très efficace. Elle veillera sur toi et Sing-hua. Et, oh !

A ce point de ses explications, la vieille dame avait eu un geste vague, presque consterné.

— J'allais oublier ! Attends-moi ! Je reviens tout de suite !

Mme Peng s'éloigna donc aussi vite que ses jambes le lui permettaient vers sa chambre à coucher. Pendant ce temps, Mei-yu patienta en admirant la superbe chauve-souris bleue qui constituait le motif principal du grand tapis. On eût juré que l'animal planait au-dessus des fils de laine drue. Les Occidentaux n'appréciaient guère les chauves-souris, Mei-yu le savait. En Chine, en revanche, nul ne les considérait avec répugnance. On prétendait au contraire qu'elles portaient chance. Mei-yu n'eut cependant guère le temps de réfléchir à ces divergences culturelles, sa bienfaitrice revenait déjà avec une petite boîte en cèdre poli, ravissante, et à peine plus grande qu'un coffret à cigarettes.

— Mei-yu ! Veux-tu me rendre un très grand service, mon enfant ? Voici des années que je souhaite offrir cet objet à Richard, mais, figure-toi... à chacun de mes voyages à Washington, j'ai oublié ! Dis-moi, le lui donneras-tu ? Puis-je compter sur toi ? Tu feras bien cela pour une vieille maman, non ?

Mei-yu prit la boîte entre ses mains. Elle était d'une grande légèreté et dépourvue de cadenas.

— Bien sûr, madame.

Plus tard, la vieille dame lui posa quelques dernières questions en la raccompagnant à la porte.

— Je crois t'avoir tout dit, mon enfant. Oui ? Qu'en penses-tu ? Bien. Écris-moi souvent. Une fois que tu seras bien installée, peut-être envisageras-tu de revenir nous voir de temps à autre ? Non ? En attendant, n'oublie pas que madame Woo et Richard sont là pour te venir en aide. D'accord ? Et n'oublie pas ma boîte !

— Au revoir, au revoir ! fit Mei-yu.

Jamais encore Mme Peng ne lui avait paru aussi rayonnante. Elle avait l'œil clair, la joue poudrée. Elle souriait et saluait sa protégée d'une main légère et amicale.

Au revoir, au revoir, se disait maintenant Mei-yu à mesure que le paysage défilait devant ses yeux. Pour l'heure, le car croisait des dizaines de maisons strictement identiques et monotones. Mei-yu en éprouvait une lassitude inouïe. Quel avenir l'attendait désormais ? Elle n'en savait rien, et là, peut-être, se trouvait le motif de sa profonde fatigue. Elle faillit se rebeller, marmonner quelques mots furieux, mais se ravisa. A quoi bon ? Mieux valait éviter de trop songer aux lendemains ! Mieux valait éviter de trop songer aux souffrances récentes, à

Kung-chiao le sage qui, l'espace d'un soir, s'était montré trop confiant...

Elle contempla sa fille endormie. Quelques jours plus tôt, l'enfant lui avait demandé le nom de leur destination.

— Washington, Sing-hua. Nous allons y reconstruire une vie nouvelle, ma chérie.

Au grand soulagement de Mei-yu, Sing-hua avait paru satisfaite de cette réponse.

Maintenant, dans la tiédeur du car, la jeune femme interrogeait les ombres : « Ai-je bien fait, Kung-chiao ? Aurais-tu agi de même ? »

Hélas ! Seul le silence lui répondait.

DEUXIEME
PARTIE

WASHINGTON 1955

Kuei-lan Woo se glissa derrière le volant de la Ford, tourna la clé de contact... C'est avec un plaisir toujours neuf qu'elle entendit le vrombissement du moteur, qu'elle perçut les vibrations du véhicule.
Son œil rond revint alors se poser sur l'emblème qui marquait le bout du capot. Cet emblème lui évoquait de vieux souvenirs. Enfant, en effet, son père l'avait souvent juchée sur un buffle dont elle tenait les rênes. Il suffisait alors de quelques simples manipulations pour que l'énorme bête modifiât son itinéraire pesant. Une fine baguette de bambou faisait également merveille. Un petit coup derrière l'oreille et... l'animal relevait le nez au-dessus de la rizière au vert si lumineux. Là, sur ce drôle de perchoir, Kuei-lan voyait différemment les champs de riz. Rien ne lui échappait plus des lentes ridules de l'eau, des escargots accrochés sur les herbes proches ou même des petits poissons qui s'ébattaient entre les cultures. Là, sur ce drôle de perchoir, Kuei-lan pouvait admirer la courbe délicate des cils du buffle et sentait sous sa cuisse le battement régulier du cœur massif. Parfois, une envie la prenait et elle frappait du talon la peau grise et rugueuse en criant :

— Aïe ! Aïe ! Avance !

En ces instants-là, la fillette disposait d'un tel pouvoir qu'elle goûtait une ivresse bizarre et délicieuse. D'ailleurs, le buffle le sentait, qui renonçait et se laissait pesamment tomber dans l'eau stagnante. Ainsi vautré, il aurait pu passer de longues après-midi paresseuses, mais Kuei-lan, impitoyable, tirait sur les rênes passées dans les narines. Ce geste à lui seul suffisait à briser la torpeur de l'animal. Il se levait donc en poussant violemment sur ses pattes arrière. Bien entendu, ce mouvement déséquilibrait l'enfant qui partait en avant, s'étalait sur la tête épaisse dont les poils rugueux agaçaient la chair tendre de la gamine. Une autre poussée sur les antérieurs, cette fois, produisait l'effet inverse. Le résultat permettait d'atteindre une sorte d'équilibre heureux où Kuei-lan retrouvait l'arrangement apaisant de la rizière, l'ordonnance d'une vie de bonheur à peine troublée par de mauvaises mouches, le bruit mat de la boue remuée, la morsure délicieuse du soleil. A l'autre bout du champ, son père, joug en main, attendait, mais pour rien au monde l'enfant ne se serait pressée. Presse-t-on jamais un buffle ?

Il en allait différemment aujourd'hui que le moteur de cette Ford puissante lui servait de monture. Conduire, pour la jeune femme, appartenait encore au domaine de la magie. Elle imaginait parfois que le véhicule lui échappait, non par suite d'une faute quelconque, mais par simple folie. Un coup de tête propre à un véhicule qui aurait jeté le conducteur dans le premier arbre venu, dans un fossé sinistre aussi... Bien sûr, son permis venait tout juste de lui être délivré, mais cela n'expliquait point tout à fait l'ampleur de ses craintes. Elle se fixait des repères et suivait aveuglément les lignes blanches qui ponctuaient les routes. Elle ne regardait jamais ni les bas-côtés ni les rétroviseurs. Ces derniers, surtout, la plongeaient dans une confusion intense : les véhicules s'y matérialisaient avec une rapidité qui confinait à la brutalité, à l'indécence !

Ce jour-là, pourtant, Kuei-lan abandonna enfin l'une de ses manies ! Elle osa, oui, elle osa relever la tête et observer les gens qui se bousculaient sur les trottoirs. Il faisait si beau que certains passants ôtaient leur veste. Quant aux arbres, ils arboraient des fleurs délicates et délicieuses qui, tels les cornouillers, jetaient au vent des pétales si fragiles, si translucides qu'ils en paraissaient irréels contre les troncs sombres et massifs. Quand elle se trouva arrêtée au feu rouge, elle remarqua même que les ultimes plaques de neige avaient fini par fondre.

Plus tard, un policier sur une moto décida de l'escorter un bout de chemin. A dire vrai, le malheureux avait cru voir un enfant au volant. Vexé de son erreur, il suivait Kuei-lan en méditant sur ces Asiatiques au visage si lisse. Allez donc savoir leur âge, surtout quand ils viennent d'arriver aux États-Unis ! Cette conductrice n'avait pourtant rien d'une immigrante fraîchement débarquée, se disait-il en observant la queue de cheval, les barrettes de couleur vive, la veste de coton rouge.

Cet examen terminé, le motard accéléra et s'éloigna, au grand soulagement de la jeune femme dont l'attention revint se porter sur sa mission... En principe, le car arriverait à la gare routière de Washington dans moins d'une heure. M. Peng lui avait demandé d'aller y chercher une jeune veuve et sa fille arrivant de New York. D'après lui, elles avaient déjà passé quatre ans à Chinatown. Mais Kuei-lan n'était pas dupe ! Ces gens-là ressemblaient aux émigrés à la descente du bateau. Que connaissait-on des États-Unis lorsque l'on vivait dans l'univers fermé de la ville chinoise ? Pas grand-chose ! Kuei-lan, elle, était arrivée en Amérique aussitôt après la Seconde Guerre mondiale. En compagnie de Ting, son mari, elle avait alors travaillé dans la teinturerie de son oncle de San Francisco. Ensuite, ils avaient gagné Chicago, puis Washington. Tandis que Ting faisait office de manutentionnaire chez Wing Fat Trading Company sur H Street, Kuei-lan triait les jujubes ou remplissait de riz de grands sacs en papier brun.

A l'époque, tous deux habitaient une pièce minuscule au-dessus de l'entreprise de Ting et partageaient une cuisine avec M. Lom, le propriétaire, un vieux Cantonais édenté. L'hiver, il y mettait à sécher des chapelets de saucisses chinoises, grasses et odorantes, au point qu'il n'y avait plus un seul chevron de libre. On avait même l'impression qu'elles allaient dégouliner du plafond ! Impression d'ailleurs légitime car elles dégoulinaient en effet à coups de longues gouttes huileuses qui finissaient sur un journal un peu usé une interminable carrière. En désespoir de cause, Kuei-lan et Ting avaient poussé leurs affaires contre les parois proches.

Durant deux longues années, ils longèrent les murs. Puis, Ting entendit parler d'un couple cantonais résidant à Arlington. On disait qu'ils avaient gagné tant d'argent avec leur teinturerie qu'ils étaient prêts à s'installer à Bethesda, dans le Maryland, où le mari comptait se lancer, à son compte, en tant qu'électricien. Kuei-lan emprunta le capital à son oncle. Cet argent, ajouté à leurs propres économies, leur permit de reprendre le bail de la teinturerie sur Washington Boulevard. Ils emménagèrent donc dans l'arrière-boutique.

Ting s'occupa de l'accueil. Kuei-lan l'entendait saluer allègrement tous les clients d'un « hoy, hoy » enthousiaste tandis qu'il enfournait les vêtements sales dans de grands sacs en toile. Chaque jour, une camionnette venait récupérer le linge qui était lavé au dépôt de Fairfax. Vingt-quatre heures plus tard, les vêtements revenaient, propres, mais fripés. Là, intervenait Kuei-lan qui devait repasser et amidonner ces montagnes de chemises, de draps, de jupes et de pantalons !

Quand elle avait passé neuf ou dix heures à sa table, Kuei-lan, épuisée, se mettait à pester contre ces populations de paresseux incapables de laver leur linge. Durant ces moments difficiles, Ting lui donnait un coup de main. Ensuite, tard dans la nuit, quand ils en venaient à nouer un bandeau de coton autour de leur front pour empêcher la sueur de leur brûler les yeux, Ting et Kuei-lan se racontaient des histoires sur leurs clients. Ils les inventaient et brodaient à loisir selon leur imagination. Telle chemise portait une marque indélébile de nuance bleue, une baie sans doute... Peut-être son propriétaire avait-il folâtré dans les bois... Et les Carter ? A coup sûr, ils ne possédaient qu'une paire de draps !

Comment se débrouillaient-ils donc lorsqu'ils les donnaient à laver ? Étaient-ils si pauvres que cela ? Et les enfants Guilford ? Ils ne ménageaient pas leurs vêtements. Il y avait plein de trous partout. Mais peut-être les Guilford battaient-ils leurs enfants ?

Peu à peu, Kuei-lan en vint à reconnaître le linge. Elle eut même l'impression d'être devenue l'âme d'une immense famille et, dans son cœur, une émotion singulière naquit. Elle finit par comprendre que ses clients étaient, pour la plupart, d'honnêtes gens qui n'avaient rien de misérables paresseux. L'explication était évidente : ils ne possédaient pas de machines. Cette constatation la surprit et la peina. Jusqu'alors, elle avait cru que chaque foyer américain possédait machine à laver et réfrigérateur.

Certains clients disposaient pourtant d'une certaine aisance. Kuei-lan le savait. De temps à autre, elle trouvait, égarées au milieu du linge ordinaire, une taie d'oreiller en dentelle, une culotte en soie. Une erreur, sans doute. Elle pliait donc soigneusement ces effets précieux, les rangeait à part.

Si les affaires marchaient bien, Kuei-lan se sentait pourtant esseulée. Il n'y avait nulle autre famille chinoise dans la région. A Washington, au moins, il existait une petite communauté et un lieu de rencontre où les immigrés se réunissaient fréquemment. Ici, toutes les boutiques des alentours étaient tenues par des Blancs. Par ailleurs, en se rendant au grand magasin voisin, Kuei-lan eut tôt fait de constater que les clients appelaient les commerçants par leurs prénoms. Il y avait là des sentiments véritablement chaleureux qui dépassaient le cadre des relations d'échange. Ce genre de relations manquait à Kuei-lan. Bien sûr, les clients qui venaient à la teinturerie faisaient montre d'une grande politesse, mais sans plus. Peut-être cette attitude se justifiait-elle du fait du mauvais anglais que parlaient Ting et Kuei-lan ? La jeune femme décida de remédier immédiatement à cette situation.

Elle fila à la boulangerie, à l'autre bout de la rue et, mine de rien, écouta le patron s'entretenir avec ses chalands. Elle s'empressa d'enregistrer des formules passe-partout telles que : “ Comment allez-vous ? ” “ Quelle belle journée, n'est-ce pas ? ” “ Et les enfants ? Ça va bien ? ” Puis elle acheta deux beignets et s'éclipsa.

La suite de la manœuvre consista à guetter Mme Weaver. En effet, de tous les clients, c'était Mme Weaver qui paraissait la plus sympathique. Cette femme, d'âge moyen, avait trois filles et apportait, de temps à autre, un exemplaire de la revue *Life* pour Kuei-lan et Ting.

Un sourire aux lèvres, elle le leur tendait en disant :

— Tenez ! Voici une occasion d'en savoir plus sur l'Amérique, si cela vous intéresse.

Et Kuei-lan discernait mille promesses dans ce sourire affectueux. Aussi, un mardi que Mme Weaver entrait, Kuei-lan lâcha tout son repassage et vint rejoindre Ting au comptoir. Un peu embarrassée tout de même, la jeune femme affichait un demi-sourire timide, baissait les yeux... Une boule terrible lui nouait la gorge. Pourtant, Ting n'eut pas le temps de remettre son ticket à Mme Weaver que Kuei-lan, déjà, était intervenue.

— Madame Weaver...

— Oui.

La dame souriait. Elle avait des yeux d'une douceur extraordinaire.

— Je m'appelle Kuei-lan et...

L'espace d'une seconde, la jeune femme se sentit perdue, puis elle toucha Ting, reprit courage...

— Mon mari : Ting.

Intriguée, Mme Weaver observa plus attentivement le couple qui lui faisait face. L'homme, mal à l'aise, murmurait quelques mots à l'oreille de sa femme.

— Kway long et Ting ?

— Non, non ! Pas du tout !

Le fou-rire, cette fois, s'emparait de Kuei-lan. Elle n'y pouvait rien et ne souhaitait pas du tout insulter Mme Weaver.

— Ting, oui. C'est cela. Mais moi, je m'appelle Kuei-lan et pas Kway long.

Mme Weaver essaya à nouveau.

— Kway lang ?

Gênée, amusée aussi, elle hochait la tête, répétait. Comment cette dame n'entendait-elle pas la différence ?

— Kay lang... Oh ! Je ne crois pas prononcer correctement ! Madame Woo, je n'arrive pas à dire votre nom !

Kuei-lan sentit son cœur se serrer. Pourtant, elle fit un ultime effort.

— Vous y parvenez déjà mieux. Essayez encore une fois !

Mme Weaver soupira.

— Il me faudrait au moins une journée entière pour y arriver ! Kay Lynn ? C'est cela ? Kay Lynn ?

Cette fois, Kuei renonça. Elle acquiesça et sourit.

— Oui. Kay Lynn ! Voilà ! C'est mon nom américain.

Un soulagement intense se lisait maintenant sur le visage de Mme Weaver.

— Que vous êtes gentille, madame Woo ! Je me trompe encore, je le sais, mais c'est tout ce que je peux faire pour l'instant. Cependant, le nom de votre mari, je le prononce correctement, au moins. Ting. C'est correct ?

Ting opina du chef.

— Madame Weaver, fit Kuei-lan. Ting... ce n'est pas un nom américain...

— Non...

— Alors, que dire... pour Ting ?

— Tim ? j'imagine. Oui, Tim. C'est ce qu'il y a de plus proche, à mon sens.

Kuei-lan pouffa.

— Tim ! Très bien ! J'aime beaucoup ! Tim, c'est très proche !

— Tim, répéta Ting.

— Eh bien ! Kay Lynn... Tim... je reviendrai demain. Mais, je vous en prie, plus d'amidon. D'accord ?

Elle s'interrompit, parut chercher ses mots, puis dut changer d'avis car elle eut un petit geste de la main et s'éloigna.

— Elle pas dire son nom, remarqua Ting.

— Peu importe ! A nous maintenant de nous habituer à nos nouveaux prénoms ! Moi, je m'appelle Kay Lynn.

Ting haussa les épaules. Tim ne lui plaisait pas autant que Ting. Pourtant, il voyait déjà l'intérêt commercial qu'il pourrait tirer de ce changement d'identité. Désormais, il serait Tim.

— Kay Lynn, Kay Lynn ! Voilà deux ans maintenant que je m'appelle Kay Lynn et je ne peux encore m'y faire ! Pourquoi ? s'interrogeait la jeune femme tout en traversant le pont.

Au-dessous d'elle, le fleuve Potomac charriait furieusement ses eaux jaunes et boueuses qui submergeaient entièrement les colonnes de roseaux pétrifiés par les glaces. Il était presque 2 heures de l'après-midi et le trafic se faisait calme. Kay Lynn en était soulagée car elle avait très peur de s'aventurer dans la folie des heures de pointe.

A peine eut-elle passé le pont qu'elle aperçut le dôme crémeux du mémorial Jefferson, les cerisiers du Japon en fleurs, puis, devant elle, l'obélisque du Washington Monument. Elle passa devant une rangée de superbes demeures à colonnades impressionnantes. En fait, Kay Lynn avait le cœur battant chaque fois qu'elle entrait dans la capitale. Elle avait l'impression alors de pénétrer dans un univers inconnu. Un univers de forteresses grises, se disait-elle parfois. La jeune femme connaissait d'autres villes américaines. San Francisco, Chicago par exemple, mais nulle ne comptait autant de temples imposants bâtis à la mémoire de ses héros. Ici, il y avait pléthore d'autels. C'était ahurissant ! Jamais encore, elle n'avait vu pareille évocation grandiose. On lui avait pourtant raconté, son cousin Yung en particulier, ces montagnes de

Chine où des mains acharnées avaient sculpté dans la pierre des Bouddhas de quelque vingt mètres de hauteur.

Un véhicule, à sa gauche, la rappela à des préoccupations plus concrètes ! Allons ! Il importait de faire attention au trajet. Se perdre était un jeu d'enfant ! Si Kay Lynn ratait la bonne bifurcation, l'affaire était grave et le rendez-vous à la gare routière... impossible ! Washington consistait en un dédale d'avenues et de rues à sens unique redoutable ! M. Peng avait beau affirmer qu'on ne pouvait manquer le terminus des cars, Kay Lynn n'en croyait rien. D'ailleurs, tout paraissait simple à M. Peng qui, lui, vivait dans la région depuis de longues années.

Elle finit par trouver New York Avenue et l'enseigne du lévrier marquant l'entrée du terminus des bus Greyhounds. Cette publicité ne cessait de surprendre la jeune femme. Comment les Américains pouvaient-ils voyager dans des véhicules arborant fièrement ce genre d'effigie, Kay Lynn ne le comprenait pas ! C'était encore une manie étonnante sans commune mesure avec les ambitions de ce pays !

Sans les avoir jamais vues, Kay Lynn reconnut aussitôt la jeune veuve et sa fille. Oui, le doute n'était pas permis : c'était bien là cette jeune femme timide qui jetait alentour des regards apeurés !

— Wong Mei-yu ?

— Madame Woo ?

— Oui. Bonjour !

Toutes deux s'exprimaient en anglais. Kay Lynn tendit alors la main, s'aperçut que la nouvelle venue avait la paume rêche, abîmée par le travail, décela une vague odeur de camphre. Décidément, tous ces réfugiés portaient les mêmes senteurs. A croire qu'ils provenaient tous du même coffret magique !

Ces réflexions n'empêchèrent point Kay Lynn de caresser la joue de la fillette :

— Votre fille ?

— Oui : Fernadina. Dis bonjour à madame Woo, Fernadina.

Pour toute réponse, l'enfant se cacha derrière sa mère tandis que Kay Lynn s'étonnait de ce nom peu banal.

Le malaise, pourtant, commençait de lui peser. D'ordinaire, les nouveaux la saoûlaient de questions. En revanche, cette jeune femme, en face d'elle, gardait un silence impressionnant. Impossible de savoir ce qu'elle pouvait bien penser. Nulle hostilité dans son comportement, non, mais une incroyable réserve à laquelle Kay Lynn n'était guère habituée. Elle remarqua aussi l'allure élancée, en conclut qu'elle devait sans doute venir du Nord de la Chine. Qu'imaginer ?

M. Peng ne lui avait donné aucun détail ! Ses instructions avaient été extrêmement lapidaires : Kay Lynn devait conduire la nouvelle venue à son domicile et lui expliquer en quoi consisterait son futur travail. Kay Lynn n'eut cependant pas le temps de rêver plus longuement. Sa voisine jetait un coup d'œil anxieux vers le chauffeur qui se débarrassait un peu trop brutalement d'un gros carton.

— C'est à vous ? demanda Kay Lynn.

— Oui ! C'est mon service à thé !

Bravement, Kay Lynn essaya de soulever les bagages. Peine perdue ! Cet échec ne la surprit pas outre mesure. Les nouveaux arrivants ne manquaient jamais de s'encombrer de mille inutilités, de mille absurdités.

— Attendez-moi là une minute, madame Wong. Je vais chercher voiture.

Kay Lynn s'éloigna d'un pas vif. L'expression admirative de son interlocutrice à la seule mention d'un véhicule ne lui avait pas échappé. Elle espérait également qu'elle remarquerait aussi la qualité de sa veste rouge, ses chaussures en cuir, se délecta à l'idée que quelqu'un pût enfin, sinon l'admirer, du moins l'envier !

Quelques instants plus tard, toutes trois se retrouvaient dans la Ford, Mei-yu à la place du passager et Fernadina à l'arrière avec le service à thé pendant que Kay Lynn, très digne, s'efforçait d'oublier ses angoisses au volant. A peine eut-elle lancé le moteur que Fernadina poussa un rugissement énervé.

— Vous avez déjà circulé en voiture? demanda négligemment Kay Lynn à Mei-yu.

La main nouée sur l'appui aménagé dans la portière, Mei-yu hocha la tête.

— En Chine, j'ai déjà voyagé en camion, mais c'était il y a longtemps. Dans une voiture comme celle-ci, jamais.

Ravie, Kay Lynn éclata de rire et appuya sur la pédale de l'accélérateur.

— Ne vous inquiétez pas, fit-elle, hilare.

Mei-yu ne s'inquiétait pourtant pas. Impassible, elle observait l'étrange ballet que décrivaient les innombrables véhicules autour d'eux. Fernadina, elle, courait quasiment d'une fenêtre a l'autre sans cesser de pousser des petits cris émus tandis que les tasses tintinnabulaient. On aperçut le Washington Monument, le Mémorial de Jefferson, et Kay Lynn à chaque fois expliquait à Mei-yu l'histoire de ces glorieuses réalisations.

Dès qu'elles eurent franchi le pont, Kay Lynn poussa un soupir de soulagement. Elle baissa sa vitre, passa le bras à l'extérieur, puis se tourna vers Mei-yu pour demander :

— D'où venez-vous, madame Wong ?

— Vous parlez de la Chine, non ?

A son tour, Mei-yu soupira. Elle qui avait espéré éluder ce type de questions !

— Oui.

— Je suis née à Pékin.

— Je vois !

Kay Lynn garda le silence un moment, se reprochant sa remarque. Cette réponse, elle aurait dû s'y attendre ! L'attitude de Mei-yu Wong, la manière dont elle s'exprimait, sa politesse ne trompaient pas. Cette jeune femme venait d'un milieu aisé, cultivé. Pour l'instant, cependant, elle avait l'air d'une novice perdue dans un lieu inconnu et déroutant. Une novice qui avait encore beaucoup à apprendre...

Comme pour s'en convaincre, Kay Lynn désigna du doigt un point sur sa gauche :

— Connaissez-vous arbres, là-bas ?

Mei-yu manqua se tordre le cou et avoua :

— Non. Ils sont très beaux.

L'autre, fière comme un paon, répondit d'un ton triomphant :

— Ce sont cornouillers, ils sont l'emblème de l'État de Virginie.

Malgré les fanfaronnades de sa voisine, Mei-yu avait compris que Kay Lynn n'était guère plus âgée qu'elle. Très vite, elle avait noté le nez un rien camus, le visage rond que la queue de cheval arrondissait encore davantage, l'anglais écorché, avec des articles qui manquaient parfois, l'accent chantant qui évoquait le parler cantonais. Pourtant, il n'y avait aucune gêne chez Kay Lynn. Au contraire, elle faisait montre d'une aisance remarquable dans son élocution, et ses bras décrivaient d'immenses moulinets afin de mieux souligner la portée de ses paroles. Pour le moment, elle jouait les cornacs et Mei-yu, bonne fille, l'acceptait. Un tel comportement était normal. Il fallait en passer par là.

En Chine, au contraire, du moins dans le milieu de Mei-yu, les adultes faisaient assaut d'humilité. Elle avait assisté à maintes scènes de ce type où les hôtes redoublaient de politesse et bloquaient le passage faute de prendre l'initiative d'entrer le premier. Finalement, chacun avançait à reculons comme autant de crabes en maraude. Jamais encore Mei-yu n'avait rencontré un être aussi direct que Kay Lynn et cette forme d'agressivité, bien que surprenante à ses yeux, lui paraissait rafraîchissante et naturelle.

— Voilà ! Nous y sommes !

Kay Lynn entrait maintenant dans une zone résidentielle

où quatre bâtiments de brique rouge cernaient un minuscule parc de stationnement.

— Tenez, vous logerez dans deuxième immeuble sur la droite. Mon mari et moi-même vivons dans le suivant.

D'un bond, elle sauta de la voiture, puis ajusta à nouveau l'une de ses barrettes. Voyant que Mei-yu n'avait pas bougé, elle se pencha vers l'intérieur du véhicule.

— Vous aimez la voiture ?

— Oui.

Cette affirmation magistrale, c'était Fernadina qui la lançait.

Mei-yu comprit pourtant que la question la visait. Elle répondit donc avec beaucoup d'enthousiasme :

— Oui, oui. Elle est magnifique !

A ces mots, un sourire ravi fleurit sur les lèvres de Kay Lynn. Elle se reprit vite, haussa les épaules et, telle une écolière prise en faute, avoua :

— Ce n'est pas ma voiture, mais monsieur Peng m'a dit que, maintenant, c'est moi qui conduirai ! Il affirme que dans notre métier, il nous faut voiture pour livrer nos clients. Nous sommes seuls à fournir ce service.

Sans doute ces explications lui parurent-elles satisfaisantes, car elle n'ajouta pas un mot de plus et fila vider le coffre du véhicule. Fernadina avait, elle, choisi une solution autrement plus agréable et courait déjà à toutes jambes dans le parc. Mei-yu la vit s'approcher de la balançoire et examiner le bac à sable.

Du coin de l'œil, la jeune femme observait les quatre immeubles qui devaient constituer son nouvel univers.

Fini les néons, enseignes et volets colorés de Chinatown ! Les remplaçaient désormais des façades nues, rectangulaires et solides avec leurs angles parfaits. Et Mei-yu croyait contempler des visages sans grâce et dénués de toute expression !

Kay Lynn, les valises à la main, expliquait.

— Nous avons emménagé l'an dernier. Notre teinturerie se trouve à deux pas d'ici, dans centre commercial. Avant, je travaillais tous les jours avec mon mari, mais maintenant que j'aide monsieur Peng, nous avons engagé quelqu'un pour donner un coup de main.

Mei-yu se pencha, examina le boulevard... et aperçut au loin différentes enseignes : pharmacie, épicerie, salon de beauté, poste, boulangerie et restaurant.

— Tenez ! L'école est là ! Vous avez de la chance. Ce n'est pas loin du tout et il paraît qu'elle a excellente réputation.

— Je suis sûre que ma fille et moi en serons très contentes, dit Mei-yu en s'emparant de la grosse valise.

Les deux femmes se dirigèrent vers le bâtiment de brique rouge. Fernadina, elle, resta près de la balançoire.

Kay Lynn passait une main admirative sur le rebord de l'évier ultra-moderne.

— Vous voyez, disait-elle, cuisine américaine dernier cri ! Monsieur Peng est copropriétaire. Il dit qu'il a beaucoup beaucoup de chance de trouver appartements.

Sidérée, Mei-yu faisait le tour de cette immense et incroyable cuisine où les appareils étaient plus imposants, plus étincelants encore que chez le cousin Roger ! Elle ouvrit de grands yeux devant la cuisinière et ses quatre brûleurs, devant la glacière qui avait les dimensions d'un lit, s'inquiéta de la note d'électricité que lui vaudraient ces merveilles. Quant à l'évier...

Kay Lynn tournait les robinets, criait d'une voix haut perchée :

— Regardez ! Eau chaude, eau froide ! Magique !

Manifestement, la jeune femme adorait le regard incrédule de son interlocutrice.

Mei-yu finit cependant par comprendre :

— Et les autres ? dit-elle. Quand arrivent-ils ?

— Qui donc ?

— Je ne sais pas. Ceux qui doivent partager cet appartement avec nous. La couturière, j'imagine. Quand emménagent-ils ?

— De quoi parlez-vous ?

Brusquement, Kay Lynn entrevit une explication. Oh ! Comme cette Mei-yu était méfiante !

— Non ! Vous vous trompez ! Personne ne partage cet endroit avec vous. C'est votre domicile à vous. Ici, on n'oblige pas plusieurs familles à cohabiter.

Mei-yu en ressentit tout d'abord un immense soulagement dû, sans doute, à son extrême fatigue. Il y avait si longtemps qu'elle rêvait d'un lieu pareil pour y évoluer librement avec Sing-hua ! Pourtant, à mesure qu'elle découvrait le logement, la honte lui vint. Il y avait trop de place ! Elle en était convaincue et s'effarouchait. Une petite voix l'incitait au calme. Comment juger des dimensions de pièces aussi nues ? Mieux valait attendre. Certes, il y avait là quelques objets, mais tous plus surprenants les uns que les autres. Ainsi, ces fleurs de plastique orange enfouies dans un pot verdâtre sur le rebord de la fenêtre de la cuisine ! On trouvait aussi une chaise rembourrée et un sofa brun tout simple qui voisinaient avec deux malheureuses tables basses. Ce salon donnait sur une petite salle à manger carrée.

Au bout du couloir, deux chambres se faisaient face. Par l'une des fenêtres, Mei-yu aperçut Fernadina qui se balançait très haut, trop haut.

Kay Lynn, qui venait de la rejoindre, s'exclama :

— J'espère que vous aimez mon décor dans la chambre de la petite !

Il y avait là un lit d'enfant et une banale commode. Quant aux murs, ils faisaient l'objet d'un revêtement blanc d'une banalité assortie à la commode.

— Monsieur Peng m'a donné feu vert pour arranger comme chez moi. Vous avez vu ? Dans salon et salle à manger, tout est moderne, mais, ici, je n'avais plus assez d'argent. Cela vous ira pour le moment pour votre fille? Mon mari et moi n'avons pas encore d'enfants. Une fois, il faut venir à la maison. Nous avons télévision aussi.

Mei-yu avait déjà aperçu une télévision. Sur l'écran, des hommes et des femmes couraient en tous sens en se jetant des tartes à la crème. Des rires fous sortaient de cette grosse boîte sombre dont l'utilité lui échappait totalement.

— Monsieur Peng vit-il dans cette résidence? demanda-t-elle.

— Oh! non! Monsieur Peng habite à Washington.

Mei-yu l'imagina fort bien dans un appartement identique à celui de sa mère.

— Il est très gentil de se donner tant de mal pour nous!

— Oh! C'est homme très occupé, très important! C'est pour cela qu'il m'a chargée de mettre cet appartement en état. Tout moderne maintenant, non?

— Je vous en suis très reconnaissante, répondit Mei-yu.

Malgré sa politesse, la jeune femme voyait déjà les changements qu'elle ferait dans ces lieux : peintures, dessus de lit, moquette...

— Rencontrerai-je bientôt monsieur Peng?

— Je ne sais pas. Il est très occupé et m'a demandé de vous conduire à boutique pour faire connaissance auprès directrice Nancy Gow. Là, nous vous montrerons comment travailler. Peut-être rencontrerez-vous monsieur Peng la semaine prochaine.

A ces mots, Mei-yu éprouva un curieux sentiment de déception, de honte même. Comment avait-elle pu imaginer un instant que sa relation avec madame Peng influencerait le fils en sa faveur?

Elle regarda à nouveau par la fenêtre et remarqua que

Fernadina se balançait dangereusement haut, que le portique était mal ancré dans le sol...

Elle découvrit alors avec horreur qu'elle ne pouvait se pencher : un grillage métallique l'en empêchait.

— Sing-hua, rentre immédiatement !

En se retournant, elle croisa le regard de Kay Lynn.

— Il reste encore beaucoup à apprendre, n'est-ce pas ? fit Kay Lynn.

— Oui.

— Ne vous inquiétez pas ! Pour l'instant, tout vous paraît encore très étrange, mais bientôt chaque geste devient facile. On s'habitue à tout ! La preuve : regardez-moi !

Kay Lynn éclata de rire.

— Qui sait ! Peut-être apprendrez-vous même à conduire ?

Cette remarque lui parut si incongrue que Mei-yu haussa les épaules. Kay Lynn, cependant, ne sembla pas s'en formaliser le moins du monde.

— En tout cas, nous commençons par choses les plus simples. D'abord, je vous montre comment utiliser le four. Ensuite, nous allons au sous-sol. C'est là que se trouvent machines à laver et sécheuses. Heureusement, tous les immeubles n'ont pas d'installations modernes, sinon Tim et moi... On fait faillite !

Docile, Mei-yu suivit Kay Lynn jusqu'à la cuisine. Entre elles, la tension se dissipait et Mei-yu en était heureuse. Mettez deux personnes en présence, disait un dicton chinois, il y aura toujours un maître et un élève. C'était exact ; néanmoins, Mei-yu acceptait volontiers le rôle de mentor que voulait jouer Kay Lynn. Elle savait qu'une amitié lui était indispensable. Même dans ces conditions-là.

A ce moment précis, Fernadina fit irruption dans la pièce en hurlant d'un ton furieux :

— Maman ! Il y a une petite fille en bas qui prétend que les balançoires lui appartiennent !

— Ah ! Il s'agit sûrement de la fille Simpson ! fit Kay Lynn. Méfiez-vous de ces gens-là. Ils détestent Chinois. Ils prétendent que tous Chinois sont mauvais et communistes.

Puis, en fataliste, elle hocha la tête.

— Ne vous tourmentez pas ! Il y a aussi autres personnes très gentilles. Vous ferez bien connaissance de madame Johanssen. Elle a fille et garçon de l'âge de Fernadina.

Elle tenta de souligner ses mots d'une caresse sur la joue de l'enfant, mais Fernadina esquiva. Alors, bonne fille, elle se borna à déclarer :

— Va donc te balancer à ta guise. Les balançoires, ici, sont pour tous les enfants de résidence !

D'une main tendre, Mei-yu apaisa son enfant :

— Ne t'inquiète pas, Sing-hua ! dit-elle.

L'imagination de la jeune femme allait pourtant bon train. Elle songeait aux Simpson, s'efforçait de leur donner un visage, une silhouette aussi. Elle voyait des gens de grande taille qui la regardaient du haut de leur haine. La peur aussi brouillait leurs prunelles. Mei-yu le savait. L'espace de quelques secondes, elle rêva de trouver d'autres balançoires afin de protéger Sing-hua ! Une secousse la rappela à la réalité. Kay Lynn, très décidée, la tirait par la manche. Il était temps de lui expliquer le fonctionnement du four.

***

Richard Peng avait beau feuilleter le rapport qui trônait devant ses yeux, il ne retenait rien, et les mots, les phrases dansaient follement au gré des lignes. Dans une demi-heure, à 15 heures très précisément, ses responsables hiérarchiques lui feraient connaître leur décision concernant sa promotion.

Voilà dix ans maintenant que Richard appartenait à la société dirigée par Christensen, Adler, Booth et Johns. Vu la tournure des événements, Richard devinait qu'il avait toute chance d'être admis dans le groupe directorial. Néanmoins, on ne pouvait jurer de rien. Une fois déjà, ils s'étaient contentés de lui octroyer une augmentation substantielle sans lui accorder le titre tant souhaité de directeur associé. Or, l'ambition de Richard ne s'exprimait plus en termes d'argent, mais en termes d'honneurs et de prestige.

Sa promotion constituait, depuis plusieurs mois maintenant, un problème d'importance au sein de la firme. Richard le savait. Il s'était montré extrêmement prudent et discret dans ses négociations. Dans le passé, cependant, peut-être en avait-il trop fait ? Dans tous les domaines. Il le reconnaissait. Il n'avait pas su s'en tenir aux priorités et avait promis trop de choses à trop de gens. Ainsi, les responsables du Centre de la communauté chinoise de Washington avaient-ils constamment fait appel à lui chaque fois qu'un nouvel arrivant connaissait quelques difficultés d'adaptation. Il avait même accompagné certains malheureux au Bureau d'immigration, au Bureau de l'emploi, traduit des documents officiels aussi. Toutes tâches qu'il accomplissait durant la pause déjeuner ou pendant ses moments de loisir. Bien vite, il dut toutefois se rendre à l'évidence : la communauté l'appelait à tout instant sans se soucier de ses horaires de travail. On finit même par le déranger chez lui pour qu'il fournît des conseils juridiques, qu'il aidât à trouver le docteur idéal, ou qu'il réglât quelque différend. Au début, Richard crut que l'on acceptait ses interventions en toute simplicité. S'il monnayait ses services, c'était pour ménager des susceptibilités, mais ses honoraires demeuraient fort modestes. Parfois même, il ne demandait rien, se contentait de partager un repas avec ses hôtes. Les gens du Centre se confondaient en remerciements. Un jour, toutefois, il eut vent de certains ragots : de mauvaises langues prétendaient qu'il préférait gagner sa vie à jouer les juristes à la mode plutôt que de consacrer son temps à conseiller ses frères de sang. Il eut l'impression d'un coup de poignard dans le dos ! L'affaire lui parut sordide, mais à ce jeu, comment gagner ?

Finalement, il changea de tactique, d'autant que la réunion du groupe directorial approchait. Il prépara une brochure destinée à fournir tous renseignements utiles aux nouveaux venus et demanda à son secrétaire de filtrer les appels téléphoniques émanant du Centre. Une fois tous les quinze jours, il prenait des nouvelles de certaines familles en difficulté. Chez lui, il décrochait le combiné, hormis le soir aux heures où Lilian risquait d'essayer de le joindre.

Il modifia la disposition des objets placés sur son bureau, nota sur son agenda que les deux protégées de sa mère arrivaient le jour même. Dieu merci, il avait prévenu Kay Lynn qui ferait le nécessaire. Quant à lui, il irait les saluer un peu plus tard.

Ces complications supplémentaires ne lui facilitaient pas la vie. Sa mère et son désir d'ouvrir un magasin à Washington lui posaient un sérieux problème : non seulement la date était mal choisie, mais il n'avait absolument pas le temps de s'occuper d'un tel projet ! Pourtant, il savait qu'il y allait de son devoir filial. Il avait donc fini par louer les services de Kay Lynn à qui il avait conseillé également de prendre des leçons de conduite. L'arrangement se révéla satisfaisant car, bientôt, Lynn se trouva en mesure d'assumer des tâches qui lui incombaient auparavant. Désormais ce fut Kay Lynn qui se rendit au Bureau d'immigration, ce fut Kay Lynn qui alla accueillir les nouveaux arrivants. Par ailleurs, Richard savait que l'expérience de la jeune femme constituerait une aide précieuse au magasin. Enfin, ô soulagement, il constata qu'elle s'entendait bien avec Nancy Gow, la future responsable de la boutique, envoyée également par Mme Peng, des années auparavant.

Nancy avait tout d'abord travaillé dans un petit magasin

de H street où elle avait fait merveille. Richard, lors de son entretien avec elle, avait eu loisir de le constater. Apparemment, Nancy Gow avait tout d'une femme intelligente, responsable et dynamique, et il avait été extrêmement impressionné par le choix de sa mère. Durant l'installation du magasin, Kay Lynn et Nancy Gow avaient travaillé de concert avec les entrepreneurs. Il leur avait fallu décider de l'emplacement du comptoir, réfléchir sur la disposition de l'arrière-salle, le type d'éclairage aussi. Elles avaient même insisté pour obtenir des sièges rembourrés afin que les clients puissent attendre leurs vêtements tout en bénéficiant du maximum de confort. Maintenant qu'arrivait cette autre femme dépêchée par Mme Peng, nul doute que le magasin ne tarderait plus à ouvrir ses portes. Si la chance lui souriait, Richard pourrait bientôt s'en remettre à ces trois femmes énergiques et se consacrer davantage à son travail au sein de son entreprise et... à Lilian, qu'il avait un peu négligée ces derniers temps.

Machinalement, Richard nota le nom des hommes présents dans la salle de conférence. Voyons... un récapitulatif s'imposait ! Réfléchissons... se dit-il. Il pouvait compter sur la voix de Peter Booth. Eric Johns répondrait par un non franc et massif. Il s'était toujours opposé à l'entrée de Richard dans le groupe directorial. Lawrence Christensen... peut-être ! Gerry Adler devrait voter oui, mais rien n'était moins sûr en ce qui concernait Frank Lewisohn, le benjamin du groupe, qui avait pourtant invité Richard à dîner le mois précédent. Pas une seconde, les enfants Lewisohn n'avaient quitté Richard des yeux. Quand à Mme Lewisohn, elle avait fait montre d'une cordialité délicieuse bien qu'excessive et n'avait cessé de lui remplir son assiette de pommes de terre. Or, Richard détestait les pommes de terre. En l'occurrence, il avait fait contre mauvaise fortune bon cœur et mangé consciencieusement son plat de légumes.

Aujourd'hui, la situation paraissait bien différente.

Richard, d'une nervosité invraisemblable, froissait maintenant un vilain bout de papier, pressait l'interphone.

— Linda ? demanda-t-il d'une voix anxieuse.

— Ils sont toujours en réunion, monsieur Peng, répondit la jeune femme. Ils m'ont chargé de vous prévenir dès qu'ils en auraient terminé.

Alors, Richard, dans un effort terrible, s'efforça de revenir à ce rapport qui le narguait.

Le président Lawrence Christensen se rejetait dans son fauteuil de cuir sombre, chassait avec détermination une belle mèche de ses cheveux à peine blanchis malgré ses soixante-deux printemps.

— En ce cas, quelle est la bonne solution ? demanda-t-il. Allons-nous adopter une fois de plus un compromis bâtard ?

Peter Booth interrompit ses gribouillages.

— A mon avis, ce serait une grosse erreur que de lui refuser encore le titre d'associé ! Je vous l'ai déjà dit, il le mérite largement. Voyez avec quelle maestria il a réglé le dossier Corcoran ! Richard Peng est vraiment un garçon méticuleux et brillant, un collègue remarquable. Si nous ne lui accordons pas un poste à sa mesure et qu'il nous quitte, eh bien ! nous n'aurons pas à nous plaindre ! Ce ne sera que justice !

L'œil hautain, il contempla ses quatre collègues assis autour de la grande table ovale.

— Allons ! Pourquoi une telle réserve ? Refuserions-nous cette distinction à Richard Peng sous prétexte qu'il est d'origine asiatique ?

— Peter ! Voyons ! Là n'est pas le problème !

D'agacement, Eric Johns venait de reposer bruyamment son stylo sur la table.

— Nous avons déjà discuté de cet aspect de la question ! Il ne s'agit pas de nous, mais de nos clients. Qu'en penseraient-ils ? Voilà un élément à ne pas négliger !

— Fadaises que tout cela, Éric ! répliqua Peter Booth.

Furieux, il déchirait sa feuille de papier. A quarante-huit ans, Peter était le plus jeune des membres de la direction.

— Voici une demi-heure que nous louons le travail de Richard Peng ! Une demi-heure que nous soulignons son importance au sein de la société, fit alors Christensen. Au moins sommes-nous d'accord sur ce point ! Cependant, Éric a raison sur un point bien précis. Nous traversons une époque difficile. A l'heure actuelle, les gens se méfient des Orientaux. L'ère McCarthy fait des ravages ! Avez-vous regardé ce reportage télévisé où il fustigeait quasiment la terre entière ? Or, une fois Richard promu au rang d'associé, il lui faudra traiter avec de très gros clients dont certains appartiennent aux familles les plus prestigieuses de Virginie. Je ne sais si nous pouvons prendre un pareil risque.

Ravi de cette intervention, Eric Johns décida de pousser son avantage.

— Et sa vie familiale ? Il est divorcé, n'est-ce pas ? Curieux pour un Chinois, tout de même, non ?

Devant le mutisme de l'assemblée, Eric Johns poursuivit :

— N'avait-il pas épousé une Américaine ? Et des enfants ? Il n'y avait pas d'enfants ?

Embarrassé, Booth grommela :

— Il n'en parle pas, de son divorce ! Mais je ne crois pas qu'il ait des enfants.

Frank Lewisohn intervint à son tour :

— En ce moment, il fréquente une jeune Chinoise de T'ai-wan qui travaille à l'ambassade comme attachée culturelle ou... quelque chose du même ordre.

— Et alors ? En quoi sa vie privée nous intéresse-t-elle ? fit Booth avec irritation.

— En fait, Eric aimerait insister sur le fait que Richard ne correspond pas entièrement au profil type du jeune cadre dynamique auquel nos clients sont habitués.

Cette fois-ci, c'était Gerald Adler qui avait pris la parole. Gerald Adler qui ajoutait :

— Nos clients exigent des juristes et des avocats de tout premier plan. Cependant, il leur faut également d'indiscutables garanties morales. C'est dire qu'ils préfèrent s'adresser à un individu de race blanche, marié et fréquentant régulièrement l'église ou le temple. Un individu correspondant à l'image que Christensen, Adler, Booth et Johns ont toujours tenté de donner. Est-ce que je me trompe ?

C'était vraiment la première fois qu'il intervenait depuis le début de la discussion.

Eric Johns, le regard mauvais, ripostait déjà :

— Je n'apprécie guère les sarcasmes, Gerry ! D'ailleurs, je ne vois pas du tout où tu veux en venir ! Que reproches-tu à notre attitude ? Nous avons toujours cherché à développer notre affaire, non ?

L'espace d'un instant, chacun garda le silence. Puis, très doucement, Frank Lewisohn déclara :

— En nommant Richard Peng, nous créons un précédent. Cela ne risque-t-il pas de nous poser problème ?

Écœuré, Peter Booth riposta sur-le-champ :

— Que veux-tu dire exactement, Frank ?

L'autre, gêné, se mit à s'agiter sur sa chaise :

— Euh... A mon sens, en ce moment... si nous permettons à Richard de grimper tous les échelons, d'autres, dans la même situation que lui, vont se croire autorisés à jouer les malins, à réclamer une considération accrue lors des réunions du Comité !

— Frank, pour toi, les gens dans la même situation que Richard, qui sont-ils ? demanda Gerry Adler. Si ma mémoire est bonne, Richard est le seul Chinois de la société. A moins que tu ne fasses allusion à Eugénia Powell, notre dactylo, qui se trouve être noire de peau ?

A ces mots, Lawrence Christensen intervint.

— Messieurs, messieurs, je vous en prie ! J'ose espérer

que cette réunion ne va pas se terminer en confrontation sociologique. Je prendrai bonne note de la remarque de Frank, mais, personnellement, il me semble que cette notion de précédent ne présente aucun caractère d'importance. Enfin ! Il nous faut prendre une décision. Quelqu'un aurait-il quelque chose à ajouter avant que nous procédions au vote ?

Un silence s'abattit immédiatement sur la pièce. Silence à peine troublé par le doux bruissement du stylo de Peter Booth qui, imperturbable, poursuivait ses gribouillages. Puis, Eric Johns reprit la parole :

— Mon seul et unique souci, c'est la réputation de la société. Question qui, je le dis sincèrement, constitue notre responsabilité majeure. Je ne discute nullement les qualités professionnelles et la valeur de Richard qui, je le souhaite, restera des nôtres. J'avancerai donc une suggestion susceptible de concilier l'inconciliable : pourquoi ne pas donner à Richard le titre d'associé tout en évitant de lui confier certains dossiers difficiles ?

Peter explosa.

— Et il accepterait une telle infâmie ? Voyons, il démissionnerait au bout d'un mois !

Christensen leva la main, gronda :

— Peter !

A l'autre bout de la table, Gerry Adler ne demeura pas en reste :

— Moi, c'est une solution qui me déplaît ! Elle relève d'une vague facilité paternaliste !

— C'est honteux ! fit Peter.

— Entendu ! Je ne voulais froisser personne, fit Eric Johns, embarrassé.

Machinalement, il se lissait les tempes d'un doigt gêné. Bien sûr, en vertu des textes, il avait un droit de veto puisqu'il avait fondé l'entreprise en compagnie de Christensen. Il refusait néanmoins d'y avoir recours. A quoi bon heurter davantage les sentiments de ses associés ?

— Laissez-moi m'expliquer. A mon avis, Richard mérite le titre d'associé. Je pense également qu'il est capable de régler n'importe quelle affaire, mais je sais aussi que certains de nos clients refuseront de l'écouter. C'est aussi simple que cela, hélas ! Tout ce que je suggère, c'est que nous fassions preuve de discernement en lui confiant certains dossiers plutôt que d'autres ! Rien de plus.

— Éviter de le mettre en première ligne ? fit Gerald Adler.

— Oui, rétorqua Christensen.

Apparemment satisfait, le président se carrait dans son fauteuil, croisait les bras sur la poitrine.

Peter Booth cessa un instant de jouer avec son stylo. En revanche, il le fit tomber à terre.

Au même moment, Christensen lançait :

— Bien, messieurs ! Et si nous en venions au vote ?

Quelques instants plus tard, Richard Peng rejoignait le groupe. Tous se levèrent avec un bel ensemble. Christensen félicita le nouvel associé et Peter Booth tenta un sourire. Richard, lui, semblait radieux.

Peter Booth ne cessait de dévisager son collègue. Il admirait son élégance naturelle, sa distinction. Un vrai mandarin, songea-t-il. Richard, en effet, n'avait rien d'un être précieux, d'un éphèbe qui passe la vie noyé dans quelques coussins de soie en récitant des odes sur de rarissimes orchidées. Non, c'était un homme de devoir qui faisait montre d'une discipline de fer. Très ambitieux, il avait de multiples activités pour lesquelles il déployait toujours la même énergie parfaitement maîtrisée. Peter connaissait les liens qui unissaient Richard à la communauté chinoise de Washington.

Plus tard encore, Peter observa Richard qui discutait plaisamment avec chacun des membres du groupe. Un diplomate accompli ! pensa Peter qui s'était souvent interrogé sur les options politiques de son collègue. Ici, aux États-Unis, on était loin d'avoir surmonté le choc provoqué par la victoire de Mao. Bien des Chinois, partisans de Chang Kaï-chek, collectaient d'énormes fonds destinés à aider T'ai-wan et la résistance aux communistes. Pourtant, s'il avait une liaison avec la jeune Chinoise de l'ambassade, Richard paraissait n'avoir aucune opinion en la matière. Du moins, personne ne la connaissait. Peter dut admettre que, de Richard, il ne savait que fort peu de choses. Néanmoins, il en resta là de ses réflexions car il lui fallait maintenant féliciter le jeune homme.

— Félicitations, Richard.

— Merci. Merci beaucoup, Peter.

— Que fais-tu tout à l'heure ? On va prendre un verre ?

— Je te remercie, Peter, mais j'avais prévu de voir Lilian.

— Je vois ! Eh bien ! Ce sera pour une autre fois ! fit Peter en souriant.

Richard acquiesça tout en avançant vers Eric John. Les deux hommes échangèrent une vigoureuse poignée de main. Peter qui savait l'importance qu'Eric attachait à un contact franc et solide, esquissa un sourire, puis, sur un mot d'excuse, quitta le groupe et s'éclipsa.

Henry Campbell était souvent passé en voiture devant la chancellerie de l'ambassade de Chine, sur Massachusetts Avenue, mais jamais encore il ne s'était aventuré dans l'allée bordée de magnolias et de lauriers. Aujourd'hui, pourtant, c'était d'un pas ému qu'il franchissait la limite fixée par les colonnes de pierre grise du portique et qu'il pénétrait dans le vestibule. A la réception, un garde répondait au téléphone. Dès qu'il eut aperçu le nouveau venu, il l'invita à s'asseoir et Henry Campbell en profita pour observer les lieux. Bien vite, il remarqua d'innombrables armoires vitrées dans le couloir voisin, un imposant escalier en bois massif...

Brusquement, Henry Campbell nota que le garde le surveillait du coin de l'œil.

— Bonjour, fit-il. Pardonnez-moi, je suis un peu en avance. Je m'appelle Henry Campbell et j'appartiens au Comité de la Chine libre. J'ai rendez-vous à 15 h 30 avec mademoiselle Lilian Chin.

Machinalement, le garde vérifia sur le registre, puis déclara d'un ton métallique que Mlle Chin se trouvait toujours en réunion. A nouveau, il invita Henry à prendre place sur l'un des fauteuils voisins.

Le geste large, il désignait même une petite salle proche, aux parquets gémissants, au superbe mobilier. Contre le mur de droite, on trouvait ainsi deux splendides chaises en ébène sculpté que côtoyaient deux guéridons assortis. Impressionné, Henry alla jusqu'à se pencher sur les vases de jade, laiteux à souhait. Henry Campbell se vantait d'être un amateur éclairé et, cette fois-ci, tant de beautés lui coupait le souffle.

Accrochées aux murs, il remarqua des photographies de Sun Yat-sen, de Chang Kaï-chek et de Mme Chang. Sur les plus récentes, le vieux maître de la Chine présentait des paupières tombantes, affreusement fatiguées, tandis que son épouse semblait avoir abusé d'un redoutable crayon pour mieux souligner une bouche et des sourcils démissionnaires. L'un comme l'autre paraissaient avoir subi les soins d'un embaumeur tant ils incarnaient un passé figé dans l'éternité.

Henry Campbell entra ensuite dans une autre pièce où trônait une énorme cheminée dotée d'un manteau d'une épaisseur incroyable. Il y avait là également un tableau immense, une huile, de Chang. Le mur du fond était, lui, recouvert des traditionnelles peintures sur soie illustrant quelques paysages d'une mièvrerie gentille. Henry finit par comprendre qu'il se trouvait dans le salon d'honneur. A droite, il repéra un couloir qui, sans nul doute, menait à la salle de réception où l'on dressait les célèbres buffets de l'ambassade.

Il ne se passait pas de réception à l'ambassade de Chine sans que les journaux n'en remplissent des colonnes louangeuses. Les commentaires allaient bon train, s'inscrivaient dans une légende digne des fastes des Mille et Une Nuits. On se serait cru à quelque cérémonie princière.

Henry et ses collègues se plaignaient, depuis fort longtemps, de la « mornitude washingtonienne ». Dans la capitale, les mondanités n'existaient pas. Comment aurait-ce été possible d'ailleurs ? Le Président et Mme Eisenhower ne sortaient guère et, à dire vrai, ils n'avaient rien de boute-en-train. Ici, au contraire, à l'ambassade de Chine, tout événement prenait un caractère légendaire, délicieux. On avait vanté à Henry les fragrances de musc, le chatoiement des soies qu'arboraient des créatures au teint de porcelaine, les discussions pétillantes. Il avait lu maints articles sur le buffet extraordinaire avec ses plats ronds et ovales où les mets se trouvaient disposés selon les règles d'une symétrie toute-puissante. Un chroniqueur déchaîné avait même parlé d'un irrésistible kaléidoscope culinaire.

Pour le coup, Henry regardait la salle de réception d'un œil chaviré qui s'efforçait de recréer l'atmosphère de ces nuits de gala. L'âme frémissante, il se laissait emporter par les délices d'un rêve fastueux quand quelqu'un lui tapota le bras :

— Mademoiselle Chin vous attend.

Et le garde de désigner du doigt l'escalier...

Henry passa donc devant les diverses vitrines qui ponctuaient le couloir. Elles abritaient une incroyable collection de tabatières, les unes taillées dans le cinabre, les autres en céramique ou en jade sculpté. C'étaient des sauterelles aux ailes repliées ou des Bouddhas hilares et rebondis. Derrière une vitrine, Henry Campbell aperçut même des cages pour criquets, de ces minuscules cases de bambou à peine plus grandes qu'un étui de cartes à jouer. Il y avait aussi des cohortes de cupules et de sautoirs destinées à l'entraînement des insectes dressés par quelque maître épris de perfection.

Henry, devant tant de bizarreries, s'étonnait. Ce peuple lui semblait plus que surprenant. Ces êtres prodigieux et capables de donner au monde de fabuleux chefs-d'œuvre s'adonnaient à des futilités insensées qui les poussaient à chatouiller les criquets !

— Bonjour, monsieur Campbell, entrez donc, je vous prie ! s'écria Lilian Chin dès qu'elle l'aperçut.

Elle vint aussitôt à sa rencontre et lui tendit une main fraîche.

Henry s'émut devant la pâleur de sa peau parcourue de minces veinules bleutées, d'un grain si dense que la chair exsudait une fragilité tendre et bouleversante. Lilian avait également un regard étonnant, noir et plein de douceur, de ces grands yeux francs qu'accentuait le maquillage. A sa main droite, une bague, simple perle sertie sur une monture en or.

— Vous venez étudier avec moi les modalités de la réception prévue à l'ambassade le 10 juin prochain, monsieur Campbell ? C'est bien cela ?

Sa voix, haut perchée, portait la marque des prestigieuses écoles britanniques.

A ces mots, il plongea dans sa serviette et en tira une liste de noms :

— Oui. C'est un grand honneur pour les membres de notre organisation que d'avoir été invités à cette réception. Nous sommes ravis à l'idée de rencontrer le ministre des Finances de T'ai-wan. Par ailleurs, nous serons extrêmement flattés de vous présenter des gens susceptibles d'intéresser votre hôte de marque.

Lilian parcourut la liste. Elle reconnut les noms de diverses personnes appartenant au Comité de défense de la Chine libre, une organisation anti-communiste favorable à la Chine nationaliste qui détenait un immense pouvoir à Washington même. Sur le papier, Lilian notait aussi les patronymes de quelques millionnaires célèbres qui devaient leur fortune au régime de Chang Kaï-chek.

— Oui ! fit-elle. Je les connais pour la plupart. Sauf... attendez... Qui est donc cet Edward Wolfert ?

— Un homme d'affaires bien disposé à l'égard de T'aiwan, mais qui s'interroge quant au statut futur de l'île. A New York, il fait la pluie et le beau temps. Il pourrait nous être extrêmement utile et nous espérons que la rencontre avec le ministre l'aidera à changer d'avis et à se joindre à nous.

Lilian, compréhensive, hocha la tête.

— Sachez que les membres de l'ambassade seront toujours heureux de voir le cercle de leurs amis s'agrandir.

— Merci, mademoiselle.

L'espace d'une minute, Henry parut rêveur.

— Il existe toutefois un autre problème que, à titre d'attachée culturelle, vous pourriez nous aider à résoudre.

— Je serais ravie de vous être de quelque utilité, monsieur.

— Pourriez-vous nous communiquer une liste de résidents d'origine chinoise, sans lien particulier avec l'ambassade et vivant à Washington ? Nous aimerions les inviter.

— Je crains de ne pas comprendre, monsieur Campbell...

— Eh bien...

Un tantinet embarrassé, Henry cherchait les mots justes.

— Nous souhaitons présenter de nouveaux visages à des gens tels que monsieur Wolfert, à des gens susceptibles d'entrer dans notre organisation. Lui, enfin... ce monsieur Wolfert, connaît déjà la plupart des Chinois influents de la région. Nous voulons lui montrer que les commerçants ne sont pas les seuls Chinois favorables à la cause de la Chine nationaliste. Connaîtriez-vous des médecins, des avocats, voire des artisans ou des enseignants désireux d'assister à cette réception ? Des gens qui représenteraient un autre aspect, une autre frange de la population chinoise de Washington ?

Henry Campbell n'avait pas plutôt terminé de parler que Lilian songeait à Richard. Elle savait pourtant qu'il préférait demeurer à l'écart de ce genre de manifestations. Elle devait, cependant, pouvoir lui demander une liste de noms. Il n'irait tout de même pas s'en formaliser ! Lilian était certaine que bien des membres de la communauté seraient heureux et flattés de recevoir une invitation. Elle griffonna aussitôt quelques mots sur son petit carnet et adressa un vague signe de tête à son interlocuteur.

— Je ferai de mon mieux, monsieur Campbell. Je vous le promets.

— Parfait !

Henry rayonnait. L'espace d'un instant, il avait craint quelque problème de susceptibilité. Maintenant qu'il contemplait le beau visage grave de Lilian, toutes ses appréhensions s'envolaient. Il ne doutait plus du succès de la soirée. Cette jeune personne était charmante et les Chinois un peuple adorable, se répétait-il avec délice.

Une demi-heure plus tard, Lilian raccompagnait Henry Campbell à la porte.

— Merci encore de m'avoir consacré ce temps précieux. Je crois que nous avons vu tout ce que nous voulions voir ensemble.

— Je suis certaine que cette soirée sera un succès, monsieur Campbell. Sincèrement, l'impatience me gagne.

Toujours souriante, Lilian observa son visiteur qui descendait l'escalier, puis revint à son bureau, soulagée. C'était son dernier rendez-vous de la journée ! Tout s'était bien passé. Elle jeta un coup d'œil sur sa montre : 4 heures et demie ! Richard lui avait dit que le Comité devait se réunir en début d'après-midi. La décision était sûrement prise, maintenant. Il n'allait pas tarder à appeler. Le cœur en joie, la jeune femme s'obligea à étudier ses notes concernant la réception du 10 juin. Autant commencer à réfléchir aux détails de l'organisation : fleurs, menu, limousines ! Pourtant, son regard ne cessait de revenir sur le téléphone. Lui accorderaient-ils la promotion qu'il espérait tant ? Deux ans s'étaient écoulés depuis le premier refus. A l'époque, il y avait tout juste six mois que Richard et Lilian se connaissaient, mais, déjà, la jeune femme avait partagé la déception de cet homme si séduisant à ses yeux.

A l'époque, ils ne parlaient pas encore d'avenir. Ils n'auraient pas osé. Dès le début, Richard avait su que Lilian risquait à tout moment d'être rappelée à T'ai-wan. Cette éventualité ne les avait néanmoins pas dissuadés de continuer à se voir, en amis d'abord, plus sérieusement ensuite.

Lilian s'était montrée discrète. A l'ambassade, nul ne soupçonnait sa liaison avec Richard. Tous deux se faisaient invisibles dans la vaste arène que constituait la bonne société de Washington. Ils dînaient au hasard de petits restaurants, assistaient à quelques concerts dans la bibliothèque du Congrès. Quand Richard apprit que le Comité comptait discuter d'une modification de son statut au sein de la firme, il en parla tout naturellement à Lilian. Il découvrit alors, avec stupeur, la part que la jeune femme avait prise dans sa vie en l'espace de six mois seulement. Les deux jeunes gens durent donc se rendre à l'évidence : leur relation prenait une grande, très grande importance.

Lilian avait trente-deux ans et vivait aux États-Unis depuis deux ans maintenant. Pour Richard, elle se sentait prête à rester dans ce pays. Elle en vint même à s'interroger sur ses véritables sentiments vis-à-vis de son ambassade et de son pays, T'ai-wan. De son plein gré, elle n'aurait jamais cherché à devenir citoyenne américaine, mais cette éventualité accrochée à l'anse d'une corbeille de noces n'était pas pour lui déplaire.

Richard, de son côté, ne pouvait présager de l'avenir. Pour cette raison, il garda le silence. Lilian, cependant, attendait, persuadée à juste titre que Richard attendait aussi. Tous deux attendaient donc la fameuse promotion, censée jouer le rôle de catalyseur.

Hélas ! il n'y avait pas eu de promotion ! Richard n'avait donc pas fait sa demande. Les deux jeunes gens continuèrent à errer de lieux en lieux, telles des ombres tourmentées. La tension, peu à peu, grandit. L'un et l'autre savait assez qu'il restait encore trop de questions sans réponses. A l'ambassade aussi, des tensions naquirent. Entre Washington et T'ai-wan, on haussait le ton. Les déclarations naguère chaleureuses véhiculaient maintenant amertume et hostilité. Lilian se trouvait écartelée entre devoir et sentiments. Inquiet, Richard la questionnait. Elle s'agaçait. Elle devinait qu'il risquait pareille question parce qu'il était las et à bout. Elle le comprenait bien. Comment parler de l'avenir dans la situation où il se trouvait ? Il n'avait aucune certitude.

Dieu merci, deux ans avaient passé maintenant et le Comité se réunissait à nouveau. L'attente recommençait.

Au même moment, le téléphone sonna.

— Richard ?

— Bonjour Lilian.

— Comment vas-tu ? Et alors ?

— J'ai gagné, Lilian ! Me voici promu associé !

Le cœur de la jeune femme fit un bond dans sa poitrine.

— Oh ! Richard ! Que je suis heureuse pour toi !

— Serais-tu libre maintenant ?

— Oui.

— J'ai réservé une table pour 6 heures, mais nous pourrions peut-être prendre un verre ensemble auparavant. Non ? Si on se retrouvait à 5 heures ?

— Excellente idée !

— Tu as les billets ?

— Oui. Le concert débute à 8 heures.

— La soirée s'annonce splendide.

— Je suis tellement heureuse pour toi, Richard.

— Merci.

L'espace d'un instant, ils observèrent un profond silence. Finalement, ce fut Richard qui le rompit en déclarant :

— Je vais quitter le bureau maintenant. Nous parlerons tout à l'heure.

Ils raccrochèrent en même temps.

Jean-Claude, maître d'hôtel du restaurant Francine's, s'empressa de débarrasser Lilian de son manteau léger.

— Prendras-tu un vermouth, Lilian ? demanda Richard.

Il commanda donc un vermouth et un whisky soda, puis entraîna sa compagne vers la table spécialement réservée à leur intention.

Jean-Claude, ravi, leur souriait du fond du cœur tout en leur tendant les menus. A son avis, Richard et Lilian formaient un couple parfait. Depuis plus de deux ans qu'ils fréquentaient le restaurant, Jean-Claude les connaissait bien. Il se targuait de toujours pouvoir reconnaître ses clients. En l'occurrence, l'affaire n'était pas extrêmement compliquée. De leurs origines, il n'aurait pu parler. A leur taille élancée, il savait qu'il ne s'agissait pas de Japonais. L'un comme l'autre était plutôt mince et gracieux, avait une carnation délicatement ivoire. La jeune femme était en général habillée à l'occidentale. D'une élégance remarquable, elle portait souvent des nuances de bleu et de rouge avec une pointe de noir qui soulignaient son teint délicieux. Jean-Claude admirait en outre sa somptueuse chevelure d'Asiatique qu'elle relevait pour mieux mettre en valeur ses pommettes hautes, son profil très pur. Devant tant de grâce, le maître d'hôtel se répétait que les Orientales avaient autant d'allure et de chic que les Françaises. Enfin, presque !

L'homme faisait montre d'une courtoisie remarquable et s'exprimait d'une voix grave et bien posée. Il passait commande avec distinction et assurance. Il avait du style, Jean-Claude ne le niait point.

Il les connaissait sous les noms de M. Peng et Mlle Chin et supposait qu'ils n'étaient pas mariés. A les voir, on devinait qu'ils n'étaient pas du genre à mener une existence de parents traditionnels avec enfants. Peut-être avaient-ils passé l'âge ? Peut-être auraient-ils, malgré tout, des enfants un jour ? Des enfants qui viendraient à leur tour dîner chez Francine's.

Ce soir, il frémissait de fierté. Ils avaient suivi ses conseils et commandé de la sole au champagne ! Son cœur débordait de joie ! Il en aurait siffloté, mais se contenta de bousculer le sommelier chargé de s'occuper des boissons du jeune couple.

Quelques instants plus tard, Lilian levait son verre :

— Félicitations, Richard ! Je suis très, très heureuse pour toi !

Richard lui rendit son sourire et tous deux dégustèrent ce vin délicieux.

— Alors ? Qu'a dit Christensen ? Et Eric Johns ? Quelle a été sa réaction ?

— Tous semblaient ravis. Peter m'a même dit qu'il y avait eu unanimité. J'en ai été extrêmement surpris.

— Pourquoi ?

— J'ai toujours cru percevoir des réticences à mon égard de la part de Christensen et d'Eric Johns. Enfin, peut-être le terme réticence est-il trop fort... C'est difficile à cerner. Ils se sont toujours montrés polis, bien sûr, mais je devine quelque chose de viscéral. Ils aimeraient bien pouvoir m'aimer, mais n'y parviennent pas. Ils aimeraient bien pouvoir me faire confiance, mais ne peuvent s'y résoudre, surtout en ce moment.

— Comment en être sûr ? Après tout, tu as gravi tous les échelons de l'entreprise !

— Ils ont conscience de mes compétences : préparation des dossiers, recherches, rédaction de rapports ennuyeux. Ils ne pensaient jamais que je pourrais traiter directement avec de gros clients. L'idée ne les avait même pas effleurés. Je ne suis pas convaincu que mon ambition leur plaise...

— Tu crois que cette promotion...

— Je n'en sais rien. Il me faut attendre quelques mois encore pour être fixé. Pour l'instant, il est bien trop tôt.

Sur ces entrefaites, le serveur apporta les amuse-gueule. Richard avait commandé des étrilles fraîchement pêchées dans la baie de Chesapeake, qu'il s'empressa d'ouvrir. Lilian avait, elle, demandé un artichaut sauce hollandaise. On échangea, bien entendu, en se coulant des regards très amoureux. En son for intérieur, Lilian se répétait qu'il valait mieux calquer son humeur sur celle de Richard. Il se méfiait encore des raisons qui avaient présidé à sa promotion, mais affichait un sourire réjoui. Il parlait du concert, dégustait le vin avec des mines gourmandes. Lilian, qui rêvait pourtant de confidences autrement tendres, faisait contre mauvaise fortune bon cœur et poursuivait cette conversation comme si de rien n'était.

Ils avaient à peine terminé le plat principal quand Jean-Claude vint leur demander s'ils souhaitaient un dessert. Richard lui expliqua qu'ils se rendaient à un concert et demanda l'addition.

— Nous prendrons un café en sortant, si tu le désires, dit-il à Lilian.

Il avait un ton guilleret, étonnant. Quand la note arriva, il eut également un comportement curieux, sortit triomphalement un billet de vingt dollars qu'il se mit à agiter de manière si incongrue que Lilian, choquée, lui posa la main sur le bras en demandant, inquiète :

— Richard, tu vas bien ?

— Oui, oui. Très bien.

Elle remarqua alors l'éclat surprenant de ses yeux, comprit que l'alcool n'y était pour rien, que sa conversation enjouée, son attitude trop gaie, ne devaient rien au vin, mais à la nervosité.

Elle l'observa de plus près. Il avait le visage couvert d'une fine transpiration.

— Richard ?

Cette fois, il scrutait l'entrée du restaurant, le coin vestiaire où Jean-Claude était parti chercher le manteau de la jeune femme.

— Lilian... dit-il.

Elle attendit.

— Auras-tu un week-end de libre au cours du mois prochain ?

Lilian essayait bien de réfléchir. Hélas ! Tout effort demeurait vain.

— Je dois me rendre à New York très bientôt afin que ma mère puisse signer les documents officiels concernant sa boutique, ici, à Washington.

Il hésita...

— M'accompagnerais-tu ?

Lilian avait déjà interrogé Richard au sujet de sa mère, mais il ne lui avait pas dit grand-chose. La jeune femme savait simplement qu'il était fils unique et qu'ils avaient émigré, seuls, aux États-Unis. Or, Lilian connaissait la force des liens qui unissaient toujours une mère chinoise à son seul et unique fils.

— Ne préférerais-tu pas régler ces affaires sans moi ? demanda-t-elle.

Richard hocha la tête impatiemment.

— Non ! Pour cela, quelques minutes suffiront amplement. Non. Je veux... j'aimerais que... tu fasses sa connaissance.

Un sourire exquis fleurit alors sur les lèvres de Lilian.

— Enfin ! Peut-être vaudrait-il mieux dire le contraire, que j'aimerais qu'elle fasse ta connaissance ! Peu importe ! ajouta-t-il à mi-voix.

Au même moment, Jean-Claude revint avec le manteau de Lilian, et Richard sortit du restaurant à la vitesse de l'éclair sous prétexte qu'il leur fallait un taxi.

Lilian prit donc seule congé du maître d'hôtel et rejoignit Richard qui attendait, sur le trottoir, devant un véhicule flambant neuf. Tous deux s'installèrent à l'arrière et, là, dans l'obscurité tiède, Richard, pâle comme un mort, demanda d'une voix émue :

— Alors ? Viendras-tu avec moi ? Le mois prochain ?

Elle éclata de rire. Une faiblesse terrible lui venait qui la menait au bord de l'évanouissement et le vin n'y était pour rien.

— Oui, dit-elle.

*
**

Assise devant la table de cuisine, Mei-yu affrontait maintenant une rame de papier à lettres. Courageusement, elle écrivit tout d'abord la date, puis en idéogrammes appliqués :

Ma chère Ah-chin,

Voici maintenant deux semaines que nous sommes arrivées, mais c'est seulement la première occasion que je trouve pour t'écrire ce mot. J'ai l'impression de me trouver si loin de toi, de vous ! A croire que je t'écris d'un pays étranger. Comment allez-vous, toi, Ling et Wen-wen ? Je pense bien souvent à toi et à Bao. T'a-t-il enfin appris sa fameuse recette à la moutarde et à la sauce au soja ? Aujourd'hui, figure-toi que j'avais une envie folle de sentir l'odeur de ce mets ! Incroyable ! Il s'est passé tant de choses déjà ! Par quoi commencer ? Notre vie est tellement différente à présent. Notre nouveau logement est un appartement moderne que Richard, le fils de madame Peng, a eu la gentillesse de mettre à notre disposition. Quand tu viendras ici, tu verras comme ce logement est grand. Tellement grand que, des jours durant, Sing-hua et moi avions l'impression de nous y perdre. Notre cuisine est aussi grande que notre logis de Chinatown. Quant aux aménagements ! Bao en serait jaloux ! Tu sais, son réfrigérateur, dans l'arrière-salle du Sun Wah, il faisait un bruit incroyable. Nous avions même peur que tout explose ! Ici, le nôtre chantonne, murmure et il est si grand que nos provisions tiennent sur une seule clayette.

Mei-yu relut ce paragraphe et soupira. On n'avait pas le droit de se vanter de sa bonne fortune quand vos amis continuaient à peiner. A peine cette pensée l'eut-elle effleurée qu'elle fit une grosse boule de sa lettre et recommença...

Notre nouveau logement est propre et moderne, mais dix fois trop grand pour Sing-hua et moi. Tu verras lorsque tu viendras nous voir. C'est un gaspillage éhonté. Je suis sûre de dépenser une fortune en chauffage, cet hiver.

Cette fois, le ton de la missive lui plaisait. Ses amis n'iraient pas l'envier. Mei-yu savait qu'Ah-chin ne pourrait s'empêcher de montrer la lettre à tout le monde. Aussi continua-t-elle sur le même registre :

On m'a également permis de venir travailler avec Sing-hua qui n'ira pas à l'école avant l'automne. J'en ai été très soulagée. La petite se munit donc de crayons et de papier. Elle apprend à écrire et à compter à côté de moi. A midi, pendant la pause, nous allons nous promener et explorer les alentours. Il y a même un endroit où l'on fait un plat américain appelé hamburger dont Sing-hua raffole. Ces hamburgers ne sont guère plus gros que les boulettes de viande préparées par Bao et ne coûtent vraiment pas très chers. Sing-hua est capable d'en avaler trois ou quatre par repas. J'espère trouver bientôt quelqu'un qui restera à la maison avec elle. Souviens-toi, nous nous aidions beaucoup, toi et moi, n'est-ce pas, Ah-chin ?

Mei-yu relut sa lettre et, à nouveau, soupira de découragement. Ses efforts restaient vains ! Plus elle tentait de gommer le phénomène d'éloignement, plus la distance se marquait. Comment expliquer la voiture noire et brillante, la baignoire remplie d'eau chaude, la douceur des murs recouverts de carreaux de céramique ? Comment décrire Kay Lynn, sa nouvelle amie, qui achetait avec délices maintes babioles futiles telles que barrettes, figurines en pâte de verre ou mesureur en plastique ? Mei-yu ne pouvait oublier ce jour, à Chinatown, où Ah-chin avait passé un moment interminable devant un étal de melons : inlassablement, elle avait soupesé tous les fruits avant de les rejeter dans le panier en murmurant avec chagrin :

— C'est trop cher pour nous !

Ah-chin... que penserait-elle de Kay Lynn ?

Dès le premier jour de leur arrivée, Kay Lynn avait emmené Mei-yu et Sing-hua à la boutique. Durant tout le trajet, la jeune femme n'avait cessé de bavarder. Elle raconta ses derniers achats, fit un cours sur la manière de préparer un jus d'oranges à partir de pulpe pressée et congelée tandis que Mei-yu, rongée d'impatience, sursautait à chaque arrêt du véhicule. Étaient-elles enfin arrivées ? Dieu merci ! Kay Lynn avait fini par déclarer d'un ton solennel :

— Voici le centre commercial Clarendon ! C'est là que se trouve le magasin !

Devant l'enseigne *Aux Tailleurs de Hong Kong,* Mei-yu s'étonna. Personne, dans le groupe, n'était originaire de l'ancienne Victoria. C'est Kay Lynn qui, un peu plus tard, lui donna la clé de ce mystère. Les Américains, lui dit-elle, croyaient fermement que seul Hong Kong formait des artisans de qualité produisant un travail à des prix nettement compétitifs. Voilà pourquoi Nancy Gow avait choisi une telle dénomination. Une fois à l'intérieur de la boutique, Mei-yu s'émerveilla des aménagements réalisés : l'impressionnant comptoir, la batterie de néons qui offraient une clarté apaisante ! Mei-yu, qui n'avait pas oublié l'unique et malheureuse ampoule qui éclairait le pauvre atelier de Chinatown, en soupirait de satisfaction.

Nancy Gow, la fameuse gérante, lui donna une poignée de main ferme et rassurante. Elle parlait un anglais excellent et portait des lunettes bleues dont les montures relevées sur les bords lui donnaient un faux air de chat. Très fière, elle montra à Mei-yu la salle de travail qui se trouvait divisée en trois sections, chacune équipée d'une superbe machine à coudre, d'une presse, d'une table de coupe et d'un mannequin. Mei-yu remarqua également nombre de boîtes pleines d'aiguilles, d'épingles et de fils de toutes les couleurs.

— Vous surveillerez le travail des petites mains qui arriveront dans le courant de la semaine. Vous serez chargée de la répartition des tâches et veillerez à la qualité des travaux effectués. Tenez...

Du doigt, elle désignait un endroit un peu à l'écart.

— Voilà votre place !

Mei-yu contempla un instant l'immense table de bois sombre, la planche à dessin, la machine à coudre et les trois paires de ciseaux. Machinalement, elle s'empara de la paire la plus grande et se mit à l'essayer tandis que Nancy Gow, en professionnelle convaincue, poursuivait ses explications :

— Voici le style de vêtements que nous offrirons à nos clients !

Elle feuilletait un catalogue qui présentait une collection impressionnante de robes, vestes, jupes, chemisiers et tenues de soirée, sans compter la lingerie fine. Il y avait même des modèles dont Mei-yu n'aurait jamais osé rêver.

— Le magasin offrira également un service de teinturerie et de retouches. Kay Lynn vous expliquera notre manière de fonctionner. Auriez-vous quelques questions à me poser ?

— Non.

Un tantinet perdue, Mei-yu jeta un regard perplexe autour d'elle. Fernadina, qui errait d'un endroit à l'autre avec des mines de chatte curieuse, lui arracha un sourire.

Kay Lynn intervint sur ces entrefaites, expliqua :

— Nous avons un essayage cet après-midi, puis nous

devons aller présenter notre collection à trois personnes différentes.

L'esprit en déroute, Mei-yu répondit machinalement :

— Oui, oui.

Au même moment, Nancy Gow poussa un cri angoissé :

— Kay Lynn ! Tu ne m'avais pas dit que monsieur Peng devait passer aujourd'hui !

Apparemment très surprise, Kay Lynn se tourna vers l'entrée du magasin en ouvrant de grands yeux. Nancy, elle, se précipita à la rencontre du visiteur qui attendait, patiemment, à l'entrée.

— Ah, Nancy ! Le résultat dépasse toutes nos espérances ! Ce magasin est splendide ! Vous avez accompli un travail de titan en l'espace d'une semaine ! fit-il d'un ton très chaleureux.

— Merci beaucoup, monsieur ! Vos compliments me vont droit au cœur. Mais, dites-moi, comment trouvez-vous le comptoir en formica ? Et les chaises ? Croyez-vous qu'elles réussissent à donner ce petit plus que nous cherchions à obtenir ?

— A mon avis, oui. Au fait, les ouvriers ont-ils installé les machines correctement ?

Déjà, il filait vers le fond de la boutique.

— Êtes-vous satisfaite, Nancy ? Tout est-il prêt, maintenant ?

— Oui ! Ils sont venus mardi dernier et tout a été réglé sans problèmes à ce moment-là. J'ai tout vérifié moi-même. Oh ! Monsieur Peng...

Et Nancy de pousser doucement Mei-yu.

— Laissez-moi vous présenter Wong Mei-yu. Elle est arrivée vendredi.

Mei-yu et Richard échangèrent une poignée de main polie.

— Bienvenue, madame Wong. J'espérais bien vous rencontrer aujourd'hui. Ma mère m'a écrit une longue lettre où elle ne cesse de chanter vos louanges. Je suis ravi de vous savoir désormais parmi nous. C'est votre fille ?

Il n'essayait même pas d'obliger l'enfant à sourire, à rendre la politesse et Mei-yu lui en sut gré. Un tel comportement était rare chez un adulte. Souvent, en effet, des gens se formalisaient d'un mouvement de sauvagerie normal de la part d'un enfant et en profitaient pour mettre en doute sa bonne éducation et sa gentillesse.

Richard, en revanche, se montrait simple, malicieux. Il ne s'attarda pas en de vaines mièvreries, passa à un examen attentif du magasin et de ses installations.

Mei-yu qui l'observait à la dérobée lui trouvait l'air d'un homme originaire du nord de la Chine. Elle n'osa, cependant, l'examiner bien longtemps et fit mine d'essayer à nouveau une paire de ciseaux. De temps à autre, elle relevait la tête, s'étonnait : Richard ne ressemblait absolument pas à sa mère ! Il avait un visage fin mais fermé, et une expression un peu dure. Ses cheveux épais, partagés par une raie sur le côté, correspondaient aux sourcils hauts et marqués. Il avait le regard direct, franc, et fixait Nancy droit dans les yeux tout en acquiesçant de temps à autre. Quand le groupe se déplaça, Mei-yu nota la démarche souple qui trahissait pourtant une certaine tension. Il n'avait manifestement pas hérité de l'aisance de sa mère. Ce détail, apparemment, ne troublait point Fernadina qui s'attachait à ses pas. Gênée par l'attitude de sa fille, Mei-yu rangea les ciseaux et rappela l'enfant. D'un geste très doux, elle caressa les cheveux de Fernadina jusqu'au moment où elle se rendit compte que Richard Peng venait droit sur elle.

— Je suis ravi de vous avoir rencontrée, madame Wong, dit-il.

Il ne souriait pas, mais ses yeux exprimaient une grande sollicitude.

— Je suis certain que vous vous plairez parmi nous. Kay Lynn veillera sur vous. N'hésitez pas à la consulter si nécessaire. Oh ! J'allais oublier ! Il est encore un peu tôt, mais j'aimerais vous transmettre une invitation pour une réception un peu particulière à l'ambassade de Chine. La réunion est prévue pour le mois de juin. Vous devriez recevoir le carton d'ici une semaine ou deux.

Il se tourna alors vers Kay Lynn qui le couvait d'un œil fiévreux.

— Bien entendu, j'espère que Nancy et Kay Lynn seront également des nôtres, ce soir-là.

Une fois cette précision apportée, il reporta son attention sur Mei-yu.

— La plupart des membres de la communauté chinoise seront présents. Ce serait, à mon avis, l'occasion où jamais de les rencontrer. Par ailleurs, les réceptions de l'ambassade sont célèbres pour leur faste.

— Oh ! J'ai entendu beaucoup parler ! Nourriture excellente ! s'écria Kay Lynn, incapable de se taire plus longtemps.

— Pouvons-nous espérer vous y rencontrer ? demanda alors Richard à l'adresse de Mei-yu.

Mei-yu, de son côté, réfléchissait. Jamais encore, elle n'avait pénétré dans une ambassade. En Chine, quelqu'un, un jour, lui avait décrit l'un de ces temples pour célébrités. On y croisait des chefs d'État, des diplomates, des acteurs, des actrices, des gens riches et influents. Comment aurait-elle pu s'imaginer en pareille compagnie ?

Mei-yu s'interrogeait sur la conduite à tenir quand elle sentit que Richard et Kay Lynn attendaient une réponse, un commentaire.

Alors, elle balbutia :

— Oui, merci. Je suis extrêmement flattée.

— Très bien ! Je suis ravi, fit Richard Peng.

Il ponctua sa remarque d'un sourire pour Fernadina, échangea quelques mots avec Nancy, puis quitta le magasin.

A peine s'était-il éclipsé que Kay Lynn arrangeait une mèche de cheveux en déclarant :

— Monsieur Peng est bien. Très bien, même. Il a l'air froid d'homme d'affaires, mais il est très gentil. Demande à Nancy. Quand elle est venue ici, il y a huit ans, avec mari et enfants, il l'a aidée à s'installer. D'abord, il a trouvé travail pour mari dans pharmacie du centre-ville, ensuite, il a trouvé travail pour elle dans magasin de vêtements à Chinatown. Maintenant, Nancy fait beaucoup d'économies et achète maison tout près d'ici.

Mei-yu, poliment, fit mine d'écouter le discours de Kay Lynn, mais son esprit était ailleurs. La jeune femme éprouvait une drôle d'amertume : elle n'avait sûrement pas fait bonne impression sur Richard Peng ! C'est à peine si elle avait ouvert la bouche ! Et que lui avait donc dit sa mère ? Le démon de la curiosité la piquait. Comme mère et fils étaient différents !

— As-tu déjà rencontré madame Peng ? fit-elle à l'adresse de Kay Lynn.

— Non, mais Nancy m'a parlé d'elle. Tu sais, il y a longtemps, Nancy travaillait comme toi, à Chinatown. Elle dit que madame Peng a fait de grands sacrifices pour amener son fils dans ce pays, l'envoyer dans très bonnes écoles. Elle souffre beaucoup. Maintenant, elle est fière. Elle est mère de riche juriste américain. Lui est bon fils. Il s'occupe de ses affaires, ici, du nouveau magasin et va la voir souvent à New York. Maintenant, nous attendons tous que Richard se marie et qu'il ait beaucoup d'enfants.

— Il n'est pas encore marié ? fit Mei-yu.

Cette nouvelle la surprenait car Richard Peng semblait avoir plus de trente ans.

— Avant, il a épousé une Américaine. Il était très jeune. Certains disent qu'il l'a fait pour devenir citoyen américain. Moi, je ne crois pas. Pourquoi aurait-il fait ça ? Pourquoi seraient-ils restés ensemble longtemps s'ils ne s'aimaient pas ? Ils ont divorcé il y a trois ans. Pas d'enfants. Triste. Très triste.

L'air affligé, Kay Lynn hochait la tête, puis, d'une voix lourde de secrets, elle ajouta :

— Attends de voir Lilian, sa nouvelle amie ! Elle est très belle, très chic et très moderne. Ils vont se marier bientôt, je parie !

— Une Américaine ? demanda Mei-yu.

— Non ! Chinoise. Née à T'ai-wan. Elle a étudié ici. Maintenant, elle a travail important à l'ambassade. Elle parle comme toi, sans accent.

— J'aimerais beaucoup faire sa connaissance, fit Mei-yu.

Sans doute disait-elle la vérité, car à plusieurs reprises ce soir-là, elle songea à la jeune femme, chercha à l'imaginer. Pourquoi ? A cette question Mei-yu n'aurait pu répondre.

Une fois encore, Mei-yu s'efforça de ne plus penser ni à Lilian ni à Kay Lynn. Elle reporta son attention sur la lettre pour Ah-chin. Comme les mots lui manquaient ! C'était insensé, c'est à peine si elle avait réussi à écrire une malheureuse page ! Hélas ! Que pouvait-elle ajouter ? Dire que durant les jours de Chinatown, elles ne cessaient de papoter ! De quoi s'entretenaient-elles alors ! En réalité, Ah-chin commentait allègrement le prix de la nourriture, la maladie de Mme X. Elle décrivait aussi le dégoût de Wen-wen pour la viande. Wen-wen et Sing-hua constituaient leur principal sujet de conversation. Pour Mei-yu, cette pensée servit de déclic et elle se rua sur son stylo.

Sing-hua apprend l'anglais à présent et elle est impatiente de se rendre à l'école américaine, cet automne. Il y a beaucoup d'enfants dans notre résidence et ils s'amusent dans l'aire de jeux construite spécialement à leur intention.

Elle avait tout juste terminé sa phrase qu'elle se leva et gagna la chambre de Fernadina. De là, elle observa l'enfant qui se balançait très haut. Un peu plus loin, dans le bac à sable, un groupe de bambins jouaient avec une pelle et un râteau, creusaient des trous ou construisaient quelque habitation un rien futuriste. A contempler cette scène, Mei-yu devina l'esseulement de sa fille. Fernadina avait beau garder la tête haute, elle jetait pourtant de furtifs coups d'œil en direction des autres.

Apprendrait-elle jamais à jouer avec ces enfants américains ? se demandait Mei-yu. Les cris joyeux qui montaient de la cour se révélaient cependant bien différents des hurlements poussés deux semaines auparavant.

Mei-yu rangeait, ce jour-là, la chambre de Fernadina quand des criailleries avaient attiré son attention. De la fenêtre, elle aperçut Fernadina qui marchait sur une petite fille de son âge, bien qu'un peu plus grande de taille. La fillette, une Blanche, tournait le dos aux balançoires et cherchait à empêcher Fernadina de passer. Mei-yu ne distinguait pas les paroles échangées, devinait simplement l'énervement, la colère même. Elle vit Fernadina pousser sa rivale et hurla par la fenêtre ouverte. Fernadina entendit, mais ne se résigna pas pour autant à reculer d'un pas. A ce moment-là, une femme surgit en courant, fonça sur les fillettes. Affolée, Mei-yu abandonna son poste d'observation et descendit les escaliers quatre à quatre. L'inconnue secouait déjà vigoureusement Fernadina quand Mei-yu arriva sur les lieux. Elle poussa un cri terrible qui dut intimider la femme. Elle lâcha immédiatement Fernadina et attrapa sa propre fille.

— Elle a poussé ma Karen ! Je l'ai vue !

Mei-yu caressait doucement les cheveux de Fernadina, apaisait l'enfant dont le visage brûlant virait maintenant au rouge brique.

— Votre fille cherchait à empêcher la mienne de monter sur les balançoires. Elle lui bloquait le passage.

— Mais qui êtes-vous ? demanda l'inconnue.

Son teint de blonde ponctuée de taches de rousseur trahissait une colère intense.

— Mei-yu Wong. Ma fille s'appelle Fernadina. Et vous ? Ne seriez-vous pas madame Simpson ?

— Qui vous l'a dit ? Votre amie de la teinturerie chinoise ?

Mei-yu sentit le feu lui monter aux joues.

— J'avais cru comprendre que tous les enfants avaient le droit de jouer ici. Votre fille n'avait pas à empêcher la mienne d'approcher des balançoires !

— Et la vôtre ? Elle a le droit de frapper les autres, peut-être ? fit madame Simpson en agitant un index accusateur.

Mei-yu regarda Fernadina. Manifestement, l'enfant n'était pas prête d'oublier cet incident. Pourtant, elle avait eu tort d'utiliser la force.

— Sing-hua, dit-elle.

Fernadina qui tenait sa mère par la main lui pinça la paume furieusement.

— Elle doit nous présenter des excuses, ajoutait madame Simpson d'un ton féroce.

Malgré la réaction de Fernadina et son chagrin, Mei-yu s'entêta.

— Sing-hua ! dit-elle, d'une voix qui se voulait sévère.

Mais l'enfant soutenait son regard, s'étonnait de tant d'injustice. Alors, plus doucement, elle répéta :

— Sing-hua... Et si tu présentais des excuses à Karen, peut-être t'en ferait-elle aussi pour s'être montrée méchante à l'égard d'une petite voisine ? Dis-moi, qu'en penses-tu ?

Mei-yu avait-elle cherché à provoquer Mme Simpson ? Elle n'aurait pu jurer le contraire ! Toujours est-il que l'autre, furieuse, lança :

— Eh bien ! Vous avez un sacré toupet !

Sur ces mots, elle agrippa sa fille avec un geste de propriétaire tandis que Mei-yu, découragée, s'éloignait en compagnie de Sing-hua.

Elles étaient déjà loin quand Mme Simpson eut une dernière lueur de méchanceté et cria à pleins poumons :

— C'est vous qui devriez nous présenter des excuses pour vous installer dans notre pays !

Quelques minutes plus tard, Mei-yu servait un thé froid à Fernadina. Un tremblement nerveux agitait horriblement ses mains. Pourtant, qu'avait-elle fait ? Elle ne cherchait pas à se disputer avec les voisins ! Or, ses réponses avaient attisé la vindicte de la fameuse Mme Simpson ! Rien que d'y penser, Mei-yu se révoltait : son cœur battait follement tandis qu'elle observait sa fille qui buvait à petites gorgées. La jeune femme savait pertinemment qu'il lui faudrait supporter la haine, mais que son enfant puisse en souffrir l'épouvantait. Comment faire ? Apprendre à Sing-hua à répondre par l'indifférence, à poursuivre son chemin sans se préoccuper du qu'en-dira-t-on ? Elle se rendait compte que son attitude face à Mme Simpson s'inscrivait en faux par rapport à ses théories. La fillette qui reposait brusquement sa tasse sur la table mit un terme à ces réflexions et Mei-yu, du même coup, nota les paupières enfantines alourdies de fatigue. Elle conduisit aussitôt Sing-hua jusqu'à sa chambre et s'allongea avec elle sur le lit, lui caressa les tempes longuement. Consumées par une étrange langueur, mère et fille sombrèrent, frémissantes, dans un même sommeil.

Dieu merci, le lendemain était un dimanche. Mei-yu en fut ravie car elle put passer la journée entière avec sa fille. Dans l'après-midi, elles sortirent, boudèrent les balançoires et se dirigèrent vers l'école primaire, située à côté de la poste. Elles inspectèrent la cour, l'aire de jeux, essayèrent d'imaginer comment les écoliers jouaient. Dans les prés, elles ramassèrent des pissenlits et Mei-yu écrasa quelques feuilles entre ses doigts, goûta. Cela ne lui déplut pas et elle décida donc de s'en servir pour le dîner. Du coup, on en fit d'amples provisions, on lança même un pari : qui en rapporterait le plus ?

Plus tard, Mei-yu prépara un succulent repas où les pissenlits voisinaient avec de la saucisse chinoise. Il faisait bon vivre et, autour de la table, Mei-yu entreprit de raconter à sa fille le temps heureux où elle était écolière en Chine. Elle lui décrivit ces jeux où l'on utilisait les petites balles de caoutchouc ou des bâtons ou même des boules. Elle abordait des détails d'une haute technicité quand on frappa à la porte. Mei-yu et Fernadina se figèrent, prêtes à entendre cris et protestations résonner de l'autre côté de la cloison. Quand on frappa à nouveau, Mei-yu se leva. Elle découvrit un couple de Blancs qui la regardaient en souriant d'un air gêné. A leurs côtés, deux enfants. La jeune femme tenait une assiette où trônait un gros gâteau doré tandis que son compagnon tendait une main affable.

— Bonsoir ! dit-il. Je m'appelle Don Johanssen. Je vous présente ma femme, Bernice, notre fils Ronnie et notre fille, Sally. Nous habitons à deux pas.

— Nous voulions vous souhaiter la bienvenue, ajouta Bernice en riant nerveusement.

— Oh ! Oui...

Mei-yu, éberluée, avait du mal à rassembler ses idées. Ses visiteurs le comprenaient sans doute car ils n'osaient bouger. Mei-yu finit par le remarquer et s'écria :

— Pardon ! Entrez donc, je vous en prie ! Merci. Merci beaucoup. C'est tellement gentil de votre part. Entrez. Fernadina !

Toute la famille entra. Les parents d'abord avec, dans leurs jambes, les enfants qui les collaient comme des veaux nouveau-nés leur mère. La fillette paraissait un peu plus vieille que Fernadina, le garçonnet un peu plus jeune, mais tous deux, comme leurs parents, avaient les cheveux bruns et brillants.

Mei-yu les conduisit jusqu'à la salle à manger et tout le monde s'installa autour de la grande table. On avait les yeux rivés sur Fernadina qui posait sur le gâteau un regard particulièrement concupiscent. Ensuite, il fallut servir. Las ! Mei-yu n'avait pas assez d'assiettes ! Chacun utilisa donc sa main en guise de support et chacun hochait la tête et souriait poliment pour bien montrer que ce cérémonial était d'un naturel achevé. On parla peu tout d'abord. Mme Johanssen, Bernice, expliqua à Mei-yu que ce gâteau s'appelait un gâteau d'ange. Il était délicieux d'ailleurs, sucré et un rien spongieux, songea Mei-yu. En Chine, la jeune femme avait goûté à une pâtisserie similaire. Ce dessert demandait beaucoup d'œufs et de sucre, et le tout était assez cher. Mei-yu le savait qui souriait avec reconnaissance à Bernice. Don Johanssen finit par prendre la parole. Il travaillait pour le gouvernement, dans le centre-ville, et prenait le bus tous les matins pour se rendre à son bureau. Quant aux enfants, eux aussi faisaient connaissance, et Mei-yu nota avec émotion l'attitude de Ronnie, le petit garçon, qui ne cessait de contempler Fernadina avec une admiration évidente.

Puis Don Johanssen déclara :

— Nous sommes désolés de l'incident d'hier. Bernice a tout vu. Elle était à la fenêtre de notre chambre quand ça s'est produit.

Étonnée, Mei-yu releva la tête. Bernice la regardait avec sympathie !

— N'allez pas croire que Mary et Joe Simpson sont de méchantes gens, mais Joe a perdu l'un de ses frères en Corée. Depuis, le couple ne veut plus rien savoir.

Mei-yu observa ses nouveaux voisins. Eux au moins faisaient un effort. Ils ne pouvaient tout comprendre, bien sûr ! Mais elle-même, le pouvait-elle ? La guerre, par exemple, lui demeurait un phénomène absurde et révoltant, impardonnable aussi. Pourtant, elle ne parvenait pas à plaindre les Simpson. Elle revoyait le visage de la petite, la haine qui déformait ses traits et s'indignait. Cette haine-là, chez les enfants, lui semblait plus inadmissible encore. Cependant, c'est une Mei-yu impassible qui se tourna vers les Johanssen et avoua :

— Je n'ai qu'un désir : vivre en paix. Monsieur et

madame Simpson peuvent comprendre un tel souci. Ni ma fille ni moi ne cherchons le moindre problème.

Don et Bernice Johanssen opinèrent posément du bonnet tandis qu'ils invitaient leurs enfants à se lever. Les Simpson le savaient sûrement, dirent-ils pour se montrer conciliants. C'étaient de braves gens, ces Simpson. Quant à eux, ils espéraient bien que ce genre d'incidents ne se reproduirait plus.

Quelques jours passèrent. Un après-midi que Mei-yu approchait de la fenêtre, elle vit Fernadina et Karen Simpson se diriger d'un même pas vers les balançoires. Les deux fillettes, une moue pleine de superbe aux lèvres, s'ignorèrent et sautèrent chacune sur une balançoire. Ensuite, elles se défièrent... dans les airs, accompagnées par la musique lancinante des chaînes mal huilées. Ce type d'affrontement muet dura une semaine entière, puis encore une semaine... Mei-yu comprit que rien ne changerait jamais.

Aujourd'hui, elle observait Fernadina, seule sur les balançoires, tandis que les autres enfants jouaient dans le bac à sable. Curieux comme les enfants ne s'embarrassent pas de complications ! songea-t-elle. Leur affectivité fonctionnait de manière parfaitement spontanée, passionnelle. Fernadina se comportait ainsi et cette attitude lui vaudrait bien des déboires. Mei-yu en avait conscience. Bien entendu, elle surmonterait ces blessures et ces souffrances, mais que de moments difficiles en perspective !

Le cœur serré, Mei-yu revint s'asseoir à la table et reprit sa lettre. Sa décision était prise : elle ne parlerait pas des Simpson à Ah-chin. Pourquoi inquiéter son amie ?

L'avenir s'annonce bien. Nous n'avons aucune raison de nous plaindre, sauf une : tu nous manques ! Écris-nous vite, je t'en prie, et raconte-nous les derniers potins de Chinatown.

Affectueusement à toi,

Mei-yu

Comme la vérité s'avérait parfois difficile à dire ! Au point que Mei-yu avait, de temps à autre, l'impression d'être ce funambule en équilibre précaire sur son fil ! L'esprit lourd de lassitude, la jeune femme soupira, plia son mot...

Ses amis, ses chers amis de Chinatown ! Que devenaient-ils désormais ?

***

Kay Lynn transportait le plateau du dîner dans la cuisine quand elle s'arrêta pour mieux étudier son mari. Tim avait installé la planche à repasser devant la télévision et, l'œil rivé sur l'écran, passait un fer désinvolte sur une manche à demi sèche. Il regardait un spectacle de variété assez drôle, que Kay Lynn avait déjà vu. Il y avait maints sketches où intervenaient chiens, jongleurs et clowns, et l'ensemble était presque aussi amusant qu'une séance au cirque, en Chine. Du moins, tel était l'avis de Kay Lynn qui fila déposer la vaisselle sale dans l'évier avant de revenir vers Tim, mort de rire devant un gros bonhomme habillé en femme.

En cantonais, elle s'adressa à son époux :

— Tu ne trouves pas que Mei-yu commence à aller mieux ?

— Ah oui ?

Le ton manquait de conviction, mais Kay Lynn ne se laissa pas abattre.

— Moi, je lui ai conseillé de manger davantage. Tu ne la trouves pas mieux, par rapport au mois dernier ?

Pour toute réponse, Tim poussa un véritable barrissement : la perruque de la grosse dame venait de tomber par terre en révélant un crâne admirablement chauve. Convaincue qu'il n'y avait rien à attendre de son mari, Kay Lynn regagna la cuisine pour se débarrasser de la vaisselle. Ce soir-là, elle avait invité Mei-yu et Fernadina à essayer une recette de thon au fromage trouvée dans une revue féminine. Mei-yu avait déclaré que le mets était délicieux, mais elle montrait toujours une incroyable politesse. Fernadina, elle, avait demandé de la sauce au soja. Enfin! Cette enfant, que connaissait-elle de la cuisine américaine? Pas grand-chose! De toute façon, Mei-yu suivait certainement ses conseils et mangeait désormais davantage de graisse, de lard, d'oignons aussi, se répétait Kay Lynn. Elle changeait. Il suffisait de voir la texture de sa peau pour en être convaincue. Sa maigreur s'atténuait. A présent, elle n'aurait plus qu'à porter des vêtements un peu plus colorés! Quand allait-elle renoncer à ces teintes de gris et de noir? Elle ressemblait toujours à une réfugiée à peine descendue de son bateau! Kay Lynn avait bien essayé de lui conseiller le bleu ou le rose.

— Comment veux-tu être jolie à t'habiller ainsi? Tu ne vas tout de même pas porter le deuil éternellement! avait-elle déclaré à son amie.

Un peu plus tard, Kay Lynn était revenue à la charge.

— Et à l'ambassade? Tu comptes y aller comme ça?

Ensemble, elles avaient donc farfouillé au hasard des restes de coupons.

— Tiens, regarde donc!

Kay Lynn venait de trouver une soie superbe, vieux rose. Ravie de sa découverte, elle s'empressa de pousser son amie jusqu'au miroir le plus proche.

— Regarde-toi! Oh! Que tu es jolie!

Le regard de Mei-yu ne lui avait pas échappé. Alors, d'un ton autoritaire, elle décréta :

— Fais-toi donc une robe avec ce morceau-là.

Et de couper quatre bons mètres de tissu. Quelques

instants plus tard, quand Mei-yu entreprit de tâter la lourde soie, Kay Lynn la taquina, lui pinça le bras.

— Tu vas rencontrer de séduisants célibataires à cette réception ! On raconte qu'il y aura encore plus de monde qu'à celle de New York. Et toi, tu vas voir de beaux partis ! Eh ! Peut-être feras-tu la connaissance du professeur Chung ! Il enseigne à l'université américaine et il paraît qu'il est diplômé d'une très grande école, Harvard, à ce que l'on prétend. Moi, je te dis que cet homme-là est fait pour toi !

Sur ces mots, elle inspecta Mei-yu, sauta sur une mèche de cheveux et lança :

— Et ta coiffure ? Complètement démodée ! Pourquoi ne pas t'offrir une coupe et une permanente ? Et si tu essayais mon rouge à lèvres ?

A bout de forces, Mei-yu avait fini par capituler et par éclater de rire. Alors, Kay Lynn avait insisté, en anglais cette fois :

— Écoute ! Moi j'essaie d'aider. Tu ne veux pas manquer l'occasion, non ?

Le rire de Tim retentit à nouveau dans la pièce. Intriguée, la jeune femme fila rejoindre son mari et en profita pour lui demander :

— Te souviens-tu du professeur Chung qui a fait un discours lors de la réunion de la communauté, il y a quelques semaines à peine ?

Tim émit une sorte de grognement.

— Ne crois-tu pas qu'il irait bien avec Mei-yu ?

Pour le coup, Tim s'interrompit, jeta un regard de reproche à sa femme.

— De quoi te mêles-tu ? Tu ne vas pas jouer les marieuses, maintenant !

Kay Lynn n'insista plus. Elle connaissait son époux. Un soupir lui échappa cependant. Le mois de mai était là, avec son cortège de romances. Même Richard Peng en subissait les conséquences. Ne s'était-il pas rendu à New York afin de présenter sa future épouse à sa mère ? Bien sûr, il n'avait rien dit, mais Kay Lynn en était certaine. Vendredi dernier, par exemple, quand il s'était arrêté au magasin afin que Nancy signe encore quelques papiers, Kay Lynn avait bien vu Lilian dans la voiture de Richard. Elle l'avait même saluée de la main. Lilian ! Pour Richard, c'était vraiment un beau parti ! songeait Kay Lynn qui admirait profondément la jeune femme. Elle aimait son allure de mannequin, son rire chaleureux aussi. Elle saurait rendre Richard heureux. Richard qui se montrait souvent trop sérieux.

A peine le jeune homme avait-il quitté la boutique que Kay Lynn et Nancy échangeaient un regard de connivence. Sans doute annoncerait-il bientôt la bonne nouvelle !

Pour l'instant, Tim se penchait afin d'attraper une autre chemise. Kay Lynn arrêta son geste.

— Laisse-moi faire ! dit-elle en l'écartant.

L'espace d'un instant, Tim la regarda sans comprendre. Kay Lynn essaya d'en profiter.

— Dis donc, tu ne trouves pas que Mei-yu a l'air beaucoup mieux ces jours-ci ? Ne crois-tu pas qu'elle plairait au docteur Chung ?

— Chut !

Déjà, la télévision l'avait repris. Kay Lynn contempla alors les quatre musiciens aux cheveux raides de brillantine. Sidérée par leurs gesticulations, elle s'écria :

— Que se passe-t-il ? Ils ont un problème ?

Tim, alors, approcha de la jeune femme, noua les mains sur ses hanches pleines et déclara :

— Chut ! Il n'y a pas de problème. Écoute plutôt la musique, la batterie. Dis-moi, tu aimes la musique ? Veux-tu que nous achetions un électrophone bientôt, Kuei ?

Devant une telle question, Kay Lynn regarda la télévision avec une attention accrue, puis, très honnête, répondit simplement :

— Je ne sais pas !

Elle reprit le fer et ajouta :

— Moi, je leur trouve un côté bizarre !

Le pied déchaîné, Tim battait la mesure.

Ce même soir, dans l'immeuble voisin, Mei-yu fit sortir Fernadina de la baignoire, la sécha, puis attendit qu'elle eût passé sa chemise de nuit. A ce moment-là, les paroles de Kay Lynn lui revinrent en mémoire et, machinalement, la jeune femme se tourna vers le miroir, essaya de s'imaginer avec une coiffure différente. Fernadina, avec ce flair étonnant qu'ont les enfants, intervint aussitôt :

— Ne te fais pas couper les cheveux, maman !

Amusée, Mei-yu pouffa et se pencha pour lui donner un tendre baiser.

— Tatie Kay Lynn prétend que j'aurais davantage l'air américain. Ne le souhaites-tu pas aussi ?

L'espace d'une seconde, Fernadina évoqua Kay Lynn et son invraisemblable collection de barrettes et de rubans élastiques à la gloire de maints héros de bandes dessinées.

— Non, dit-elle d'un ton sans appel.

— Tatie Kay Lynn nous apprend beaucoup de choses, remarqua Mei-yu.

Cette constatation n'émut nullement Fernadina qui se glissa dans son lit d'un air boudeur. Une fois installée, elle releva le menton et déclara avec conviction :

— Je déteste le thon !

Mei-yu la gronda gentiment.

— Tu n'as pas été très polie ce soir !

— La nourriture américaine est horrible !

— Les Américains ne mangent pas que du thon, Fernadina. Il va falloir t'habituer aux sandwiches. A l'automne, tu seras obligée d'en emporter à l'école.

— Quoi ! Tu ne me prépareras plus de brioches au porc sauté ? s'écria Fernadina en ouvrant de grands yeux.

Mei-yu hocha la tête.

— Non ! Je crains de ne plus avoir le temps de te faire ce genre de gâteries, ma chérie. Toi, en revanche, tu vas me promettre de bien te conduire avec les autres enfants de l'école, de te montrer polie et respectueuse à l'égard de ton maître ou de ta maîtresse. Tu dois me le promettre, Sing-hua. C'est très important.

Fernadina cacha bien vite son visage dans l'oreiller.

— Dans quelques mois à peine, il nous faudra rencontrer le directeur pour ton inscription.

A ces mots, Fernadina se redressa.

— Tu seras à la maison quand je rentrerai ?

Mei-yu soupira et caressa le front de la petite.

— J'essaierai. J'ai parlé à madame Johanssen. Elle m'a promis de te garder chez elle s'il arrivait que je sois retardée. Tu pourras passer l'après-midi avec Sally et Ronnie.

Éberluée, Fernadina s'assit dans le lit. Un après-midi entier avec Sally et Ronnie. La dernière fois qu'elle les avait vus, elle leur avait trouvé une odeur de beurre de cacahuète ! Et sa mère voulait qu'elle les supporte des heures durant ? Écœurée, elle se dissimula sous la couverture.

Mei-yu, un brin taquine, tira légèrement sur le coin de ladite couverture et demanda :

— Es-tu sûre de vouloir la garder pour la nuit ? Il fait très chaud !

Mais Fernadina se cramponnait de plus belle.

— Soit !

La mère posa donc un baiser sur la joue de Fernadina qui ne broncha point.

Mei-yu laissa la porte entrouverte et gagna la salle à manger où trônaient sur la table les quatre mètres de soie vieux rose. Elle avait décidé d'en faire un *cheongsam*, traditionnel fourreau chinois fendu sur le côté, ainsi qu'une veste courte et ajustée.

Voilà d'ailleurs une suggestion que Kay Lynn avait oubliée ! Kay Lynn qui n'avait cessé de la pister d'un bout à l'autre du magasin en babillant comme une pie. Cela dit, Mei-yu éprouvait une immense gratitude à l'égard de Kay Lynn qui la guidait si gentiment dans cette nouvelle vie en la présentant aux commerçants et en lui expliquant le fonctionnement des machines ultra-modernes de la boutique. Elle avait même conduit Mei-yu en plein Chinatown afin de lui montrer, sur H Street, les échoppes où la jeune femme pouvait se procurer certains produits chinois.

Bien sûr, elle avait levé les yeux au ciel, bien sûr, elle avait poussé de hauts cris :

— Aie ! Aller à Chinatown ? Pourquoi ? Là-bas, tout est petit et pauvre. Très pauvre ! Tu fais tes courses au supermarché ! C'est mieux ! Ils ont tout ce que tu veux.

— Je n'ai pu y trouver la sauce au soja que je cherchais, pas plus que je n'ai aperçu de gingembre ou de soja frais, riposta Mei-yu.

Assise aux côtés de Kay Lynn, Mei-yu revoyait sa première incursion seule dans le supermarché. Une fois auparavant, elle s'y était rendue en compagnie de Kay Lynn, mais, totalement fascinée par l'amoncellement de produits divers, elle n'avait pas prêté attention aux précieux conseils de son amie. Lorsqu'elle était revenue dans ce temple, Mei-yu avait cru perdre la tête. A la section boucherie, par exemple, elle avait observé sans comprendre ces montagnes de viande sous cellophane. Comment sentir chaque morceau pour en vérifier la fraîcheur ? Comment savoir s'il y avait une quantité de graisse suffisante sur telle volaille ? Vraiment, ces Américains l'étonnaient ! Que fallait-il penser de leur comportement ? Devait-elle les considérer comme des êtres profondément confiants ou comme des niais insouciants ? Elle revoyait les quartiers de porc ou de bœuf pendus aux étals des bouchers de Chinatown, à New York. Là, elle pouvait désigner sans problèmes le morceau souhaité, expliquer comment elle désirait le voir préparer. C'était comme cela que l'on achetait de la viande ! Pas autrement. Dans Chinatown, les bouchers ne touchaient pas non plus aux têtes de cochons, de sorte que les gens pouvaient se procurer les oreilles ou les joues.

Ici, dans ce supermarché, il n'en était même pas question. Pourtant, la majorité de ces rayons flanqués de tonnes de produits soigneusement présentés offraient un avantage certain : choisir devenait un jeu d'enfant! Machinalement, la jeune femme tendit la main, s'empara d'un paquet de pois cassés. Elle l'avait là, au creux de sa paume, quand, brusquement, un visage émergea du fond de sa mémoire, se fraya un chemin dans le fouillis des souvenirs : Hsiao Pei! Souvent, Mei-yu s'en était allée faire les courses en compagnie de sa nourrice. La vieille Cantonaise lui avait appris à soupeser les fruits, à tâter les légumes, à examiner l'œil d'un poisson. L'espace d'une seconde, Mei-yu se demanda ce que Hsiao Pei aurait pensé de ce supermarché. Sans doute aurait-elle ri et évoqué les jours de l'occupation japonaise où il était si difficile de se procurer à manger. A l'époque, les pois cassés eux-mêmes constituaient une denrée rare.

Souvent, Mei-yu observait son amah qui se glissait subrepticement hors de la grande demeure familiale pour n'y revenir que quelques heures plus tard, les poches remplies de sacs de grains et de haricots secs. Elle avait tout d'un renard rentrant de maraude. Mei-yu surveillait ces équipées d'un œil désolé. Elle mourait d'envie d'accompagner Hsiao Pei et la suppliait de l'emmener avec elle. L'autre commença par refuser, puis, de guerre lasse, capitula. Elle y mit une condition, cependant : Mei-yu ne devait, sous aucun prétexte, s'éloigner. L'enfant dut déployer d'énormes efforts pour suivre le pas rapide de la nourrice qui filait comme une ombre de ruelle en ruelle. Ainsi, toutes deux parcouraient inlassablement le Pékin secret que seul découvrait le visiteur capable de se repérer dans des allées si étroites qu'une charrette n'aurait pu y passer.

Durant ces jours troublés, Mei-yu quittait rarement la

cour de la maison, sinon pour se rendre à l'école, et encore, n'empruntait-elle que les grandes avenues. Aujourd'hui qu'elle suivait les chemins secrets de Hsiao Pei, elle voyait pour la première fois les venelles les plus étonnantes de la cité, les *huntung*, bordées de minuscules maisons. Sur le seuil, les gens les regardaient passer sans même proférer un son. Mei-yu nota les vêtements grossièrement reprisés, les pieds nus. Pour la première fois de sa vie, elle aperçut des mendiants appuyés contre les murs qui tendaient un bol vide dans l'espoir de recevoir un peu de riz. Main dans la main, Mei-yu et Hsiao Pei franchirent nombre de fossés pestilentiels. Il y eut même un moment où Mei-yu faillit trébucher sur un gros tas de guenilles recouvert de mouches. La jeune fille voulut se retourner, mais sa nourrice protesta, la tira vivement par la manche.

Hsiao Pei regardait à droite, à gauche, derrière elle aussi. Elle savait que les Japonais préféraient patrouiller dans les grandes artères plutôt que de s'aventurer dans les huntung. Mais ce genre de rencontre n'était pas impossible, aussi se méfiait-elle. De peur de se faire confisquer quelque éventuelle trouvaille, Hsiao Pei n'avait emporté aucun sac. En revanche, elle disposait sous son châle d'une sorte de poche volumineuse...

Hsiao Pei et Mei-yu cheminaient donc à vive allure de par les ruelles de Pékin. Instinctivement, la jeune fille calquait son pas sur celui de son amah. Elles finirent par atteindre les faubourgs de la cité où se tenaient des cabanes en bois presque pourri. De cours, il n'y en avait point. Les portes de ces maisons précaires ouvraient directement sur le huntung. A n'en pas douter, Hsiao Pei connaissait parfaitement son affaire. Elle se dirigea sans hésiter vers l'une des habitations et, après s'être assurée que nul ne l'observait, frappa d'un coup sec. Quelques secondes plus tard, un homme entrebâillait la porte. Hsiao Pei lui montra aussitôt une énorme liasse de billets. Il prit l'argent et disparut. Mei-yu l'innocente commençait déjà à s'inquiéter : comment allaient-elles transporter le gros, le monstrueux sac de riz que cet inconnu leur donnerait en échange de cette véritable fortune ? A cet instant précis, l'homme réapparut et tendit la main en un geste mi-furieux, mi-impatient. Hsiao Pei fouilla alors sa jupe et en sortit... une bague... appartenant à Ai-lien ! Un superbe corail taillé en forme de scarabée sur une très belle monture en or. L'homme s'empara immédiatement du bijou, s'éclipsa à nouveau. Quant il revint, il donna à Hsiao Pei... un tout petit sac de pois secs et une boîte de poisson séché. Cette tractation terminée, il referma la porte. Aucun mot n'avait été échangé.

Dans le huntung, il n'y avait toujours pas âme qui vive. Prestement, Hsiao Pei avait glissé ses trésors sous son châle et repris le chemin du retour. Nul n'aurait pu deviner quoi que ce soit. Mais, sur la lèvre supérieure de sa nourrice, Mei-yu remarqua quelques très fines gouttelettes de sueur...

Elles allaient quitter la venelle quand une ombre surgit à l'autre extrémité. Il y eut quelques secondes de peur intense, on se figea sur place, puis chacun comprit et poursuivit sa route. Le calme revint.

Aux yeux de Mei-yu, le retour fut interminable. Elles n'en finissaient pas de trottiner, d'aller dans une direction, puis dans une autre. Quand, enfin, elles retrouvèrent la maison familiale, Mei-yu poussa un énorme soupir de soulagement. Hsiao Pei, elle, filait déjà vers la cuisine afin de rendre quelque compte à Ai-lien.

Elle posa donc le sac de pois et la boîte de poisson sur la table et se contenta de déclarer :

— Personne ne nous a vues.

Ai-lien dut faire un effort pour retenir un cri de dépit. Elle savait pourtant que les termes du marché noir étaient absolument odieux. A quoi bon s'indigner ? Ai-lien était sage. Elle préféra donc poser une main douce sur la joue de sa fille.

— As-tu eu peur, mon enfant ?

— Oui, maman.

— Avez-vous croisé des soldats japonais ?

— Oui, maman.

Ai-lien s'émut, se voulut rassurante.

— Tu n'as plus rien à craindre, maintenant. Nous sommes en sécurité ici.

Depuis un an que le père de Mei-yu se trouvait en prison, les soldats n'étaient plus revenus. Puis Ai-lien ajouta à l'adresse de Hsiao Pei :

— Désormais, tu iras seule. Je te suivrais volontiers, mais ne te serais qu'un fardeau !

Machinalement, son regard s'était posé sur ses pieds bandés, mutilés...

Puis, elle reporta son attention sur le sac de pois.

— Je vais les mettre à tremper, dit-elle d'un ton décidé.

Un soupçon de nostalgie au cœur, Mei-yu s'empara d'un paquet de pois cassés qu'elle jeta dans le chariot. L'âme en berne, elle erra d'un rayon de détergents à un rayon de sucreries sans plus se souvenir de l'emplacement des conserves. L'éclairage, les couleurs alentour l'oppressaient, l'agressaient. L'odeur même d'un désinfectant passé sur le sol en linoléum lui nouait la gorge. Les gens maintenant l'entouraient et des files serrées de chariots roulaient en grinçant vers les caisses. Étrange procession qui prenait fin dans le bruit tintinnabulant des pièces de monnaie. Mei-yu paya en s'adressant secrètement à Hsiao Pei : « Vois comme c'est simple maintenant ! »

Le jour de leur excursion à Chinatown, Kay Lynn gara la voiture sur H Street tandis que Mei-yu descendait l'escalier menant à l'épicerie Mee Wah Lung, un antre minuscule, odorant et si sombre que la jeune femme dut s'immobiliser à l'entrée afin d'accoutumer son regard à la pénombre ambiante. Émue, elle humait les effluves légèrement putrides du poisson séché, retrouvait l'odeur du porc rôti taillé en quartiers et placé dans un petit renfoncement au centre de la boutique. Contre le mur, elle aperçut d'immenses jarres en verre remplies de gingembre confit, de jujube, de prunes aigres, de pruneaux, d'anis étoilé et de bourgeons séchés de lys tigrés. Elle saisit un panier, adressa un sourire radieux à la Cantonaise du comptoir qui épluchait des légumes et se dirigea vers les étagères voisines pour y chercher sa sauce au soja favorite. Elle contourna une autre acheteuse qui examinait soigneusement des œufs pourris que la maison conservait dans un tonneau plein de sciure. Mei-yu trouva là tout ce qu'elle cherchait. Washington lui parut alors moins terrifiant. Elle avait trouvé un point d'ancrage.

La réaction de Kay Lynn avait été bien différente. Un cri lui avait même échappé en voyant les deux gros sacs de provisions que ramenait Mei-yu.

— Tu ne deviens jamais Américaine ! Et comment tu apprends si tu n'essaies pas ? Tu restes réfugiée toute la vie !

Agacée, elle avait lancé violemment le moteur de la Ford. Mei-yu pourtant se garda bien de riposter. Une curieuse tristesse la submergeait devant ces trottoirs vides de monde, ces façades ternes. Ici, nul vendeur ne hurlait dans la rue, nul bruit ne troublait le ronronnement régulier des voitures modernes. A côté de l'épicerie Mee Wah Lung, elle avait bien remarqué un autre magasin et trois restaurants aux enseignes colorées. Un peu plus loin, trois vieillards, au soleil, discutaient appuyés sur leur canne. La chaleur était telle qu'ils avaient renoncé à leur veste matelassée, arboraient sans honte une vieille chemise de coton, un gilet de soie usée et des pantalons à la trame fatiguée. Debout au cœur de ce minuscule îlot chinois, ils observaient le ciel avec un air de sagesse que n'aurait pas désavoué un patriarche de la Chine ancestrale.

Mei-yu, cependant, s'étonnait. Où donc se trouvaient familles et enfants ? Au bureau de la communauté ? Avaient-ils tous fui le centre ville pour gagner les faubourgs ainsi que l'avait déclaré Mme Peng ? En Chine, Mei-yu avait traversé maints villages abandonnés par des habitants paniqués devant l'avance de l'armée japonaise. Pourtant, ces vieillards l'intriguaient. Les avait-on oubliés, laissés seuls à leur triste sort ?

La jeune femme, un rien apeurée, s'interrogeait : avait-elle vraiment envie de faire la connaissance de ces gens qui migraient vers les banlieues ? Kay Lynn lui avait certes conté les succès de la famille Wan qui avait amassé une fantastique fortune dans la restauration et vivait désormais à Chevy Chase, l'un des quartiers les plus chics de la capitale, lui avait même vanté les mérites du professeur Chung. Les histoires de Kay Lynn mettaient toujours en scène de fantastiques demeures à trois balcons et quinze domestiques et célébraient la gloire de la réussite chinoise dans le Nouveau Monde.

— Tu verras ! Tu t'en feras des amis ! avait dit Kay Lynn.

Peu convaincue par cette prophétie un rien hâtive, Mei-yu contemplait d'un air dubitatif le métrage de soie qui gisait sur la table et s'interrogeait sur l'accueil que lui réserveraient ces gens-là lors de la réception. Que penseraient-ils de cette jeune réfugiée à peine sortie de Chinatown ? Pourrait-elle s'entendre avec ces êtres qui, après bien des luttes, s'étaient désormais habitués à la facilité d'un niveau de vie élevé ? Par ailleurs, Mei-yu s'effarouchait des diverses options politiques qui s'affrontaient en ces temps troublés : elle renâclait à l'idée de rencontrer des fidèles de Chang Kaï-chek, n'avait nulle envie de soutenir leur mouvement, mais elle n'éprouvait pas non plus de sympathie à l'égard des communistes. Elle n'avait pas oublié les agissements de l'armée de Libération de Mao dont elle avait été témoin dans le port de Canton. Bref, elle n'avait qu'un désir : rester en dehors de l'arène politique. Kay Lynn avait cependant vite balayé ses craintes :

— Ne t'inquiète pas. Personne ne te parle de politique à l'ambassade. Tu n'es pas militaire ! Toi, tu fais commerce ! Nous allons simplement bien manger et bien rigoler.

Ces propos rassurants n'apaisèrent pas Mei-yu.

Jamais elle ne s'était sentie à l'aise avec des étrangers. C'était, en général, Kung-chiao qui faisait alors les frais de la conversation et qui, doucement, l'aidait à faire connaissance de leurs interlocuteurs, à s'aventurer vers des horizons nouveaux.

Tout en réfléchissant, Mei-yu tâtait doucement le tissu magnifique. Jamais encore, elle n'avait porté de robe de soie en Amérique. A New York, dans l'univers de Chinatown, elle se contentait de jupes ou de pantalons de coton sombre. Kung-chiao n'avait pu la contempler dans la traditionnelle tenue de fête. Sans doute aurait-il aimé cette soie colorée... Pourtant, il semblait rester indifférent à ce genre de détails matériels. C'était elle, sa femme, qu'il regardait et non ses vêtements.

A cette pensée, les larmes lui vinrent aux yeux, mais elle se domina bien vite de peur que Fernadina ne la surprenne. Les gestes du quotidien firent mine de reprendre leurs droits, aussi chercha-t-elle furieusement sa boîte d'épingles. Manque de chance, elle l'avait laissée dans sa chambre ! Quelques instants plus tard, cette cherche la conduisit tout naturellement vers son carton à souvenirs... Elle tendit la main, sortit une photographie où Kung-chiao la regardait en souriant. Sur ce cliché pris devant les bâtiments de l'université Yenching, il souriait, mains dans les poches, aux côtés de son ami Tsien-tsung, toujours aussi morose et sévère.

Bouleversée, Mei-yu contempla les traits de son mari si longuement que l'image finit par se brouiller devant ses yeux. Elle retrouva également un cliché sur lequel ils apparaissaient, très tendres, au bord d'un lac à Pékin. Cette fois, c'en était trop et Mei-yu rangea vivement le carton, le repoussa sous le lit avec une détermination féroce, quand elle buta sur un objet bizarre. Intriguée, elle plongea sous le sommier et découvrit... le fameux coffret que lui avait donné Mme Peng ! Elle avait oublié de le remettre à Richard Peng ! Elle se dépêcha de le dépoussiérer, l'examina de plus près, le secoua. A priori, il ne contenait rien, mais Mei-yu, gênée de sa propre curiosité, s'obligea à la dignité et s'interdit d'aller y voir de plus près. Restait maintenant à le transmettre à Richard. Quand ? C'était là le problème ! A l'ambassade ? Le lieu s'y prêtait mal ! Au magasin ? Encore lui faudrait-il attendre qu'il y vînt ! Que faire ? Richard Peng n'avait d'ailleurs même pas l'air au courant ! Quant à Mme Peng, elle n'avait pas parlé d'urgence ! Finalement, Mei-yu décida de chasser ces préoccupations pour le moment. Elle avait tout le temps d'y réfléchir.

Sur la table de la salle à manger, les mètres de soie patientaient toujours. Brusquement, une idée nouvelle germa dans l'esprit de la jeune femme. Cette réception ne rimait à rien. Elle se révoltait. Elle refusait de s'apprêter pour mieux jouer le jeu de la séduction. Les commentaires de Kay Lynn sur les beaux partis susceptibles de se manifester à l'ambassade l'agaçaient. Pire ! Mei-yu sentait le feu de la honte lui picoter les joues. Derrière ses paupières lourdes, elle retrouvait le bon visage de Kung-chiao, son sourire aussi. Puis, elle finit par se rendre à l'évidence : comment refuser l'invitation du fils de Mme Peng ? Ce serait d'une inconcevable légèreté ! Elle devait assister à la réception ! C'était une affaire de respect des autres, et d'elle-même aussi. Enfin, elle se résigna. Kay Lynn disait vrai. Elle ne pouvait aller à l'ambassade en simples chemise et pantalon de travail !

Son regard revint se poser sur la soie. Du bout de l'ongle, elle lissa le tissu. Longuement. Interminablement. Puis elle s'empara des ciseaux. Quelques instants plus tard, les morceaux de soie tombaient comme autant de pétales...

***

Les semaines filaient. Au magasin, les affaires marchaient de mieux en mieux et, début juin, les trois femmes commençaient à prendre du retard sur leurs commandes! Mei-yu rapportait même du travail à la maison et, tard dans la nuit, préparait boutonnières, dentelles, et autres fantaisies minutieuses. Ce fut au cours de la deuxième semaine de juin que Kay Lynn lui demanda tout à trac si elle avait terminé sa robe. Mei-yu sursauta. Il lui fallut avouer qu'elle était encore loin d'avoir fini.

Kay Lynn s'emporta, protesta :

— Aïe! Aïe, aïe! Mais que fais-tu? C'est ce soir, la réception! Si tu t'habilles comme réfugiée, moi je ne vais pas avec toi! J'irai seule en voiture avec Tim. Tu prends bus!

Quelques instants plus tard, elle jetait devant Mei-yu un gros paquet d'attaches en forme de grenouille.

— Nancy te demande de rentrer chez toi pour finir ta robe! cria-t-elle.

Mei-yu pouffa de rire, mais obtempéra.

Elle n'était pas demeurée insensible à l'effervescence qui régnait dans la boutique. Fort discrètement, elle avait écouté Nancy et Kay Lynn échanger leurs impressions et papoter sur un ton de conspiratrices. Elles disaient leur espoir d'entendre Richard annoncer, au cours de cette soirée de gala, ses fiançailles avec Lilian. Richard avait fait le bon choix, ajoutaient-elles. Richard avait trouvé la femme qu'il lui fallait. Avant elle, il avait commis des erreurs et épousé une femme blanche, mais c'était là égarements de jeunesse. Aujourd'hui, cet homme mûr, dont le succès professionnel s'affirmait de jour en jour, avait enfin rencontré la compagne qu'il lui fallait. Ensemble, ils connaîtraient le bonheur et de nombreux enfants viendraient bénir cette union. Les deux commères étaient si impressionnées par ce conte de fées qu'elles en piaffaient d'impatience! Elles juraient que ce serait une formidable surprise pour tout le personnel de l'ambassade et se gaussaient : ces gens-là vivaient toujours dans l'avenir et ne se souciaient que de grands problèmes de politique internationale sans même deviner ce qui se passait sous leurs yeux. Oh ! Comme elles en riaient ! Et comment réagiraient-ils ? Cette union créerait-elle un imbroglio diplomatique ? Pour un peu, Nancy et Kay Lynn s'en seraient réjouies !

En rentrant, Mei-yu trouva Fernadina qui jouait avec Ronnie Johanssen. Munis de leurs joujoux préférés, ils s'étaient installés dans la cour, derrière l'immeuble. Les deux enfants étaient devenus bons amis et passaient de longs après-midi ensemble. C'est à peine s'ils remarquèrent l'arrivée de Mei-yu.

C'est Bernice Johanssen qui, fort gentiment, avait suggéré cet arrangement. Mei-yu en avait été gênée tout d'abord : elle avait honte de raconter ses soucis, son travail, son manque de disponibilité. De plus en plus de clients réclamaient ses services maintenant et Mei-yu se voyait donc obligée de quitter le magasin pour procéder à des essayages. Quand le cas se produisait, Mei-yu devait laisser Fernadina seule avec Nancy et les petites mains, mais personne n'avait vraiment le temps de s'occuper de l'enfant. Le cœur serré, Mei-yu partait tandis que la petite la regardait d'un œil grave et triste. Elle avait donc craint les sarcasmes de Bernice qui restait chez elle à préparer des gâteaux et veillait attentivement sur son fils et sa fille. Mais Bernice semblait désireuse d'aider sa jeune voisine. Elle demanda même à Mei-yu quels étaient les plats préférés de Fernadina. Le jour où Mei-yu conduisit Fernadina chez les Johanssen pour la première fois, elle s'était munie d'un récipient rempli de nouilles et de poulet froid pour le déjeuner de la petite. Le lendemain, Fernadina lui demandait un sandwich. Ronnie lui avait fait goûter le sien et c'était délicieux, expliqua-t-elle. Avec du saucisson italien !

Mei-yu crut tout d'abord que sa fille avait eu honte de son repas, mais finit par se faire à l'idée que Fernadina changeait. Bientôt, Mei-yu prépara aussi des sandwiches au saucisson avant de se rendre à la boutique.

En cet après-midi, il n'était cependant plus question de sandwich : le temps pressait et la robe n'existait encore qu'à l'état d'ébauche ! Vite, elle se dépêcha de coudre les ourlets. Ne resterait plus que les attaches ! Tout en tirant l'aiguille, Mei-yu s'abandonna à la rêverie... Contrairement à ce que Kay Lynn avait pu penser, Mei-yu n'avait pas oublié la date de la fête ! En son for intérieur, elle avait simplement espéré qu'on l'en dispenserait ! Prisonnière d'une appréhension formidable, Mei-yu avait cherché à fuir ces mondanités. Attitude puérile, certes ! Mais la jeune femme souhaitait se protéger d'éventuels regards de mépris... Pourtant, l'impatience la rongeait aussi dès qu'elle songeait aux commentaires de Nancy et de Kay Lynn. Par chance, l'assurance lui vint à mesure que la robe prenait tournure. Une certaine fierté l'envahit même : Richard Peng avait songé à l'inviter ! Peu à peu, un véritable changement se produisit en Mei-yu. La curiosité reprit ses droits et la jeune femme se mit à imaginer les fastes de la soirée.

A 6 heures du soir, Fernadina surgit, qui réclamait son dîner. Mei-yu s'empressa de terminer sa robe, puis fila à la cuisine préparer un bon bol de nouilles au tofu et aux légumes. Elle finissait tout juste de hacher menu le persil quand Kay Lynn frappa à la porte.

— Le facteur s'est trompé ! Il a déposé dans ma boîte une lettre pour toi. Dommage ! Tim et moi attendons lettre d'oncle de San Francisco, mais rien ne vient, dit-elle en tendant une enveloppe à son amie.

Du premier coup d'œil, Mei-yu devina l'identité de l'expéditeur, mais, poliment, domina son impatience, attendit que Kay Lynn prenne congé tout en lui remettant un petit sac en toile.

— Je t'apporte maquillage. Tu vois, ici, noir aux yeux, crayon, rouge, poudre, fard à joues. Tu te fais jolie, ce soir.

Machinalement, Mei-yu ouvrit le sac où s'entassaient une dizaine de tubes et de pots et, horrifiée, le rendit aussitôt à Kay Lynn qui poussa des cris d'orfraie :

— Tu mets maquillage ! Tu sais comment faire, non ? Et ta robe ? Elle est prête ?

Amusée par les hurlements de Kay Lynn, Mei-yu se contenta d'opiner.

— Nous partons à 6 heures et demie. Tim ne veut pas rater apéritif de l'ambassade.

Sur cette remarque péremptoire, Kay Lynn s'éclipsa et Mei-yu en profita pour ouvrir la missive :

Merci beaucoup de ta lettre du mois dernier. Je suis heureuse de lire que ton nouvel appartement et ton travail te plaisent. Nancy Gow m'a dit que tu te débrouillais à merveille et que, grâce à toi, le volume des commandes s'était multiplié par dix. Cela dit, je n'en suis guère surprise.

Cette lettre sera brève. J'ai de plus en plus de peine à me servir de mes mains. Tenir un stylo me fait mal. Je vais donc aller droit à l'essentiel. Je t'écris pour te demander si tu as observé la promesse que tu avais faite à une vieille mère et donné à mon fils le coffret que je t'avais confié. Si tu ne l'as pas encore fait, alors, je t'en prie, n'attends pas un jour de plus. Tu es jeune et, pour toi, le temps file. Moi, je suis vieille et je sens le poids des ans me glacer les os.

Chinatown change beaucoup en ce moment, mais pas en bien, contrairement à ce que j'avais espéré. Enfin ! Tes amis ne manqueront pas de t'en parler. Moi, je suis dépassée. Une caresse sur la joue de la petite.

Affectueusement.
S. L. Peng

Cette lettre, Mei-yu la relut deux fois avant de la plier et de la cacher dans sa boîte à couture. La honte, soudain, la taraudait. Comment avait-elle pu oublier la promesse faite à sa bienfaitrice ? Elle s'en alla donc sortir le coffret en bois de cèdre toujours rangé sous le lit. Cette fois, sa décision était prise : elle en parlerait à Richard Peng dès ce soir. Après tout, peut-être pourrait-elle lui apporter le coffret à son bureau ? Une fois de plus, elle résista à l'envie diabolique de secouer pour deviner le contenu dudit objet et, au contraire, le posa, bien en évidence, sur sa coiffeuse, puis revint en courant vers la cuisine. Les nouilles attendaient !

Lilian poussa un grand soupir de soulagement. Tout était prêt. Là, dans le hall, les vases somptueux resplendissaient sous le poids des glaïeuls blancs et saumon, des gerbes de forsythias jaunes, des amaryllis et des tulipes. Lilian, ravie, humait l'essence des fleurs, admirait le jeu d'ombres et de lumières que tissaient sur les murs les lampes d'un rose délicat. Il régnait dans la pièce une atmosphère de douceur chaleureuse et apaisante. La jeune femme avait accompli une véritable prouesse et le savait. En entrant dans l'ambassade, ses hôtes oublieraient immédiatement la trivialité du quotidien, leurs défenses et leurs voiles inutiles, s'abandonneraient aux senteurs entêtantes, aux lueurs de rêve.

Son regard s'arrêta sur les tapis revenus l'après-midi même de la teinturerie. La laine, sous ses escarpins de satin, offrait une couleur plus vive, plus riche aussi. Dans la salle de réception, elle examina les vases de laque noire remplis de mufliers mauves, verts et blancs qui trônaient sur le manteau de la cheminée. Un détail la chagrina... Là, il suffisait d'un geste... satisfaite, elle s'éloigna vers la salle à manger où elle inspecta carafes et verres à sherry alignés sagement sur la grande table. A l'autre extrémité, des serviettes pliées en forme d'éventail invitaient le regard. Elle passa ensuite à la cuisine pour vérifier quelques ultimes bagatelles avec les chefs occupés à surveiller la préparation des amuse-gueule. Des marmitons hachaient de grosses crevettes et des châtaignes d'eau auxquelles ils ajoutaient des échalottes et des œufs battus pour en obtenir une sorte de purée. Ils y incorporaient ensuite de la sauce au soja, du sherry, de l'huile de graines de sésame, puis en tartinaient du pain rassis taillé en forme de diamant. Pour jeter ces canapés étonnants dans l'huile bouillante, on attendait cependant les ordres des chefs. Il fallait pour cela que tous les invités fussent arrivés !

Fidèle à la tradition, le chef cuisinier vint avertir Lilian que le buffet serait bien servi à 20 heures précises. Canards, poulets, pièces de bœuf, poissons, légumes et fruits, tout avait été livré en temps et en heure, et tout un chacun, ici, se sentait prêt à assumer la tâche qui lui incombait. Ce rituel, on le connaissait pour l'avoir maintes fois répété avec succès.

Rassurée, Lilian regagna l'entrée où elle donna ses dernières instructions au personnel chargé de recevoir les invités.

Ne lui restait plus qu'à vérifier sa propre tenue... Elle gagna donc le petit salon où elle put se regarder en pied devant une psychée.

Son maquillage était apparemment parfait : les yeux délicatement ombrés de noir, les joues rosées comme des pêches. Quant à sa robe, un cheongsam de soie argent, elle lui allait à merveille. Lilian le savait. Pourquoi donc éprouvait-elle un insidieux malaise à l'idée de devoir affronter cette soirée ?

En vérité, ce sentiment de doute, de gêne avait vu le jour plusieurs semaines auparavant... à l'instant même où Lilian avait croisé le regard de Mme Peng. Devant ce qu'elle y avait lu, Lilian avait manqué s'évanouir. Au prix d'un effort surhumain, elle était parvenue à s'asseoir sur la chaise la plus éloignée du sofa où trônait la mère de Richard. Prisonnière d'une épouvantable crainte, Lilian n'avait osé lever les yeux. Il lui semblait brusquement s'identifier à cet oiseau que le serpent va frapper. De la conversation, elle n'avait pas gardé grand souvenir, sinon que la vieille dame lui avait demandé quelques renseignements sur ses parents, son lieu de naissance... La réponse de la jeune femme ne fut guère qu'un murmure bredouillé interrompu par l'arrivée du thé et des gâteries. On accomplit ce rituel tandis que Richard et sa mère discutaient affaires. Quelque temps après, Richard l'escorta jusqu'à l'entrée afin de s'entretenir seul avec sa mère pendant quelques instants. Quand il revint, tout sourire avait déserté son beau visage. La mère, elle, très froide, les fixa longuement d'un œil sévère, inquisiteur. Les deux jeunes gens avaient quitté l'appartement de Chinatown depuis belle lurette que Lilian sentait encore le regard de Mme Peng peser sur leurs relations.

Durant le trajet du retour, Lilian avait cherché à en comprendre les raisons. Richard se borna à répondre que sa mère vieillissait, qu'elle devenait bizarre. Il eut même un rire brusque qui sonnait faux. Il répéta que l'avis de sa mère ne lui importait guère, mais Lilian devina la colère qui tintait dans sa voix. Elle s'interrogea : comment un fils pouvait-il haïr sa mère pareillement ?

La colère de Richard ne s'éteignit pas du jour au lendemain. Il se fit brutal, cassant, lui dit se trouver dans l'impossibilité de l'appeler. Il avait trop de travail, ajoutait-il. Lilian tenta de se protéger, se laissa absorber par les préparatifs de la réception. Elle alla jusqu'à se dire que la présence de Richard l'indifférait. Mieux valait se préoccuper des gens venus tout spécialement pour saluer le ministre des Finances de T'ai-wan, et de la fête somptueuse !

A présent que les premiers invités commençaient à se manifester et que Lilian jetait un dernier regard vers le miroir, elle comprit le sens de son angoisse : elle avait peur, très peur de revoir Richard, de se trouver confrontée à ses sentiments à son égard.

Debout à côté de sa voiture, Richard regardait machinalement son trousseau de clés. 6 heures et demi, déjà ! Le ciel, pourtant, était encore clair comme s'il voulait déjouer l'approche imminente de la nuit. Il posa la main sur la poignée de la portière, hésita.

Il ne parvenait pas à ébaucher le moindre geste. A croire qu'une force invisible le paralysait. C'était comme s'il avait reçu un coup. Un coup inattendu jailli subitement des fourrés proches ou du sable blond, une sorte d'engourdissement qui s'était emparé de lui, s'était attaqué à son corps, à sa moelle, à son cerveau. C'était comme s'il allait mourir. Mourir, lui, alors qu'il était bien vivant, en parfaite santé, tout à fait capable de bouger, pensa-t-il en ricanant.

Il monta dans la voiture et démarra.

La décrépitude de sa mère l'avait, au premier chef, bouleversé. Certes, elle avait fait mine, en l'apercevant, de se lever gaiement, mais il avait bien vu l'effort qu'elle avait alors déployé. Il avait noté sa respiration haletante. Très inquiet, Richard faillit même en parler au docteur Toy. Néanmoins, au-delà de l'âge et de la maladie, il devinait la force incroyable qui l'animait. Sa poigne vigoureuse lui en servit de preuve.

Il s'attendait à ce qu'elle montrât de la froideur à l'égard de Lilian. Hélas, devant son regard venimeux, ses prunelles féroces, il perdit contenance... et c'est précisément à cet instant-là que cette sensation d'engourdissement l'avait envahi. Les mots lui avaient fait défaut et il s'était trouvé dans l'impossibilité de rassurer Lilian aux yeux brillants d'angoisse. Dans son esprit, cependant, la colère brûlait. A peine Lilian eut-elle quitté le salon qu'il affronta sa mère et lui déclara vouloir épouser Lilian. Il l'avait choisie. Pour toute réponse, sa mère avait fermé les yeux et hoché la tête.

Une éternité passa, puis, sans se départir de son calme, la vieille dame avait demandé s'il avait reçu le coffret confié aux bons soins de Mei-yu Wong.

— Quel coffret ?

— C'est un souvenir de famille dont tu devras te charger. Il te revient de droit.

— Que contient-il ?

Elle n'avait rien répondu.

Un peu alarmé par l'apparente fatigue de sa mère, Richard avait alors chuchoté un :

— Maman, je t'en prie !

Elle avait ouvert les yeux, puis déclaré en le repoussant avec douceur et fermeté :

— Le coffret !

Richard filait à bonne allure sur l'autoroute. Plus que quelques minutes et il serait arrivé à l'ambassade de Chine. Il avait promis de venir depuis trop longtemps pour se décommander. Mais quant à savoir ce qu'il éprouverait en revoyant Lilian, Richard n'en savait rien. Son cœur lui semblait désormais fermé à tout sentiment. A moins qu'il ne succombe devant ses yeux !

Quand, à 6 heures et demi, Mei-yu ouvrit la porte à son amie, Kay Lynn ne put réprimer un cri d'admiration :

— Aie, Mei-yu ! Oh ! Que tu es jolie ! Tim, regarde-la !

Aussi gênés l'un que l'autre, Tim et Mei-yu se gardèrent de tout commentaire.

Kay Lynn, cependant, ne désarmait pas. Elle riait même, observait les joues roses de Mei-yu et poussait la jeune femme vers le palier en répétant :

— Elle vivante de nouveau, Tim !

Ils furent à l'ambassade en vingt minutes. Là, il leur fallut contourner tant de files de limousines noires qu'en entrant dans la chancellerie, Mei-yu eût bien été incapable de dire où ils s'étaient finalement garés. Dans l'esprit de la jeune femme ne résonnait plus d'ailleurs que le babillage frénétique de Kay Lynn qui commentait en anglais et en cantonais les événements du jour.

Le trio approchait de l'escalier principal quand Kay Lynn vint buter sur Mei-yu en criant ;

— Oh ! Sentez odeur de fleurs !

Le doigt ravi, elle désignait les fleurs de magnolia et de laurier qui flanquaient l'entrée.

Tim, plus prosaïque, repérait d'autres détails :

— Moi, je sens canapés aux crevettes !

Mei-yu, horriblement intimidée, supplia ses amis de la laisser seule un instant. Ainsi pourrait-elle reprendre ses esprits ! Dans la pénombre croissante, elle observa les magnolias, remarqua combien les fleurs repliaient leurs pétales pour la nuit.

Mais elle ne put s'attarder. De l'entrée, Kay Lynn la pressait.

— Mei-yu, viens ! On t'attend !

Quand elle finit par se décider à franchir le seuil, Tim et Kay Lynn avaient déjà disparu, happés par la foule. Un peu troublée, Mei-yu jeta des regards effarouchés sur l'assemblée, remarqua une majorité de visages chinois et quelques Américains. La jeune femme n'osait lever les yeux sur quiconque. Elle circula de-ci, de-là, prêta une oreille distraite aux conversations qui roulaient sur le commerce de T'ai-wan, la main-d'œuvre bon marché et les contingents de textile. Elle étudia aussi une grande photograhie de Chang Kaï-chek et de sa femme en s'interrogeant sur l'hypocrisie qui la poussait à assister ce soir à une telle réunion.

Durant les chaudes soirées d'été, à Pékin, Mei-yu avait souvent surpris des bribes de conversation animée entre son père et ses amis. On discutait de Chang et du gouvernement du Kuomintang. Aux yeux du père de Mei-yu, le général avait de nobles objectifs. Pourtant, Yuan-ming Chen prédisait son échec. Selon lui, Chang s'effondrerait sous la pression de divers éléments combinés : l'agression japonaise, l'opposition communiste et... enfin... l'âme de la vieille Chine traditionnelle avec ses croyances, ses particularités linguistiques, son pauvre réseau de communications qui faisait du pays un puzzle malheureux et défait. Le professeur Chen avait même ajouté qu'à son avis l'attitude de Chang en matière militaire lui interdirait toute résolution du conflit et des problèmes actuels. A l'époque, Mei-yu écoutait sans trop comprendre le discours de son père, suivait davantage la progression de la lune dans le ciel noir. Au fil des ans, l'enfant devenu femme avait pu mesurer à sa juste valeur le poids des paroles paternelles.

Pour l'heure, le vieillard s'efforçait de retenir les Américains à T'ai-wan. Il souhaitait une présence industrielle et des capitaux. De temps à autre, un scandale éclatait et Chang fustigeait la corruption et la négligence au sein de son enclave nationaliste. Il en profitait pour faire appel à la générosité des nations occidentales en insistant sur le fait que son gouvernement constituait le seul représentant d'une Chine authentique, férocement opposée aux communistes. Washington, bien sûr, l'entendait encore. Mais pour combien de temps ?

Et les communistes, que faisaient-ils, eux ? se demanda Mei-yu tout en revenant vers le couloir principal. La majorité des Chinois soutenait leur mouvement. Restait à voir maintenant comment ils réussiraient à supprimer la faim et la misère. Ici, aux États-Unis, tout le monde évitait de parler des actes sanglants commis au nom de la Révolution. Personne, pourtant, n'avait jamais reçu de nouvelles de ses proches restés en Chine populaire. Peut-être chacun attendait-il de voir comment la situation allait évoluer ? Malgré elle, Mei-yu évoqua sa famille et Hsiao Pei, restées à Pékin, se demanda comment les communistes les avaient traitées. Et son père... vivait-il encore ?

A cette pensée, une vague de tristesse submergea la jeune femme qui dut s'écarter de ses voisins par trop bruyants. Elle se dirigea vers les vitrines qui abritaient les collections de tasses et de cages à criquets. Ses frères Hung-boa et Hung-chien avaient élevé des criquets. D'ailleurs, là, devant ses yeux, la jeune femme apercevait une cupule pratiquement identique à celle que Hung-boa avait taillé dans une tige de bambou. Elle s'obstinait à passer en revue tous les objets présentés quand surgit Nancy Gow.

— Que fais-tu là ? Tu joues les fantômes ? s'écria-t-elle en riant.

Mei-yu lui rendit son sourire. Elle était heureuse de la voir. Nancy arborait un cheongsam de soie turquoise et un maquillage... assorti ! Derrière ses lunettes, ses prunelles brillaient d'amitié.

— Quelle morosité ! L'ambassade regorge de gens intéressants ! Viens ! Je veux te présenter mes amies qui sont là, au salon.

Gentiment, elle prit Mei-yu par le bras et l'entraîna vers un groupe de jeunes femmes vêtues de somptueux cheongsam. Devant l'hésitation de son amie, Nancy s'insurgea :

— Allons ! Pas de timidité ! Il est grand temps que tu te fasses des amis.

— Sont-elles de T'ai-wan ? demanda Mei-yu.

Elle regretta aussitôt sa question. Nancy d'ailleurs ne se priva pas de la taquiner.

— Aurais-tu peur des gens de T'ai-wan ? Malheureuse ! De toute façon, ce n'est pas leur cas. L'une est de Shanghai, une autre de Hankéou, une autre encore de Soutchéou ! Petite sotte ! Je t'assure que personne, ici, ne te demandera de prêter allégeance au gouvernement nationaliste ! Nous ne sommes pas venues pour quelque raison politique. Après tout, comment juger ? Nous ne vivons ni à Pékin, ni à Taïpeh !

Ce raisonnement ne vint pourtant pas à bout de la méfiance de Mei-yu. Nancy le comprit et poursuivit :

— Viens donc ! Elles sont toutes dans la même situation que toi ou moi. Toutes ont laissé leur famille en Chine. Certaines ont même perdu, qui des parents, qui des frères, qui des sœurs. Nous partageons la même souffrance, mais cette nuit nous appartient. Il nous faut bannir les soupirs et les larmes versées pour les êtres chers. Cette nuit, nous cherchons à tisser des amitiés afin que la vie, dans ce pays inconnu, nous soit moins difficile. Souris, Mei-yu ! Je ne te permettrai pas de gâcher cette soirée.

Mei-yu suivit donc Nancy au salon et adressa un sourire chaleureux aux femmes qui l'accueillaient dans leur cercle. Effectivement, les cinq amies de Nancy semblaient avoir un passé fort proche de celui de Mei-yu : elles appartenaient toutes au même milieu social et avaient toutes reçu une bonne éducation. Chacune s'exprimait, bien qu'avec un accent, en mandarin et, bientôt, Mei-yu répondait de bonne grâce à leurs questions. Elle leur expliqua son travail, sa fille, son nouveau rythme de vie, ici, comparé à celui qu'elle avait connu dans le Chinatown de New York. On l'écouta avec intérêt et Mei-yu en fut ravie. Sans doute, Nancy leur avait-elle parlé de Kung-chiao car personne n'osa aborder le sujet. Chacune de ces femmes portait pourtant une alliance. Peu après, l'une d'elles, nommée Yolanda Eng, griffonnait ses coordonnées sur un bout de papier. Mei-yu en eut le cœur chaviré ! C'était un lien, une ouverture sur cet univers nouveau où elle abordait tout juste.

Plus tard encore, Mei-yu suivit le regard de Nancy, remarqua une jeune femme très mince qui se frayait un passage à travers la foule.

— Voici Lilian Chin, murmura Nancy.

Alentour, on continuait à bavarder, mais tous gardaient les yeux rivés sur cette belle silhouette argent.

De l'avis de Mei-yu, Lilian incarnait la perfection faite femme. Elle avait une allure fabuleuse, marchait sans avoir seulement l'air de se déplacer, savait soutenir les regards admiratifs avec aisance et discrétion. Mei-yu, fascinée, l'observa qui s'arrêtait de groupe en groupe pour échanger quelques paroles amicales ici et là, pouffer de rire aussi, d'un rire flûté, délicieux.

Au même moment, quelqu'un tapota l'épaule de Mei-yu. C'était Kay Lynn qui tendait à son amie un verre de sherry et une petite assiette remplie de toasts aux crevettes.

— Dépêche-toi ! Il n'en reste plus ! fit-elle avec autorité.

Un rien gênée, Kay Lynn examinait les autres femmes du groupe à la dérobée. A l'exception de Mei-yu et de Nancy Gow, personne ne semblait parler cantonais. Par chance, elle s'aperçut alors que le centre de l'attention générale n'était autre que... Lilian Chin. Cette découverte balaya immédiatement le malaise de Kay Lynn qui se pencha vers Mei-yu en murmurant nerveusement :

— Je me demande où est Richard ! Pourquoi ne sont-ils pas ensemble ?

Elle scruta la salle un bon moment, puis pinça triomphalement sa voisine :

— Je le vois ! Il est là-bas !

En effet, il était là dans l'encadrement de la porte et cherchait manifestement quelqu'un. Quand son regard s'arrêta sur elle, Mei-yu sentit son cœur faire un bond dans sa poitrine. Naturellement, elle s'empressa de fixer son attention sur le verre de sherry que venait de lui offrir Kay Lynn.

Kay Lynn qui s'écriait d'un ton joyeux :

— Les amoureux s'amusent. Ils ne veulent pas que l'on devine leur grand secret. Je te parie qu'ils vont attendre la fin de la soirée pour annoncer la nouvelle.

L'espace d'une seconde, Mei-yu songea aux discussions et aux spéculations de Nancy et de Kay Lynn, releva la tête... Richard avait disparu.

L'infatigable Kay Lynn poursuivait son babillage :

— Eh ! tu essaies le sherry et les toasts aux crevettes, Mei-yu ? Dépêche-toi ! Plein de gens autour du buffet et amuse-gueule finis !

Puis, sûre d'elle-même :

— Peut-être, je te trouve professeur Chung.

Énervée en diable, elle clignait de l'œil et gesticulait avec des mines d'écolière en vacances. Jamais encore, Mei-yu n'avait vu son amie dans un état de surexcitation pareil !

Dans la grande salle de réception, les invités faisaient la

queue afin de présenter leurs respects à l'ambassadeur ainsi qu'au ministre des Finances de T'ai-wan et à sa femme. Mei-yu et Kay Lynn imitèrent le reste de l'assistance. Les deux amies patientèrent donc. Alentour, les verres cliquetaient, les toasts aux crevettes embaumaient et... Mei-yu finit par admettre qu'elle avait faim. Kay Lynn ne s'embarrassa pas de scrupules inutiles et transmit ce message à Tim qui se trouvait à l'autre bout de la pièce à proximité des serveurs. Très complaisamment, il avisa l'un des météores chargé d'un plateau, le délesta d'une partie de ses provisions et revint à vive allure vers sa femme et Mei-yu.

Quelques instants plus tard, la jeune femme dégustait ces toasts excellents et un bon verre de sherry. Un vrai bonheur !

La file des invités avançait pourtant vers l'armada de personnalités. Outre les diplomates à l'honneur, il y avait là Lilian Chin qui présentait au ministre les hommes d'affaires venus tout spécialement pour l'occasion, et... Richard Peng qui s'occupait, lui, des membres de la communauté chinoise. Les deux jeunes gens n'échangeaient pas le moindre regard. Ils se bornaient à accomplir leur devoir avec une courtoisie sidérante. On eût juré des automates.

On progressait lentement quand un Américain relativement connu se planta devant le ministre et se lança dans une conversation... interminable ! La file se figea. C'est alors que Lilian se tourna vers Richard. Malgré elle, Mei-yu déchiffra dans le regard de la jeune femme un désespoir intense, une supplication muette, bouleversante. De ce regard, Richard ne vit rien. Perdu dans ses pensées, il contemplait le fond de la salle.

Mei-yu, pourtant, s'interrogea. Sans doute avait-elle compris le sens de cette supplique, mais elle se refusait à l'admettre...

Quelle ne fut sa surprise quand elle sentit qu'on l'observait ! Elle releva la tête et découvrit les yeux de Richard posés sur elle. Dans ses prunelles, nulle convoitise, mais une confusion extrême, une angoisse sans bornes.

Impression furtive, si brève que Mei-yu crut avoir rêvé. C'est alors qu'elle comprit que Lilian la regardait aussi. La jeune femme faillit porter la main à ses joues en feu. Un soufflet ne l'aurait pas embarrassée davantage ! Malgré son émotion, Mei-yu avait deviné chez Lilian souffrance et confusion. Elle entendit Kay Lynn bavarder à ses côtés, mais n'y prêta garde. Que se passait-il donc ? A quels jeux ces deux êtres jouaient-ils donc ? Et pourquoi se servaient-ils d'elle ?

Au même instant, la file recommença à avancer, au grand dam de Mei-yu dont l'anxiété ne faisait que croître. Devant elle, les présentations allaient bon train et quand, finalement, Mei-yu se trouva face à l'ambassadeur, elle eut bien du mal à prononcer trois mots de politesse. Très digne, elle réussit cependant à effectuer un salut plein de grâce lorsqu'elle arriva devant Lilian Chin :

— Bienvenue à Washington, chère madame ! fit cette dernière.

Leur hôtesse avait retrouvé son assurance apparente, son charme naturel. Devant une telle maîtrise de soi, Mei-yu sentit le démon de la révolte gronder en elle et déclara :

— Merci beaucoup, mademoiselle !

A peine avait-elle prononcé ces mots qu'une évidence s'imposa à son esprit : elle ne plaignait plus Lilian ! Elle n'éprouvait plus la moindre pitié pour elle. Bien au contraire, elle l'admirait, l'enviait même et s'étonnait de lire les mêmes sentiments dans le regard de cette belle jeune femme.

Toutes deux continuèrent à se dévisager longuement jusqu'à ce que Kay Lynn poussât vivement son amie pour féliciter Lilian de l'organisation de cette remarquable soirée.

Soulagée, Mei-yu s'éloigna, prit un autre verre de sherry et fila jusqu'à la terrasse afin de respirer un peu d'air frais. A 8 heures précises, un gong retentit qui invitait tous les hôtes présents à gagner la salle à manger où trônait le buffet. Il n'en fallut pas davantage pour que la foule se pressât autour des portes. Chacun manquait se dévisser la tête car on se contorsionnait afin de mieux voir les détails de cette table de rêve.

Kay Lynn en parla pendant des semaines. Elle ne tarissait pas et reprenait inlassablement sa description détaillée. En l'écoutant, on voyait les invités s'approcher doucement d'abord, comme s'ils eussent compté leurs pas, puis s'arrêter devant chaque plat avec des yeux pleins de respect et de convoitise. On admirait les serveurs en livrée prêts à accourir vers l'hôte qui le leur demanderait. Il y avait là tout ce que l'univers pouvait offrir : poissons, oiseaux, viandes diverses, gibiers, légumes merveilleusement colorés... La table scintillait de mille reflets : l'éclat satiné des gelées accompagnant les plats froids et le panache des mets chauds dans leur sauce épicée, emperlée d'huile. L'ambassadeur, fort jovial, pressait ses invités de faire honneur au buffet, s'emparait lui-même des immenses plateaux, posait pour les photographes tout en affirmant qu'on ne tolérerait aucun reste !

Kay Lynn racontait la lente procession des invités, leurs hésitations ensuite devant la profusion de tentations : ici, ces radis joliment disposés au milieu d'une sauce au soja, de vinaigre et d'huile de sésame, là ces tranches de méduse, ou même ces œufs durs cuits au thé noir, les fines rondelles de bœuf bouilli noyées dans la gelée brune ou ce soja aux épices, sans oublier des variétés de pâtes, des salades au poulet et au concombre, des quartiers de porc rôti, du poisson fumé à la sauce à l'anis arrangé à ravir ! Vinrent ensuite les plats chauds qui comptaient des beignets de toutes sortes, frits ou à la vapeur, farcis au porc, aux crevettes, aux champignons et aux légumes. On apporta également divers rouleaux fourrés de porc cuit au barbecue et de purée de haricots rouges ainsi que des gâteaux d'oignons.

Rien que d'y songer, Kay Lynn s'enthousiasmait et disait dans un hurlement de triomphe :

— Il me faut bien deux ou trois assiettes ! Et j'ai les baguettes qui tremblent beaucoup parce que j'ai beaucoup de mal à me décider ! Finalement, comme je n'arrive pas à choisir, je prends un petit peu de tout !

Tim la taquinait.

— De tout, elle prend beaucoup. Elle laisse rien pour les autres et ensuite, il lui faut faire régime pendant trois jours.

A cela Kay Lynn répliquait vertement :

— Pourquoi pas ? Moi, je suis pas difficile comme Mei-yu qui vient en retard au buffet et mangeotte un peu de ci, un peu de ça, comme chat de luxe. Tu as peur de salir ta belle robe, ce jour-là, non ?

Mei-yu se bornait à répondre qu'elle avait fait montre de distraction, sans doute parce que ce festin était trop beau, trop troublant.

Kay Lynn tenait donc une occasion inespérée de reprendre le fil de son récit et ne s'en privait pas.

— Oh ! Les plats qui viennent ensuite...

Elle décrivait donc les plats de riz, les nouilles aux fruits de mer, le maïs frais, les coquilles Saint-Jacques aussi grosses qu'une paume de manœuvre, les crevettes chaudes et — de temps à autre elle reprenait son souffle — les côtes de bœuf aigres-douces. Les côtelettes de porc à la sauce aux haricots noirs, le canard laqué, les calmars à l'ail, les aubergines aux crevettes séchées et bien d'autres merveilles encore.

Bouleversée, tout à coup, elle s'interrompit en criant son désarroi :

— J'oublie ce qu'il y avait d'autre !

Le malaise ne durait guère. Tim, prestement, venait à la rescousse.

— Tu te souviens du plat de soja avec du yaourt aux fèves ? Et le chou de Chine blanc comme jade ? Et les chefs ? Tu les revois ? Ils n'arrêtent pas de défiler avec, à chaque fois, un plat nouveau !

— Oui, oui, disait Kay Lynn.

Elle continuait alors à dépeindre cette fête fabuleuse et ses yeux exorbités retrouvaient leur émerveillement initial.

Pour le dessert, on avait servi des tranches d'ananas frais, de l'orange, du riz gluant sucré et cuit à la vapeur accompagné de dattes séchées et de purée de haricots rouges.

Mei-yu qui avait mangé un peu de canard laqué et de chou se sentait à présent merveilleusement détendue et, une assiette de sucreries et une tasse de thé au jasmin en main, errait dans le salon à la recherche de Yolanda Eng, sa nouvelle amie. La soirée lui paraissait désormais agréable. Les gens, debout tout à l'heure encore, s'étaient assis et bavardaient tranquillement en dégustant leur boisson. Les femmes, un peu trahies par leur maquillage, disparaissaient vers de petits salons afin de réparer les outrages de cette soirée de fête. Quant aux hommes d'affaires, ils avaient renoncé à s'entretenir de stratégies commerciales et discutaient golf.

Mei-yu, faute de trouver sa Yolanda qui avait dû s'éclipser, songeait à rejoindre Kay Lynn pour la prier de rentrer quand elle aperçut Richard qui venait vers elle. Instinctivement, elle jeta un coup d'œil alentour pour voir si Lilian n'était pas dans les parages. Précaution futile. Déjà, Richard, très pâle, très froid, se tenait devant la jeune femme.

— Bonsoir, Mei-yu !

Il s'exprimait en anglais et sa voix semblait étrangement rauque.

— Bonsoir, Richard.

— Je suis heureux de pouvoir enfin vous parler.

A peine avait-il lâché ces mots qu'il s'interrompit, gêné.

— Jamais encore, je n'avais affronté autant de monde !

— Mais vous et mademoiselle Chin avez accompli vos tâches respectives à la perfection !

Mei-yu s'était efforcée de trouver des paroles apaisantes. Elle ne fut pas longue à comprendre qu'elles provoquaient exactement l'effet inverse. Richard parvint néanmoins à se dominer.

— Je voulais vous parler de quelque chose qui me préoccupe un peu, Mei-yu. Pardonnez-moi de ne pas attendre jusqu'à demain, mais comme je vous vois ici...

— Je vous en prie ! C'est bien naturel ! De quoi s'agit-il ?

— Lorsque je suis allé à New York, ma mère a fait allusion à un coffret qu'elle vous aurait remis.

— Oh ! Oui ! Pardonnez-moi ! J'avais renoncé à vous en parler ce soir, à la réception ! Excusez-moi ! Nous avons eu tellement de travail au magasin et j'ai été contrariée à cause de ma petite fille...

— Je vous en prie...

Il paraissait épuisé.

— Je vous en prie ! Ce n'est pas grave ! Je comprends parfaitement !

— Puis-je le remettre à votre bureau, demain ? A moins que vous n'ayez prévu de passer au magasin ?

Richard regarda fixement le sol, puis releva la tête et fixa Mei-yu droit dans les yeux. Il sembla faire un énorme effort et déclara :

— Peut-être me jugerez-vous absurde, mais je me disais... enfin si, du moins, vous envisagiez de rentrer, il me serait possible de vous raccompagner et... de récupérer le coffret.

Il parlait à toute vitesse, s'inquiétait de l'appréhension qu'il lisait sur le visage de Mei-yu.

— Je sais. Je me conduis de manière impulsive, pardonnez-moi, mais autant vous dire que j'ai reçu aujourd'hui une lettre de ma mère...

— Vraiment ? Moi aussi !

— Ah bon ?

C'est à peine s'il paraissait étonné.

— Elle exagère souvent l'importance de certains problèmes, j'en ai conscience. Cette fois pourtant, elle semble très pressée de me voir en possession de ce coffret.

— Moi aussi ! Sa lettre m'a inquiétée. Madame Peng... votre mère se porte bien, Richard ?

Il eut un rire amer.

— Ma mère souhaiterait qu'on la croit vieille et malade. En vérité, c'est une comédie qui la divertit. Elle va très bien.

Il observa Mei-yu d'un œil plus attentif.

— Elle s'est montrée très gentille à votre égard, n'est-ce pas ?

— Oui. Je lui dois tout, pratiquement.

— Vous vous sentez son obligée, non ?

— Oui. Il me semble parfois que je ne pourrai jamais lui rendre tout ce qu'elle m'a donné.

L'espace d'un instant, Mei-yu s'interrogea sur la signification du sourire de Richard. Sur ses lèvres, il n'y avait pas trace de bonheur, de soulagement ou même d'un quelconque sentiment qu'elle eût pu reconnaître... Non, elle aurait juré qu'il s'agissait de colère, d'une colère dirigée contre lui-même.

Déjà, il demandait d'une voix douce, presque caressante :

— Me rendrez-vous ce... service, Mei-yu ? Pourrais-je avoir ce coffret ce soir même ?

Et Lilian ? Qu'en penserait-elle ? songeait Mei-yu, également gênée à l'idée que d'autres invités puissent la voir s'éclipser en compagnie de Richard Peng.

Il parut deviner ses préoccupations.

— Ne vous inquiétez pas, je vous en prie. Si vous sortiez maintenant, je vous suivrais dans une dizaine de minutes seulement. Ensuite, je compte bien revenir à l'ambassade. Personne ne remarquera mon absence.

— Mais... Kay Lynn. Je suis venue avec Kay Lynn...

— Je peux lui faire porter un message par un serveur lui disant que vous avez eu un malaise, que j'ai proposé de vous raccompagner. En revenant, je lui dirai la même chose. Elle n'y verra rien de mal.

Malgré sa réticence, Mei-yu ne trouvait plus aucun argument pour refuser plus longtemps. D'ailleurs, ne répondrait-elle pas aux vœux de Mme Peng ? Cette pensée finit de convaincre la jeune femme.

— Entendu, dit-elle. Vous me rejoignez dans dix minutes ?

— A peine. Attendez-moi dans la petite allée du parking, à droite en quittant l'ambassade.

Lilian ne pouvait plus nier l'évidence. Le destin jouait son œuvre de destruction. Tout au long de la soirée, elle avait senti le poids de la fatalité peser sur eux, sur leur relation. A mesure que le temps s'écoulait, que les tables du buffet se vidaient et que les hôtes disparaissaient, Lilian butait sur une certitude. Richard l'évitait. Sous l'effet de la colère et de la souffrance, la jeune femme avait déployé une énergie peu commune et s'était révélée une hôtesse hors pair, pleine de grâce et d'esprit. Elle savait que les membres de la communauté les surveillaient mais, par chance, le buffet avait fait diversion.

Maintenant que les convives prenaient congé, Lilian sentait peser sur ses épaules une fatigue inouïe. Elle adressa quelques mots d'excuse au ministre et à son groupe, puis gagna la terrasse. En chemin, elle remarqua Richard qui bavardait avec un groupe d'Américains. Elle atteignait le vestibule quand elle aperçut la jeune femme au cheongsam rose, Mei-yu Wong, qui enfilait sa veste. Machinalement, Lilian se recula d'un pas pour mieux observer la suite des événements... N'était-il pas curieux que Mei-yu Wong n'ait pas même pris congé de ses hôtes ? Curieux aussi que personne ne la raccompagnât ! N'était-elle pas venue avec Kay Lynn et Tim Woo ? Lilian ressassait ces questions tout en contemplant cette femme terriblement sauvage et séduisante que Richard n'avait pas quittée des yeux tout au long de la soirée.

Accablée, Lilian renonça à prendre l'air, gagna un boudoir afin de faire quelques retouches à son maquillage. A son grand soulagement, elle s'y retrouva seule. Elle put ainsi se bassiner les tempes à l'eau froide, laisser le jet frais couler sur ses poignets afin de mieux éliminer l'affreuse tension qui ne la quittait pas. Quelques instants plus tard, revigorée, elle arrangeait une mèche de cheveux et regagnait le grand salon. Là, une silhouette debout dans le vestibule attira son attention : Richard. Il consultait sa montre et ne vit pas Lilian... qui comprit immédiatement. Depuis combien de temps Mei-yu Wong était-elle partie ? Lilian l'ignorait, mais elle savait très bien pourquoi Richard se trouvait là. Quelques secondes plus tard, il disparaissait à son tour.

Un nuage d'angoisse voila le regard de Lilian qui baissa les yeux. Dans sa poitrine, son cœur cognait follement. Elle écouta longuement les battements déchaînés de cet amour déchiré, puis quelqu'un, au loin, l'appela. La jeune femme releva la tête, prit son élan. Sur ses lèvres, un sourire avait refleuri.

Mei-yu s'empara du coffret et le contempla un bref instant avant de revenir au salon où Richard l'attendait.

— Merci, Mei-yu, dit-il en le coinçant sous son bras.

Il s'était éclipsé depuis quelque temps déjà lorsque Mei-yu se rendit compte qu'elle lui tendait encore les mains. Troublée, elle s'efforça de reprendre une attitude plus cohérente alors que son esprit revivait les différents événements de cette soirée exceptionnelle. Inexorablement, cependant, le cours de ses pensées revenait au coffret, à Mme Peng et à son fils. Il y avait là un mystère. Mei-yu le devinait qui sentait encore le regard de Richard posé sur elle. Pourquoi ? Elle n'en savait trop rien, bien que son intuition lui soufflât la réponse. Sans doute Mme Peng n'y était-elle pas étrangère... Mais quel genre de liens unissaient donc mère et fils ?

Brusquement, Mei-yu chancela de fatigue. Il était grand temps d'aller chercher Sing-hua chez les Johanssen.

⁂

Le lendemain était un samedi et la matinée se trouvait déjà bien entamée quand Kay Lynn vint frapper à la porte de Mei-yu.

Son œil inquisiteur étudiait Mei-yu.

— Tu vas bien? Hier soir, on s'est tous demandé pourquoi tu as filé en grand mystère. Richard a dit que tu étais malade. Trop sherry, tu penses?

— Peut-être, mais je me sens beaucoup mieux à présent.

— Curieux aussi que Richard et Lilian n'annoncent rien. Nancy dit qu'il y a quelque chose de bizarre entre eux. Tu le crois aussi?

— Oui, on dirait.

A travers leur conversation, Mei-yu eut l'impression que Kay Lynn l'observait discrètement. Avait-elle remarqué les regards échangés? Aurait-elle échafaudé quelque histoire farfelue? Brusquement, Mei-yu décida de lui dire toute la vérité. Elle avait d'ailleurs envie de se confier! Aussi invita-t-elle son amie à entrer.

— Oh, non! Tim et moi, on doit s'en aller...

L'expression méfiante de Kay Lynn faisait désormais place à un sourire timide, enfantin même.

— Nous allons voir docteur aujourd'hui.

Inquiète à l'idée que son amie puisse être souffrante, Mei-yu sursauta, mais le sourire de Kay Lynn la rassura vite.

— Nous pensons avoir bébé.

— Oh! Que je suis heureuse pour vous deux! On va te faire le test maintenant?

— Oui, oui. Je m'en vais. Souhaite-nous bonne chance.

— Tous mes vœux vous accompagnent, Kay Lynn.

— Oh !

Sur cette exclamation, Kay Lynn se tournait vers Mei-yu, la menaçait d'un doigt sévère.

— Hier soir, tu n'as pas rencontré professeur Chung ! Pourtant, je lui ai parlé de toi et il veut faire connaissance. Bientôt, je fais dîner chez moi pour vous deux. D'accord ?

— On verra !

Elle riait, ravie à l'idée que Kay Lynn ne se doutait de rien quant à son secret avec Richard et, soulagée, se disait pécher par excès de culpabilité.

Émue, elle regarda son amie descendre les escaliers avec une prudence exagérée. Comme elle était heureuse pour Tim et Kay Lynn ! Depuis le temps qu'ils rêvaient d'un enfant !

Elle fermait sa porte lorsque l'envie la prit d'aller vérifier le courrier dans sa boîte à lettres ! Elle n'eut pas plus tôt pris cette décision qu'elle aperçut Ronnie qui grimpait quatre à quatre...

— Dina est à la maison ?

Fernadina qui faisait un peu d'écriture dans la cuisine sortit aussitôt sur le palier.

— Je peux m'en aller, maman ? demanda-t-elle.

— Oui, mais attends-moi. On va descendre ensemble. Alors, Ronnie, comment vas-tu ?

— Très bien, madame ! Tu viens, Dina ?

Déjà, les deux enfants dévalaient les marches à belle allure.

Amusée, Mei-yu haussa les épaules. Après tout, l'exubérance appartenait à cet âge-là ! Quant à Ronnie, il était gentil et son amitié aidait énormément Fernadina.

La lettre qui l'attendait eut tôt fait de balayer ces considérations somme toute classiques : Mei-yu reconnut immédiatement l'écriture d'Ah-chin !

La jeune femme remonta prestement à l'appartement et s'empressa d'ouvrir.

Ma chère Mei-yu,

Pardonne-moi de ne pas t'avoir répondu plus tôt, mais Wen-wen était malade (au milieu de l'été, tu imagines !) et nous avons eu beaucoup de travail à la pâtisserie. Je suis très heureuse de savoir que tu te sens bien dans ton nouveau logement. Crois-moi, je rêve du jour où je pourrais te rendre visite, ne serait-ce que pour une petite semaine, et t'aider à aménager l'endroit. Ling et moi avons demandé une pièce un peu plus grande, mais, pour l'instant, il n'y a rien à faire qu'à patienter ! On dirait que de plus en plus de gens viennent s'installer à Chinatown. De toute façon, il est toujours aussi difficile de se loger !

Oh ! Avant que je n'oublie, Bao m'a chargée de te dire qu'il n'arrête pas de penser à vous deux et qu'il vous envoie des sauces et des épices qu'à son avis tu ne peux te procurer à Washington. Je lui ai conseillé de t'écrire, mais tu le connais : il déteste prendre la plume. Au fait, ne lui dis pas que je te l'ai dit, mais il songe à prendre une nouvelle épouse qu'il ferait venir de Hong Kong. L'autre jour, je suis allé le voir et il parcourait un journal de Hong Kong célèbre pour ses petites annonces matrimoniales. Il y a plein de jeunes femmes qui cherchent un mari résidant aux États-Unis. Bien sûr, il a caché le magazine dès qu'il m'a vue, mais j'ai tout deviné. Cela dit, je comprends qu'il se sente seul ! Depuis le temps que sa femme est partie ! Mais de là à chercher une épouse de Hong Kong ! Imagine ! Et si la photo n'est pas bonne ou qu'il y a erreur ! En ce cas, il tombera sur la mauvaise épouse ! Et alors, comment prouver qu'il y a eu erreur sur la personne ? Je ne sais même pas si tout cela est bien légal. Crois-tu que je doive le dissuader de se lancer dans de telles complications ? Je lui ai présenté des femmes de Chinatown, mais il affirme que ce sont de vrais remèdes contre l'amour... Selon lui, toutes les femmes intéressantes sont déjà prises. Que faire pour lui, Mei-yu ?

Maintenant, laisse-moi t'annoncer la nouvelle la plus importante de Chinatown. Le colonel Chang est mort. Il est décédé il y a trois jours, soit deux semaines après son admission à l'hôpital. Apparemment, il n'a cessé de protester de son innocence jusqu'à la fin, mais on dit aussi qu'il était à moitié inconscient, qu'il délirait la plupart du temps. De Yung-shan, personne n'a de nouvelles depuis qu'il a disparu. Certaines rumeurs affirment qu'il cherche à prouver l'innocence de son père. Que veux-tu ? Il faut bien que les gens papotent ! A mon avis, on pense, ici, que l'affaire est close et, moi, j'espère que cette nouvelle t'apportera la paix que ton cœur réclame, Mei-yu.

A ce point du récit, Mei-yu s'interrompit. Sous ses paupières roulaient des images du colonel Chang. Une immense fatigue l'oppressait. Elle ne ressentait aucune impression d'apaisement, mais nulle angoisse non plus. Elle s'était préparée depuis longtemps à cette fin sordide et solitaire. Résignée, Mei-yu reprit la lettre d'Ah-chin.

L'autre jour, j'ai aperçu madame Peng sur Mott Street. Elle se rendait à l'Union et semblait en pleine forme, malgré sa canne de bambou. Je l'ai vu s'arrêter pour gronder quelques adolescents qui faisaient les fous. L'un d'entre eux a bien essayé de lui répondre : il a pris un bon coup de canne ! Sincèrement, j'aimerais bien avoir son énergie quand j'aurai son âge ! Que veux-tu, il y a de quoi s'inquiéter pour les jeunes de Chinatown ! Ils s'habillent de plus en plus comme les Américains, se mettent de la brillantine sur les cheveux qu'ils portent longs et qu'ils coiffent sans arrêt comme s'ils n'avaient rien de mieux à faire ! Ils se promènent avec des bottes noires à hauts talons, sucent des cure-dents et insultent les vieilles gens qu'ils croisent dans la rue. Dans le temps, on travaillait dur pour les parents. Maintenant, ça traîne sous prétexte que c'est Américain et ça ne veut plus laver des assiettes ou repasser du linge. Ce n'est plus assez bon pour eux. Non mais, tu te rends compte ! On dirait qu'ils ont honte de leurs familles ! Moi, je te dis qu'ils sont restés seuls trop longtemps, livrés à eux-mêmes, pendant que nous allions travailler. Voilà pourquoi ils forment pareilles bandes ! Je t'assure que je surveille Wen-wen ! Il a beau être jeune, je suis méfiante ! Il prétend s'appeler Jack, de son nom américain. Mon fils, un gangster ! Déjà ! Le président Leong a mis sur pied des programmes spéciaux pour jeunes, mais ils disent que tout cela est vieux et démodé, que ce n'est pas drôle ! Pas drôle ! Comme si la vie était drôle ! Tu sais, les parents sont inquiets : ils sont persuadés que la criminalité va augmenter. Nous qui commencions à nous sentir tranquilles dans la rue maintenant que les hommes du colonel Chang ne traînent plus dans les parages ! Que faire ?

Voilà donc pour les nouvelles, Mei-yu. Je ne vais pas t'ennuyer en te racontant la queue qu'il m'a fallu faire, l'autre jour, pour acheter du loup de mer. J'ai attendu en vain, parce qu'il n'y en avait plus quand mon tour est venu. Wen-wen s'ennuie de Sing-hua. Vous nous manquez, Mei-yu. Comme j'aimerais me trouver à côté de toi pour voir si Wen-wen a fini par rattraper Sing-hua. Il refuse toujours de manger de la viande et ne se nourrit que de nouilles ! Comment va-t-il grandir s'il n'avale que des nouilles et encore des nouilles ?

Ling t'envoie ses amitiés et moi des brioches aux haricots noirs par le prochain courrier. Écris-nous vite.

Affectueusement,
Ton amie Ah-chin

Le cœur serré, Mei-yu replia les nombreuses pages envoyées par son amie et s'en fut chercher du papier et un crayon. Ah-chin n'avait pas changé et ne changerait jamais. Malgré les derniers événements, Chinatown demeurait un lieu de souffrance où Ah-chin garderait toujours sa mèche rebelle au milieu du visage, ce regard exaspéré aussi. Oh ! Si seulement ses amis pouvaient venir s'installer à Washington ! songea la jeune femme. Comme la vie leur serait plus douce et plus facile !

Elle mourait d'envie de partager avec eux cette existence

tellement plus paisible ! Ling et Ah-chin ne pouvaient-ils lancer une pâtisserie à Washington ?

Mei-yu gagnait la chambre de sa fille quand les cris des enfants dans la cour l'arrêtèrent. Oui, elle expliquerait à Ah-chin combien les enfants se trouvaient plus heureux ici aussi. Si Wen-wen venait vivre dans la capitale, il finirait sûrement par aimer les sandwiches au saucisson italien. Il finirait sûrement par devenir aussi grand et aussi fort qu'un petit garçon américain.

***

Le soleil perçait enfin le brouillard de cette fin de matinée quand Yung-shun Chang passa le carrefour de Grant Avenue et de Sacramento Street. Il ôta sa veste, scruta Sacramento Street. Il y avait quinze ans maintenant qu'il n'avait pas revu San Francisco et, pourtant, l'artère principale de la ville chinoise de la belle cité californienne lui paraissait pratiquement inchangée. Un peu plus animée, un peu plus sale et bruyante peut-être... Mais les magasins, les gens demeuraient les mêmes. C'est tout juste s'il n'entendait pas, derrière le bruit sec des caisses enregistreuses, le cliquetis du traditionnel boulier ou le claquement des lourdes pièces en ivoire des ma-jong entassées sur les tables bordant la rue. Dans sa jeunesse, Yung-shan s'était bien souvent endormi au rythme d'une partie serrée à peine ponctuée de sourdes exclamations ! Ses rêves d'enfant le conduisaient alors vers des contrées lointaines où l'éléphant était roi.

Il revenait à contrecœur à San Francisco. C'était là, en 1930, que son père l'avait amené pour y démarrer une vie nouvelle. Yung-shan n'avait jamais connu sa mère, morte en lui donnant le jour, en Chine. Il ne gardait aucun souvenir de la longue traversée de l'océan, ni des manœuvres auxquelles son père avait eu recours pour déjouer la surveillance des responsables qui luttaient contre les immigrants clandestins. Comment le colonel avait-t-il su gagner le cœur de Chinatown et y défier les marchands déjà solidement établis ? Yung-shan n'en savait rien. C'était là, pourtant, à San Francisco, que son père avait croisé le fer avec nombre de puissants négociants cantonais. Ces luttes s'étaient révélées si dures, si sournoises qu'il avait craint d'y perdre son bien le plus précieux, son seul fils encore vivant. On protégea donc ce fils, Yung-shan, en le dissimulant de sombres cachettes en obscures retraites, tel un précieux talisman enveloppé de moire.

En 1940, la guerre des gangs était terminée depuis longtemps lorsque le colonel Chang décida de s'installer à New York. Yung-shan avait à peine quatorze ans à l'époque.

C'est là que le père s'avisa d'éduquer son fils. Yung-shan apprit donc à noter tous les chiffres que lui donnait la foule des visiteurs passant par le bureau de son père. Certains les lui transmettaient même par téléphone. Il finit par comprendre que ces chiffres symbolisaient un profit magique pour son père. A dix-huit ans, il chercha à en savoir davantage, à s'aventurer seul dans les rues. Il commença par détester les rues bondées de Chinatown. Il aspirait au calme. Quand il eut vingt-cinq ans, il décida de quitter ces lieux. Hélas ! il ne trouva pas le courage d'en avertir son père. Il se méprisa donc. En vain. Il redoutait toujours la colère paternelle, les malédictions des Anciens censées s'abattre sur les fils déloyaux. Il maudit son sens du devoir, son sentiment de culpabilité. Il continua à s'occuper des affaires de son père, mais, sournoisement, refusa de superviser certaines questions, évita la compagnie des hommes de main du colonel. A vingt-huit ans, il touchait au désespoir et n'adressait quasiment plus la parole à son géniteur.

Aujourd'hui, son père était mort. Yung-shan savait qu'il

lui faudrait désormais assumer les dettes et les griefs portés depuis des années tant à New York qu'à San Francisco au passif du colonel Chang. Il savait aussi ne pas risquer grand-chose : il était en effet fort peu vraisemblable qu'un ennemi de son père pût le reconnaître, ici, sur la côte ouest. A l'heure actuelle, on n'exhumait plus d'antiques querelles. La mort les annulait. Du moins, la loi y veillait, en même temps que les mentalités se lassaient des conflits perpétuels. Néanmoins, Yung-shan avait conscience du danger auquel il s'exposait.

Il relut l'adresse inscrite sur son papier. Le cuisinier de Chicago avait été formel : c'est là qu'il avait envoyé Wo-fu ! Sans doute s'agissait-il d'un autre cuisinier. Ils étaient légion à Chinatown !

C'est dans la ville chinoise de Toronto qu'il s'était tout d'abord lancé à la recherche de Wo-fu. Il avait passé là des semaines entières à errer d'un restaurant à l'autre, d'un magasin à l'autre, d'une rue à l'autre. Il avait soigneusement noté tous les détails importants, ses conversations avec les gens qui disaient avoir vu Wo-fu, mais, au bout de quelque temps, Yung-shan crut avoir été berné : de Wo-fu, il n'y avait plus trace. L'autre s'était-il tout bonnement évanoui ? Puis, un jour qu'il passait devant un salon de thé, il aperçut Wo-fu qui servait une table. Sidéré, il oublia toute prudence et se dirigea vers lui. Dès que le serveur le vit, il se figea, puis lâcha son plateau et fila vers l'arrière-boutique. Yuang-Shan lui emboîta le pas, mais, quand il atteignit le fond du salon de thé, il était déjà trop tard, Wo-fu avait disparu. Yung-shan ne trouva qu'une allée déserte qu'il explora pourtant méthodiquement. Il se reprocha amèrement sa légèreté : pourquoi n'avait-il pas attendu un moment plus propice ?

En désespoir de cause, il finit par revenir au salon. Peut-être y découvrirait-il un indice ? L'un des cuisiniers lui dit alors avoir entendu Wo-fu parler d'un riche cousin, négociant en gros, à Chicago. Wo-fu lui avait soutiré cinquante dollars sous prétexte de les investir dans le commerce du cousin.

L'autre, grugé et furieux, hurlait maintenant tel l'avare après sa cassette. Sur le seuil du salon de thé, Yung-shan l'entendait encore.

A Chicago, Yung-shan passa plusieurs semaines à remonter jusqu'au fameux cousin. Il finit par frapper à la porte d'une belle maison des quartiers sud. Lui ouvrit un propriétaire furibond qui glapissait son malheur : son locataire, accompagné d'un autre jeune homme, avait décampé depuis belle lurette sans même lui payer les loyers dus.

— Regardez ce qu'ils m'ont laissé, ces voyous ! disait le bonhomme en gesticulant.

Les deux cousins avaient fait place nette. Dans la pièce, il ne restait qu'un lavabo en zinc, une plaque de cuisson à deux brûleurs, un lit métallique et des piles de journaux froissés. Une humidité froide poissait l'atmosphère.

Le propriétaire poursuivait :

— Et l'odeur ! Vous sentez ? Affreux ! A qui voulez-vous que je loue cette pièce maintenant ? Vos amis n'arrêtaient pas de cuisiner de véritables horreurs ! C'est une vraie puanteur là-dedans. Tous les habitants de l'immeuble se plaignaient. Que pouvez-vous donc manger, vous autres Chinois ? Je me le demande !

Yang-shan l'examina à la dérobée. Avec son crâne chauve et son gros nez rougeâtre, il n'avait rien d'engageant. Il prenait d'ailleurs un air méfiant quand une lueur de génie illumina son œil porcin. Il avait compris et braillait :

— Eh ! Vous êtes de l'Immigration ? C'est ça ? Vous allez les rattraper et les coller sur le premier raffiot à destination de Hong Kong ?

Yung-shan regarda son interlocuteur. Il mourait d'envie de lui envoyer son poing dans la figure. Il lui donna vingt dollars.

— Que savez-vous sur eux ? demanda-t-il.

Il y eut comme un déclic et le propriétaire raconta les lettres envoyées au cousin avec, au dos, une adresse à San

Francisco. Cette adresse, il l'avait notée au cas où il aurait décidé de porter plainte, un jour.

Pour l'heure, il s'inquiétait, insistait :

— Vous n'appartenez vraiment pas au Bureau de l'immigration ?

Devant le mutisme de Yung-shan, il réintégra ses pénates pour se manifester quelques instants plus tard avec la fameuse adresse.

Il cracha furieusement par terre et grommela :

— Même si vous ne travaillez pas avec les gens de l'immigration, je vous la donne. Apparemment, vous les retrouverez plus vite qu'eux.

Il se trouvait maintenant en plein Clay Street, devant le How How Noodle House. Midi allait bientôt sonner. Nombre d'Asiatiques poussaient la porte d'entrée et Yung-shan décida de les imiter. Il choisit de s'installer dans un renfoncement, près de la cuisine. Aussitôt après, un serveur approcha, déposa devant lui une théière et une tasse en porcelaine épaisse ainsi qu'un crayon et un bout de papier. Yung-shan griffonna donc le menu de son choix, puis patienta jusqu'au retour dudit serveur.

Tandis que le temps passait, Yung-shan observa un ouvrier chinois assis à la table voisine. Il avalait nouilles et beignets avec l'aisance d'un pélican face à un poisson savoureux. La nourriture lui coulait dans le gosier à une vitesse ahurissante. A croire qu'il ne savait pas mâcher ! Ensuite, il prit son bol de soupe dont il termina le restant avec un zèle déconcertant. Un dernier mouvement de la manche fit office de serviette. Voilà, son repas était achevé. Le tout avait duré moins de dix minutes.

Yung-shan avait commandé une soupe au poulet et aux nouilles et des beignets de crevettes qu'il mangea lentement tout en surveillant du coin de l'œil les allées et venues des quatre cuisiniers. Les malheureux semblaient évoluer au milieu d'un nuage de fumée désespérément épais. Quant au bruit, il était assourdissant. Mais, au cœur de cet enfer, de Wo-fu, il n'y avait pas trace.

Wo-fu... Il se méfiait maintenant. Il était sur ses gardes, c'était indéniable. Or, Yung-shan pouvait le rencontrer n'importe où dans la ville. Wo-fu... Yung-shan n'avait désormais nul besoin de regarder la photographie qu'il montrait encore aux gens à qui il demandait des renseignements sur lui. Ce visage-là écartelait les souvenirs.

Wo-fu avait un visage étonnant. L'un de ces visages susceptibles de rester éternellement jeunes, lisses, dépourvus de moustache. Or, il avait au moins vingt-cinq ans et les traits délicats d'une jeune fille : de grands yeux plein de douceur, un petit nez, un menton fragile. Au début, Yung-shan avait jugé cet homme trop mou, trop faible pour être d'une quelconque utilité au colonel Chang. Cependant, après qu'il l'eut observé dans les rues de Chinatown, conformément aux vœux de son père, il découvrit chez Wo-fu une roublardise surprenante. Il se montrait vif, malin, débordant d'intuition quant à la conduite à tenir. Yung-shan donna donc un avis favorable :Wo-fu ferait un excellent indicateur. Plus tard, trop tard en fait, Yung-shan découvrit qu'il avait eu affaire à un être extrêmement ambitieux, avide de pouvoir, à un vendu.

L'eût-il mieux étudié que Yung-shan aurait cerné l'âme du personnage ! Hélas ! l'impatience de son père avait précipité le cours du destin. Mais la responsabilité pleine et entière lui incombait. Il se reprochait amèrement sa décision par trop hâtive !

Déjà, le regard de Yung-shan revenait sur les clients proches tandis que le serveur lui apportait du thé fraîchement infusé et l'addition pleine de taches d'huile. Le malheureux, trop pressé par le temps, ne lui jeta même pas de regard méprisant pour la lenteur avec laquelle il mangeait sa soupe. Yung-shan ne semblait en effet tenu par nul horaire et les autres clients présents le devinaient bien qui lui décochaient un œil noir derrière leur bol fumant. Sans doute, le considéraient-ils comme un célibataire au chômage alors qu'apparemment ils avaient tous plusieurs bouches à nourrir, des épouses qui peinaient à la tâche ou demeuraient à la maison pour s'occuper des bébés. A cette pensée, Yung-shan examina le restaurant plus attentivement : il n'y avait pas une seule femme dans l'assistance ! Soudain, comme chaque fois qu'il se préoccupait des femmes, il songea à Mei-yu. Où était-elle ? Que faisait-elle à présent ? se demanda-t-il en s'empressant d'ingurgiter une cuillerée de nouilles afin de lutter contre la honte qui l'envahissait. Dès le début, il s'était comporté comme un imbécile à son égard. Comment avait-il pu espérer gagner son amour en menaçant son mari ? en cherchant à la piéger ? Il maudit sa propre faiblesse. Ô le visage de Mei-yu ! Comme il demeurait gravé dans sa mémoire, et stigmatisait son ignominie et son ineptie. Maintenant, il lui fallait réhabiliter son nom auprès d'elle aussi. Il hocha la tête afin de chasser ces souvenirs doux amers, mais en levant les yeux, il croisa le regard froid des clients qui avaient terminé leur repas. Leur opinion était faite !

Las de ces préventions futiles, Yung-shan se laissa aller à songer à son père et à leur dernière entrevue à New York. Deux jours auparavant, Fong était accouru chez lui pour l'avertir : Lee venait de parler. Yung-shan comprit qu'il lui fallait déguerpir, et vite. Mais il voulait revoir son père une fois encore. Il avait déjà tenté de le rencontrer dès l'arrestation de Lee, quelques semaines auparavant. Le vieillard s'y était farouchement opposé. Dans un message qu'il lui adressa, il le mit en garde. Les prendre ensemble, voilà ce qu'attendait la police ! disait-il en substance. Aujourd'hui que Lee avait choisi de parler, Yung-shan, conscient du peu de temps qu'il leur restait, décida de faire fi de ces conseils. Il commença par déménager et s'installa dans une chambre vide, sur Park Street, juste au-dessus du Hong Trading Company. Persuadé que son père le ferait mander, il y passa deux jours. Fong venait le voir régulièrement, lui apportait à manger. Il lui apprit que la police avait perquisitionné à son domicile, que l'on allait arrêter le colonel Chang dans un très proche avenir. Yung-shan comprit donc qu'il ne pouvait plus attendre davantage.

Il trouva son père assis sur un divan, qui tentait de boutonner sa chemise. Il gardait la tête droite, rigide, gêné qu'il était par l'énorme pansement qui lui serrait le cou et l'empêchait de se pencher, et maugréait furieusement tout en essayant de se préparer. Mû par une impulsion bien naturelle, Yung-shan voulut l'aider, mais son père repoussa ses mains d'un geste rageur et, fatigué par tant d'efforts, se contenta de rentrer les pans de sa chemise dans son pantalon. Yung-shan remarqua son corps émacié, usé, tandis que le vieillard, agacé et malheureux, lui criait :

— Je t'avais demandé de ne pas venir ! Tu voulais me voir à l'agonie, c'est cela ?

Yung-shan refusa de mordre à l'hameçon.

— Père, pas de disputes ! Le temps presse. Fong est en bas qui fait le guet. A son avis, la police ne devrait plus tarder.

— Bah !

Pourtant, ses pieds s'agitaient férocement. Yung-shan le remarqua et, inquiet, s'enquit :

— Que cherches-tu ?

— Mes chaussons !

Le vieil homme grondait.

— Je n'arrive pas à trouver mes chaussons.

Yung-shan finit par les lui passer, s'effraya de la minceur et de la fragilité de ses chevilles à peine plus grosses qu'un poignet de femme.

— Ils ne me prendront pas au piège comme un rat !

Il essayait de se lever, vociférait :

— Je vais aller dîner au Quon Luck comme d'habitude ! S'ils veulent m'arrêter, ils n'ont qu'à venir me chercher là. Je les y attendrait.

— Père, je t'en prie !

Très doucement, il le prit par le bras et, devant ce geste infiniment tendre, le vieillard s'abandonna, se laissa retomber sur le divan. L'espace d'un instant, Yung-shan craignit un évanouissement. Très vite, cependant, il aperçut l'éclat de ses yeux derrière la paupière lasse.

— Père, fit-il encore.

Tout en parlant, il tendait l'oreille. Sûrement, Fong ne tarderait pas à l'avertir car ils avaient déjà perdu de précieuses minutes.

— Père, dis-moi la vérité. Est-ce toi qui as envoyé Lee et Tam tuer Wong Kung-chiao ?

Lentement, son père tourna les yeux vers lui. Dans ses prunelles brillait un mépris souverain.

— Ne m'as-tu point déconseillé de telles sottises ?

— Si.

— Alors, crois-tu que le père ait trahi le fils comme le fils a trahi le père ?

Il y avait tant d'amertume dans sa voix que Yung-shan baissa la tête. Jamais le vieillard ne comprendrait ni n'accepterait les raisons qui le poussaient à refuser de s'occuper des affaires de son père. Le cœur écartelé, il résista pourtant à l'envie de se jeter à ses pieds pour implorer son pardon.

— Je ne t'ai jamais trahi ! Tu dois me croire.

L'un comme l'autre garda le silence un bon moment. Yung-shan commençait à penser que son père avait sombré dans un état d'hébétude quand il sentit sa main se refermer sur son poignet. Il se pencha, frémit lorsque l'âpre odeur de maladie lui fouetta les narines.

— Qu'y a-t-il, père ?

Le colonel ouvrait maintenant de grands yeux.

— J'ai de nombreux ennemis, mais un seul pouvait m'accabler ainsi. A toi de trouver les preuves ! Ne m'abandonne pas dans cette affaire !

— Qui est-ce ?

Déjà, Yung-shan essuyait de son mouchoir l'écume qui perlait aux lèvres de son père.

Ce dernier fit mine de n'avoir rien entendu. Il se souleva, frappa d'un poing faible le torse de son fils.

— Tu dois retrouver Wo-fu. Il détient la vérité. Trouve-le. Fais-le parler pour que tout le monde sache exactement ce qui s'est passé.

Yung-shan avait l'impression qu'il délirait. Il tenta donc de l'appuyer à nouveau sur les oreillers, mais le vieil homme s'insurgea, déploya une énergie peu banale.

— Trouve Wo-fu, te dis-je. Ramène-le.

Yung-shan vit que le regard de son père s'élançait désormais vers de nouveaux horizons où il n'avait point de place. Une peur horrible le saisit, lui noua les tripes. Et s'il le voyait pour la dernière fois ? Il lui prit les mains, les pressa contre sa poitrine, puis quitta la pièce.

Fong l'attendait au bas des marches. La police ne s'était toujours pas manifestée.

— Va-t'en, maintenant ! Il n'y a plus rien que tu puisses faire, lui dit Yung-shan.

Les yeux humides, il regarda cet homme de confiance, cet ami fidèle s'évanouir au hasard des rues. Plus tard, Yung-shan partit d'un pas vif jusqu'à sa chambre au-dessus de Hong Hing Trading Company. L'esprit enfiévré, il commença à empaqueter ses effets. Il songeait aux ennemis de son père, les passait en revue. Qui donc pouvait en vouloir pareillement au colonel Chang pour lui tendre un tel piège maintenant que son pouvoir s'émoussait, maintenant que la structure même des affaires dans Chinatown changeait de manière irréversible ?

On se trompait de cible ! songeait Yung-shan avec amertume. Jamais, au grand jamais, le jeune homme n'avait caché ses intentions, son manque d'intérêt pour les querelles intestines, les rivalités de gangs ou même pour le pouvoir. Il détestait ces manœuvres tortueuses. Elles lui répugnaient.

Peut-être les ennemis de son père avaient-ils compté sur cet aspect-là de sa personnalité ? En ce cas, il fallait chercher la revanche. Un ennemi aussi arrogant devait prendre la mesure de sa grossière erreur. On ne pouvait sous-estimer le sens du devoir que ressentait le fils à l'endroit de son père. En son for intérieur, Yung-shan se promit de venger l'affront. Il trouverait Wo-fu. Là, du moins, tenait-il un semblant de piste, une chance d'apprendre un jour la vérité. Mais Wo-fu, où se terrait-il ? Comment le rechercher ? Peut-être pouvait-il commencer par interroger les serveurs qui avaient travaillé avec lui au Sun Wah ? Pourquoi ne pas questionner Bao, le cuisinier ? C'était un drôle de bonhomme. Très secret. Même s'il ignorait la destination de Wo-fu, il serait sûrement capable de reconstituer ce puzzle sans rien dire à quiconque. C'était un homme trop intelligent pour raconter une histoire dont il ne connaissait pas encore la fin. Yung-shan le savait.

Le restaurant était maintenant presque désert. Les cuisiniers, vêtus de noir, prenaient leur repas, certains assis à la grande table de cuisine, d'autres debout. Yung-shan régla l'addition, puis fila vers les cuisiniers qui poursuivirent leur festin sans se préoccuper de l'inconnu. Yung-shan ne se laissa pas intimider et avisa le chef dont l'œil lui parut le plus vif.

En cantonais, il lança d'un ton qui se voulait jovial :

— Bravo ! Le restaurant est bien tenu et la nourriture, bonne. Vous travaillez ici depuis longtemps ?

L'homme hocha la tête et répondit entre deux bouchées de beignets :

— Deux mois !

Un jeune, plus méfiant, intervint aussitôt :

— Vous êtes de l'Immigration ?

— Non, je cherche un ami. Je lui dois de l'argent depuis un moment et, par chance, aujourd'hui, j'ai de quoi le lui rendre. Malheureusement, je n'arrive pas à le retrouver.

Il sortit alors la photo de Wo-fu debout devant le Sun Wah en compagnie de trois autres serveurs et de Bao.

— Vous ne l'auriez pas vu dans les parages ?

Le jeune homme abandonna aussitôt son bol, sourit à pleines lèvres huileuses.

— Un ami à vous ? Ce n'est pas trop tôt ! Moi, il me doit de l'argent. Il a travaillé ici pendant près de deux mois avant de passer au Golden Lotus sur Washington Street. J'ai voulu aller récupérer mes sous, mais on m'a dit qu'il était parti sans tambours ni trompettes.

Yung-shan interrogea les autres.

— Quelqu'un l'a-t-il vu ?

Pour toute réponse, les autres replongèrent le nez dans leur bol, haussèrent les épaules. Tout cela ne les concernait pas.

Yung-shan, lui, revint laisser un pourboire à sa table, puis s'éclipsa. Le brillant soleil de l'après-midi l'aveugla. De sa poche, il tira un calepin où était notée une adresse trouvée dans l'agenda de son père. C'était celle d'un ami proche, quelqu'un sur qui, autrefois, il avait beaucoup compté. Quelqu'un qui connaissait tout Chinatown, ses affaires, ses rivalités et ses intérêts. Avant de lui téléphoner, Yung-shan avait préféré agir seul. Une fois qu'il aurait appelé, tout San Francisco saurait qu'il était là, et cela, Yung-shan avait espéré l'éviter. N'importe ! Cet ami de son père saurait si Wo-fu se trouvait encore dans les parages ou s'il avait gagné Los Angeles, Vancouver, ou même Hong Kong.

Il regarda donc l'adresse. C'était à deux pas ! D'un pas décidé, il tourna le coin de la rue.

***

Durant les semaines qui suivirent la réception, Mei-yu n'eut guère le temps ni l'énergie de réfléchir à autre chose qu'à son travail. C'était la bousculade. Aussi, quand un mois plus tard, un samedi après-midi, la jeune femme se trouva nez à nez avec Richard Peng, éprouva-t-elle un grand choc. Elle ne pensait pas le revoir et se rendait compte, brusquement, qu'elle avait même souhaité ne plus le revoir du tout. Malgré le calme et la cordialité qu'il manifestait, Mei-yu ressentait un drôle d'étonnement mêlé d'une immense inquiétude. Elle finit néanmoins par l'inviter à entrer au salon. Quand il passa devant elle, la jeune femme glissa la main dans ses cheveux défaits qui tombaient en masse souple et sensuelle sur ses épaules. Elle n'avait même pas pris le temps de les attacher et se troubla. Elle s'efforça cependant de dominer l'émotion qui noyait sa voix tandis qu'ils échangeaient quelques plaisanteries. Elle proposa à Richard une tasse de thé glacé et utilisa ce prétexte pour filer à la cuisine. Là, elle s'interrogea : que venait-il faire ici ?

Quand elle regagna le salon, elle montrait un visage serein et servit avec grâce les verres emperlés de buée. Richard, qui s'était posté devant la fenêtre, lui adressa un sourire radieux. Il paraissait métamorphosé depuis ce terrible soir de la réception. Il avait même délaissé le traditionnel costume sombre de l'homme d'affaires pour un pantalon noir et une chemise de simple cotonnade bleue. Il semblait rajeuni, moins sévère, et Mei-yu oubliait que c'était là son employeur. Pourtant, quand il vint s'asseoir sur le sofa, une intuition profonde avertit Mei-yu : cet homme agissait conformément à un plan longuement mûri. Elle décida de se préparer à ce qui suivrait et offrit à Richard un sourire attentif.

C'est alors que Fernadina sortit de sa chambre et jeta à sa mère un regard interrogateur.

— Viens dire bonjour à monsieur Peng, Sing-hua, fit Mei-yu.

Bien qu'à contrecœur, la fillette finit par avancer.

— Sing-hua et moi-même avions prévu de sortir cet après-midi, expliqua Mei-yu, fine mouche.

Richard comprit immédiatement, sourit à belles dents.

— La journée s'y prête à merveille : il fait si beau ! Pardonnez-moi de vous avoir dérangées, mais je ne serai pas long. Je te le promets, Sing-hua.

L'espace d'un instant, Fernadina prit la mesure de leur invité, puis regagna sa chambre. Mei-yu dégustait son thé lorsque Richard déclara en riant.

— Je vous prie encore d'accepter mes excuses les plus sincères pour cette surprise, mais comment vous prévenir ? Vous n'avez pas le téléphone !

Polie, Mei-yu éclata de rire à son tour. Il lui vint des envies de s'expliquer, puis elle y renonça. A quoi bon ?

Richard poursuivait déjà :

— Puisque vous avez des projets pour cet après-midi, je ne vais pas vous retarder. Autant vous dire tout de go les raisons qui m'amènent.

Il eut un soupçon d'hésitation.

— Je viens vous demander la permission de vous inviter de temps à autre.

Cette déclaration glaça Mei-yu. Pourquoi cet homme, pratiquement fiancé à une autre, lui demandait-il pareille chose ? Que voulait-il exactement ? Elle vit son regard calme, perçut sa réserve. Dans sa voix très posée, elle devinait également une profonde tension.

— Monsieur Peng...

Elle s'interrompit, chercha ses mots. Richard Peng était son employeur, après tout. Cette situation était extrêmement gênante !

— Je suis très... très flattée, mais je ne pense pas pouvoir... sortir... enfin, pour une soirée. D'ailleurs, j'ai beaucoup de travail à la boutique. Et tant mieux ! En outre, je ne passe guère de temps avec ma fille.

Elle se tut, étudia la réaction de Richard Peng qui demeurait effroyablement calme et reprit :

— Bientôt, Fernadina ira à l'école et il me semble important de passer le plus de temps possible avec elle afin de l'aider, de la préparer. L'an dernier a été très difficile.

Elle tremblait de peur, d'appréhension. Sa voix la trahissait et elle en éprouvait une grande colère mêlée de honte. Pourquoi frissonner, se justifier devant un homme aux intentions malhonnêtes ?

Alors, elle explosa :

— Pourquoi... pourquoi voulez-vous m'inviter ?

Richard se carra dans le sofa comme s'il essayait de rassembler toutes ses forces.

— Je me suis montré maladroit et brutal, je le vois maintenant. Pardonnez-moi, je vous prie. Laissez-moi m'expliquer, car je crois comprendre vos sentiments. Je ne souhaite qu'une seule chose... vous connaître mieux. Je suis libre de vous dire ce genre de choses, Mei-yu, car je n'ai donné ma parole à quiconque. Je ne suis pas fiancé à Lilian Chin. Tout le monde le saura bientôt. Nous songions à nous marier, c'est vrai, mais, par chance, nous avons compris à temps qu'une telle union n'aurait pas marché. Je ne vous ennuierai pas davantage avec cette histoire. C'est pourtant la vérité, et vous apprendrez bientôt que Lilian ne tardera plus à regagner T'ai-wan. Quant à moi, vous savez, bien sûr, que mon travail et mes origines m'attachent ici.

Sur ces mots, il prit son verre, but quelques gorgées avant de reprendre :

— Ne vous inquiétez pas, Mei-yu. Je n'ai nullement l'intention de tirer parti de la situation. Vous devez me croire. Je ne compte pas me servir de vous. Ensuite, votre emploi ne sera jamais menacé. Si vous ne me faites pas confiance, fiez-vous du moins à ma mère. C'est elle qui vous a envoyée ici. Jamais je n'interviendrai dans vos relations.

Richard avait touché la corde sensible. Il suffisait que

Mei-yu songe à sa bienfaitrice pour que ses peurs se dissipent. Elle déchiffra alors l'éclat de la sincérité dans les prunelles de Richard, comprit enfin ce qu'il attendait et... s'empourpra. Elle s'empara de son verre.

— Pardonnez-moi ! Je vois que j'ai fait erreur !

Il se levait.

— Non !

La violence de sa réaction surprit Mei-yu elle-même. Énervée, gênée, elle pouffa.

— Oh ! Je suis troublée, surprise ! Je ne sais que penser.

— Peut-être vaudrait-il mieux attendre ! Après tout, nous ne sommes pas pressés ! fit Richard.

A son tour, Mei-yu se leva. Les deux jeunes gens se dévisagèrent un long moment, puis Richard ajouta :

— Pourquoi n'auriez-vous pas le téléphone ? Je pourrais appeler, éviter de vous surprendre comme aujourd'hui. Il vous sera sûrement plus facile de me dire si vous désirez me revoir ou non !

Déjà, pourtant, il tendait une main possessive vers la table voisine du sofa.

— Là, regardez ! Ce serait parfait.

Conscient de son autoritarisme, il sourit, prit Mei-yu à témoin.

Charmée, Mei-yu capitula :

— Entendu ! Sans doute cet objet est-il devenu un phénomène inévitable ! Il épargnera bien des pas inutiles à Kay Lynn, du moins quand elle souhaitera me parler.

Puis, ensemble, ils gagnèrent l'entrée. Richard s'enquit de la santé de Kay Lynn.

— Elle va bien et le bébé est attendu pour le mois de mars, il me semble.

La conversation devenait plus simple, plus naturelle maintenant qu'ils avaient abordé l'essentiel.

Quand ils furent pour se séparer, Richard insista encore :

— Puis-je vous appeler dans un mois, Mei-yu ?

— Oui.

A peine Richard eut-il disparu que Mei-yu fila vers la chambre de Fernadina. Vive comme l'éclair, elle prépara l'enfant, se changea également. Un dernier élastique serra la natte de la petite. Voilà ! Elles étaient fin prêtes ! Elles allaient partir, quand une idée arrêta la jeune femme.

— Attends une minute ! dit-elle.

Elle courut jusqu'à la table du salon, saisit le plateau et se dirigea prestement vers la cuisine. Là, elle contempla les deux verres côte à côte. Une joie intense l'envahit. Elle haussa les épaules et fila rejoindre sa fille.

Deux semaines plus tard, en fin d'après-midi, Nancy Gow, Kay Lynn et Mei-yu se trouvaient seules à la boutique quand Yolanda Eng vint chercher les chemisiers et les robes en soie qu'elle avait commandés.

Elle se planta spontanément devant le miroir pour mieux juger du travail et s'écria :

— Oh ! Que c'est beau, Mei-yu ! C'est superbe !

Le résultat lui allait à merveille. En effet, le style américain avec jabot et dentelles convenait parfaitement à la féminité de Yolanda. La jeune femme était magnifique. Maquillée en toutes circonstances, elle arborait un beau chignon élaboré et incarnait admirablement la jeune mère chinoise extrêmement soignée. Elle décocha d'ailleurs un regard admiratif à l'adresse de Kay Lynn et de son ventre arrondi.

— Seuls les enfants nous apportent le vrai bonheur ! J'espère que tu auras la joie d'avoir un garçon, Kay Lynn !

— Ça nous est égal, murmura Kay Lynn. Nous attendons depuis si longtemps ! Tant que le bébé est en bonne santé, c'est pour nous l'essentiel.

— Bah ! Ton mari dira peut-être que ce n'est pas important, mais, crois-moi, tu seras bien plus heureuse si ton premier est un garçon ! Moi, mon mari m'aurait quittée si je n'avais pas eu Ming, et tout de suite encore ! Au fait, Nancy et Mei-yu, Ming aura dix-sept ans dans deux semaines et j'aimerais inviter vos enfants pour l'occasion. Il a convié ses amis américains. Cela dit, j'aimerais qu'il rencontre aussi des Chinois. Il ne parle pratiquement plus notre langue ! C'est tout juste s'il consent à prononcer quelques mots à la maison.

Brusquement, elle prenait Nancy à témoin.

— Tes enfants se comportent-ils ainsi ? Tu n'as pas l'impression qu'ils prennent tout ce qu'il y a de pire de ce pays ? Ils ne sont pourtant pas bien vieux ! Voilà ce qui arrive quand on les envoie à l'école américaine !

— Mon mari et moi leur parlons en chinois à la maison, expliqua Nancy. Sinon, nous ne leur répondons pas. C'est simple !

— J'imagine que nous les avons trop gâtés ! reprit Yolanda. Mon fils et ma fille ne parlent qu'anglais. Nous ne parvenons pas à les suivre. Moi qui suis une mère de famille, j'ai peut-être des excuses, mais mon mari qui est ingénieur en chef à la centrale...

Elle hochait la tête pour mieux souligner son découragement, puis pointa un doigt prophétique vers Kay Lynn.

— N'oublie pas ce que je viens de te dire, et que cela te serve de leçon, future mère !

Nancy, un sourire ému aux lèvres, entreprit d'emballer les effets de Yolanda.

— Et sinon, quelles sont les nouvelles, Yolanda ? fit-elle. Je n'ai pas assisté à la réunion de la communauté, samedi dernier.

— Non ? Aucune de vous n'est venue ? Et toi, Mei-yu ? Voilà des semaines que tu n'as pas montré le bout de ton nez !

Ravie, elle tira une chaise, s'installa à côté de la machine à coudre.

— Eh bien ! Vous avez raté quelque chose !

— Quoi donc ? demanda Kay Lynn.

Yolanda, désireuse de ménager la surprise, attendit que Nancy en ait terminé avec le papier de soie.

— J'ai rencontré mon amie Jacqueline Yee. Vous savez qu'elle rédige le bulletin destiné à la communauté. Bref, elle a dû aller interviewer un attaché de l'ambassade. Il paraîtrait que l'on cherche, en haut lieu, à renforcer les liens entre T'ai-wan et la communauté aux États-Unis. Enfin ! Devinez ce qu'elle a appris ?

— Je vous parie que ça concerne Lilian Chin ! brailla Kay Lynn.

Yolanda perdit de sa superbe.

— Qui te l'a dit ?

— Personne ! Allez, raconte !

— Eh bien...

Manifestement, l'enthousiasme de Yolanda avait fondu. Cependant, la jeune femme ne tarda guère à reprendre le fil de son récit.

— D'après Jacqueline, Lilian Chin regagnerait T'ai-wan très prochainement. Elle devrait passer encore six semaines ici pour préparer son remplacement et puis... et puis elle s'en ira. Vous vous rendez compte ?

Un silence pesant s'était abattu sur la pièce. Finalement, ce fut Kay Lynn qui prit la parole :

— Moi, ça ne me surprend pas, vu la manière dont ils se sont évités à la réception. A mon avis, ils sont maintenant en train de rompre et elle ne supporte pas de rester ici plus longtemps.

Furieuse, Nancy intervint. Cette explication ne lui plaisait pas.

— Qu'en sais-tu ? Peut-être a-t-elle fini par opter pour sa carrière ? Elle a dû se dire que c'était plus important ! Ou bien T'ai-wan l'a rappelée !

— Je n'en crois rien ! reprit Kay Lynn. Toi-même, Nancy, avant, tu jurais qu'ils annonceraient bientôt leurs fiançailles et que Lilan resterait aux États-Unis ! Moi, je te dis qu'il se passe quelque chose !

— Et toi, Mei-yu ? Qu'en penses-tu ? demanda Yolanda. Tu es muette comme une carpe !

Devant le mutisme de Mei-yu, Yolanda se tourna vers Kay Lynn.

— Mei-yu est au-dessus de ces problèmes-là. Regarde, elle n'écoute même pas !

Au même moment, Nancy exprima le fond de ses pensées :

— Je me demande ce que madame Peng a bien pu penser de Lilian !

— Que dis-tu ! lança Mei-yu, surprise.

Nancy ne l'entendit point tandis que Yolanda poursuivait ses commentaires :

— Eh bien ! Pour les potins, il va nous falloir trouver autre chose, j'imagine ! déclara-t-elle.

— Qui Richard courtise-t-il maintenant ? fit Kay Lynn en formulant tout haut la question que ses amies se posaient tout bas.

On garda le silence un bon moment, puis Yolanda ramassa ses paquets et se leva.

— Si je n'étais pas mariée, je me dévouerais volontiers. Oh ! Nancy ! Je plaisantais ! Comme tu es sérieuse !

Sur ces mots, elle se tourna vers Mei-yu et ajouta :

— Voici la jeune femme qui, à mon avis, devrait attirer ses regards !

— Oh ! Non ! Pas elle ! s'écria Kay Lynn. Ça y est ! Je lui ai trouvé un promis ! Ce soir, elle dîne chez nous et nous la présentons au professeur Chung, n'est-ce pas, Mei-yu ?

Mei-yu fit mine de sauter de joie.

— Oui, c'est vrai ! Dire que j'ai failli oublier ! Nous ferions mieux de nous dépêcher, Kay Lynn !

— Moi aussi, déclara Yolanda. Nancy, tu m'envoies la note ! Et n'oubliez pas l'anniversaire de Ming !

Les trois jeunes femmes regardèrent Yolanda s'éloigner. Puis Nancy commença à préparer la facture :

— Notre meilleure cliente ! Qu'a-t-elle donc commandé jusqu'à présent ?

— Quatre robes, un peignoir, deux chemisiers et une veste, répondit Kay Lynn. Parole ! Son mari doit diriger la centrale électrique !

— Kay Lynn, je te retrouve à la voiture. Je te demande une minute, le temps de vérifier que je n'ai rien oublié.

— Oh ! Regarde l'heure qu'il est ! s'écria Kay Lynn.

Elle attrapa son porte-monnaie et ses clés et quitta rapidement le magasin.

L'espace d'un instant, Mei-yu la regarda qui s'éloignait d'une démarche déjà lourde, puis s'approcha de Nancy.

— Nancy, que disais-tu au sujet de madame Peng et de Lilian ?

— Quoi ?

Elle continuait à griffonner furieusement.

— Tu n'as rien dit concernant madame Peng et Lilian, tout à l'heure ? insista Mei-yu.

— Si.

Cette fois, elle releva la tête.

— Oh ! C'était une idée qui me traversait l'esprit ! Rien de plus ! Je me disais que, parfois, les mères ont tendance à trouver bien des défauts aux femmes qui plaisent à leurs fils. Peut-être Lilian n'a-t-elle pas plu à madame Peng ?

— Lilan ? Cela me paraît difficile à imaginer ! Et tu crois que Richard se plierait à la volonté de sa mère dans une affaire comme celle-là ?

— Tout ce que je sais, c'est qu'ils sont très unis ! Du temps où je travaillais pour elle à Chinatown, madame Peng m'a dit un jour qu'elle serait prête à donner sa vie pour son fils et qu'elle avait la certitude qu'il en allait de même pour lui ! déclara Nancy. Maintenant, il faudrait avoir l'avis de Richard sur la question. Mais ces histoires t'intéressent, Mei-yu ?

Elle s'était trahie ! Gênée, Mei-yu hocha la tête.

— Non, pas vraiment, Nancy ! C'est curieux, un point c'est tout ! A demain !

Sur ces mots, elle s'éloigna d'un pas faussement désinvolte.

***

Assise, ce soir-là, aux côtés du professeur Chung, Mei-yu ne pouvait détacher le regard de son nez plat et camus tandis que le cher homme discourait imperturbablement sur ses théories politiques favorites et sur l'avenir des relations entre T'ai-wan et les États-Unis. Indiscutablement, le professeur était un personnage très cultivé. Mei-yu ne le contestait pas. Peu auparavant, il avait fait un gros effort pour se montrer plus ouvert en demandant à la jeune femme si elle avait déjà assisté aux concerts que donnait le quatuor de Budapest dans l'auditorium de la bibliothèque du Congrès. Elle avoua son ignorance et il la fustigea du regard. Il en revint donc immédiatement à son thème préféré : les relations internationales. Kay Lynn, en parfaite maîtresse de maison, ne cessait de se déplacer de la cuisine à la table tandis que Tim, peu soucieux de faire la conversation, s'empiffrait abondamment. Mei-yu en était donc réduite à poser des questions polies à son voisin. Ce dernier, intarissable, se lança dans un véritable cours. A l'évidence, les États-Unis ne pourraient éviter de reconnaître le gouvernement de Pékin, disait-il avec conviction. Il pérorait depuis belle lurette déjà quand Mei-yu se surprit à penser à Richard, à le comparer à ce bonhomme au nez camard qui l'ennuyait à périr. Il n'y avait pourtant aucune comparaison possible ! Richard était intelligent et cultivé, Mei-yu le savait, mais jamais il n'aurait osé étaler pareillement son savoir. Au même instant, les paroles de Nancy quant aux liens unissant Mme Peng et son fils lui revinrent en mémoire. Comme tous deux étaient différents! songea la jeune femme. Curieux aussi que jamais encore elle n'ait parlé de sa bienfaitrice avec Richard! Il est vrai qu'ils n'avaient pas eu beaucoup d'occasions de se rencontrer! Intriguée, Mei-yu s'interrogeait. Mme Peng aurait-elle vraiment eu une influence sur la rupture survenue entre les deux jeunes gens? Et Richard? L'appellerait-il maintenant qu'elle possédait un téléphone?

Comme dans un rêve, elle entendit le professeur lui demander si elle avait déjà visité la National Gallery, la perle des musées de Washington.

D'une voix sucrée, il déclarait :

— Il y a là en ce moment une splendide exposition sur les aquarelles de Degas!

Inquiète à l'idée qu'il pourrait lui proposer cette sortie, Mei-yu lui dit l'avoir déjà admirée.

Kay Lynn, qui arrivait avec un plat de crevettes et de petits pois sursauta, s'écria :

— Non! Quand cela, Mei-yu?

— Oh! Il y a quelques jours, pendant le week-end dernier.

— Tu ne m'avais rien dit! fit Kay Lynn, choquée.

— Je ne te raconte pas tout.

Un sourire malicieux souligna ses paroles.

***

Le dimanche suivant, le professeur Chung appelait Mei-yu pour l'inviter à assister, le lendemain, à un concert du quatuor de Budapest.

— Oh ! Je suis désolée, mais cela m'est impossible ! J'ai promis de garder les enfants de mes voisins qui doivent participer à une réunion de parents d'élèves.

Le professeur ne se découragea pas et l'invita alors à venir écouter, le samedi suivant, à l'université américaine, sa conférence sur le rôle de la production de tungstène dans les relations sino-américaines.

Un peu agacée par tant d'insistance, Mei-yu avança un nouveau prétexte :

— Je suis vraiment dé-so-lée, mais je dois accompagner ma fille à un anniversaire.

Elle raccrocha avec brusquerie. Déjà, mille excuses lui venaient à l'esprit au cas où cet énergumène se manifesterait encore une fois. Elle considéra l'appareil d'un œil furieux et rageur, pesta contre cette invention qui intervenait dans sa vie... et la sonnerie retentit à nouveau !

Elle releva le défi, décrocha le combiné.

— Allô !

— Allô, Mei-yu ?

Elle avait déjà reconnu sa voix.

— Richard ?

— Oui. Je vous dérange ?

— Oh, non ! Pas du tout !

— Voulez-vous que je vous rappelle plus tard ?

— Non, je vous en prie, Richard ! J'étais simplement un peu contrariée par une discussion désagréable avec un individu prétentieux.

— Vraiment ?

Cette exclamation trahissait un tel intérêt soucieux que Mei-yu en fut délicieusement ravie.

— Non, ce n'est pas grave. Il me faut m'habituer au téléphone, voilà tout !

— En êtes-vous sûre ?

— Oui.

— En ce cas...

Il y eut un instant de silence, puis, la voix changée, Richard demanda :

— Comment allez-vous ?

— Très bien, merci. Et vous ?

— Bien. Et la petite ?

— Très bien, merci.

Ni l'un ni l'autre ne parvenait à parler. Mei-yu écoutait le faible murmure électrique du combiné, puis elle s'effraya. Quelqu'un suivrait-il leur conversation ? Par chance, Richard reprit à ce moment-là :

— Mei-yu... vous savez pourquoi je vous téléphone.

— Oui.

— Avez-vous eu suffisamment de temps pour réfléchir ?

— Oui.

La gêne, le doute la submergeaient. Par chance, cependant, Richard ne pouvait voir son visage !

— J'aimerais beaucoup vous emmener, vous et votre fille, à la découverte de Washington. Il y a des jardins magnifiques, des endroits très intéressants. Les musées et les monuments plairaient peut-être à Fernadina ! Non, qu'en pensez-vous ?

Mei-yu soupira de soulagement.

— A mon avis, c'est une idée excellente, Richard.

— Très bien. On se met d'accord pour dimanche prochain ? Vers 10 heures du matin ?

— Oui, ce serait parfait.

Mei-yu eut beau raccrocher, la voix de Richard la hanta longtemps. Elle se gourmanda. Pourquoi s'était-elle montrée si avare de paroles ? Pourquoi n'exprimait-elle pas davantage son enthousiasme ? Face à Richard, il lui semblait se comporter en véritable paysanne. Lui avait tant d'assurance alors qu'elle, il lui fallait lutter contre la timidité qui l'étouffait et la privait de toutes ses facultés ! Les conseils de sa mère concernant la conduite à tenir à l'égard des hommes lui revinrent brusquement à l'esprit : « Sois gentille, douce, sereine et tranquille. Respecte ses désirs ». Un sourire aux lèvres, elle avait même ajouté : « Sois coquette, surveille ta voix et tes manières ». Elle évoqua sa mère, Yolanda aussi. Leur comportement. Sa mère aurait approuvé son attitude timide et réservée envers Richard, mais elle n'aurait jamais deviné qu'il s'agissait d'une authentique manifestation de timidité et non d'une coquetterie.

Jamais elle ne s'était comportée ainsi avec Kung-chiao. En fait, Kung-chiao était encore plus timide envers les femmes que Mei-yu envers les hommes. C'était elle qui avait déployé la plus grande audace. C'était elle qui avait cherché à retenir son regard. Ce sentiment de maladresse confuse qu'elle éprouvait en face de Richard lui apparaissait comme une nouveauté. Peut-être les circonstances expliquaient-elles cette impression : son veuvage, entre autres, son mode de vie depuis leur arrivée aux États-Unis... Mei-yu cherchait donc maintes raisons, éludait cependant la plus plausible qui tenait à la personnalité même de Richard.

Quand, dans le courant de la semaine, Mei-yu annonça à Fernadina que Richard les emmènerait en promenade le dimanche suivant, l'enfant lui jeta un coup d'œil inquiet.

— Pourquoi ? demanda-t-elle.

— Il a pensé que nous aimerions peut-être visiter Washington. Cela ne te plaît donc pas, Sing-hua ? Moi, je trouve cela très gentil de sa part, non ?

Fernadina haussa les épaules et abandonna les genoux de sa mère pour aller se réfugier dans sa chambre.

*
**

Les cigales craquetaient déjà follement lorsque Richard entra dans le parking de la résidence. En ce dimanche estival, Mei-yu avait vêtu Fernadina de coton léger. Dans son sac, elle glissa des écharpes destinées à les protéger d'un soleil qui menaçait d'être affreusement ardent vers la mi-journée. A peine sortirent-elles de l'appartement que Mei-yu frémit sous la houle de chaleur qui les assaillit. L'humidité ambiante donnait à l'atmosphère une texture poisseuse qui collait la peau, les yeux, et évoquait l'été à Pékin.

Devant la voiture de Richard, on échangea les politesses d'usage avant le départ. Vitres baissées, le trio démarra. Richard s'engagea bientôt sur l'autoroute de Rock Creek où la température parut sensiblement plus fraîche, sans doute grâce aux arbres qui bordaient chaque côté de la chaussée. Les zones de verdure directement exposées aux rayons du soleil offraient un pitoyable spectacle, brûlées qu'elles étaient par cette flamme implacable. Çà et là, pourtant, des poches verdoyantes séduisaient l'œil. Il y avait des fougères arborescentes ou même des plants de vignes, sombres et frais. On traversa aussi une rivière et Fernadina s'extasia, cria qu'elle voulait descendre et marcher pieds nus dans l'eau.

— Je suis désolé, nous ne pouvons nous arrêter maintenant. Il y a d'autres voitures derrière nous, expliqua Richard.

Comme pour se venger, l'enfant se pencha par la fenêtre, fit mine d'attraper quelque paradis luminescent.

Quand ils passèrent à vive allure devant le parc zoologique, Richard ne ralentit point.

— Nous irons au zoo une autre fois. Aujourd'hui, j'aimerais que vous voyiez les jardins et le grand bassin où se reflètent le Lincoln Memorial et le Washington Monument.

Il se tourna légèrement vers Fernadina et lui dit :

— Ce bassin est extraordinaire, Sing-hua ! Tu pourras même t'y tremper les pieds si tu le désires.

L'enfant posa la tête sur l'épaule de sa mère et se borna à

contempler le paysage alentour. Quelques instants plus tard, le trio pénétrait dans la blanche capitale pétrifiée de soleil.

Peu après, ils faisaient le tour du rond-point situé devant la Maison-Blanche.

— Voici la résidence du président, Sing-hua, fit Richard.

Ils circulèrent ainsi quelque temps, puis Mei-yu capitula. Elle noua un foulard autour du visage de la fillette et demanda :

— Y aurait-il un endroit où nous pourrions boire quelque chose ?

— Oh ! Sûrement. Laissez-moi réfléchir. On peut même trouver mieux que cela.

Il gara donc la voiture et ils s'en furent à pied dans la ville. La chaleur était si vive que même les touristes avaient démissionné. Les quelques valeureux qui n'avaient point abandonné avançaient encore, la démarche molle. Un vendeur de douceurs restait fidèle au poste. Richard l'accosta et lui acheta des glaces multicolores.

— Tiens, Fernadina. Choisis celle que tu préfères. Ici, on les appelle tout simplement *Popsicles,* du nom de leur marque.

Fernadina prit celle parfumée à la cerise, Mei-yu au raisin et Richard au citron. Pour Mei-yu, ce fut là un vrai délice et, manifestement, l'enfant partageait son opinion, qui léchait fébrilement son trophée. Elle n'eut pourtant pas à s'inquiéter car, à peine l'eut-elle terminé que Richard lui en offrit un autre.

Plus tard encore, il les entraîna vers une pelouse délicieusement verte qui cernait un long bassin rectangulaire. Dans l'eau très pure et terriblement lisse, Mei-yu put donc admirer d'un même coup d'œil le Lincoln Memorial et le Washington Monument. Fernadina, elle, courut rejoindre un groupe de bambins qui jouaient avec des bateaux à voile miniatures. Elle eut tôt fait d'ôter chaussures et socquettes et de plonger ses pieds dans l'eau fraîche, tandis que Mei-yu et Richard avisaient un banc tout proche, à l'abri du soleil.

— Elle s'amuse beaucoup, Richard, remarqua Mei-yu. Merci beaucoup.

— Ne me remerciez pas ! Tenez ! Regardez comme elle éclabousse les autres enfants.

Longtemps, ils gardèrent le silence. Mei-yu, très émue, se divertissait en futilités, notait les taches roses qui ponctuaient le chemisier de Fernadina. Elle finit tout de même par se détendre, s'abandonna contre le dos du banc. A ses côtés, Richard semblait attendre.

— Comment trouvez-vous Washington, Mei-yu ? Très différent de New York, n'est-ce pas ?

— Oui.

Elle riait aux éclats.

— Tout est différent. Cette sensation d'espace, de lieux aérés... et les gens... Notre vie est changée du tout au tout !

— N'est-ce pas dû au fait que vous avez quitté Chinatown ?

Mei-yu réfléchit un instant.

— Oui. En venant ici, je crois avoir fini par comprendre ce que vivre en Amérique signifie vraiment. Je fréquente désormais des Blancs, je les vois vivre. Si je compare cela à l'existence que j'ai pu mener à Chinatown ou même en Chine...

Mei-yu chercha ses mots.

— On a parfois du mal à imaginer cette réalité-là. Tout va si vite, tout est si performant et moderne !

— Vous sentez-vous à l'aise ? demanda Richard.

Une fois encore, elle lut sur son visage tout l'intérêt qu'il lui portait. Une fois encore, elle s'émerveilla de son expression presque juvénile en ce jour d'été.

— Vous sentez-vous à l'aise avec les Américains en général ? insista-t-il.

Mei-yu haussa les épaules.

— Les gens de la résidence semblent s'habituer à nous. Je songe à mes voisins, par exemple. Il y a une dame qui me fuit comme la peste. L'autre jour, j'étendais mon linge quand je l'ai vue arriver avec son panier. Dès qu'elle m'a aperçue, elle a tourné les talons. Une autre de mes voisines, bien que très gentille, me paraît mal à l'aise en ma présence. Pourtant, elle m'a souvent rendu de grands services. Cette impression-là, je l'éprouve aussi lorsque je me trouve avec d'autres Américains ! Enfin ! Je ne sais pas. Parfois, je me dis que je fabule ! Et vous ? Qu'en pensez-vous ? Avez-vous déjà eu le sentiment que des mondes séparaient Américains et Chinois ? Indépendamment du vernis de surface, bien sûr ! Pour nous autres Asiatiques, la politesse constitue une qualité vitale, tandis que pour les Américains, c'est la gentillesse amicale qui joue ce rôle-clé. De temps à autre, j'en viens à penser que nous remplissons la fonction de deux miroirs placés l'un en face de l'autre, de deux miroirs aveuglés par un maudit reflet !

Mei-yu remarqua la lueur compréhensive qui éclairait le regard de Richard. Elle eut même la sensation qu'il l'encourageait à parler davantage, à aller plus loin, et les mots lui venaient spontanément comme s'ils avaient attendu de toute éternité.

— Le plus curieux, poursuivit-elle, c'est que j'ai souvent l'impression de devenir américaine. Il suffit que j'aille faire des courses, que je contemple tous ces visages américains, et je me sens changer. Puis, je rentre chez moi, je m'observe dans la glace et cela me fait le même choc que celui qu'ils éprouvent, eux, en me voyant. Alors, j'ai peur. J'ai peur de perdre cette part de moi-même qui a toujours constitué mon identité. Qui plus est, je m'aperçois que cela ne signifiera pas pour autant que je deviendrai l'une des leurs. Oh ! Pardon, Richard ! Ces considérations personnelles doivent vous paraître vaines et dénuées de sens !

Elle s'interrompit un instant avant de reprendre d'une voix plus douce :

— J'ai la sensation de m'être aventurée trop loin en

mer. Je ne vois plus le rivage. Il me faut maintenant nager, avancer à tout prix.

Elle observa Richard, croisa son regard, puis, brusquement embarrassée par sa loquacité, ajouta :

— J'imagine que ce discours n'a rien de neuf pour vous. Tous les nouveaux venus doivent vous dire la même chose !

— Non, non, pas du tout ! Je n'ai d'ailleurs jamais entendu quiconque s'exprimer comme vous venez de le faire, alors que bien des gens partagent sûrement vos sentiments, à commencer par moi-même !

Surprise, Mei-yu releva la tête.

— Vous ! Excusez-moi, je ne mets point votre parole en doute, mais ne vivez-vous pas aux États-Unis depuis fort longtemps ? Vous ressemblez à un vrai Américain ! Du moins votre aisance le laisserait supposer !

— Oui, on peut le croire, mais il n'y a pas forcément de différence en profondeur. Mon visage ne changera jamais. Pas plus que le vôtre. Pourquoi voudriez-vous que le miroir me mente ?

Ils se turent un moment. Près du bassin, Fernadina repoussait un petit voilier coloré vers le centre du plan d'eau.

Plus tard, c'est d'une voix hésitante que Mei-yu demanda :

— Ce sentiment... vous l'éprouvez... même dans le cadre de votre travail ?

Richard partit d'un rire tonitruant.

— C'est encore pire. Là, les autres font mine de l'ignorer. On prétend que les différences n'existent pas. On s'attache au calme apparent. On se masque les yeux pour ne pas voir les courants qui agitent les profondeurs.

Mei-yu frémit. Sa voix trahissait tant d'amertume.

— Dans mon entreprise, je compte un ami, et un seul : Peter. Lui, du moins, est honnête envers moi.

Richard, les yeux braqués sur un car qui déversait une fournée de touristes en folie, n'en continuait pas moins :

— On prétend apprécier mon travail et on cherche à me récompenser en me donnant des gadgets. J'accepte tout cela. Je manifeste ma gratitude. Pardon, laissez-moi me reprendre. De la gratitude, j'en ai. Sincèrement. Je suis heureux d'avoir une fonction, un métier bien rémunéré. Malgré l'hypocrisie et la tromperie. Voilà en fait les racines du dégoût qui m'anime face à une situation odieuse, face à ma propre personne. Je joue le jeu. Apparemment. Si j'étais vraiment courageux, je quitterais la société. Je monterais ma propre entreprise.

Devant le regard interrogateur de Mei-yu, il s'interrompit un instant.

— J'ai déjà essayé. J'ai demandé aux banques de me prêter le capital indispensable à tout démarrage. Hélas ! le monde de la finance n'a jamais aimé traiter avec les étrangers ; on a donc refusé de m'aider.

Il ponctua cette confidence d'un haussement d'épaules.

— S'il l'on considère la manière dont nous sommes acceptés dans ce pays, je dirais qu'il n'y a guère de différences entre ceux d'entre nous qui travaillent dans des teintureries, des restaurants ou des boutiques de confection et ceux qui, comme moi, sont censés posséder une responsabilité importante ! Seul le cadre change ! Ceux qui, au sein de la communauté, choisissent de continuer à mener une existence protégée, jouiront d'une certaine sécurité. En revanche, ils se retrouveront fort démunis, matériellement. Quant à moi, je m'en tire mieux financièrement, mais il n'empêche que je me sens toujours aussi seul.

Il s'interrompit, parut écouter le chant bruyant des cigales au-dessus de sa tête.

— J'imagine que je pourrais vendre mes valeurs immobilières et emprunter des fonds à ma mère, mais j'en viens à me demander si le jeu en vaut la chandelle. Peut-être me jugerez-vous trop cynique !

Il se tourna vers Mei-yu.

— Au moins certains d'entre nous peuvent-ils croire que

leurs sacrifices aideront leurs enfants à dépasser leur condition misérable. Cette attitude n'est pas propre au seul peuple chinois. D'autres immigrants ont pour leurs enfants des rêves identiques. A mon avis, il n'y a que des nuances pour séparer Chinois, Italiens ou Irlandais. Les Chinois, eux, préfèrent éviter les ennuis, les éclats. Ils refusent les problèmes. C'est leur priorité. Mais moi, Mei-yu, suis-je cynique parce que je n'ai pas d'enfants ? Qu'en pensez-vous ? Et vous ? Que souhaitez-vous donc pour vous et votre fille ?

Perplexe, Mei-yu hocha la tête. Son regard suivait maintenant celui de Richard, s'arrêtait sur les touristes qui serpentaient autour du Washington Monument.

— Je ne sais que vous répondre. Peut-être aurais-je en effet renoncé à lutter si je n'avais pas eu ma fille ? Pour elle, il me fallait des forces. Pour elle, il me fallait et il me faut travailler. Pour moi, il ne s'agit cependant pas d'un sacrifice, mais d'un acte d'amour. Elle ne me doit rien. Elle n'avait rien demandé. A moi d'assumer la vie que nous menons à présent.

Le silence leur fit écho. Brusquement gênés de s'être livrés pareillement, ils s'évitaient, regardaient au loin un point, une frontière imaginaire, une file de touristes qui, telle une volée de canetons, suivait un guide et son parapluie jusqu'au Lincoln Memorial.

— Avez-vous reçu des nouvelles de madame Peng ?

Un rire cristallin accompagna cette question. Amusé, calmé, Richard sourit.

— Non. Le docteur Toy la dit en pleine forme, mais elle ne s'est pas manifestée.

Mei-yu soudain brûlait d'en savoir davantage.

— Quand êtes-vous arrivés aux États-Unis, vous et votre mère, Richard, si vous me permettez de vous poser cette question indiscrète ?

— En 1924.

L'espace d'une seconde, Mei-yu hésita, mais le démon de la curiosité l'emporta.

— N'était-ce pas inhabituel qu'une femme se déplaçât seule à l'époque ?

A ces mots, Richard la scruta intensément.

— Pardon !

Déjà, pourtant, Richard avait détourné les yeux.

Quelques instants plus tard, il venait s'agenouiller devant Mei-yu.

— C'est une longue histoire ! Je ne suis pas certain que vous aimeriez l'entendre, finit-il par déclarer.

— Au contraire ! répondit-elle très vite.

Richard garda les yeux rivés sur la pelouse verdoyante à ses pieds, puis, d'une voix très basse, entreprit de dévoiler des bribes du passé.

— Notre arrivée et notre séjour à San Francisco ne m'ont laissé qu'un vague, très vague souvenir. J'étais triste, pourtant, je m'en souviens. En ce temps-là, je devais avoir à peine sept ans.

— Pourquoi aviez-vous quitté la Chine ?

— Vous allez droit au but ! fit-il en souriant.

Il ne semblait pas s'en formaliser. Un long moment encore, il se tint coi. Ses yeux fixaient le bassin aux célèbres reflets, mais Mei-yu comprit vite que son compagnon fouillait sa mémoire.

— A l'époque, nous errions de village en village dans le delta proche de Canton. Mon père était un seigneur de la guerre. Comme bon nombre de ses congénères depuis la fin du règne de l'empereur Mandchou, il luttait pour s'octroyer le contrôle de ces vastes territoires désormais privés de dirigeants. Les seigneurs de la guerre levaient leur propre armée parmi les paysans et s'approvisionnaient de gauche et de droite. Un beau jour, mon père dut affronter un rival pour s'arroger le contrôle d'une route commandant l'entrée nord de Canton. L'enjeu était considérable : celui qui tenait cette route s'appropriait tous les marchés de la région. Pendant ces campagnes, la famille, c'est-à-dire ma mère, ma sœur et moi-même suivions de camps en camps à quelques heures à peine du lieu des combats.

Richard hocha la tête, puis reprit son récit :

— Aujourd'hui que je vis aux États-Unis, ce passé me semble incroyable. Pourtant, l'Amérique est un monde neuf, presque dépourvu d'histoire si on le compare à la Chine. Comment imaginer que les structures féodales aient pu durer aussi longtemps ? En fait, lorsque j'évoque mon père, j'ai l'impression de me référer à une légende, à un mythe.

Mei-yu acquiesça. Elle comprenait.

— J'avais entendu parler des seigneurs de la guerre. Mon père m'avait expliqué leur rôle. Cependant, la plupart d'entre eux s'étaient rangés sous la bannière d'un parti politique quand je me suis trouvée en âge de saisir la portée de leurs actions.

L'espace d'un instant, Richard parut réfléchir, puis poursuivit :

— Un jour, au cours d'un affrontement, mon père fut capturé par l'adversaire. Nous attendîmes longtemps de ses nouvelles. Était-il vivant ? Était-il mort ? Nous n'en savions rien. Nous nous interrogions quant à l'attitude de son ennemi. La nuit tomba. De cette nuit, je garde le souvenir lumineux des feux de camp qui trouaient les ténèbres. J'imaginais mon père, assis, très droit, très digne, en armure auprès des flammes dansantes. Imaginez donc ! Un seigneur de la guerre cerné de feux de camp !

— Que se passa-t-il ?

Pour lui répondre, Richard dut s'arracher à une douloureuse rêverie.

— La nuit devait être fort avancée. Il faisait très sombre, je m'en souviens. La confusion s'installa. Partout, les gens couraient en tous sens, hurlaient que mon père avait été assassiné. Puis, deux de ses hommes se précipitèrent sur ma mère. Un autre se manifesta peu après qui portait un message. Elle le lut à la lueur des feux. Je revois son visage rougeoyant que léchaient les brandons. Elle n'y prenait pas garde. Elle demanda en criant du papier et un crayon, puis gribouilla une réponse qu'elle donna au messager. Ensuite, elle me saisit aux épaules, me serra sur son sein. Je sens encore la marque de ses ongles sur mon cou. Je croyais qu'elle voulait m'apaiser, me consoler, mais non ! Elle nous entraîna, ma sœur et moi, vers la route, secoua tout le camp pour que chacun se remît en marche. Il y avait là des charrettes, des chevaux, des gens à pied, comme si un village entier se déplaçait. On nous colla, ma sœur et moi, dans un chariot à côté duquel ma mère avançait en courant, en criant des ordres à la ronde. Tout le monde lui obéissait. Elle était terrible... Rien que de la regarder, je tremblais. Elle ne cessait de hurler au milieu de ses cheveux défaits. Alentour, on piétinait les feux et j'observais les fumées blanchâtres qui s'élevaient dans l'obscurité, comme autant de fantômes. Ensuite, je dus m'endormir dans le chariot. Au réveil, j'entendis le gargouillis de l'eau. En effet, nous avions fait halte au bord d'un fleuve. On dressait un nouveau camp. On allumait de nouveaux feux qui, dans l'aube tremblotante, paraissaient extraordinairement pâles. Peut-être le bois était-il humide !

— Et votre père ? Que se passait-il pour lui ?

— Ma mère me dit plus tard qu'on l'avait emmené quelque part, au loin. Personnellement, je crois qu'ils l'avaient pendu durant la nuit. C'est du moins ce qu'affirmèrent ses hommes quelques jours plus tard.

Mei-yu ne pipait mot. Richard arracha alors un brin d'herbe à ses pieds, l'examina un moment avant de le jeter en l'air.

— Vous souvenez-vous de ce que je vous ai dit à propos du sacrifice ? dit-il.

— Oui.

— L'un des messages que ma mère reçut cette nuit-là demandait une rançon en échange de mon père. De l'or.

Mei-yu attendit la suite.

— Ma mère comprit que l'ennemi voulait davantage encore car il avait demandé que je livre cet or. Moi, le fils du seigneur de la guerre !

Incrédule, Mei-yu s'écria :

— Et votre mère a refusé ? Elle vous a sacrifié votre père ?

— Oui. Elle savait toute tractation impossible. Elle savait qu'on m'aurait tué aussi. Elle s'est rendu compte qu'il n'y avait pas d'autre solution que la fuite.

Les deux jeunes gens demeurèrent silencieux un long moment.

— Et l'autre message, que disait-il ? Il y en avait deux, n'est-ce pas ?

— Je n'ai jamais pu mettre la main dessus et, à présent, tout cela importe peu !

Incapable de proférer un son, Mei-yu attendait.

— Au cours des semaines qui suivirent, nous allâmes de village en village jusqu'à ce que nous arrivâmes chez les parents de ma mère, près de Kweilin. Ma mère nous laissa là et se rendit chez les parents de mon père pour régler des affaires de famille. Nous n'avions pas grand-chose à manger, au point que je surpris un jour ma grand-mère qui mâchonnait un fétu de paille. Puis la maladie s'abattit sur le village de nos grands-parents. Nous tombâmes tous malades. Moi, je sombrai dans un profond sommeil où m'apparut, un matin, ma mère, à genoux devant moi, qui pleurait. Un voisin l'avait alertée. Hélas ! Il était déjà trop tard. Mes grands-parents et ma sœur moururent peu après son retour.

Nous n'avions plus d'endroit où aller. La famille de mon père avait donné un peu d'argent à ma mère, mais refusait de nous accueillir sous son toit maintenant que mon père était mort. Tous les gens que nous connaissions étaient loin, dispersés, ne se souciaient guère de notre sort. Il ne nous restait plus qu'un espoir : un oncle qui, appâté par les brillantes perspectives d'un Eldorado, avait gagné les États-

Unis. C'était un espoir fou, futile apparemment, mais le seul et unique espoir qu'elle pût encore bercer. Elle m'emmena donc à Canton, puis à Hong kong. Là, elle écrivit à l'oncle et prit un emploi de couturière en attendant une hypothétique réponse.

A ce point-là de son récit, Richard s'interrompit et se tourna vers Mei-yu :

— Et vous ? Votre arrivée à San Francisco ? C'était difficile, n'est-ce pas ?

— Non, je me suis efforcée de ne pas penser.

— Début 1924, nous avons eu des nouvelles de l'oncle juste avant que ne soit votée la loi visant à limiter l'immigration non européenne aux États-Unis. L'oncle conseillait donc à ma mère de venir très vite. Il avait un ami à San Francisco qui accepterait volontiers de la faire passer pour sa femme, mais cet ami avait un prix, ajoutait-il.

— Et quel était ce prix ?

— Qu'elle s'engage à l'épouser !

— Votre mère a accepté ?

— Voyons, Mei-yu ! Vous savez bien qu'à l'époque, une femme représentait le bien le plus précieux dont un homme pouvait rêver ! La plupart d'entre eux n'avaient pas eu le droit d'amener épouse et enfants ! Souvenez-vous qu'il y avait des quotas très stricts pour l'entrée des Asiatiques. Aux États-Unis, on ne voulait pas que la population chinoise connaisse un accroissement démesuré. Les femmes manquaient donc cruellement. Bien des hommes finirent par regagner la Chine plutôt que de vivre éternellement séparés de leur famille. D'autres, célibataires de fait, voyaient leur ménage brisé. Certains se contentaient d'accomplir leur devoir et envoyaient chaque mois un petit pécule destiné à aider les êtres chers restés au pays. Enfin, restaient ceux qui...

Il s'interrompit. Un éclair sombre passa dans son regard.

— Ceux qui...

— Ceux qui se débrouillèrent pour entrer illégalement

aux États-Unis, comme le colonel Chang, qui arriva six ans après nous, en 1930.

Gênée, Mei-yu détourna les yeux. Pourtant, la curiosité fut la plus forte :

— Comment a-t-il pu ? Comment l'a-t-on laissé entrer ?

— Nul ne le sait ! Il court de nombreuses histoires sur cette affaire-là ! C'était en réalité un grand sujet de conversation à New York. On racontait qu'à l'arrivée dans la baie, il s'était jeté par-dessus bord pour gagner la côte à la nage et éviter les responsables de l'immigration. Une autre version affirmait qu'il s'était introduit dans le pays en passant par le Canada. Maintes fables dépeignant ses fêtes et sa manière de vivre à San Francisco précédèrent son installation à New York, où il posa de nombreux problèmes à ma mère et à l'ensemble de la communauté.

Une drôle d'émotion envahit Mei-yu, mais elle se rendit compte bien vite que Richard n'avait pas terminé.

— Et que se passa-t-il alors pour vous et votre mère ? Elle accepta et trouva un moyen de payer votre passage ?

— Oui. Nous embarquâmes. Pour mieux me protéger, ma mère s'était déguisée en homme. Elle enduisit son visage d'huile et de suie, se banda la poitrine. Elle me conseilla d'agir comme si j'étais son jeune frère et de n'adresser la parole à personne. Elle m'incita au courage, mais la peur me rongeait et je la sentais effrayée aussi.

— Et une fois à San Francisco ?

— L'ami de l'oncle vint nous chercher. Il avait de faux papiers prouvant que nous étions bien des membres de sa famille. A mon avis, les gens de l'immigration ne furent pas dupes un seul instant ! Seulement, il y avait peut-être eu des pots-de-vin et, quoi qu'il en soit, ils nous laissèrent entrer.

— Quel risque elle avait pris ! Et si on avait découvert sa véritable identité sur le bateau ? Et si les responsables américains l'avait renvoyée vers son pays d'origine ?

— Du moment qu'il y avait une chance, même mince, de

passer au travers des mailles du filet, elle prenait le risque. En Chine, elle avait assisté au suicide de maints désespérés qui avaient tout perdu. Elle voulait saisir au vol cette ultime occasion ! En cas d'échec, elle aurait sûrement envisagé le pire. Je n'aurais donc pas eu la joie de vous avoir en face de moi, aujourd'hui.

Ce fut une Mei-yu rougissante qui haussa les épaules.

— Et ensuite ? Votre mère a-t-elle respecté les clauses de ce contrat étonnant ?

— Oui. Elle épousa le vieil homme. Nous vécûmes donc assez confortablement par la suite. Du moins avions-nous suffisamment à manger ! Nous habitions un grand appartement situé au-dessus de sa boutique de produits séchés, dans Chinatown. Pas une seule fois durant tout ce temps-là, le vieillard ne me parla. Il m'en voulait d'exister, ne songeait qu'à son propre fils, décédé ainsi que sa femme, longtemps auparavant, en Chine. C'était un être usé et il mourut trois ans plus tard.

— C'est alors que votre mère décida de s'installer à New York ? De créer sa propre affaire ?

— Oui. Grâce à l'argent de l'héritage, elle démarra son atelier de confection, m'envoya dans les meilleures écoles et veilla à ce que je ne manque de rien.

Brusquement, Mei-yu entendit la voix de Mme Peng résonner à ses oreilles : « Tu n'as pas encore connu la véritable souffrance. » La signification de ces paroles l'atteignait aujourd'hui en plein cœur.

— Vous voyez donc que...

A cet instant précis, Fernadina accourut vers eux et Richard se leva.

— Je suis profondément lié à mes parents et surtout à ma mère car, pour moi, elle a accompli l'ultime sacrifice. Mes liens dépassent le cadre du devoir, mes sentiments le cadre de l'amour filial. Il n'y a point de mot pour décrire ce que je ressens. Je touche là à l'absolu. Je suis ligoté.

Mei-yu releva les yeux vers Richard, mais il s'était éloigné, allait au-devant de Fernadina qui ralentissait, se dérobait. A cette vision, Mei-yu sentit son cœur se serrer, mais déjà l'enfant la rejoignait en courant.

— Où sont tes chaussures et tes chaussettes ? demanda Mei-yu.

Tandis que Fernadina, très maîtresse d'elle-même, désignait un point de la pelouse, Richard revenait vers elles deux.

— On s'en va ? Vous devez mourir de faim. Je connais un petit restaurant très agréable. Cela vous tente-t-il ou bien préférez-vous déjeuner à la maison ?

Avant de répondre, Mei-yu envoya Fernadina récupérer ses affaires, puis se tourna vers Richard en disant :

— Je suis désolée !

Lui se contenta d'un geste désinvolte pour indiquer qu'il s'agissait de calembredaines.

Alors, Mei-yu, rassurée, contempla la fillette qui filait vers le bassin et faillit déclarer : « Donnez-lui le temps. »

Hélas ! Ces mots ne venaient pas. La timidité lui nouait la gorge. Richard, pourtant, avait levé le voile. Pour l'instant, il affectait un calme olympien et Mei-yu comprit brusquement que leurs deux natures étaient voisines. Sidérée par cette découverte, elle tenta de se réfugier dans la fuite et fila à toutes jambes vers Sing-hua qui, assise dans l'herbe, enfilait ses chaussures.

*
**

Quand, à la fin du mois d'août, Fernadina eut six ans révolus, Mei-yu l'emmena à l'école primaire pour l'y inscrire.

Dans le bureau, une femme aux cheveux gris fer, coupés court, l'accueillit d'un ton pincé :

— N'avez-vous pas reçu notre bulletin ? demanda-t-elle.

Elle agitait sous le nez de Mei-yu une copie du règlement de l'école.

— Tenez ! C'est l'édition de 1955. Il est pourtant bien spécifié que les parents ne doivent pas apprendre à lire et à écrire à leurs enfants !

Elle tapotait d'un doigt furibond la couverture.

— Là-dedans, vous trouverez nos nouvelles méthodes destinées à faciliter l'apprentissage de la lecture. Nous souhaitons que nos écoliers ne se voient pas inculquer de notions erronées en matière d'écriture et de lecture.

Brusquement inquiète à l'idée que l'on pût refuser d'admettre sa fille, Mei-yu tenta de se justifier :

— Je n'ai jamais reçu ce bulletin... Je lui ai effectivement appris à lire et à écrire un peu, mais je n'ai fait que lui transmettre quelques bases.

Malgré son appréhension, Mei-yu éprouva une immense fierté lorsqu'elle entendit sa fille énoncer les lettres de l'alphabet, jongler avec des chiffres, lire quelques phrases pour les besoins de l'admission. La peur la reprit néanmoins quand elle vit l'air chagrin du cerbère.

— Elle est très en avance pour son âge ! fit la dame, mais elle est trop jeune. Elle devra suivre les cours de préparatoire.

Les sourcils froncés, la responsable ajoutait :

— Je préviendrai mademoiselle Lamston qui sera son institutrice. Elle la mettra dans le groupe de lecture le plus rapide : le Bluebird ! C'est le meilleur niveau.

L'école reprit en septembre. Le matin, Mei-yu glissait un sandwich dans une poche de plastique un peu grasse, le tendait à Fernadina avant de courir rejoindre Kay Lynn docilement installée dans la voiture. Mère et fille dévalaient les escaliers à toute vitesse et Mei-yu, inlassablement, répétait :

— Ne quitte pas Sally Johanssen pendant le trajet. Écoute bien ton professeur et ne bavarde pas. A cet après-midi !

Tous les jours, Fernadina se rendait à l'école en compagnie de Sally Johanssen, la grande sœur de Ronnie. Durant les premières semaines, tout alla bien. Hélas, Sally, qui était dans la classe supérieure, en concevait une certaine arrogance qu'elle manifestait à grands coups de queue de cheval. Elle s'obstinait également à marcher au pas de charge. Fernadina avait du mal à suivre et commençait à se demander pourquoi il lui fallait subir pareil traitement quand, un jour qu'elle frappait à la porte des Johanssen, Bernice prit un air affreusement surpris :

— Quoi ! Sally et Karen ne t'ont pas attendue ! Je le leur avais pourtant demandé.

Par chance, Ronnie était là qui surgit en souriant :

— Coucou, Dina ! Tu viendras me voir après la classe ?

Madame Johanssen regarda Fernadina s'éloigner. Elle paraissait sincèrement contrite.

— Ne t'inquiète pas, Dina. Je dirai deux mots aux filles quand elles rentreront.

Les deux fillettes n'étaient cependant pas très loin. Ravies de leur méchanceté, elles avançaient en déployant moult effets de nattes et de queue de cheval. Brune et blonde allaient bon train.

Depuis ce jour-là, Fernadina attendit que Sally eût quitté l'immeuble pour se mettre en route. Elle filait d'abord dans la direction opposée à celle de l'école, gagnait le carrefour le plus proche où elle surveillait le feu tricolore pour traverser. Ensuite, elle revenait vers l'école par le trottoir d'en face. Elle marchait très lentement pour éviter de buter un peu plus loin sur les deux fillettes.

En classe, Fernadina se trouvait assise derrière une petite fille nommée Linda Hancock. Elle ne se lassait pas d'observer sa blondeur et ses roseurs. Les cheveux fins de Linda retombaient en délicates anglaises, à l'inverse de Fernadina dont les couettes avaient la raideur des pinceaux rangés dans de vieilles boîtes à côté des pots de peinture au fond de la salle. Linda sentait la menthe et venait en classe avec une superbe gamelle écossaise et sa thermos assortie. Elle avait une robe différente pour chaque jour de la semaine. Elle connaissait les réponses aux questions des professeurs et agitait le bras devant le visage de Fernadina en criant : « Moi ! Moi ! Moi ! » chaque fois que Mlle Lamston demandait quelque chose. Aux yeux de Fernadina, Linda Hancock incarnait la perfection. Quand Mlle Lamston passait dans les rangs pour regarder leur page d'écriture et qu'elle s'extasiait sur la netteté du travail de Linda, Fernadina éprouvait un drôle de pincement au cœur. En effet, Mlle Lamston avait beau la féliciter elle aussi, Fernadina lui trouvait la voix moins chaleureuse, le sourire moins radieux. Elle se mit à faire des lettres plus grosses, moins soignées et rêva de couper les belles boucles blondes de Linda avec ses ciseaux de papier.

Pendant les séances de lecture, Fernadina gardait les yeux rivés sur Dick, le petit garçon, Jane, la petite fille, et leurs animaux familiers Spot et Puff. La maîtresse n'avait pas tourné la page que Fernadina poussait un hurlement de joie : « Sauve-toi, Spot, sauve-toi ! » Pourquoi ces cris ? Fernadina n'en savait trop rien sinon qu'elle souhaitait voir les pages du livre tourner plus vite, plus vite et plus vite encore. Mlle Lamston lui demanda de se calmer, d'attendre tranquillement que les autres enfants aient terminé leur décryptage, mais, après deux avertissements, la vieille institutrice s'était fâchée et avait envoyé Fernadina au piquet. Là, au moins, la fillette pouvait-elle presser ses joues brûlantes contre les murs frais, fixer la pénombre d'un angle et s'imaginer loin, très loin de l'école et de ses tourments, seule avec sa maman.

Pourtant, l'épreuve suprême était pour Fernadina la récréation, quand tous les enfants avançaient à la queue-leu-leu derrière Mlle Lamston jusqu'à l'aire de jeux. Dès l'ouverture des portes, les diablotins s'élançaient vers la liberté, comme des animaux ivres d'espace et de grand air. Ils filaient devant Fernadina et la bousculaient en criant :

— Oh ! la chinetoque ! Oh ! La chinetoque ! Ding, dong, Dina Wong !

Elle se rebellait, les nattes au vent, prête à mordre, à griffer. Un jour, cependant, Mlle Lamston surprit celui qui s'était moqué de Fernadina et le gronda sévèrement :

— Ce n'est pas ainsi que l'on parle à nos amis et à nos camarades de classe, Bobby !

Puis, gentiment, elle pressa le bras de Fernadina, manqua faire une remarque quand un incident troubla la formation de la colonne. N'empêche que Fernadina avait le cœur soudain transporté de bonheur. Hélas ! De tels moments étaient rares et la fillette avait beau chercher à se rapprocher de Mlle Lamston, il y avait toujours un autre écolier pour parler plus fort qu'elle et attirer l'attention de sa maîtresse chérie.

Au coup de sifflet qui marquait le début de la récréation, Fernadina filait se réfugier dans le bouquet d'arbres où elle errait comme une âme en peine et observait les jeux de ses camarades. C'était presque un soulagement quand, à nouveau, un coup de sifflet déchirait l'air.

De temps à autre, Mlle Lamston, ayant remarqué l'isolement de la petite, l'incitait à se joindre aux autres. Parfois, la classe entière décidait de jouer à la chandelle. C'étaient des cris et des rires et l'enfant désigné courait à toute vitesse autour du cercle ravi et braillard. Fernadina adorait ce jeu. Quand il lui fallait rattraper l'audacieux qui lui avait jeté le mouchoir, elle s'élançait de toutes ses forces, le corps pétillant de vie. Ce jeu la sauva peut-être de l'ennui, de l'isolement aussi. Chaque jour, en se levant, elle rêvait déjà à ces instants fragiles, à cette poursuite effrénée.

Certains jours, malheureusement, l'institutrice séparait filles et garçons, l'espace d'une récréation. C'étaient ces jours-là que Fernadina redoutait par-dessus tout. En effet, Mlle Lamston ne pouvait surveiller tous ses écoliers. Elle allait donc d'un groupe à l'autre sans vraiment voir ce qui se passait. C'étaient ces jours-là où Linda Hancock menait le jeu...

La cour offrait déjà l'aspect blanc des premiers froids d'octobre quand Linda Hancock suggéra une partie de ballon prisonnier tandis que Mlle Lamston guidait les garçons vers le terrain de football.

— Toi, tu vas dans l'équipe de Tilly et toi dans la mienne, décréta Linda avec autorité.

Un bout de craie servit à délimiter le terrain et bientôt le clan des filles gesticula joyeusement. Les cris fusaient, les murmures de désappointement ponctuaient la partie. Peu à peu, le rythme s'accéléra. Fernadina, qui arborait une mine désinvolte, commença à se prendre au... jeu ! Quand Linda lui envoya le ballon avec détermination, elle sut l'esquiver, le rattraper et... toucher la belle Linda qui se trouva donc éliminée !

La ravissante écolière se frotta la cheville d'un air appliqué. N'empêche que, quelques minutes plus tard, elle déclarait d'un ton pincé :

— Quelle prétentieuse, cette Fernadina ! Dire qu'elle a même pas de père !

C'en était trop ! Déjà Fernadina avait bondi, renversait l'autre sur le sol bitumé, la serrait aux poignets. Comme dans un brouillard, elle entendit ses camarades appeler à l'aide Mlle Lamston, mais une douleur terrible la préoccupa davantage : Linda avait réussi à l'attraper par le bout d'une couette et tirait avec une hargne sauvage. Fernadina n'hésita guère. Elle avisa le poignet dodu de Linda et y planta résolument les dents ! Linda hurla. Puis un coup de sifflet déchira les oreilles de Fernadina. Elle sentit qu'on la prenait par les bras. On la relevait même. Une voix retentit, toute proche :

— Suis-moi, Fernadina, s'écria Mlle Lamston. Je crois que, cette fois, il nous faut aller chez la directrice.

Fernadina essaya bien de résister. En pure perte! Mlle Lamston avait bien trop de force! Elle suivit donc son institutrice, jeta un dernier coup d'œil en arrière et aperçut Linda, entourée d'un essaim de petites filles, qui pleurait sur son poignet.

L'enfant qui s'éloignait tremblait cependant. Il lui semblait marcher vers un destin redoutable, une condamnation diabolique. Combien de fois Mlle Lamston ne les avait-elle pas mis en garde?

— Tenez-vous correctement ou je vous envoie chez madame la directrice!

Cette phrase, Fernadina l'entendait encore avec tant de netteté qu'elle en avait la chair de poule. Tous les jours, à l'heure de la récréation, elle passait devant ce bureau marqué d'un immense drapeau américain accroché au-dessus d'une porte fermée sur de terribles secrets.

Tous les jours, on s'arrêtait en rangs serrés devant cet antre terrifiant. On méditait sur les pratiques épouvantables qui devaient s'y tenir. On frémissait et on gloussait sottement, par bravade et parce qu'il fallait bien se rassurer.

Jusqu'à présent, personne dans la classe n'avait été envoyé chez Mme la directrice, connue également sous le nom de Mme Douglas. Cette Mme Douglas, une forte femme plantée sur des jambes épaisses, n'avait pourtant pas l'air si méchant; du moins, c'est ce qu'avait pensé la fillette le jour où la directrice était venue visiter le domaine de Mlle Lamston. Cependant, maintenant qu'elle s'y rendait, Fernadina frissonnait de peur.

A peine Mlle Lamston eut-elle poussé la porte en verre dépoli du bureau que Fernadina découvrait, en dimensions réduites, une réplique de sa propre salle de classe. Dans cette pièce où un drapeau, une fois encore, pendait sur une table de bois clair, l'enfant retrouva une forte odeur de crayons taillés, nota le globe représentant la sphère terrestre et finit par affronter le regard de... Mme Douglas. La directrice la fixait d'un œil sévère, mais dénué de méchanceté. Embarrassée, Fernadina s'installa sur la chaise que lui désignait Mlle Lamston et garda les yeux rivés sur le linoléum pendant qu'on expliquait à Mme Douglas l'incident. Quelques instants plus tard, cette dernière composait un numéro de téléphone et Fernadina, à sa grande horreur, entendit :

— Bonjour ! Je désirerais m'entretenir avec madame Wong, s'il vous plaît.

L'enfant crut défaillir.

Sa mère lui avait si souvent demandé d'obéir, de se plier au règlement ! Un jour, alors que Fernadina lui contait les moqueries de tel petit garçon quant à ses yeux bridés, Mei-yu s'était contentée de lui répondre qu'il la taquinait, qu'elle était jolie.

— Ne t'occupe donc pas de ce que l'on dit, Sing-hua. Ce n'est pas grave ! Tu es forte. Tu n'as donc pas à te battre ni à te montrer mesquine. Nous sommes différentes, c'est vrai. Mais nous sommes ici comme des invités. A nous de nous montrer dignes d'estime et de respect, de prouver que nous ne cherchons pas la bagarre ! Comprends-tu, Sing-hua ?

Bien sûr qu'elle comprenait ! Cependant, elle détestait faire montre de politesse à l'égard d'autrui quand on la brusquait ! Pourquoi devait-elle jouer les invités ?

Pour l'instant, Mme Douglas raccrochait.

— Ta mère ne va pas tarder, Fernadina. Veux-tu attendre ici pendant que je discute avec mademoiselle Lamston ?

Fernadina n'avait pas le choix. Elle acquiesça donc et les deux femmes s'éloignèrent pour échanger quelques mots. Mlle Lamston paraissait malheureuse, inquiète même au point de ressembler à Mei-yu, songeait Fernadina. La ressemblance n'allait pas au-delà, toutefois, car l'enfant trouvait sa mère bien plus séduisante. Mlle Lamston était en effet affublée d'un très long nez tout mince et de vilaines dents mal plantées. Elle avait beau serrer les lèvres, ce défaut n'échappait pas à l'œil inquisiteur d'un enfant. D'ailleurs, ces dents de traviole lui donnaient l'air triste, même quand elle souriait.

Ces réflexions futiles ne purent tromper longtemps la conscience de Fernadina. La réaction de sa mère l'inquiétait. Elle imaginait déjà son visage furieux, les minces sillons entre les yeux qui surgissaient sous l'effet de la contrariété, les sourcils lourds de colère. Souvent, Fernadina brûlait d'apaiser ce visage tendu, crispé, de poser les mains sur ce front soucieux afin d'annihiler tout malaise. Depuis quelque temps, hélas ! tout allait mal. Fernadina avait beau faire, Mei-yu semblait perpétuellement malheureuse : elle ne supportait plus les pleurs de sa fille ni son aversion pour l'école. Tout l'inquiétait. Pourtant... pourtant, au-delà de ces problèmes au quotidien, Fernadina sentait bien que l'attitude de sa mère avait une autre cause, une cause éminemment dangereuse et qui avait un nom : Richard Peng.

Il savait lui soutirer des sourires, il savait lui voler son temps et prenait une place toujours plus importante.

Ce danger, Fernadina l'avait pressenti dès l'instant où elle avait aperçu Richard installé au salon, à côté de sa mère. Oh ! Il n'était pas resté très longtemps, mais il n'avait pas tardé à revenir. Il les avait emmenées visiter Washington, leur avait offert des glaces. Sa mère lui avait demandé d'être gentille. Elle s'était donc montrée polie. Peine perdue ! Tous ses efforts ne servaient de rien. Richard consacrait toute son attention à sa mère et à elle seule. Elle l'avait bien observé pendant qu'elle jouait dans le grand bassin : il n'avait cessé de parler à Mei-yu, de se rapprocher d'elle ! Ensuite, il avait pris l'habitude de venir toutes les semaines et, toutes les semaines, il charmait Mei-yu et essayait de charmer Fernadina qui, elle, résistait furieusement. Ainsi lui adressait-il la parole de temps à autre, mais en vain, car elle refusait de lui répondre. Elle filait vers sa chambre, s'y réfugiait et les écoutait bavarder.

Un jour, il n'y avait pas très longtemps de cela, elle les avait trouvés, assis, très proches l'un de l'autre. Sa mère avait sursauté, puis après lui avoir donné quelques baisers, l'avait priée de raconter sa journée à Richard. Mei-yu en avait été pour sa peine, car elle avait montré un mutisme total. Le regard de Richard, en revanche, avait trahi une grande froideur.

Pourtant, l'heure n'était pas à ce genre d'affaire. Fernadina le savait qui rêvait de caresses, de tendresses. Sa mère lui manquait, lui manquait beaucoup ! Elle mourait d'envie de lui demander pardon, de lui promettre de se conduire gentiment, toujours, pourvu que sa mère ne la quittât plus jamais. Que faire sinon ? Fallait-il lui raconter l'incident ? Fallait-il lui dire la méchanceté de Linda Hancock ? Linda, Fernadina le savait, bavardait souvent avec Karen Simpson, l'amie de Sally Johanssen. D'ailleurs, rien que d'y songer, Fernadina sentait une bouffée de haine l'envahir. Comment pouvait-on dire qu'elle n'avait pas de père ? Comme il lui manquait, son père ! Jamais, jamais personne ne pourrait le lui enlever !

Quand la porte s'ouvrit sur Mei-yu, la fillette lutta violemment contre les larmes. Elle avait résolu de ne pas pleurer. Pourtant, ses lèvres la trahissaient. Mei-yu, elle, avança d'un pas, caressa doucement la joue de son enfant, puis s'assit en face de la directrice, installée derrière son bureau. Mlle Lamston se tenait près de la porte. Tout le monde semblait attendre quelque chose. Fernadina retint son souffle.

Mme Douglas finit par prendre la parole :

— Madame Wong... je suis au regret de vous dire qu'à notre avis Fernadina n'est pas très heureuse parmi nous, à l'école élémentaire Thomas Jefferson.

Elle lança un regard lourd de tristesse en direction de Fernadina qui gardait, elle, les yeux vissés sur le presse-papier, sulfure ravissant où flottaient maintes fleurs multicolores.

— Mademoiselle Lamston m'a appris que votre fille avait, à plusieurs reprises, interrompu la classe de lecture, ajouta Mme Douglas. Pendant la sieste, elle ne peut rester en place. Aujourd'hui, nous vous avons priée de venir parce qu'elle a mordu une petite écolière.

— Oh !

Mei-yu poussa un soupir affreux, hocha la tête et regarda sa fille, son visage noyé de larmes. Elle lui tendit un mouchoir.

— Il arrive souvent que des enfants connaissent des difficultés d'adaptation, madame Wong, mais, en général, cela ne dure pas. Cependant, Fernadina semble avoir des problèmes d'un autre ordre. Nous désirions en parler avec vous afin de trouver une solution susceptible d'aider votre fille.

— Madame Douglas, vous permettez ?

C'était Mlle Lamston qui intervenait. La directrice acquiesça.

— Madame Wong, je suis certaine que Fernadina vous a raconté les moqueries de certains élèves à son égard. Certains font des plaisanteries innocentes, d'autres non. Je croirais volontiers que Fernadina en souffre et qu'elle trouve ses camarades cruels. Elle cherche donc à se défendre. Qui l'en blâmerait ? Pas moi ! Personnellement, je la comprends, mais je pense qu'il nous faut réfléchir à une solution afin qu'elle ne se sente pas obligée de se battre avec les autres enfants... Voici un moment que je me pose des questions...

Elle marqua un temps d'arrêt, jeta un regard hésitant vers Mme Douglas qui l'encouragea d'un signe de tête.

— J'en suis venue à penser que si les camarades de Fernadina en savaient davantage sur la Chine et la culture chinoise, sur votre façon de vivre aussi, peut-être cesseraient-ils d'importuner la petite. Non ?

Mei-yu réfléchit un moment avant de répondre :

— Peut-être avez-vous raison, mademoiselle, mais les enfants ne font souvent qu'imiter les adultes. Si leurs parents disent du mal des Chinois, comment espérer que les jeunes puissent se comporter autrement ?

Mlle Lamston insista :

— Et si on essayait quelque chose ? On ne peut garantir que cela donnera des résultats, mais autant voir... Accepteriez-vous de venir un jour prochain nous parler des enfants de Chine ? Vous pourriez nous présenter des objets typiques, porter une robe chinoise, nous apprendre une chanson folklorique, nous transmettre des éléments du patrimoine culturel de Fernadina. Les élèves et les enseignants y gagneraient sûrement beaucoup et cela favoriserait les relations entre membres des deux communautés.

Fernadina dardait maintenant un regard ourlé de fierté vers sa mère. Qui, parmi ses camarades de classe, pouvait se vanter d'avoir une mère aussi belle, une mère à la voix aussi pure ? Ils verraient... ils verraient...

L'enthousiasme de Mlle Lamston n'avait pas échappé à Mei-yu. Elle l'avait lu dans son regard pétillant et, maintenant, elle voyait dans les prunelles de sa fille une impatience similaire. Alors, lui vinrent des rêveries... malgré elle, la jeune femme songea à la robe qu'elle pourrait porter, à la chanson qu'elle pourrait chanter...

— Je crois que c'est une excellente idée, mademoiselle Lamston, dit-elle enfin. Je serais heureuse de la mettre en pratique.

Fernadina remarqua que le sourire avait refleuri sur les lèvres de sa maîtresse.

— Pourriez-vous venir nous rendre visite la semaine prochaine, madame Wong ? Cela me donnerait le temps d'apprendre aux enfants à situer la Chine sur la mappemonde, de les préparer. Je suis certaine qu'ils seront fous de joie quand ils sauront que vous allez nous parler de votre beau pays !

Rendez-vous fut pris. La tension commença de s'émousser, puis Mme Douglas remarqua :

— Madame Wong, avant que vous ne nous quittiez...

Elle eut une seconde d'hésitation, puis poursuivit :

— Je souhaiterais insister sur un autre aspect de la personnalité de Fernadina. Nous avons trouvé une solution visant à remédier à l'hostilité des enfants de la classe, mais que faire quant à la solitude de Fernadina ? Elle nous semble s'ennuyer, nous paraît souvent très triste. Vous travaillez énormément, nous le savons. Cependant, n'y a-t-il pas de famille, à côté de chez vous, qui pourrait accueillir Fernadina ?

Mei-yu comprit aussitôt.

Elle faillit répondre que sa fille pleurait toujours son père. Hélas ! Elle ne put trouver les mots justes. Les larmes aux yeux, elle regarda ses deux interlocutrices. A cela, les braves âmes n'auraient nulle solution. Elle se leva donc et déclara :

— Je vous suis extrêmement reconnaissante de vos suggestions, de votre intérêt et suis sincèrement impatiente de vous retrouver la semaine prochaine en classe. Maintenant, le second problème est malheureusement loin d'être aussi simple. Je n'ai qu'une chose à vous dire : la solitude de Fernadina m'affecte terriblement. Croyez que je fais de mon mieux pour y remédier.

Mme Douglas se leva d'un bond.

— Madame Wong ! Nous n'avions nullement l'intention de...

Mei-yu hocha la tête.

— Non, je vous en prie ! Vous n'avez pas d'excuses à me présenter ! Je comprends parfaitement ! Il faut simplement attendre que le temps accomplisse son œuvre. Bientôt, tout s'arrangera ! Soyez patientes ! De mon côté, je lui reparlerai de tout cela ! Je vous en donne ma parole !

Sur le seuil, Mei-yu répéta :

— Il faut que le temps accomplisse son œuvre, voilà tout !

Mère et fille avançaient dans le couloir principal de l'école quand l'enfant demanda :

— Que veux-tu dire exactement, maman ?

— Chut ! Chut ! Moi aussi, j'ai besoin d'un peu de temps, Sing-hua. Nous discuterons plus tard. D'accord ?

Sur ces mots, elle s'arrêta et prit Fernadina par les épaules.

— Promets-moi de ne plus jamais, jamais te battre. J'en suis triste et honteuse, et toi aussi, tu devrais avoir honte ! Promets-le-moi, Sing-hua.

Affreusement mal à l'aise à l'idée que sa mère puisse éprouver un tel sentiment par sa faute, Fernadina promit, jura, donna sa parole... puis découvrit avec soulagement que Mei-yu lui adressait un sourire radieux.

— Et que veux-tu faire maintenant que la journée nous appartient ? lui demanda Mei-yu. Rendre visite à Ting à la teinturerie ? Manger une bonne glace ?

Mais l'enfant se contentait de lui serrer très fort la main, comme pour mieux lui dire que tout allait bien désormais.

Alors, Mei-yu, rassurée, décida de laisser les heures couler doucement. Ce sursis lui donnerait le temps de trouver les mots justes pour mieux expliquer à sa fille les changements qui allaient intervenir dans leur mode de vie.

***

Pour que ces changements voient le jour, il fallait du temps, se disait Mei-yu tout en longeant le pâté de maisons qui séparait la boutique de l'arrêt du bus sur Washington Boulevard. Il neigeait à présent. Elle avait attendu tout l'automne, puis, à mesure que passaient les mois d'hiver, elle avait étudié les progrès de son enfant. Fernadina allait mieux, mais elle n'était pas encore prête. Pas tout à fait.

La jeune femme rejoignit le petit groupe de gens qui

patientait bravement. Il y avait là un homme qui, lors d'une chute de neige, le mois passé, applaudissait sous prétexte que la neige nettoyait l'âme. Aujourd'hui, le même voyageur, coincé dans son manteau blanc de flocons, faisait grise mine. Mei-yu hésita, partagée entre fou rire et compassion, chercha à repérer les lumières du bus, puis rejoignit la chaleur du groupe.

Elle songeait à Kay Lynn restée tranquillement à la maison aux côtés de Fernadina. Qui prenait soin de qui ? se demanda-t-elle avec une pointe de tristesse. Kay Lynn était désormais dans son neuvième mois et, comme le médecin lui avait interdit de conduire, ne travaillait plus depuis trois semaines. Nancy l'avait grondée, affirmant qu'elle s'écoutait trop !

— Une femme comme toi, ça reste dans les champs à cueillir les graines de soja jusqu'aux premières douleurs ! Et aussitôt après, ça repart à l'ouvrage sans gémir ! Que racontes-tu donc avec tes jambes enflées et ton dos douloureux ?

De l'avis de Mei-yu, Nancy s'était montrée trop sévère. Kay Lynn avait vraiment mauvaise mine. Son corps, son visage étaient bouffis et elle avait les yeux rouges à force d'avoir pleuré !

Elle s'était effondrée dans un fauteuil en soupirant :

— Mei-yu... c'était comme ça pour toi ?

Mei-yu s'était efforcée de la consoler :

— Tu n'en as plus pour longtemps. Pense à l'enfant ! ne pense qu'à lui. Allez, bois un peu de lait ! Tous ces malheurs n'ont guère d'importance en regard de la joie qui t'attend.

Pour l'instant, Mei-yu se trouvait bien loin de l'atmosphère douillette de la maison. La neige tombait si dru que l'on n'y voyait goutte. Le froid se faisait mordant. Alors, malgré ses frissons, la jeune femme songeait à Fernadina, bien au chaud.

L'enfant avait beaucoup changé ces derniers temps. Elle

ne mentionnait plus guère les moqueries de ses camarades. Il y avait bien ce Sam, ce petit garçon à lunettes, qui n'arrêtait pas de la suivre, le soir, sur le chemin du retour, mais elle n'en faisait pas grand cas. Elle travaillait davantage désormais, parcourait avec délices un recueil des dernières expressions argotiques à la mode que lui avait prêté un groupe d'amis. A la fin de la journée, il lui arrivait souvent de déclarer que Dee-Dee avait dit ceci, qu'Élise avait fait cela ou de mentionner les derniers méfaits de Tilly ou de Patsy. Elle était même revenue à la maison avec un mot de Mlle Lamston lui conseillant la bibliothèque municipale voisine de son domicile. Il y avait également toutes ces chansons américaines qu'elle fredonnait maintenant le soir à l'heure du coucher.

En évoquant ces multiples changements, Mei-yu ne pouvait s'empêcher de s'interroger : la solution avait-elle été aussi simple ? Cette question, elle ne cessait de se la poser en se remémorant le jour où elle avait affronté tous ces regards d'enfants.

Elle portait un simple cheongsam de soie bleue et les écoliers avaient ponctué son entrée de maints gloussements étouffés, de nombreuses exclamations intimidées. Courageusement, Mei-yu avait gagné le bureau de Mlle Lamston avec qui elle échangea quelques politesses avant de s'installer. Devant elle, la jeune femme posa un coffret fort intriguant avant de saluer l'ensemble de la classe en chinois. Cette politesse déclencha l'hilarité quasi-générale, mais à peine Mei-yu eut-elle sortit quelques objets qu'un silence impressionnant s'abattit sur l'assistance. Toutes ces paires d'yeux observaient avec intérêt la figurine de bois. Elle représentait un paysan portant sur l'épaule une palanche dont les deux seaux étaient remplis d'un grand nombre de légumes délicatement sculptés. Ravis, les enfants se précipitèrent vers le bureau et Mlle Lamston n'eut que le temps de leur crier :

— Ne touchez pas !

C'était maintenant un concert d'exclamations enthousiastes. Mei-yu leur présenta ensuite le bracelet avec ses boules en ivoire travaillé, le pendentif en jade de Fernadina, les livres de poésie.

— Regardez ! Regardez ! Ils écrivent de droite à gauche et de haut en bas ! s'écria soudain un petit garçon.

Il pointait un doigt malin vers les recueils.

Un peu plus tard, Mei-yu leur apprit une berceuse chinoise qui contait les mésaventures d'un groupe d'enfants au fil de l'eau. Puis, elle alla dessiner au tableau quelques idéogrammes, souligna la similitude qui existait entre ces caractères et de véritables peintures. Le mot cheval lui servit d'illustration. Le mot arbre aussi. Et tout le temps qu'elle resta là, Mei-yu sentit peser sur son visage, sur sa robe, les regards curieux des élèves. Elle vit la joie briller dans les prunelles de sa fille. Elle l'entendit expliquer fièrement à l'une de ses camarades :

— Ce pendentif, c'est oncle Bao qui me l'a offert !

Son intervention touchait à sa fin quand Mei-yu écrivit au tableau le nom de Sing-hua et en donna la signification. Quand les enfants surent que ce prénom signifiait « fleur nouvelle », ils firent mine de ricaner grassement, mais se calmèrent bien vite. Au grand soulagement de Mei-yu, Fernadina ne broncha pas du tout.

De l'avis de Mei-yu, ces quelques heures se révélaient très positives. Les questions des enfants l'avaient beaucoup amusée. L'un d'eux voulait savoir si, en Chine, on mangeait vraiment du chien. Un autre cherchait à comprendre pourquoi le langage offrait des sonorités tellement cocasses ! Enfin, les écoliers semblaient ravis, comme leurs applaudissements en témoignèrent lorsque la jeune femme prit congé d'eux.

C'est une Mlle Lamston radieuse qui la raccompagna à la porte en déclarant avec émotion :

— Merci beaucoup de votre visite, chère madame. Les enfants se sont beaucoup amusés.

Machinalement, Mei-yu se tourna vers le fond de la classe, chercha Sing-hua des yeux. La fillette semblait aux anges.

— Moi aussi. Merci de m'avoir invitée.

— Je crois que vos explications nous ouvriront des horizons nouveaux. Encore merci à vous et... bonne chance!

— Ça y est! le voilà! Eh bien! Ce n'est pas trop tôt, brailla le voisin de Mei-yu.

Chacun grimpa donc dans le bus déjà bondé. Mei-yu elle-même se trouva bloquée entre deux bonshommes apparemment fatigués, à la mine blafarde sous la lumière crue du véhicule. Dans l'atmosphère saturée de vapeurs d'essence, on bringuebalait au rythme cahotant de l'autobus sur la route enneigée.

Quelques quarante minutes plus tard, Mei-yu arrivait chez elle. Collé à la vitre de leur appartement, elle aperçut le visage de Fernadina qui fouillait anxieusement les ténèbres. La jeune femme se dépêcha donc de monter les escaliers pour retrouver sa fille. A peine avait-elle poussé la porte qu'une bonne odeur de riz cuit lui chatouilla les narines. Fernadina, très fière, vint l'aider à ôter son manteau mouillé en disant d'une voix claironnante :

— Regarde ce que j'ai fait!

Effectivement, Fernadina avait accompli des merveilles : elle avait mis la table, sorti du réfrigérateur la viande coupée le matin même par Mei-yu et nettoyé les légumes.

— Oh! Merci, Sing-hua! Que tu es gentille! Comme tu m'aides, ma chérie! Tu as beaucoup grandi maintenant! Alors, dis-moi, tu as passé une bonne journée à l'école? Et Tante Kay Lynn, comment va-t-elle?

Déjà, elle s'emparait de la poêle.

— A l'école, ça a été! On a fait du dessin. J'ai peint un oiseau et une maison. Tante Kay Lynn dit qu'elle a mal aux jambes. Elle m'a demandé de la masser un peu. Oh! qu'elle est grosse, maman!

Tout en l'écoutant bavarder, Mei-yu préparait le repas et réfléchissait. Sa fille changeait. Kay Lynn et Richard lui en avaient fait la remarque.

A ce propos, il y avait eu un incident fort révélateur quinze jours auparavant. C'était un samedi. Richard venait, en effet, dîner à l'appartement tous les samedis, maintenant. Le trio avait tout juste terminé le repas et Fernadina desservait la table. Depuis quelque temps, elle le faisait systématiquement, puis filait se réfugier dans sa chambre. Mei-yu, qui était loin d'être dupe, avait noté le regard en coin de sa fille : l'enfant évitait Richard. Aussi, ce soir-là, attendit-elle que Fernadina revienne chercher les bols de riz pour déclarer :

— Merci, Sing-hua. Je finirai le reste. Il est temps d'aller te baigner.

— Mais je me suis lavée hier!

— Ne discute pas, Sing-hua. Dépêche-toi de faire couler l'eau!

— Non, maman! Je t'en prie.

— Fais ce que te dit ta mère! lança alors Richard.

Cet ordre surprit Fernadina. Elle se tourna vers Richard, lui décocha un coup d'œil méfiant, puis interrogea sa mère du regard. A nouveau, Mei-yu lui indiqua le chemin de la salle de bains. La petite ébaucha un mouvement de révolte et... obtempéra. On entendit bientôt le bouillonnement de l'eau dans la baignoire.

Gênée, Mei-yu consulta Richard du regard. La jeune femme ne savait plus que penser. Son intervention l'avait tirée d'une situation difficile. Pourtant, elle en éprouvait une pointe de rancœur et... s'en voulait de se laisser aller à pareil sentiment! Désireuse de se réfugier dans l'action quelle qu'elle soit, Mei-yu fila à la cuisine, prépara le thé. Richard lui emboîta le pas.

— Elle vous répond souvent ? demanda-t-il.

— Non.

Le cœur battant, Mei-yu releva la tête, soutint le regard de Richard.

— C'est tout récent. Elle s'est trouvée invitée chez l'une de ses amies. Depuis lors, elle ne cesse de répéter que ses amies ont davantage de liberté qu'elle n'en a ! A six ans ! C'est incroyable ! Non ?

— De la part d'un enfant américain, non. De la part d'un enfant chinois, oui !

Il affichait un sourire forcé. Il trouvait Fernadina trop gâtée ! Mei-yu le savait. Il la jugeait trop indulgente aussi, à l'image des parents américains. Sans doute avait-il raison ; pourtant, la jeune femme brûlait d'envie de lui dire que sa fille avait déjà suffisamment souffert, qu'elle méritait le bonheur désormais, la liberté aussi. Elle faillit lui expliquer que, fidèle à la tradition, c'était toujours Kung-chiao qui s'était occupé des questions de discipline. Elle n'osa pas. Devant Richard, Mei-yu éprouvait un singulier sentiment de honte. Il avait été témoin de bien des choses. Il savait ainsi que l'enfant pleurait encore son père chéri, que Mei-yu regrettait encore son mari, et ce savoir lui donnait un pouvoir redoutable.

Quand elle revint au salon avec un plateau et le thé, il la suivit. Ils s'installèrent devant une tasse fumante, s'observèrent un instant dans le silence à peine troublé par les ébats aquatiques de l'enfant.

— Mei-yu, je viens de prendre une décision.

La jeune femme l'interrogea du regard.

— J'ai décidé de démissionner et de monter ma propre affaire.

— Richard !

— Je sais ! Voici longtemps que je réfléchis ! J'ai parfaitement conscience de l'enjeu en question. Si je ne lance pas ma propre entreprise, je n'aurai jamais les coudées franches au sein de la firme où je travaille pour l'instant. Et cela, je ne puis l'accepter !

— Avez-vous songé au capital dont vous aurez besoin, Richard ? Va-t-on vous accorder un prêt bancaire, aujourd'hui ?

— Non, mais les perspectives me semblent plus favorables. Les tensions politiques se calment. L'ère de suspicion paraît révolue. Désormais, les gens s'intéressent aux profits. Ils ne demandent qu'une chose : la paix. Ils commencent enfin à penser à eux-mêmes. On embauche de plus en plus d'Asiatiques comme techniciens ou chercheurs. Le monde des affaires ne voit plus d'un mauvais œil l'ouverture de magasins ou de commerce gérés par des étrangers. On a compris que nul n'était menacé. Nos restaurants commencent même à plaire, à divertir. Et puis, l'argent n'a pas d'odeur ! Ces différents arguments nous ouvrent bien des portes. Tenez ! Vous souvenez-vous de Wan, ce restaurateur du Maryland ?

— Oui.

— Récemment, il s'est vu octroyer un prêt afin de démarrer un nouveau restaurant à Alexandrie. Il s'est même trouvé un Américain pour investir dans son affaire. Il avait déjà prouvé son dynamisme commercial, on savait que l'on pouvait compter sur son esprit d'entreprise. Quant à moi, je suis persuadé que j'obtiendrai un prêt si je parviens à mes fins. A moi de séduire les clients ! J'ai donc décidé de vendre mes parts sur les appartements de Washington. Cette somme, ajoutée à la totalité de mes économies, me permettra de démarrer. Au début, je ferai attention. Je ne mettrai pas la charrue avant les bœufs.

— Où comptez-vous vous installer ?

— Je ne le sais pas encore... A Washington, ou même ici, à Arlington, mais je veux être certain que les membres des deux communautés pourront me joindre à tout moment.

— Votre entreprise connaît-elle votre décision ?

— Pas encore. Je préférais vous en parler d'abord.

Mei-yu lui jeta un bref regard. Lui, en revanche, cherchait ses yeux. Il lisait en elle comme dans un livre, songea-t-elle, affolée. Elle prit sa tasse, se carra dans le sofa.

— Mei-yu, soyons réalistes ! Le phénomène secoue le pays dans sa totalité. A New York, à Washington, sur la côte ouest. Tout le monde achète, tout le monde fait construire. On investit tous azimuts ! L'immobilier devient le placement idéal, comme toujours en temps de paix, mais jamais le pays n'a connu pareille prospérité ! Ne le voyez-vous pas ? Ne le sentez-vous pas ?

L'espace d'une seconde, Mei-yu entrevit les bulldozers à l'œuvre qui déblayaient le terrain pour la construction de nouveaux immeubles, de nouveaux commerces, songea aux acquisitions qu'elle venait de faire : la bicyclette de Fernadina, un poste de radio, une machine à coudre d'occasion et deux paires de chaussures ! Que d'aisance par rapport aux jours de Chinatown !

— Chacun doit saisir la chance au vol. Nous comme les autres, Mei-yu ! Pourquoi ne construirions-nous pas quelque chose ensemble ?

La jeune femme comprenait parfaitement le sens de ses paroles, essayait de détourner les yeux de ce regard qui la retenait prisonnière. Elle s'efforça de réfléchir à ce que serait l'avenir avec Richard. Et ses sentiments envers lui, quels étaient-ils ? Respect, amitié, gratitude, voilà les mots qui venaient à l'esprit de Mei-yu. L'amour... l'amour... Bien malgré elle, la jeune femme dut admettre qu'elle ne ressentait guère qu'une grande affection envers Richard. Soudain, une réflexion de sa vieille nourrice lui revint en mémoire. Un jour que Hsiao Pei s'offrait des nostalgies philosophiques, elle avait entrepris d'expliquer à Mei-yu comment, jadis, les parents choisissaient un époux pour leurs enfants.

— Les parents ne désiraient qu'une certitude, mon petit ! Que mari et femme allassent dans la vie comme une paire de bœufs liés au même joug ! Ils savaient bien que le travail constituait l'élément-clé de toute existence ! Donc, si l'un des deux jouissait de beaucoup de forces et d'énergie, l'autre devait se montrer plein de bon sens. Si l'un pouvait tirer à droite, l'autre devait pouvoir tirer à gauche. Il fallait que leurs deux natures soient en harmonie, qu'ils aient une excellente santé, bien sûr, afin d'avoir beaucoup, beaucoup d'enfants.

A la question de Mei-yu qui cherchait à comprendre les sentiments des deux partenaires, Hsiao Pei avait pouffé de rire.

— Les bœufs ne passent pas la journée à se regarder dans le blanc des yeux, surtout quand ils ont une tâche à accomplir. Ils se concentrent sur leur ouvrage, s'appliquent à mener à bien ce qu'ils ont à faire et, à la fin de la journée, ils sont heureux de retrouver leur mangeoire pleine de foin, leur étable. Voilà ce qu'ils ressentent, Mei-yu.

Bien des années avaient passé et maintenant la jeune femme levait les yeux vers Richard. Richard, un battant d'une volonté de fer ! Un homme cultivé, expérimenté, susceptible de guider à merveille sa compagne. Autant de qualités qui attiraient Mei-yu, bien qu'elle devinât chez Richard une incroyable réserve destinée à préserver son moi intime.

Alors, c'est d'une voix très douce que Mei-yu s'entendit demander :

— Richard, je vous en prie, parlez-moi de votre femme.

Il parut troublé, mais se ressaisit vite.

— Elle était jolie, intelligente et venait d'une famille relativement aisée. Son père possédait une grande quincaillerie. Il ne vit pas notre union d'un très bon œil, mais nous passâmes outre. Nous nous sommes mariés très jeunes. J'étais encore à l'université.

— Où viviez-vous ?

— A Boston. Nous n'avions quasiment pas d'argent. Ma mère, furieuse, m'avait coupé les vivres. Ruth, c'était son prénom, travaillait à la bibliothèque de la faculté.

Richard marqua une pause. L'espace d'un instant, il joua

avec sa tasse vide, mais, devant le mutisme de Mei-yu, reprit ses confidences :

— Nous ne pouvions avoir d'enfants. Ruth ne le pouvait pas.

Il tripotait toujours sa tasse nerveusement.

— Quand je songe à ces moments-là, j'éprouve finalement un sentiment de soulagement à l'idée que nous nous soyons séparés sans avoir eu d'enfants. Dans nos sociétés modernes, il n'y a guère de place pour un métis. Mieux vaut quelqu'un comme Fernadina ! Les souffrances sont moindres, j'en suis convaincu.

Il poussa un long soupir, puis déclara encore :

— Ruth et moi avons passé trop de temps ensemble. Lors de notre séparation, je brûlais de honte. Il m'était si difficile d'admettre et surtout de reconnaître devant ma mère que j'avais commis une erreur. Malheureusement, notre divorce était vite devenu inévitable.

Elle remarqua son regard qui se dérobait, comme si Richard se retranchait très loin en lui-même.

— Quand vous parliez de construire quelque chose ensemble, Richard... vous songiez à des enfants ?

A ces mots, une lueur bouleversante illumina les prunelles de cet homme si secret. Une lueur tissée de peine. Elle comprit le poids de son fardeau, son impatience.

— Oui. Comme tout le monde, je désire me perpétuer. Je vous veux, Mei-yu. Je veux une famille. Je veux un fils.

— Tu ne manges pas, maman !

La petite voix aiguë de Fernadina tirait Mei-yu de sa rêverie.

— Tu ne m'écoutes pas non plus !

Surprise en flagrant délit, Mei-yu releva la tête. En face d'elle, Fernadina la considérait d'un œil moqueur. La fillette avait fini de dîner.

— Pardon, ma chérie ! Tu aurais voulu quitter la table ? Entendu ! Tant pis pour moi !

Comme si elle n'attendait que cette autorisation, la petite bondit vers l'évier où elle se débarrassa de sa tasse et de ses baguettes, et fila vers le salon où elle se pelotonna avec un livre sur le sofa, son siège favori.

Pendant ce temps-là, Mei-yu essaya bien de terminer son repas, mais tout était froid désormais. Elle repoussa donc bœuf et céleri, observa sa fille qui déchiffrait un nouveau conte. De temps à autre, Fernadina relevait la tête et hurlait :

— Maman ! Ma-maaannn ! Un *dévot,* ça veut dire quoi ?

Mei-yu répondait toujours. Elle s'amusait d'ailleurs. Cette complicité lui plaisait, et Richard avait beau affirmer que Fernadina était par trop gâtée, Mei-yu la trouvait plus heureuse qu'un an et demi auparavant. Ce semblant de bonheur ne valait-il pas le sacrifice de quelques menus principes ?

En outre, Fernadina était loin d'être aussi gâtée que les enfants de Yolanda Eng ! L'anniversaire de Ming en avait fourni une illustration... éclatante ! Le jeune garçon avait frénétiquement ouvert ses paquets et sauté dans son costume de cow-boy ! Chapeau sur la tête et pistolet sur la hanche, il avait bondi à travers l'appartement en tirant à blanc des balles qui empuantirent l'atmosphère d'une affreuse odeur de soufre. Une fois las de cette diversion, il entreprit de fouiller minutieusement les papiers froissés. Il cherchait, braillait-il, le bateau modèle réduit qu'il avait demandé tout spécialement pour l'occasion. Quand il finit par comprendre que personne ne lui avait offert ce cadeau-là, il se mit à geindre désespérément. Les mamans présentes se sentirent obligées de se trémousser sur leurs chaises et de gronder leurs propres enfants. Tout le monde jetait sur Yolanda des regards inquiets.

Nancy, carrée dans un fauteuil, avait lancé d'un ton pincé :

— Pour leur anniversaire, mes enfants ne reçoivent que des livres !

Nancy exprimait là l'opinion générale et les regards éblouis et envieux des gamins présents n'allaient pas la contredire.

Mei-yu, au milieu de toutes ces mères de famille, songeait aux jours révolus, aux toupies et aux nombreux jeux ingénieux qu'on inventait dans la maison de son père. Il suffisait d'un bâton et d'une ficelle, voire d'une balle en caoutchouc pour passer des heures magnifiques. En ce temps-là, l'enfance était pain béni ; d'une simplicité souveraine et exaltante.

De Fernadina, Mei-yu ne pouvait cependant se plaindre : à côté de ses amis, la fillette était remarquablement polie. Elle n'avait rien d'un petit tyran en jupons.

Pourtant, il lui restait encore bien des choses à apprendre : le respect dû aux autres, aux anciens, aux professeurs. Bien sûr, Mei-yu avait tenté de lui inculquer ces notions, mais c'était là le rôle d'un père. La jeune femme le comprenait. Elle en prenait conscience comme elle prenait conscience de la logique profonde de la proposition de Richard. C'était le bon sens même. L'équilibre. Cet équilibre que Mei-yu, seule, ne pouvait apporter à son enfant.

A nouveau, son regard se posa sur sa fille, endormie maintenant. Une souffrance soudaine lui serra le cœur. Pouvait-elle vraiment épouser Richard alors qu'elle connaissait les sentiments de Fernadina à son égard ?

Richard, lui, se contentait de dire :

— Les parents n'ont pas à consulter leurs enfants. Les enfants doivent obéir à leurs parents. C'est comme cela.

Son attitude était si simple, si nette, songeait Mei-yu qui écoutait attentivement les mille suggestions de son être intérieur. Comme elle aurait aimé trancher aussi aisément des choses de la vie ! Décider sans remords et sans arrière-pensées ! Et puis, elle mourait d'envie de s'en remettre à un autre, à un compagnon plein de force et de certitude ! A quelqu'un capable de décréter sans ambages : « C'est comme cela ! »

Richard affirmait en outre qu'il n'était point pressé, mais Mei-yu savait bien qu'il attendrait aussi longtemps qu'il faudrait et qu'elle finirait par consentir. Sa raison lui soufflait qu'il fallait accepter, et son cœur, pourtant, montrait d'étranges réticences. Pourquoi ? La jeune femme ne pouvait-elle s'autoriser à suivre ce courant de vie qui la portait vers des lendemains autres ? Ainsi, ces questions la rongeaient-elles inlassablement. Hélas, Mei-yu savait qu'elle ne pourrait donner une réponse tant qu'elle n'aurait pas éliminé les doutes qui la harcelaient.

Quatre jours plus tard, un Tim paniqué appelait Nancy. Il fallait emmener Kay Lynn de toute urgence à l'hôpital. Des cris retentirent dans toute la boutique. On confia donc le magasin à Mei-yu qui passa le plus clair de son temps à tourner autour du téléphone tout en roulottant quelque malheureux bout de tissu. Douze heures plus tard, Tim la tirait de son sommeil pour lui annoncer d'une voix engourdie que sa femme avait donné naissance à une belle petite fille pesant 3,5 kg.

Le lendemain, en entrant dans l'hôpital, elle ne put s'empêcher de taquiner le nouveau papa. Ils s'engouffraient dans l'ascenseur quand Tim marmonna d'un ton gêné :

— Je pensais avoir garçon. Je n'ai pas choisi nom de fille.

Mei-yu chercha son regard. En vain. Tim détournait les yeux avec obstination. La jeune femme ne pipa mot et suivit le mari de son amie jusqu'à la nurserie. Là, derrière les vitrines épaisses qui protégeaient les nouveaux-nés, elle reconnut en ce bébé au teint jaune et aux paupières bridées la fille de ses amis.

— Oh ! Qu'elle est belle ! Et ses cheveux ! Qu'ils sont longs ! A sa naissance, Sing-hua était presque chauve !

Une infirmière avait déjà remarqué leur agitation. Elle leur adressa un bon sourire et s'empara de la petite.

— Viens ! Elle va l'emmener dans la chambre de Kay Lynn, fit Mei-yu en tirant Tim par la manche.

Aussitôt dit, aussitôt fait. Tous deux se dirigèrent d'un pas décidé jusqu'à la chambre que Kay Lynn partageait avec quatre autres jeunes femmes. Kay Lynn qui gisait, les yeux clos, dans le lit voisin de la fenêtre. Mei-yu fila immédiatement vers son amie, lui caressa tendrement la joue.

— Bonjour, jolie maman ! Comment te sens-tu ?

Mei-yu, soudain, se trouvait partagée entre le rire et les larmes. En effet, elle retrouvait l'émotion souveraine qui avait marqué la naissance de sa propre fille. Le soulagement intense aussi.

— Pas si mal que cela, non ? insista-t-elle.

Malheureusement, Kay Lynn se butait, s'obstinait en un demi-sourire.

— Un jour, je vivais encore chez mon père, je suis tombée d'un buffle. J'ai eu très mal, à l'époque. Eh bien ! Cette fois, je souffre davantage encore !

Devant cette remarque incongrue, Mei-yu pouffa.

— Je viens de voir ta fille à l'instant. L'infirmière te l'amène dans une minute. Bravo, je te félicite, Kay Lynn, elle est magnifique !

— Tim ? fit Kay Lynn d'une voix faible.

— Il est là.

Tim, un rien penaud, avança au moment où l'infirmière fit son entrée. Elle plaça d'autorité l'enfant dans les bras de sa mère. Mei-yu, très émue, s'émerveillait devant ce petit être délicat, ces paupières finement ciselées, ces mains minuscules serrées avec force sur le drap.

— Tu as choisi un prénom ? demanda à nouveau Meiyu.

A ces mots, Kay Lynn se tourna vers son mari et fit une suggestion.

— Tim, j'ai pensé à Dorothy. C'est un prénom américain, moderne et joli, qui va bien avec le patronyme Woo. Dorothy Lee Woo. Cela te plaît-il ?

Pour toute réponse, Tim haussa les épaules.

Un voile de souffrance passa sur les traits de Kay Lynn.

— Tim est déçu parce qu'il voulait un garçon.

Des larmes de fatigue brillaient dans les prunelles de Kay Lynn. Elle éprouvait beaucoup de peine. Mei-yu le voyait, qui retrouvait le même chagrin sur le visage de Tim.

Elle décida d'intervenir.

— Chut, vous deux ! On ne se dispute pas maintenant ! Tim est un tout nouveau papa. Il ne sait que penser. Kung-chiao s'était comporté de la même façon.

— C'est vrai ?

Une lueur d'espoir illuminait le regard noyé de larmes de Kay Lynn.

— Oui, fit Mei-yu avec conviction.

C'était pur mensonge. Mais ne fallait-il pas donner à ses amis le temps de s'accoutumer à leur enfant ?

— Attends un peu, Kay Lynn ! Bientôt, tu seras jalouse de la complicité du père et de sa fille !

Un sourire timide fleurit alors sur les lèvres de Kay Lynn qui lança d'un ton faussement grondeur :

— Eh ! Que faire avec père teinturier stupide ? Ne voit pas plus loin que bout de son linge ! Mei-yu, tu sais pourquoi il voulait un fils ? Uniquement pour se vanter ! Viens ici, teinturier !

Devant cet ordre lancé d'une voix rauque, Tim capitula.

— Regarde ta fille : Dorothy ! Regarde-la bien. Un jour, tu seras très fier d'elle.

Un rien hésitant et terriblement intimidé, Tim caressa la joue veloutée du bébé. Mei-yu en profita pour laisser les jeunes parents à leur émotion. Elle gagna le couloir et patienta un moment.

Le temps passa, puis une infirmière vint annoncer que l'heure du biberon était venue. On enleva donc l'enfant. Mei-yu n'en revenait pas. Ces hôpitaux américains étaient incroyables ! Elle, à l'époque, elle avait nourri Sing-hua au sein !

Ses amis ne semblaient pas s'embarrasser de ce genre de problèmes. Du coin de l'œil, Mei-yu les voyait qui discutaient de bon cœur, notait le geste furtif de Kay Lynn retenant son mari par la manche.

Sur le chemin du retour, Mei-yu retrouva de vieux souvenirs. Elle revoyait Kung-chiao portant triomphalement Sing-hua dans ses bras, Sing-hua pour qui il avait également choisi un prénom américain. Kung-chiao avait disparu maintenant dans la touffeur de l'absence... La voyait-il aujourd'hui ? se demanda-t-elle. Savait-il qu'elle songeait à prendre un nouvel époux ?

A cette pensée, un remords lui vint et elle invoqua bien vite l'esprit de son mari : « Pardonne-moi, Kung-chiao. Comment oserais-je te demander ton avis, alors que tu n'as point parcouru ce bout de chemin-là ! A moi donc de décider en mon âme et conscience de l'avenir de notre fille. Fernadina, malgré mes efforts, a besoin d'un père pour guider ses pas. Sache néanmoins que jamais ta mémoire ne sera souillée, car en mon cœur, tu vis encore et toujours. »

Debout au milieu de la chaussée, Mei-yu interrogeait les ombres. Le regard des passants la laissait de marbre et, face au silence de l'absence, elle s'écria à haute et intelligible voix :

— Kung-chiao, me pardonnes-tu ce choix ?

Hélas ! Le vent ne lui apporta nulle réponse.

En rentrant, elle découvrit une lettre émouvante dans la boîte à lettres. Un aérogramme provenant de Pékin. Elle courut à l'appartement où Fernadina la salua d'un bonjour tonitruant du fond du sofa. Les mains tremblantes, elle fila à la cuisine, retourna le mince bout de papier bleu et y vit le nom de son frère, Hung-chien. Aussitôt, elle se mit à lire :

Ma chère Mei-yu,

J'aurais aimé que de bonnes nouvelles viennent enfin rompre le silence de ces longues années. Hélas, il me faut t'apprendre un triste événement. Notre père nous a quittés pour toujours.

Tu savais, lors de ton départ, que sa santé avait grandement souffert de son séjour en prison. La nuit dernière, après le dîner, il est allé se coucher et notre mère l'a trouvé mort, au matin. Je t'écris donc pour t'informer, mais aussi pour te demander d'honorer sa mémoire en dépit du différend qui vous a séparés.

Sache aussi, ma chère sœur, que nous pensons tous à toi avec beaucoup de tendresse. Maman, malgré son chagrin, se porte encore assez bien. Hung-bao travaille aux champs, maintenant. Quant à moi, je m'acquitte de mes devoirs envers le Parti. Hsiao Pei est toujours des nôtres. Elle vieillit mais se débrouille pour faire la cuisine et les courses. Par ailleurs, nous avons laissé une bonne partie de la maison à quatre familles. Que veux-tu ! De nos jours, les logements sont rares ! Maman, Hsiao Pei et moi avons gardé les deux pièces qui étaient jadis la chambre de nos parents et le bureau de père. Pour ce qui est de la cuisine, tout le monde la partage. En tant que patriotes, nous estimons que de telles résolutions s'inscrivent dans le cadre des changements nécessaires aux progrès de la nation.

Nous t'espérons heureuse dans ton nouveau pays comme dans ta nouvelle vie.

Affectueusement,
Ton frère, Hung-chien

Mei-yu relut la lettre, vérifia le cachet. Deux semaines. Elle avait mis deux semaines à lui parvenir. C'était miraculeux ! Bouleversée, elle tournait et retournait le frêle aérogramme. Rares étaient les nouvelles en provenance de la Chine Rouge ! Qu'est-ce que cela signifiait donc ? Hung-chien s'exprimait-il librement ? Cherchait-il à plaire aux censeurs ? Et que voulait-il dire ? Pourquoi Hung-bao se trouvait-il aux champs ? Et de quels devoirs Hung-chien s'acquittait-il envers le parti ? Appartenait-il à la lourde machinerie communiste ? Et leur mère ? Et Hsiao Pei ?

Mille questions roulaient dans l'esprit enfiévré de Mei-yu. Puis, inexorablement, le cours de ses pensées la ramenait à son père. Elle revivait leur dispute, leur séparation, amer bannissement... Aujourd'hui, voilà qu'il était mort, ce père qui lui avait tourné le dos, ce père mué en fantôme. Aujourd'hui, le fantôme, à son tour, avait trouvé la mort.

Cette lettre de Hung-chien était-elle un signe, un clin d'œil du destin ? Ce simple bout de papier symbolisait une vie nouvelle, une liberté inconnue et inespérée. Que restait-il, en effet, de sa famille sinon une brassée de souvenirs ? Hung-bao, Hung-chien, Ai-lien et Hsiao Pei, quels pouvoirs avaient-ils sur sa destinée désormais ? Aucun ! Ils ne la tenaient plus dans leurs rêts ! Mei-yu pouvait enfin dire adieu à ses chers fantômes et embrasser l'avenir qui l'attendait dans ce pays neuf.

Cet avenir, d'ailleurs, n'en avait-elle point vu les premières manifestations en la personne de l'enfant de Kay Lynn, cet être nouveau venu à la vie quelques heures auparavant ? Ne l'avait-elle point pressenti en invoquant la mémoire de Kung-chiao ? En lui demandant de lui pardonner une existence future où il n'aurait nulle place ?

Mei-yu finit par ranger la lettre de son frère dans un tiroir. En son for intérieur, elle entendait la voix de Richard. Elle songea à son impatience, à ses inflexions caressantes. Elle songea à sa propre impatience, à son propre besoin d'apaisement, aux besoins de sa fille. Elle comprit alors que le reste n'avait aucune importance. La voie à suivre, elle la connaissait !

***

L'après-midi était déjà bien entamé et maintes voitures bloquaient l'entrée de Canal Street. Richard avait eu beau presser Mei-yu, rien n'y avait fait ! La jeune femme, rongée d'inquiétude, n'avait cessé de courir de droite et de gauche pour ajouter un pull, un chemisier ou toute autre babiole du même genre dans leurs bagages.

Ils avaient donc quitté Arlington à plus de midi ! Voilà pourquoi Richard, Mei-yu et Fernadina se trouvaient maintenant immobilisés au beau milieu d'un embouteillage... à la lisière de Chinatown !

Fernadina, un rien oppressée par la moiteur de l'été, ouvrit la fenêtre, huma l'air de la ville, s'enthousiasma : une brise légère ramenait de la mer diverses senteurs où l'on retrouvait les exhalaisons âcres du poisson, du choux trop mûr ou de l'ail.

Tandis que leur véhicule avançait au pas vers l'intersection de Canal Street et de Mott Street, Fernadina remarqua les cageots. Il y avait belle lurette qu'on les avait délestés de leurs fruits et légumes, savamment arrangés en pyramides colorées maintenant, mais ces cageots traînaient toujours sur un bout de trottoir. Ils ressemblaient à des coquillages vides et misérablement oubliés au milieu d'une débauche de feuilles jaunies ou séchées. Alentour, de longues files de Chinois cheminaient à belle allure, les bras chargés de sacs, paquets ou paniers regorgeant de melons d'eau, d'oignons jaunes, sans parler des plastiques fermés sur de splendides poulpes. Spectacle fabuleux où Fernadina retrouvait le souvenir des jours heureux.

Enfin, après une éternité, Richard réussit à se garer près de Columbus Park. A peine avait-il accompli cette prouesse que Mei-yu plongeait dans ses multiples sacs pour vérifier une dernière fois l'emplacement des cadeaux. Un dernier coup d'œil à son maquillage, à sa jupe, un sourire entendu à l'adresse de Richard, et on se mit en route après un :

— Tu viens, Sing-hua ? Ne traîne donc pas comme cela !

Cette remarque suffit à attiser la mauvaise humeur de Fernadina, qui n'oubliait pas la bague ornant désormais la main gauche de sa mère. Elle choisit donc une revanche simple et, bien qu'elle le considérât comme complice de sa mère, décida de marcher aux côtés de Richard.

Le trio retrouva aisément le chemin de Canal Street et l'entrée de la pâtisserie. Ce fut Ah-chin qui les vit la première. Ils n'avaient pas ouvert la porte qu'elle poussait un grand cri d'oiseau et s'élançait au-devant d'eux. Elle souriait éperdument, de toutes ses dents en or, caressait avec délices les joues de Mei-yu, s'exclamait sur sa bonne santé apparente. Avec Richard, elle se montra plus réservée, mais devant Fernadina, en revanche, elle se laissa aller. Elle cria très fort, la serra de toutes ses forces, la souleva de terre tandis que l'enfant humait sur sa tante l'odeur familière des œufs et de la farine. Familier aussi, le rebord de la fenêtre où Fernadina fila s'asseoir en dégustant le flan de bienvenue.

Ah-chin, ensuite, ravie, qui se frottait les mains sur son tablier blanc, déclara :

— Félicitations, Mei-yu ! Nous étions si heureux pour toi lorsque nous avons appris ton mariage !

Puis, un regard inquiet et gêné par la vitre :

— Ling m'avait promis d'être là ! Il doit encore être parti quelque part avec Wen-wen. Il ne va sûrement pas tarder.

De son perchoir, Fernadina observait les adultes et leurs curieuses manies de ponctuer chaque phrase d'un grand éclat de rire. Elle remarqua que sa mère ne regardait jamais Ah-chin droit dans les yeux, qu'Ah-chin était maigre à faire peur, qu'elle avait les cheveux plein de farine, et que, malgré ses efforts, elle gardait les mains enduites de pâte.

Ensuite, on en vint à la cérémonie des cadeaux que sa mère tendit d'un geste ample vers son amie qui roulait de grands yeux et riait encore plus.

Les deux femmes parlaient d'ailleurs un drôle de charabia ensemble. Le même charabia que celui pratiqué par Tim et Kay Lynn. Apparemment, Richard n'y comprenait rien.

Quant aux questions rituelles, on n'y coupa point :

— Et toi, Sing-hua ? Comment t'adaptes-tu à ta nouvelle vie ? Oh ! Que tu es jolie ! Quelle belle robe tu as ! Et tes souliers, ils sont magnifiques !

Alors l'enfant, coincée dans son humeur de rebelle, mordait dans le flan, niait l'affection qui éclairait le regard d'Ah-chin. Elle s'interrogeait : qu'aurait-elle dit, la tante Ah-chin, si elle lui avait déclaré tout à trac qu'elle détestait sa nouvelle vie ? Qu'elle détestait le fait que Richard vive désormais avec elles deux ? Que sa mère avait changé d'attitude envers elle ? Que la nouvelle maison où ils allaient habiter lui paraissait trop grande, trop froide ? Elle haïssait les règles que Richard voulait imposer à la maison : comment osait-il lui interdire de parler à table alors qu'il bavardait tranquillement avec sa mère à elle ? Et pourquoi lui refusait-il la libre entrée dans la chambre de sa mère ? Pourquoi la porte demeurait-elle fermée la nuit maintenant ?

Bien sûr, la tante Ah-chin avait remarqué la nouvelle robe, les jolies chaussures ! Certes, Fernadina possédait beaucoup plus de choses aujourd'hui. Il y avait tous ces livres et cet électrophone, mais la fillette n'en avait rien à faire. Elle languissait davantage du mode de vie qu'on lui ôtait. Elle languissait de sa mère. Elle était même allée trouver Mei-yu, lui avait demandé des explications, avait invoqué son père. Richard ne ressemblait nullement à son papa chéri, avait-elle déclaré également. Elle ne voulait pas de lui ! Pour toute réponse, Mei-yu lui avait offert des larmes et des baisers. Elle avait juré que cette nouvelle vie se révélerait plus agréable encore. Mei-yu ne mentait pas, mais, pourtant, Fernadina voyait sur son visage cette expression qu'elle connaissait à tous les menteurs de la terre. Sa voix même changeait sous l'effet des promesses, prenait les mêmes intonations que l'infirmière qui, à l'école, l'avait vaccinée en lui jurant que tout cela ne faisait absolument pas mal. Il y avait aussi cette nuance curieuse, cette prière qui teintait la voix de Mei-yu. Hélas, cette prière même plongeait Fernadina dans une colère fabuleuse... Alors, comment expliquer à tante Ah-chin les sentiments tumultueux qui l'animaient ? Mieux valait donc mordre furieusement dans ce flan et regarder par la fenêtre.

Les deux femmes se taisaient maintenant. La vie d'Ah-chin était toujours la même, songeait Mei-yu tandis que son amie étudiait avec une pointe d'envie son nouveau tailleur. Dire qu'elle avait souhaité impressionner Ah-chin, se disait-elle encore. Mei-yu avait honte de sa mesquinerie, en rougissait presque. Folies que tout cela ! Affreusement gênée, elle approcha de la fenêtre, fit mine de regarder les alentours et dit d'un ton faussement enjoué :

— J'espère que Ling et Wen-wen ne vont plus tarder. Je voulais arriver au Sun Wah avant l'heure du dîner, sinon Bao sera débordé.

Ah-chin hocha la tête.

— Ah ! Ma pauvre Mei-yu ! Bao n'est pas là ! Je lui avais bien annoncé ton arrivée, mais il m'a répondu que tout était déjà organisé, qu'il ne pouvait rester.

— Rester ? Mais où est-il parti ?

— A Hong Kong. Chercher sa future femme.

Sur ces mots, Ah-chin fit claquer sa langue. Claquement sonore. Ponctuation. Déjà, la chère Ah-chin filait derrière le comptoir, farfouillait dans un tas de vieux papiers.

— Tiens ! Regarde ! Quel fou ! Voilà celle qu'il a choisie !

Elle lui tendait une revue.

Fernadina, soudain intéressée par la tournure que prenait la conversation, bondit de son refuge, avança... Les adultes arrêtèrent vite sa progression. Elle repartit donc vers sa fenêtre et mit bien de l'ostentation à répandre un gros tas de miettes sur le sol.

— Oh ! Qu'elle est jeune ! s'écria Mei-yu.

— Elle ? La future femme de Bao ? fit Richard.

Puis, il s'avisa de lire à haute voix l'annonce qui accompagnait la photographie : « Vingt-trois ans. Serveuse et hôtesse expérimentée résidant à Hong Kong, en bonne santé, cherche époux vivant aux États-Unis. »

— Je lui ai pourtant dit qu'il était fou, qu'il ferait mieux de se trouver une veuve de Chinatown ! déclara Ah-chin. Une veuve ! Au moins, elle aurait été heureuse de l'avoir ! Au moins, elle n'aurait pas cherché à lever le pied ! Et quand bien même, il y aurait moins de risques avec une femme de son âge ou presque qu'avec une jeunesse ! Combien de temps crois-tu qu'elle tiendra, cette jeunesse ?

Fort énervée, elle assenait de grands coups furieux sur le comptoir.

— Je lui ai pourtant dit et répété que ce genre de femmes ne voulait qu'un mari de falbala, juste pour les papiers, juste pour entrer dans le pays ! Tu penses qu'il m'a écoutée ?

Écœurée, Ah-chin levait les yeux au ciel.

— Le voici donc à Hong Kong, murmura Mei-yu.

— Il m'a chargée de te dire qu'il était vraiment désolé, qu'il vous embrassait bien fort ! La belle affaire ! Oh ! Quel vieux filou !

Par chance, les clochettes de la porte se mirent à tintinnabuler sur Ling et Wen-wen.

— Bonjour, Mei-yu ! s'écria Ling en lui tendant les deux mains.

Wen-wen, lui, évitait de regarder Fernadina.

— Eh ! Wen-wen, tu te souviens de ton amie Sing-hua ? fit Ling.

Il poussait résolument son fils vers la petite fille qui nouait désespérément les doigts sur le rebord de la fenêtre.

Ah-chin, ravie, applaudissait à tout rompre et remarquait :

— Oh ! Regardez ! regardez ! Ça y est ! Il est aussi grand que Sing-hua maintenant !

Désireux de ne pas demeurer en reste, Ling obligea les enfants à se mettre dos à dos, puis, la preuve ainsi faite, acquiesça :

— Oui, c'est vrai. Mais Wen-wen commence finalement à manger du porc. Tu vois la différence, fiston ?

Gentiment, il caressait les cheveux de son fils tandis que Fernadina étudiait le visage de son ancien camarade de jeu. Elle reconnaissait le visage rond, la mèche têtue. Cette fois, au moins, il ne semblait pas sur le point d'éclater en sanglots. Sur ce point, il avait beaucoup changé, songea-t-elle.

Richard, lui, se penchait vers Mei-yu, lui murmurait quelque chose à l'oreille. Mei-yu se tourna vers Ah-chin :

— Nous devons maintenant passer chez madame Peng, dit-elle. Pourrions-nous nous retrouver plus tard, pour le dîner ?

— Oh ! Oui !

Ah-chin n'avait même pas attendu que Ling donnât son consentement, mais lui, bonhomme, opinait du bonnet.

— Pas au Sun Wah ! Pendant que Bao est absent, c'est Shen qui, en principe, s'occupe de tout. En fait, il n'y arrive pas du tout ! J'espère qu'il ne va pas faire fuir tous les clients ! Si on allait plutôt au Four Five Six ? Ils ont des fruits de mer sensationnels !

— A 6 heures ? demanda Mei-yu.

Ah-chin consulta Ling du regard. Une fois encore, il acquiesça, bien qu'il parût plus désireux de jouer avec son fils. Il ne cessait de le taquiner :

— Hé, Wen-wen, pardon Jack, pourquoi ne salues-tu pas ta petite amie ?

L'enfant se contenta de faire une affreuse grimace et alla se cacher derrière le comptoir.

— Oh ! Ce n'est pas grave, dit alors Mei-yu. Ils auront tout le temps de refaire connaissance pendant le dîner. Au revoir. Rendez-vous à 6 heures.

Quelques instants plus tard, le trio se retrouvait dans la rue.

Fernadina marchait un peu en retrait et entendit sa mère remarquer :

— Je n'arrive pas à croire que Bao soit parti à Hong Kong.

On avançait en file indienne maintenant et, du coin de l'œil, Fernadina notait l'expression soulagée de Richard depuis qu'ils avaient quitté la pâtisserie. En effet, qu'aurait-il bien pu raconter aux amis de Mei-yu ? Il avait déjà déployé des trésors de patience en faisant mine de s'intéresser aux gâteaux de lune et autres douceurs.

— Moi qui avais tant envie de revoir Bao ! répétait Mei-yu. J'aurais cru qu'il nous aurait attendus !

— Sans doute était-ce plus fort que lui, comme dit Ah-chin ! lui répondit Richard.

Sa voix dominait le bruit de la foule alentour. Pourtant, ces explications ne satisfaisaient pas la jeune femme. Fernadina lui vit sa moue des jours de tristesse.

Ce fut Ya-mei, la vieille servante de Mme Peng, qui leur ouvrit la porte rouge si familière.

— Bonjour ! Bonjour ! s'écria-t-elle avec un large sourire.

Elle les invita à entrer et, d'un index fatigué, caressa au passage la nuque de Fernadina. La fillette entendit les jappements du carlin enfermé dans la cuisine, et faillit se précipiter dans cette direction pour retrouver leurs jeux du temps où sa mère la tenait encore par la main. Elle vit la table sombre aux interminables pieds, les lampes immuablement allumées même en plein jour. C'était la première fois qu'elle entrait au salon, ce lieu jusqu'ici strictement réservé aux adultes. Alors, elle eut un dernier regard de regret vers la cuisine au carlin, mais en vain. Ya-mei bloquait le chemin et lui bouchait la vue. L'instant d'après, elle se retrouvait dans la pièce obscure.

— Approchez ! Approchez !

Du sofa montait une voix chevrotante. Fernadina avança donc vers la zone de lumière, aperçut enfin la vieille dame carrée dans ses coussins, qui tendait la main.

— Avance donc ! lui souffla sa mère à l'oreille.

Fernadina obéit et une poigne de fer la saisit par le bras tandis qu'elle frémissait sous les senteurs familières de camphre et de santal.

— Comme elle a grandi ! déclara la voix caverneuse.

— Mère !

Richard baissait les yeux, venait quérir la bénédiction de sa mère.

Elle eut un sourire, mais son attention était ailleurs.

— Voici donc notre jeune mariée ! Notre extraordinaire épousée ! Oh ! Que je suis heureuse pour vous deux !

Pendant que les époux s'installaient sur des chaises proches, elle invita Fernadina à s'asseoir à ses côtés.

— Je dois dire que vous formez un couple extrêmement bien assorti. Je suis enchantée que tu aies fait pareil choix, Richard ! Vous allez si bien ensemble. Quel bonheur ! Vous n'imaginez pas à quel point vous me rendez heureuse !

— Merci de nous accorder votre bénédiction, madame Peng, dit Mei-yu.

Elle retrouvait soudain le curieux malaise d'autrefois devant le regard scrutateur de la vieille dame. A cette sensation s'ajoutait un sentiment étrange lié au fait qu'elle revenait en des lieux marqués de malheur. La boucle peut-être se trouvait bouclée... A moins qu'un mystérieux signe du destin ne l'eût obligée à revenir sur ses pas. Puis, devant le sourire radieux de la vieille dame, elle s'alarma de l'intuition qui lui venait. N'était-ce pas Mme Peng qui la ramenait au cœur de ce salon obscur ? N'était-ce pas Mme Peng qui tirait les ficelles de son destin ? Serait-il possible qu'elle eût envisagé ce mariage depuis toujours ? se demanda Mei-yu, soudain glacée d'effroi. Brusquement, elle revit ces moments passés où Mme Peng l'avait encouragée à se rendre à Washington. Parallèlement, elle se souvenait des fiançailles brisées de Richard et de Lilian, fiançailles brisées aussitôt après le voyage à New York et la présentation à... Mme Peng ! Affolée, elle se tourna vers Richard... Mme Peng interrompit sa rêverie :

— Oui ! Je peux le confesser maintenant que les dieux m'ont comblée ! Je plaide coupable ! J'ai toujours rêvé de vous voir unis pour le meilleur et pour le pire ; j'ai donc fait tout ce qui était en mon pouvoir pour y parvenir ! Me pardonnerez-vous ?

Abasourdie, Mei-yu fixa sur sa belle-mère de grands yeux étonnés. La vieille dame lisait-elle ses pensées ? Mei-yu n'aurait pu le dire. Pour l'instant, elle caressait Richard d'un œil infiniment doux, ravi.

— Oui, Mei-yu, je t'ai envoyée vers mon fils. J'espère que tu pardonneras ce geste d'une insupportable vieille mère qui ne souhaite que le bonheur de son fils. Mais, après tout, la décision finale vous appartenait, mes enfants, n'est-ce pas ? Nul ne vous a obligés à vous marier ? Non ?

Richard et Mei-yu gardèrent le silence un long moment, puis Richard déclara :

— Non, mère.

Son visage était indéchiffrable.

— Le résultat semble plutôt satisfaisant, non ?

Mme Peng leur offrait un visage rayonnant de fierté et de joie à tel point que Mei-yu en fut bouleversée. Le plaisir de la vieille dame était peut-être encore plus émouvant que le plaisir d'un enfant.

— Oui, madame, admit-elle.

— Eh bien ! En ce cas, vous accepterez sûrement que je me réjouisse de ma sagesse ! Je savais que le veuvage ne te conviendrait pas longtemps, Mei-yu. J'ai donc suivi mon instinct qui m'assurait que mon fils saurait reconnaître sa promise en la voyant. Croyez-moi, vous ne pouviez espérer meilleure union. Vous êtes de la même race !

Richard, gêné, toussotait, mais sa mère n'en avait cure. Imperturbable, elle poursuivait :

— Moi-même, dans ma jeunesse, j'ai voulu éviter les marieurs, Mei-yu.

Puis, l'œil vif :

— Sais-tu que nous avons des histoires très voisines, toi et moi ?

Mei-yu la considéra avec étonnement. Jamais Mme Peng ne lui avait rien confié de son passé !

— Je suis née à Tien tsin, à côté de Pékin. A seize ans, je me suis enfuie avec un superbe officier, un garçon du Sud. Le père de Richard. Du jour où je l'ai épousé, le malheur ne m'a pas quittée. Pardonne-moi ces paroles, Richard, car je ne tiens nullement à déshonorer la mémoire de ton père, mais c'est la stricte vérité. Si je m'étais pliée à la volonté de mes parents qui avaient été demander conseil à un marieur, j'aurais convolé en justes noces avec quelqu'un de ma région, de mon milieu, et je n'aurais pas suivi un soldat de fortune qui vagabondait au hasard des collines et des villes. J'aurais fait un mariage raisonnable, apaisant.

Mme Peng s'interrompit un instant, haussa les épaules d'un geste désabusé, puis déclara :

— Bah ! Tout cela appartient désormais au passé et m'a servi de leçon. Je sais donc que, seuls, les gens âgés détiennent la sagesse, qu'eux seuls savent quelle est la solution la meilleure. Enfin ! L'important est que mon expérience vous soit utile. Recevez donc, une fois encore, ma bénédiction, mes enfants !

Elle terminait sa phrase quand Ya-mei entra, les bras chargés d'un lourd plateau. Mme Peng ne lui laissa pas le temps de s'en débarrasser, qu'elle se mit à récriminer contre le mauvais agencement des assiettes de gâteaux, de la théière. Il lui fallait jouer le rôle de la parfaite hôtesse. Mei-yu, pendant ce temps, observait son mari. Richard n'avait pas bougé d'un pouce durant le monologue de sa mère. Il avait gardé les yeux rivés sur le tapis, ou sur un objet éloigné. Quant à ses mains, il les tenait serrées sur ses genoux et il paraissait coincé sur sa chaise, mal à l'aise. Mère et fils ne s'étaient même pas embrassés, même pas touchés ! Se parlaient-ils vraiment ? C'était tout juste ! Était-ce ainsi qu'ils exprimaient leur amour, leurs liens ? Mei-yu s'étonnait, qui percevait maintes tensions sous-jacentes entre ces deux-là. L'un semblait lutter désespérément pour garder ses distances, tandis que l'autre déployait des efforts insensés pour approcher l'objet de son amour. Une telle relation sidérait Mei-yu. Que lui importait, cependant ? Pouvait-on jamais comprendre ce qui se passait entre deux êtres ?

Tout en les regardant, Mei-yu s'apaisait, prenait confiance. Son mari ne l'avait pas dupée. Elle le connaissait mieux, maintenant. Elle savait déchiffrer cette sensibilité qu'il abritait férocement derrière une apparence froide et réservée. En fait, son ardeur, sa délicatesse et le souci qu'il avait de leur union avaient surpris Mei-yu. Il était vrai qu'il se montrait sévère à l'égard de Sing-hua, que les règles qu'il imposait dans la maison convenaient davantage à des adultes qu'à des enfants, mais, à des signes presque imperceptibles, elle voyait aussi que Richard et sa fille se rapprochaient. Richard ne l'avait pas dupée ! Mei-yu en était certaine. Il se conduisait trop en mari, en vrai mari, pour qu'elle pût douter de lui. Personne ne l'avait forcé à se marier.

Fernadina, de son côté, gardait les yeux rivés sur les bagues que Mme Peng faisait astucieusement chatoyer tout en choisissant parmi les divers gâteaux cuits à la vapeur ceux qu'elle présenterait d'abord à ses hôtes. L'enfant se réjouissait du peu d'attention que lui prêtaient les adultes. Mei-yu grignotait sans entrain, observait Richard à la dérobée tandis qu'il répondait d'une voix monotone aux questions que sa mère lui posait sur son nouveau bureau et la maison. Il parlait d'un ton apparemment patient où l'on devinait une folle impatience. Son regard, toutefois, le trahissait, car de temps à autre, il se risquait vers l'extérieur...

Quand il finit par se lever, Fernadina, qui n'attendait que ce signal, bondit sur ses pieds.

— Pardonnez-moi de ne pas vous raccompagner jusqu'à la porte, fit Mme Peng. Mes vieilles jambes ne m'obéissent plus guère. Cela dit, Richard, si tu vas encore consulter le docteur Toy pour en savoir davantage sur ma santé, je ne te le pardonnerai pas ! Ne touche donc pas à la dignité que me valent mes vieux jours ! Je t'en prie, il y a va de mon honneur, du respect de soi.

— Mère, le docteur Toy affirme que le climat de New York ne te vaut rien ! Que tu ferais mieux d'aller t'installer dans un endroit chaud et sec !

Il ne put continuer. Sa mère lui avait déjà coupé la parole.

— Calembredaines ! C'est ici que je veux finir mes jours !

Elle sembla vouloir ajouter quelque chose, hésita, puis, comme à bout de forces, lâcha :

— J'ai attendu si longtemps...

Elle ne quittait pas Mei-yu des yeux.

Mei-yu qui sentait la poigne de Richard se resserrer sur son bras.

Il n'eut pas un regard pour la vieille femme qui se tenait dans le salon plein d'ombres.

— Au revoir, mère, dit-il.

— Au revoir, madame, fit Mei-yu.

— J'espère vous revoir tous deux très bientôt, déclara alors Mme Peng.

La porte était refermée quand Mei-yu avisa son mari.

— Richard ? Qu'a-t-elle voulu dire par là ?

Il évita ses yeux.

— Quelle heure est-il ?

— Pas loin de 6 heures !

— Dépêchons-nous ! On ne va pas faire attendre Ah-chin et Ling !

Mei-yu, au bord du désespoir, cherchait un nouveau sujet de discussion. La conversation languissait et c'était affreux de vivre cet épais silence tandis que tant d'autres familles bavardaient avec animation autour des tables du restaurant Four Five Six. Richard avait pourtant eu la gentillesse d'essayer. Hélas ! parler cantonais lui posait problèmes. Parler mandarin ou anglais posait problèmes à Ling. Mei-yu, pendant ce temps, discutait avec Ah-chin. Peu après, Ling se mit de la partie. Mari et femme entreprirent de dénoncer le nombre croissant de gangs de jeunes dans Chinatown, les problèmes de logement et le prix toujours plus élevé de la farine.

Gênée, Mei-yu les écoutait d'une oreille distraite et s'attristait de la solitude de son époux. Elle se prenait à penser que tout cela constituait une erreur, une monstrueuse erreur. Cette journée à Chinatown se soldait par une affreuse lassitude : il lui avait fallu lutter de toutes ses forces pour ne pas perdre pied malgré la houle de sentiments contradictoires qui n'avaient cessé de la harceler au point qu'une douleur atroce lui martelait désormais les tempes.

Quand les serveurs finirent par apporter les plats, chacun se rua avec un bel entrain sur la nourriture. Les adultes tenaient là une solide excuse. Les enfants mouraient de faim. Mei-yu remarqua qu'Ah-chin dissimulait sa propre gêne en grondant son fils sous n'importe quel prétexte. Il y eut le moment de la serviette nouée brutalement autour du cou, l'incident des morceaux de bœuf habilement dissimulés sous quelques coquillages vides. Mei-yu observait ces minuscules accrocs. Elle connaissait la suite. Plus tard, dans l'intimité du lit, Ah-chin confierait à Ling son étonnement et sa déception. Mei-yu avait beaucoup changé et, exception faite des enfants et des différences de prix entre Arlington et Chinatown, elles n'avaient plus grand-chose à se dire ! Elle ajouterait que le mari de Mei-yu se montrait froid, distant et méprisant, à l'instar de tous ces Chinois fraîchement américanisés.

— Tu comprends, elle est riche et ne veut pas m'offenser. Elle refuse de me montrer sa pitié, mais comment puis-je l'interroger sur sa nouvelle vie quand je sais que l'envie m'étouffera ? Comment l'interroger sans la mettre mal à l'aise ? Elle a si peur de m'humilier qu'elle préfère se taire ! Et elle ? Comment pourrait-elle me demander comment nous allons quand, à l'évidence, nous allons mal ! Ce dénouement est d'une simplicité enfantine et me donne envie de pleurer ma tristesse, de hurler mon chagrin. C'était absurde, cette visite ! Nous l'avons perdue, Ling. Elle, la chance lui a souri !

Fernadina termina son repas bien avant tout le monde. Tranquillement assise sur sa chaise, elle balançait les jambes, observait le restaurant. On l'avait installée près du mur ; Wen-wen, alias Jack, son ancien petit camarade de jeu, continuait à l'ignorer. Elle s'en moquait, étudiait les adultes alentour en se demandant pourquoi ils se montraient si calmes. Où donc était oncle Bao ? Sa mère lui avait pourtant promis qu'elle le reverrait ! Avec lui, au moins, on aurait rigolé !

Brusquement, elle se leva au mépris de l'expression fâchée de Richard et lança :

— Maman ! On s'en va bientôt ?

Son intervention sema la consternation la plus totale. La tablée n'était plus qu'un blâme. Fernadina avait commis l'outrage suprême. Elle avait osé ! Elle avait osé exprimer à voix haute ce que chacun pensait tout bas ! Pourtant, les adultes, conscients de leur dignité, la firent asseoir en lui conseillant de se tenir correctement. Déjà, ils repiquaient le nez dans leur bol de riz.

*
**

Ce n'est que beaucoup plus tard que Fernadina finit par comprendre comment la frêle alliance avec Richard avait pu voir le jour, comment la trêve initiale mendiée par Mei-yu avait pu se transformer au fil des ans. Quand elle comprit, l'enfant était déjà femme !

Les termes de la trêve tels que Mei-yu les avait posés étaient relativement simples : il s'agissait de se conduire poliment envers leur hôte, de s'efforcer au calme. Au départ, ces requêtes n'avaient rien eu de bien contraignant. C'était l'époque où Richard ne venait encore à la maison que de façon épisodique. D'ailleurs, ce prétendant de sa mère se montrait également poli. Les choses changèrent du tout au tout quand il vint s'installer chez elles, qu'il se conduisit en propriétaire. Fernadina n'eut plus qu'une ressource : elle s'enferma dans sa chambre, offrit un visage hostile à cet épouvantable fat.

L'âme déchirée, elle manquait hurler de le voir assis à la place de son père, aux côtés de sa mère. De quel droit s'établissait-il en cette demeure ?

Ce n'était pas tant son physique si différent de celui de son père que Fernadina haïssait par-dessus tout. Richard, certes, était mince, trop mince pour son goût. Trop grand aussi. Il paraissait lointain et ne portait pas de lunettes. Pourtant, ces détails importaient peu. En revanche, la nature même de cet être chagrinait, révoltait l'enfant. Toujours, il semblait se contrôler. Apparemment, il ignorait les impulsions, la spontanéité. Il ne jouait jamais. Il ne parlait jamais tout seul, ne criait pas. Il mangeait avec une dignité et une lenteur incroyables. Il ne se grattait pas, ne marchait pas nu-pieds. Pour un peu, la fillette aurait juré qu'il ne cessait de réfléchir. Une usine à pensées. Voilà ce qu'était Richard ! Une usine à pensées qui se dominait constamment. Cette maîtrise de soi enrageait Fernadina qui avait l'impression de n'avoir nul pouvoir sur cet homme-là. Alors, furieuse, elle se tournait vers sa mère, cette odieuse coupable !

Fernadina n'avait pas oublié la manière dont elle avait tenté de punir sa mère. Elle l'avait évitée, tout d'abord, en refusant de partager ce qu'elles partageaient auparavant. Lorsque Mei-yu rentrait à la maison, le soir, après son travail, Fernadina n'allait plus l'embrasser. Elle ne peignait plus ses trop longs cheveux et ne faisait plus couler l'eau du bain pour elle. C'était pour elle un châtiment. Elle en souffrit et se retrancha dans un silence blessé. Cette attitude la heurta aussi, mais Fernadina ne pouvait faire marche arrière. Elle croyait qu'il en allait de son honneur. Alors, allongée dans sa chambre, elle écoutait les murmures de Richard et de sa mère qui parlaient d'elle. Elle étouffait sous le poids d'un insoutenable chagrin : d'une part, elle se maudissait de la souffrance infligée à sa mère, mais ne pouvait, d'autre part, pardonner le mensonge et la trahison.

En se penchant sur cette sombre époque, Fernadina ne parvenait pas à retrouver le souvenir des jours où les choses avaient commencé de changer, où elle avait commencé de regarder Richard différemment. Peut-être le changement s'était-il produit peu à peu, à son insu. Ce dont elle se souvenait, en revanche, c'était... la solitude ! Sa mère lui manquait ! Lui manquait horriblement. Elle brûlait de colère, et la rage qui la hantait se trouvait dirigée contre l'univers entier et contre elle-même. Pourtant, elle gardait en mémoire l'attitude de Richard quand il lui avait montré qu'il comprenait et acceptait sa colère. Il prit l'habitude de s'asseoir sur le sofa quand elle s'y trouvait pour lire un livre. Il avait aussi une réponse à toutes les questions qu'elle posait, se débarrassait de son journal pour la regarder droit dans les yeux et lui expliquer le sens de tel mot ou de telle phrase. Elle avait beau lui raconter sa journée par monosyllabes, il ne se rebutait pas.

Au contraire, il insistait gentiment, l'incitant à parler de ses professeurs, de ses devoirs. Malgré sa rancœur, Fernadina se surprit à attendre la venue de Richard, le soir, dans sa chambre. Il prenait, en effet, l'habitude de la border, de lui adresser quelques paroles douces. Puis, une nuit, elle éclata en sanglots... Alors Richard lui demanda d'oublier sa colère, de redevenir la fille chérie de sa maman.

Dès lors, Fernadina eut la certitude que cet homme-là n'était pas un ennemi. Elle acceptait la trêve. Elle acceptait l'existence de Richard. Pourtant elle se méfiait, gardait ses distances. Par ailleurs, si la souffrance de Mei-yu avait constitué le motif de leur rapprochement, les circonstances ne firent qu'aggraver la situation et séparer davantage la fille de sa mère. L'enfant ne doutait point des explications de Richard : sa mère, certes, l'aimait, souffrait, requérait son aide et son pardon. Son cœur, en outre, ne se fermait nullement à l'amour ou à la compréhension, mais elle entrevoyait désormais la vérité, la gravité de la trahison.

Fernadina avait vu la tante Kay Lynn changer : Elle l'avait vu grossir et devenir quelqu'un d'autre, quelqu'un qu'on avait même dû mal à reconnaître. Elle avait touché le ventre lourd et tendu et avait senti bouger le petit être vivant sous sa paume ; plus tard, elle avait effleuré le visage ambré et tout ridé du nouveau-né qui braillait dans les bras de Kay Lynn. Elle avait constaté l'emprise que ce nouveau personnage avait pris sur les adultes, les accaparant totalement, et maintenant, le pire était en train de se passer : sa mère à son tour se métamorphosait, elle grossissait de mois en mois, et Fernadina sentait diminuer en elle l'attirance qu'elle avait sentie pour une nouvelle vie comme diminuait, elle en avait l'impression, l'amour et l'attention que lui portait sa mère : on allait lui voler sa place. Le futur bébé marquait déjà de tout son pouvoir le rythme de leur quotidien ; l'attitude de Richard, déjà, changeait. Bien sûr, il continuait de venir tous les soirs dans sa chambre, mais elle le sentait distant, préoccupé... que faire? La fillette n'en savait plus rien et devant la menace qu'elle percevait, se retranchait derrière ses livres et ses devoirs, passait de longues heures, seule, dans sa chambre.

Quand son frère, William Lien-sheng, fut né, Fernadina remarqua qu'on lui accordait la même attention que celle accordée, auparavant, au bébé de Kay Lynn. On sursautait au premier vagissement! On adoptait des mines de conspirateurs et les « chut » fusaient dans la maison, de peur, sans doute, d'éveiller la colère du nouveau-né. Alors, Fernadina se penchait sur le berceau, cherchait à comprendre le pouvoir de cet être fragile et minuscule. Les autres, les adultes, confits de béatitude, s'obstinaient à lui répéter qu'elle avait vraiment beaucoup de chance d'avoir un petit frère aussi mignon! Pourquoi lui assenaient-ils de telles fadaises?

Un jour, peu de temps après la naissance, sa mère la fit venir dans sa chambre. Mei-yu, très pâle, souriait de ses lèvres tremblantes. Dans ses bras, l'enfant s'était endormi. Fernadina approcha, laissa sa mère lui prendre la main, l'attirer près d'elle. Il y eut un échange de baisers, mais la fillette perçut l'odeur fade et un rien écœurante du lait. Elle entendit aussi, vaguement, les paroles de Mei-yu qui lui disait son amour et sa certitude qu'elle se montrerait gentille et patiente à l'égard de son frère. A ces mots, Fernadina s'émut et, l'espace d'un instant, s'abandonna à la douceur chaleureuse de sa mère, s'émerveilla du satiné de cette peau dorée. Pourtant, un bébé les séparait. Cette vision suffit. Elle oublia aussitôt les paroles tendres, retrouva sa colère et son amertume devant l'injustice commise. Le monde, son monde avait changé. Quelle place lui restait-il? Fernadina n'en savait plus rien.

Fernadina terminait sa deuxième année à l'école primaire et William avait presque trois mois quand ils allèrent de nouveau à New York. Cette fois, Mei-yu fit les bagages la veille, prépara méticuleusement la nouvelle robe et les nouveaux souliers de Fernadina, le costume en satin de William... Ils partirent de bon matin et arrivèrent à Chinatown alors que 11 heures n'avaient pas sonné.

Fernadina, la première, poussa les portes du Sun Wah. Elle ne fut pas longue à repérer l'oncle Bao qui, assis dans la cuisine, leur tournait le dos, occupé à fumer une cigarette devant une tasse de thé. Perdu dans ses pensées, il semblait examiner le jeu des feuilles avec une curiosité de botaniste. Quand Fernadina fit irruption dans la pièce en criant son nom, il se leva, effaré. Il ne la reconnaissait pas. Puis, il bondit, se débarrassa de son mégot, effectua de grands moulinets avec les bras, jeta des cris perçants.

— Aie ! Aie !

Au milieu des gémissements, il saisissait l'enfant, la serrait sur sa poitrine. Des larmes lui venaient, qui lui mouillaient les yeux. Puis il aperçut Mei-yu, le bébé, Richard.

Alors, mû par une impulsion impérieuse, il se rua sur le tablier qu'il avait laissé accroché au réfrigérateur, le noua en un tournemain autour de ses hanches. Sa dignité retrouvée, il avança d'un pas vers ses visiteurs.

Mei-yu, de son côté, passait le bébé à Richard, se précipitait vers son ami :

— Bao !

Puis, avec une pointe de rancune :

— Tu as décidé de m'attendre, cette fois-ci ?

— Oh ! Oh ! Mei-yu !

Incapable d'en dire davantage, il lui serrait les mains, hochait la tête, balbutiait.

Quelques instants plus tard, la jeune femme lui annonçait d'une voix de petite fille :

— Bao... je te présente mon mari, Richard Peng, et... notre fils. Nous l'avons appelé William.

— Ah, oui ! fit Bao.

Il serra la main de Richard, puis se tourna vers Mei-yu et déclara en cantonais :

— Sans doute a-t-il oublié... Je l'observais souvent quand, enfant, il se promenait en compagnie de sa mère.

Richard, pendant ce temps, tentait de dégager sa main, mais le cuisinier, inflexible, le retenait toujours, cherchait son regard avant de reporter son attention sur Mei-yu :

— Je regrette sincèrement de t'avoir ratée l'autre fois.

Il hésita un instant avant d'ajouter comme à regret :

— Je vois que tu as fait un mariage réussi.

Il arborait maintenant un sourire radieux. Il s'était remis de sa surprise, faisait le fier :

— Bienvenue au Sun Wah ! Asseyez-vous ! Allons, vous prendrez bien un peu de thé ! Vous avez mangé ? Non, pas encore ! Vous restez déjeuner ! Tenez, j'ai des brioches fraîches ! Je vous les passe à la vapeur !

Cinq minutes suffirent à métamorphoser la cuisine. Bao tirait les chaises, allumait le gaz, se frottait les mains. Mei-yu, ravie, retrouvait les habitudes de son vieil ami, ses gestes précis, l'expression concentrée de son visage. Pourtant, la lueur de tristesse et de fatigue qui marquait le regard de Bao ne lui échappa point...

Maintes questions lui vinrent à l'esprit : où était donc sa femme de Hong Kong ? Elle avait beau scruter le restaurant, elle ne voyait que des serveurs inconnus et quelques clients. Et Shen ? Qu'était-il advenu de lui aussi ? William l'arracha à ses réflexions.

Bao ne se laissait pas abattre. Il secouait une poêle, tirait une sucrerie de sa poche, marmonnait :

— Là ! Quelques minutes encore et tout sera prêt ! Hé ! Sing-hua ! Regarde ce que j'ai pour toi !

Il lui tendait une main pleine de douceurs à la noix de coco emballées dans des papiers de différentes couleurs. Plus tard, il prit l'une des tresses de l'enfant et demanda :

— Depuis combien de temps Bao ne t'a-t-il pas vu, mon petit ?

Fernadina interrogea sa mère du regard.

— Deux ans ! répondit Mei-yu.

— Aïe ! fit Bao.

Il criait presque et sa voix résonnait d'un immense chagrin.

Longtemps, ils restèrent là, sur ces chaises un peu dures, à méditer sur la douleur du temps passé, du temps perdu. Puis, Bao bondit, s'empara de la poêle, la secoua au moment où un serveur entrait en réclamant des nouilles sautées aux fruits de mer. Bao poussa quelques jurons étouffés, avisa des sacs remplis de crevettes et de calmars, mais déjà un autre serveur arrivait au galop.

Affolée, Mei-yu se leva :

— Bao ! Tu n'as donc personne pour t'aider, aujourd'hui ? Où est Shen ?

— Parti dans un nouveau restaurant dans le quartier Bowery.

Il haussait les épaules, hachait de l'ail qu'il jetait vivement dans la poêle.

— En ce cas, laisse-moi t'aider ! s'écria Mei-yu qui remontait déjà ses manches.

— Non ! répliqua Bao.

Furieux, il vint vers elle, l'obligea à s'asseoir.

— Reste assise ! Ces clients arrivent de bonne heure et voilà tout ! Écoute, je m'occupe de leur commande vite fait et, ensuite, nous aurons le temps de discuter. Tiens, les brioches sont prêtes !

Mei-yu capitula, revint s'asseoir à côté de Richard qui amusait William, quand une jeune femme apparut dans l'entrebâillement de la porte.

— Où étais-tu ? hurla Bao.

Il fila droit sur l'inconnue, la prit par le bras et cria d'une voix malheureuse :

— Je vous présente Rosalie, ma femme.

L'autre, manifestement agacée, essayait de se libérer de l'étreinte de Bao, reculait d'un pas. Mei-yu remarqua ce manège en même temps qu'elle reconnaissait la créature de la revue de Hong Kong. C'était une très jeune femme au visage rond et impassible, aux yeux enfoncés, à la bouche entrouverte comme un bouton de rose. Elle portait un cheongsam bleu pâle, un pendentif en or en forme de cœur autour de cou et des escarpins noirs. Elle avait du charme, mais un charme fade que l'ennui défigurait. Par ailleurs, une vive colère déformait ses traits maintenant que Bao la tirait par le bras vers la sortie de secours. Les serveurs entraient pourtant dans la cuisine, braillaient de nouveaux ordres et s'agitaient frénétiquement en constatant que le patron avait disparu. Mei-yu, gentiment, baissa le feu, prépara les assiettes de nouilles aux fruits de mer, les passa à l'un des serveurs pendant que des cris retentissaient. Chacun, dans la cuisine, feignit de n'avoir rien entendu, joua l'indifférence quand revint un Bao rouge de colère. Mei-yu n'osa lui adresser la parole, mais s'installa à côté de lui, heureuse de voir que Richard affichait une impassibilité souveraine. Mieux même, il échangeait quelques mots avec Fernadina, taquinait le bébé.

Alors, Bao, poussé à bout, lâcha à mi-voix cette confidence que, seule, Mei-yu, recueillit :

— Ma femme est une enfant gâtée et paresseuse ! Elle n'est venue aux États-Unis que pour gaspiller l'argent des autres en jouant aux cartes. C'est, soi-disant, l'occupation majeure des gens, ici.

— Que vas-tu faire ? demanda Mei-yu en lui passant une bouteille de sauce au soja.

— Je ne sais pas ! Je ne sais pas !

Elle devina son désespoir.

— Oh ! Bao ! Je suis désolée !

Elle le regardait faire et cherchait les mots susceptibles de l'aider, de le consoler un peu. En vain. Elle savait qu'il souffrait de sa présence, mais ne parvenait pas à la quitter. Elle resta donc jusqu'à ce qu'il eût fini l'une de ses commandes, puis lui dit alors :

— Bao, nous partons, maintenant. Tu me diras quand nous pourrons revenir te voir ! D'accord ?

Il acquiesça. L'espace d'un instant, leurs regards se croisèrent. Dans ses prunelles sombres, Mei-yu devina la gratitude pour avoir su ignorer sa peine et son humiliation.

Fernadina passa la majeure partie du trajet de retour allongée sur la banquette arrière à regarder le jeu des lumières de l'autoroute entre ses paupières mi-closes. Elle songeait à leur bref séjour à New York, à Bao... Ils étaient allés lui dire au revoir, mais Bao avait fait montre d'un grand embarras. Il lui avait tapoté le dos, maladroitement, tout en les raccompagnant vers la porte d'entrée. Ensuite, ils avaient fait halte à la pâtisserie près de Canal Street pour saluer Ah-chin et Ling. Hélas ! La tante Ah-chin n'était pas là ! Jack non plus. Il n'y avait que l'oncle Ling ; bien sûr, on avait échangé de grands sourires, on s'était fait de formidables manifestations d'amitié ! Fernadina, cependant, avait bien remarqué le soupir de soulagement de sa mère en partant. Elle s'étonnait maintenant : ils étaient vraiment bizarres ces adultes ! Pourquoi continuaient-ils à se voir alors que, manifestement, ces rencontres ne leur donnaient plus la moindre joie ?

Dès le début, Fernadina avait deviné que ce voyage-là ne ressemblerait en rien au précédent. N'avait-elle pas remarqué l'air ému de Richard, figé à côté du berceau tandis que Mei-yu finissait les bagages ? Il n'en avait d'ailleurs pas fait mystère ! Il lui avait dit que ce périple était extrêmement important : on allait présenter William à sa grand-mère ! Il y avait dans sa voix tant de fierté, tant d'émotion que Fernadina avait compris. Sa mère avait eu beau lui dire, ensuite, qu'ils verraient aussi l'oncle Bao et sa nouvelle épouse, elle ne parvint pas à tromper l'enfant. Fernadina avait compris que la présentation de William constituait le motif clé de ce voyage !

Pour l'instant, elle luttait contre une nausée sournoise provoquée par la monotonie du trajet, du ronronnement régulier du moteur. Elle revoyait leur arrivée chez Mme Peng, le sourire de cette bonne Ya-mei, les jappements du carlin. Elle revoyait Mme Peng, debout cette fois, qui poussait de grands cris et tendait le bras vers son fils chargé de ce précieux héritier ! Oh ! Le regard qu'elle lui porta ! Il dépassait les limites de l'amour ! Elle passa une main tremblante sur le visage de l'enfant, pressa sa bouche usée par les ans sur ce front satiné... tant et tant qu'à la fin Richard dut le soustraire à ses embrassades.

Ils allaient la quitter quand elle les contempla d'un œil apaisé. Sur ses lèvres fleurissait un sourire étonnant, rare aussi. Alors, d'une voix rauque, elle avoua :

— Maintenant, je peux mourir en paix !

Fernadina vit le regard qu'échangeaient sa mère et Richard. L'incompréhension qui les rongeait. Elle, pourtant, devinait qu'en William la vieille dame voyait la fin d'une aventure insensée et terrifiante. La conclusion d'un pacte avec le destin.

Pour l'heure, il somnolait sur les genoux de sa mère. Absurde petite chose fragile ! Pourquoi les adultes lui donnaient-ils autant de pouvoir ? Fernadina renonçait à comprendre. Elle, en tout cas, n'était pas prête de tomber sous le charme !

⁂

Fernadina regarda grandir son petit frère : elle assista à ses premiers pas, à ses premiers balbutiements, puis le vit essayer de copier tous ses faits et gestes. Durant tout ce temps, elle se montra très vigilante quant au pouvoir qu'il semblait exercer sur sa mère et Richard. Peu à peu, cependant, Fernadina dut se rendre à l'évidence : elle-même ne demeurait plus aussi insensible à son charme ! Était-ce parce qu'il préférait la compagnie de sa sœur, qu'il la suivait partout en fixant sur elle un regard éperdu d'amour ? Était-ce la différence d'âge qui jouait son rôle et permettait à Fernadina de considérer William davantage comme un animal familier que comme un dangereux rival ? La fillette n'en savait rien. Toujours est-il qu'au fil des ans, elle se prit pour lui d'une grande affection. Elle en vint même à attendre ses marques de tendresse et rendit les armes : elle chérissait William. Une ombre pourtant demeura : les mêmes règles ne s'appliquaient pas selon que l'on eût affaire à William ou à Fernadina !

Ainsi, lorsque William fut assez grand pour participer aux repas avec le reste de la famille, lui accorda-t-on le droit de jouer des baguettes ou de babiller à loisir ! Fernadina, elle, devait mettre la table, débarrasser, aller chercher un second bol de riz pour Richard, faire la vaisselle... Bref, autant de corvées insupportables qui la poussèrent à demander d'une voix âpre des explications à sa mère. Très calme, Mei-yu lui expliqua qu'elle était la plus âgée et que davantage de responsabilités lui incombaient de ce fait ; que, par ailleurs, les femmes et les jeunes filles étaient d'ordinaire chargées de ce genre de tâches.

C'est alors que Fernadina comprit combien sa mère avait changé, combien elle se calquait désormais sur Richard ! De jour en jour, Mei-yu ressemblait davantage à ce mari dont elle adoptait complètement la manière de voir les choses ! On le devinait à maints détails : elle portait les cheveux courts, arborait de splendides ensembles ou des robes étincelantes quand elle accompagnait son mari à quelque réception ou dîner chic. Elle ne faisait plus guère de cuisine chinoise sous prétexte qu'elle n'avait plus le temps de hacher menu viande et légumes ! On vit apparaître sur la table d'étranges innovations : des surgelés ! des desserts gélatineux aux couleurs criardes, de la viande rôtie d'avance ! Mei-yu alla même jusqu'à envisager d'abandonner son travail au magasin afin de reprendre des études destinées à lui permettre d'ouvrir sa propre boutique !

Au-delà de tous ces changements, Fernadina sentait bien que la volonté de Richard demeurait l'éternel moteur, l'éternel facteur de modifications. Richard... on aurait pu le comparer à la structure profonde d'un édifice, nécessité inébranlable sur laquelle reposait l'ensemble de leur organisation. Et dans cette organisation, chacun avait un rôle ; Fernadina aussi : elle se devait d'être la fille obéissante au dîner, la sœur toujours attentive... Cela parfois la révoltait. Elle en souffrait, et sa fierté s'en trouvait piquée. Alors, elle levait de grands yeux lourds de reproches vers sa mère, coupable d'avoir accepté ces règles-là, ou plutôt de les avoir choisies à son insu !

Aux yeux de Fernadina, William était le préféré, le chouchou. Mais à mesure que les années passaient, la jalousie ne tortura plus autant la fillette. Ce rôle de chouchou ne lui paraissait plus si enviable ! Plus tard même, quand il revint de l'école avec un carnet de notes qui laissait à désirer ou que sa conduite n'avait pas été exemplaire, Fernadina en frémit pour lui ! Richard montrait alors une sévérité dont il n'avait jamais usé à son égard. Il rugissait : William devait apprendre bien vite à décrocher les meilleures notes sous peine de regretter sa légèreté sa vie durant, disait-il. Chaque soir, Richard s'arrêtait dans la chambre de William, passait en revue ses cahiers, son travail. De sa retraite, Fernadina entendait les pleurs, les cris étouffés. Elle s'étonnait de l'intransigeance de son beau-père face à son fils. Il lui arrivait parfois de rapporter un carnet un peu moins brillant et ni Richard ni sa mère ne s'en formalisaient. Elle se trouvait dans le secondaire quand il lui fallut accepter la réalité : ses propres résultats ne traumatiseraient jamais personne dans la maison ! Pire même : on ferait toujours montre d'un certain détachement ! Elle en fut troublée au début, en éprouva de la colère ensuite. Pourquoi cette indifférence ? Ou cette différence entre deux enfants ? Elle était aussi capable de réussir que son demi-frère !

A bout d'agacement, elle décida de faire mieux encore. Nul ne pourrait ignorer longtemps ses efforts. C'est ainsi que peu à peu Fernadina apprit la signification de termes tels que travail, acharnement et compétition.

Ce fut pratiquement à la même époque que Fernadina découvrit qu'elle était loin d'être la seule personne au monde concernée par la compétition.

Richard venait d'être élu président de l'Association de la Communauté chinoise. Il proposa donc d'organiser, tous les quinze jours, des réunions amicales afin que les gens apprennent à se connaître mieux. Ce fut là, durant ces réunions, que Fernadina apprit à repérer le véritable esprit de compétition tel qu'il s'exerçait entre membres de la Communauté, ou même entre voisins. On se retrouvait en tribu chez l'un ou chez l'autre au milieu d'une bonne vingtaine d'oncles et de tantes ainsi nommés pour la circonstance, et chacun, alors, jouissait du droit de critiquer le dîner. C'était le début d'une âpre journée de conflits larvés.

Lors de ces rassemblements, chacun apportait son écot. C'était un excellent prétexte pour juger du meilleur petit plat. Dix femmes s'entassaient alors dans la cuisine de tante Mary afin de discuter des mérites comparés de tante Gwendolyn ou de tante May en matière de chou au vinaigre. On décidait que le chou de tante Gwendolyn était le meilleur si l'on préférait le chou épicé, mais que le chou de tante May était le meilleur si on le préférait plus vinaigré ! Ensuite, on s'affronta ferme pour déclarer finalement que tante Anna faisait le meilleur poulet fumé, tante Yolanda la meilleure carpe. Quant à Mei-yu, on reconnut qu'elle préparait les meilleurs œufs au thé.

Lors de ces réunions, les groupes se trouvaient divisés selon les classes d'âge et selon le sexe. Ainsi, le dîner terminé, les hommes s'enfermaient-ils dans une pièce à part où ils fumaient le cigare et jouaient aux cartes. Les femmes attendaient d'avoir rangé ce qu'il y avait à ranger, installaient leurs tables de ma-jong dans la cuisine. L'âme en peine, Fernadina errait d'un groupe à l'autre. Là, elle grignotait une cuisse de poulet en écoutant les lamentations d'une mère de famille qui racontait que sa fille fréquentait un jeune Blanc étudiant à Princeton. Une autre intervenait alors, jurait ses grands dieux que son fils n'avait pas intérêt à s'amouracher d'une étrangère, sous peine de recevoir une correction ou d'être déshérité. Ensuite, on en venait aux résultats scolaires, universitaires et, selon les notes, on faisait plus ou moins la roue. On discutait avec animation et on sautait sans scrupules du mandarin à l'anglais ou de l'anglais au mandarin, mais Fernadina savait déjà reconnaître ce soupçon de vanité qui modulait les voix, éclairait les regards.

Dans la pièce où s'étaient réunis les hommes, Fernadina ne restait guère. Le nuage de fumée était par trop épais et nauséabond. Quant aux hommes eux-mêmes, ils ne savaient parler que de sports ou de politique, et encore ! de façon bien décousue ! On évoquait T'ai-wan avec une certaine nostalgie. On racontait prudemment des histoires sur la Révolution culturelle qui agitait la Chine populaire ! Richard, cependant, ne prenait nulle part à ces conversations. Il restait assis dans un fauteuil et réfléchissait à loisir.

Fernadina traversait ensuite le coin des bambins. Elle y apercevait William et ses petits camarades du même âge qui dévoraient des bandes dessinées au milieu... d'une foule d'assiettes vides, de verres renversés et de restes de nourriture piétinés ! Parmi ces tout-petits erraient les enfants d'une dizaine d'années environ qui ne pouvaient prétendre se joindre au groupe des plus âgés. Ceux-là sommeillaient sur des chaises pliantes en faisant mine de lire quelques revues hautement intéressantes et en jetant quelques pelures d'orange de droite et de gauche !

Dans la pièce où se rassemblaient les adolescents, Fernadina distinguait déjà deux groupes : il y avait là, en effet, les calmes, les gentils qui se plongeaient dans des lectures éminemment sérieuses ou jouaient au go ou aux échecs, et il y avait aussi ceux qui affichaient déjà une insupportable assurance. Fernadina reconnut ainsi Stephanie Ning qui venait de remporter l'épreuve de littérature d'un concours organisé à l'échelle nationale. La jeune fille, affublée d'une grosse paire de lunettes, pérorait sur Tchékov, Dostoïevski et Nietzsche. Elle remarqua également Hamilton Chiu qui, sa mère ne cessait de le clamer sur tous les toits, venait d'être admis à Harvard. Il était là qui se pavanait au milieu de ses admirateurs, racontait qu'il souhaitait devenir un architecte mondialement connu. Un rien écœurée, Fernadina chercha à reconnaître les autres adolescents présents... Voyons... ici... Roosevelt Hsu, Miranda Yap... là, Cecilia Chow. Rien que d'évoquer ces prénoms célèbres, Fernadina s'interrogea : pourquoi donc les parents donnaient-ils à leurs enfants des prénoms aussi ronflants ? Pour occulter la sonorité chinoise de leur patronyme ? Pour souligner les qualités de leurs descendants ? Du coup, elle en vint à réfléchir à son propre prénom, au fait qu'elle insistait pour qu'on l'appelât Dina ! Rien que Dina. Elle n'était pas la seule à avoir recours à un diminutif ou à un surnom ; la plupart des jeunes de la Communauté agissait ainsi. Tous, d'ailleurs, appartenaient de fait à la classe moyenne et tous oubliaient leur langue maternelle au profit de l'anglais. Hélas ! cette attitude n'était sûrement qu'apparence car Fernadina devinait pourtant dans la pièce une tension certaine et insidieuse. Une discussion éclata, qui servit de prétexte à un affrontement verbal. Chacun y allait de ses connaissances„ cherchait à épater l'autre, les autres. Au bout d'un moment, Fernadina, lasse de ce jeu stérile, s'écarta de ce groupe bruyant. Ce genre de discussions la laissait rêveuse, car elle ne pouvait s'empêcher de réfléchir aux différences se tissait entre leur génération désormais américanisée et la génération de leurs parents qui jouaient aux cartes et au majong à l'étage au-dessus.

Ces différences étaient inévitables, songeait Mei-yu qui revoyait certains après-midi passés chez des amis américains. Les parents de ses amis-là se montraient toujours bien plus indulgents à l'égard de leurs enfants que les parents de la Communauté chinoise, encore attachés à leurs traditions. Pour l'anniversaire de Bonnie Breck, par exemple, les adultes s'étaient réfugiés chez des voisins tandis que les jeunes faisaient brailler la musique et buvaient de la bière tout en dansant des slows langoureux. Bouleversée, Fernadina avait passé des heures à errer comme une ombre en regardant ces garçons et ces filles étroitement enlacés. Ce spectacle lui serrait le cœur. La honte lui brûlait les joues. Non point qu'elle critiquât cette attitude ! Non, elle la refusait pour elle-même ! D'ailleurs, elle ignorait tout des garçons ! A l'idée que l'un d'eux puisse la serrer dans ses bras, elle se sentait gênée. Sa mère n'aurait jamais toléré un tel dévergondage. Ni Mei-yu ni Richard ne dansaient et Fernadina ne les avaient jamais vus enlacés. Durant ces réunions de la Communauté, personne ne dansait.

Quand Ellen Hirsch avait donné une petite fête, l'atmosphère s'était révélée bien différente. Là, on écouta Bob Dylan et les Beatles, on entreprit de lire de la poésie tout en fredonnant des refrains de John Lennon et en discutant de la guerre du Vietnam. On se préoccupait des problèmes mondiaux. On était loin de l'ambiance débridée de chez Bonnie Breck. Ici, on se voulait intellectuel. On dédaignait les jeans pour des tissus indiens, vaporeux et mousseux comme le rêve.

Plus tard, bien plus tard, Fernadina finit par comprendre

ce qui différenciait les réunions de la Communauté et les fêtes de ses amis. Dans la Communauté, la famille primait. Chaque groupe avait beau se réfugier dans une pièce de son choix, les liens ne s'en trouvaient pas modifiés pour autant. Chaque génération respectait et écoutait l'autre. Il y allait de la dignité de la communauté toute entière. Les enfants pouvaient afficher leur modernité, ils n'en obéissaient pas moins à leurs aînés.

Chez les amis de Fernadina, il en allait tout autrement. Chaque adolescent semblait lutter pour une indépendance accrue. On cherchait à manifester sa propre personnalité au niveau individuel. On rejetait la cellule familiale.

Fernadina, qui évoluait à la périphérie des deux groupes parvenait ainsi à mieux saisir leur mode de fonctionnement. Certes, elle ne se sentait guère à l'aise au milieu de la Communauté, mais peut-être avait-elle une raison majeure : ne se trouvait-elle pas coupée de ceux qui constituaient son lien véritable avec les siens ? Quant à l'embarras éprouvé aux côtés de ses amis américains, ne tenait-il pas aux principes rigides inculqués par Mei-yu et Richard ?

Finalement, la jeune fille en conclut qu'elle était une ratée, un échec. Elle en parlait d'ailleurs souvent avec sa meilleure amie, Ellen Hirsch.

— Toi, une ratée ? Tu plaisantes ? Pourquoi dis-tu pareilles sottises ? Parce que tu as la chance d'appartenir à deux communautés ?

Elles cheminaient ce jour-là le long du terrain de football et regagnaient lentement leur domicile.

— Où veux-tu en venir ? Tu te plains ou tu fais la fière ? Songes donc à la chance que tu as ! Tu es différente.

A peine avait-elle lâché ces mots qu'Ellen remarquait la lueur effarouchée dans le regard de Fernadina.

— Je ne parle pas de ton apparence physique. Enfin ! Peut-être que c'est important aussi. Ce que je veux dire, c'est que tu devrais t'estimer heureuse de ne pas ressembler à madame tout-le-monde.

Le risque était mince! se disait Fernadina chaque fois qu'elle se contemplait dans un miroir. Elle pestait contre ses cheveux raides et épais, contre son nez court aux narines généreuses, contre ses yeux étirés qu'elle ne pouvait maquiller à sa guise. C'était, en fait, dans les toilettes pour filles, à l'école, qu'elle remarquait les différences les plus criantes. Elle se gourmandait alors : pourquoi se montrait-elle aussi vaniteuse? Pourquoi vouloir s'identifier aux autres jeunes filles américaines?

Elle savait donc parfaitement qu'Ellen ne pensait nullement à son physique, mais aux nombreuses différences culturelles et sociales auxquelles les étudiants prétendaient ne pas prêter attention. Pourtant, la plupart ne remettaient pas en cause les clichés universels octroyant aux Chinois intelligence, vivacité et roublardise, sans parler de certaines valeurs qu'ils partageaient avec les juifs : entre autres, le sens de la famille et l'importance de l'éducation. On chuchotait sous le manteau des histoires d'avarice, de fourberie pour amasser quelques malheureux sous! Où les gens allaient-ils pêcher ces préjugés? Fernadina n'en avait pas idée! Il était vrai cependant que ses meilleurs amis se trouvaient être juifs : Ellen, Frieda, Stein, Larry Parkin, Eddie Shapiro. Comme ils s'amusaient ensemble! L'autre jour, en bibliothèque, ils n'avaient pas cessé de plaisanter! Ils avaient repris les œuvres de Nathaniel Hawthorne et cherché à deviner l'avenir de chacun d'entre eux. Après mûre réflexion, on décida qu'Ellen deviendrait une biologiste de renommée mondiale, que Frieda ferait un malheur à Broadway sous le nom de Melanie Matthews, que Larry endosserait une blouse de chirurgien et qu'Eddie s'en irait de par le monde, déguisé en clown. Quant à Fernadina, son nom de guerre serait la Secrète Merveille ou la Ténébreuse. En effet, c'était en ces termes que se marquait la différence entre Fernadina et ses amis. Eux se montraient gais et enjoués, plein de vivacité apparente, alors qu'elle observait une discrétion surprenante et attendait le moment opportun pour décocher un trait d'esprit. Les autres les avaient surnommés « le gang des cerveaux » ; pourtant Fernadina doutait souvent de ses propres facultés intellectuelles. Elle allait jusqu'à penser que les autres étudiants n'avaient guère d'estime pour elle, se demandait pourquoi ils l'invitaient à des anniversaires, à des fêtes et... se torturait.

Ellen cherchait à le lui prouver quand elle s'arrêta brusquement :

— Dina ? Tu connais cet homme, de l'autre côté du pré ? Il nous surveille depuis un moment !

Fernadina sursauta et jeta un regard en direction d'un individu aux cheveux bruns qui se tenait, debout, à côté d'une voiture. Il était trop loin et la jeune fille ne put distinguer ses traits. Il ne lui en laissa pas le temps : déjà, il remontait dans son véhicule, lançait le moteur...

— Tu es sûre qu'il nous surveillait ? demanda-t-elle à son amie.

— Sûre ! Comment savoir ?

Le lendemain, Fernadina resta au lycée afin de terminer un article pour le journal de l'établissement et il était près de 4 heures et demie quand elle se retrouva dehors. Elle cheminait le long de la clôture qui marquait les limites du lycée quand elle s'aperçut qu'une voiture la suivait. Elle se retourna. Aussitôt, le véhicule accéléra, la dépassa. La jeune fille avait pourtant eu le temps de croiser le regard du conducteur : un Asiatique, d'âge moyen, aux cheveux épais, au visage un peu lourd et séduisant. Il ne semblait pas menaçant ni dangereux. Cependant, dans ses prunelles, Fernadina avait perçu une étrange lueur, comme s'il la reconnaissait... Elle, en revanche, avait la certitude de ne jamais l'avoir vu auparavant. Il n'assistait pas aux réunions de la Communauté et ce n'était pas un client de Richard. Que faisait-il là ? Surtout dans ce quartier où, hormis eux-mêmes, nulle famille chinoise ne résidait ? Peut-être s'était-il perdu ? A moins qu'il ne cherchât à entrer en relation avec Richard ?

Elle s'accrocha à cette idée, se dit qu'elle trouverait la voiture garée devant la maison...

Cet espoir fut déçu. Malgré elle, Fernadina examina attentivement la rue. Peine perdue ! Elle finit par repousser les mille idées qui lui trottaient dans la tête, fila vers la boîte aux lettres où elle découvrit deux grosses enveloppes. L'une d'entre elles provenait du Barnard College, de New York. Son cœur fit un bond. C'était le dossier d'inscription qu'elle attendait. Voilà : il lui faudrait maintenant remplir soigneusement sa demande si elle voulait avoir une chance d'être acceptée. C'était exactement le type de défi que Fernadina adorait.

En l'espace de cinq minutes, l'étranger n'était plus qu'un vague souvenir.

— Entrez, Steven ! Elle ne va pas tarder !

Mei-yu, toujours aussi charmante, invitait le jeune homme à pénétrer dans le salon, à prendre place sur une chaise. Terriblement intimidé, il se posa du bout des fesses, se brossa machinalement coudes et genoux comme une araignée embarrassée de ses grandes pattes.

Un sourire aux lèvres, Mei-yu songea que, partout dans le monde, les jeunes gens se ressemblaient. Les années, pourtant, pesaient brutalement sur ses épaules.

— Vous comptez aller au cinéma, ce soir, m'a dit Fernadina, fit Mei-yu.

— Oui, je crois, répondit-il.

Steven avait des cheveux blond cendré et de grands yeux noisette, ronds comme des billes. Il était charmant, quoique fort maladroit. Sa maladresse, il la prouva amplement quand Richard fit son entrée dans la pièce. C'est pour le coup qu'il se dressa en s'emmêlant les jambes. Or, Richard avait l'habitude, le soir, de faire des aller et retour entre son bureau et la cuisine où il se servait une grande tasse de thé. Il n'avait donc nullement prévu d'interroger le jeune homme qui, lui, tremblait des pieds à la tête à l'idée de ce qui l'attendait. Bien entendu, Richard ne manqua pas de poser quelques questions rituelles au malheureux soupirant qui s'embrouillait affreusement. A l'étage au-dessus, Fernadina finissait de se préparer et on l'entendait marcher à petits pas charmants.

Très émue, Mei-yu enregistrait chaque détail de la scène. Elle revoyait le temps de sa jeunesse, la grande demeure familiale dans Pékin, le défilé des prétendants venus flatter le professeur Chen dans l'espoir d'obtenir la main de sa fille. Les Japonais, à l'époque, n'avaient pas encore pris la ville et la vie dans la capitale était douce. Au nombre des soupirants, il fallait compter les frères Chou, d'une élégance époustouflante. Pourtant, une fois assis, ces mondains aussi se tenaient les genoux ! Et comme ils avaient paru soulagés quand elle s'était manifestée, qu'ils avaient mis un terme à leur conversation avec le cher professeur !

Maintenant que les années avaient coulé, Mei-yu se demandait ce que son père avait pu penser alors ! Lui, au moins, n'avait pas à se préoccuper de grand-chose, sinon de la classe sociale d'où provenaient les prétendants ! Il en allait autrement aujourd'hui où l'on se retrouvait dans un pays où les règles de vie se trouvaient complètement modifiées ! A quoi fallait-il s'attendre ? se disait Mei-yu. Qui Fernadina épouserait-elle ? Un grand garçon aux yeux noisette comme celui-là ? Qui était-il ? Un être solide ? Un individu falot ? Mei-yu haussa les épaules. A quoi bon toutes ces questions ? Pourquoi ne pas rêver à l'avenir... Elle imagina sa fille à l'université, qui rencontrait un grand garçon et le ramenait à la maison en annonçant son désir de l'épouser. Elle imagina le mariage de sa fille, le temple, Richard qui guidait Fernadina vers l'autel avec cette dignité même qu'elle contemplait lors de chaque union importante. Elle s'entendait sangloter et, derrière le rideau de ses larmes, admirait son enfant enveloppée d'un nuage de tulle blanc... quand, soudain, son amie Cynthia Yang remonta à toute vitesse l'une des allées en criant :

— Arrêtez ! Arrêtez ce mariage ! C'est illégal ! Il-lé-gal ! Sacrilège ! Un Blanc ne peut épouser une Asiatique dans l'enceinte d'un temple ! Sacrilège !

Puis, Cynthia la prit par le bras, lui murmura à l'oreille :

— Souviens-toi de ce qui est arrivé à ma fille et à son amoureux de Princeton !

Malgré son chagrin, Mei-yu ne put s'empêcher de pouffer de rire. Sur le visage de Cynthia Yang, elle découvrait en effet une immense fierté, un rien de vanité à l'idée qu'un étudiant de Princeton avait voulu épouser sa fille ! Puis Mei-yu se tourna vers le pasteur chargé de célébrer le mariage. Debout devant l'autel, il levait une main biblique et menaçante :

— Cette femme dit vrai !

Puis, sans même lever les yeux de son livre de prières, il lança à l'adresse de Fernadina :

— Ôte ton voile, ma fille !

La suite se déroula au ralenti... Images bouleversantes... Mei-yu chavirait de découvrir le visage noué d'angoisse de Fernadina tandis que le fiancé, tel un promis de Chagall, grandissait démesurément, fracassait les limites du temple...

Alors, le pasteur referma son livre avec un bruit sec.

— Les lois de Virginie s'opposent à la célébration de votre union en ces lieux sacrés !

Sur ces mots, il tourna le dos à l'assistance pétrifiée de honte et de confusion.

Au même instant, un bruit attira l'attention de Mei-yu. Elle releva la tête et aperçut Fernadina qui, vêtue d'un ravissant chemisier rose et d'une jupe bleu pastel, dévalait l'escalier en courant, les cheveux fous de liberté. Mei-yu la regarda avec admiration et une pointe d'envie. Autrefois, lorsqu'elle sortait en compagnie de son amie Wen-chuan et des frères Chou, elle se contentait d'arborer un superbe ruban dans sa chevelure... quand elle se sentait d'humeur...

provocante ! Quant à leurs divertissements, ils se passaient à fredonner des chansons, à rendre visite à d'autres amis ou à contempler le clair de lune.

Aujourd'hui, elle observait cette jeune fille qui la dépassait maintenant de près d'une tête, cette jeune fille athlétique à la vitalité merveilleuse. Mei-yu, pourtant, s'inquiétait. Ces jeunes disposaient d'une trop grande liberté. La vie leur était trop facile aussi. Sans doute en pâtiraient-ils !

Les deux jeunes gens ouvraient la porte d'entrée maintenant et Fernadina, d'une voix heureuse, s'écriait :

— Au revoir, m'man !

— Tâche de rentrer avant minuit !

La remarque avait fusé, sèche et déplaisante. Mei-yu s'en voulut, chercha à nier son amertume et le regard froid que lui décocha Fernadina avant de s'éclipser.

— Que se passe-t-il ? lui demanda Richard quand elle le rejoignit.

— Il ne me plaît pas du tout, ce Steven !

— Moi, je le trouve pas mal ! Il me paraît sérieux. Il dit vouloir devenir médecin.

Mei-yu pouffa. Elle vit bien le regard surpris de Richard, mais ne s'y arrêta pas. Les paroles du pasteur lui revenaient en mémoire : « Tu peux assister à l'office aussi souvent que tu le désireras, ma fille, mais tu ne seras jamais des nôtres ! »

Elle en était glacée. Ces horreurs existaient-elles encore ? Pourtant... aurait-elle oublié le jour où la fille de Cynthia avait fini par épouser son prince charmant de Princeton ? Quand Mei-yu était parvenue à féliciter la mère de la mariée, celle-ci lui avait confié :

— Ici, dans ce petit temple de Washington, nous n'avons pas eu de problèmes pour faire célébrer cette union. En plus, c'était moins cher qu'ailleurs. A cause des Noirs, tu comprends ?

Mei-yu n'y comprenait rien.

Son amie poursuivait, gloussait entre deux rires gênés :

— Regarde ! La belle-famille !

De l'autre côté de la salle, se tenait en effet la famille du marié, les Robert Harrises, qui gardait manifestement ses distances avec de faux airs de missionnaires égarés. Leur fils, en revanche, au milieu de sa famille asiatique tranchait comme un rossignol dans un nid de moineaux, se disait Mei-yu qui observait ce grand gaillard trop blond, trop pâle. C'est ce jour-là que Mei-yu en vint à penser que les mariages mixtes étaient une mauvaise chose. Son amie Cynthia partageait sûrement son avis, qui lui soufflait à l'oreille :

— Prie les cieux que ta fille épouse quelqu'un de sa race, Mei-yu !

Mais que faire si votre enfant décidait d'orienter sa vie autrement ? La loi aurait-elle changé d'ici là ? Richard affirmait que c'était une simple affaire de temps. Richard qui croyait en ce pays, qui se considérait comme un Américain à part entière. Fernadina partageait son sentiment, mais ces deux-là avaient passé la majorité de leur vie en Amérique alors que Mei-yu gardait encore au fond de son cœur maints souvenirs de son enfance, de sa jeunesse... Elle en éprouvait une nostalgie souveraine que faisait remonter le parfum de certains fruits, de certaines fleurs. Peut-être Mei-yu se rebutait-elle face à ces lois étranges qu'elle ne comprenait toujours pas, ou plutôt qu'elle refusait encore ? Face à ces gens qui s'obstinaient à la considérer avec un mépris à peine voilé !

Elle en souffrait, se révoltait et cherchait son mari des yeux pour qu'il l'apaisât. Lui, cependant, se carrait dans son fauteuil, dégustait son thé à petites gorgées prudentes. A l'évidence, il réfléchissait avant de regagner son bureau.

Douze ans, il y avait douze ans maintenant qu'ils partageaient le quotidien ! songea Mei-yu. Ils avaient parcouru un long chemin ensemble, tracé un long sillon. Jour après jour, Mei-yu sentait la chaleur de son mari, le poids de ses épaules contre les siennes. Elle aimait à savoir que rien ne changerait, que chaque jour serait semblable au précédent.

Hsiao Pei n'avait pas menti, songeait Mei-yu. Richard, de son côté, ne la regardait pas, mais la jeune femme avait la certitude qu'il était là, qu'il la chérissait dans son corps comme dans son esprit. Richard, merveilleuse certitude. Seul, son visage changeait, qui se marquait de fines rides autour du nez, des joues et sur le front. Des fils d'argent couraient désormais sur ses tempes. Quant à ses pensées, elles demeuraient toujours aussi difficiles à déchiffrer. Mei-yu connaissait cette expression, ce demi-sourire, ces légères ridules au coin des yeux. C'était le visage qu'il présentait aux étrangers, aux clients, le visage qui leur assurait la considération de la Communauté. Mei-yu avait d'ailleurs adopté cette attitude et tous deux faisaient front commun. Cela leur réussissait amplement puisque Mei-yu allait ouvrir un nouveau magasin et Richard un nouveau bureau à Washington même. Ce visage leur servait beaucoup et nombreux étaient les gens qui s'y laissaient prendre. Steven, le jeune ami de Fernadina, n'y avait vu que du feu et il avait répondu très docilement à toutes les questions que Richard avait voulu lui poser :

— Que comptez-vous faire ?...

En fait, derrière les politesses d'usage, Richard avait soumis le jeune homme à un véritable interrogatoire. Parfois, tant d'impassibilité effrayait Mei-yu. La nuit même, elle se réveillait et observait Richard afin de vérifier qu'elle, au moins, se montrait plus perspicace que les autres. Elle s'attendait à l'entendre pousser un soupir. Peine perdue ! Jamais Richard ne se trahissait. Un jour, en riant, il lui avait dit que cette impassibilité était indispensable à sa survie. Elle ne chercha pas à en savoir davantage. Richard et Mei-yu ne discutaient guère, ils avaient une certitude : ils formaient un bon couple. Toutes les amies chinoises de Mei-yu lui disaient souvent qu'elle avait bien de la chance d'avoir pour mari un homme tel que Richard, dont les affaires marchaient bien et qui savait traiter avec les Blancs sans perdre la face devant ceux de sa race. « Remercie le ciel et montre-toi reconnaissante à l'égard de ton époux », lui répétait-on souvent. Et, en effet, Mei-yu éprouvait beaucoup de reconnaissance envers cet homme qui la rendait heureuse.

Elle en était là de ses réflexions quand Richard releva les yeux. Très vite, elle se déroba, mais il ne fut pas dupe.

— Ne t'inquiète pas pour Fernadina. Steven est un garçon bien. Il la raccompagnera en temps et en heure, dit-il en se levant.

Il souriait, filait vers la cuisine, puis revenait poser une main affectueuse sur l'épaule de sa femme.

— Nous devons lui laisser la bride sur le cou, maintenant. N'oublie pas qu'à l'automne, elle sera à l'université.

A ces mots, Mei-yu esquissa une vilaine grimace que Richard refusa de prendre au sérieux. Il patienta un instant, puis regagna son bureau.

L'âme en peine, Mei-yu s'approcha de la fenêtre du salon, colla le front contre la vitre. Une bouffée de tristesse lui venait de constater que Richard se soumettait pareillement aux coutumes de ce drôle de pays. A croire qu'il avait déjà renoncé à Fernadina ! Fernadina qui partirait bientôt vers son avenir, Fernadina qui se montrait déjà si lointaine, si distante. Mei-yu avait bien du mal à reconnaître son enfant en cette jeune fille frondeuse qui filait chaque jour davantage vers des horizons jalonnés d'amis incompréhensibles pour ses parents, pour sa mère surtout. Et sa voix ! Cette langue qu'elle faisait sienne ! Elle avait complètement oublié sa langue maternelle au profit de l'anglais ! Richard et Mei-yu avaient pourtant essayé de ne lui parler que mandarin ; ils avaient également tenté de ne pas répondre quand elle s'exprimait en anglais. Rien n'y fit ! Il fallut changer de tactique sous peine de se couper définitivement de la fillette. A présent, hélas ! nul ne parlait plus dans la maison le mandarin, cette langue si belle et si pure qui, pour Mei-yu, évoquait la musique, l'univers, les animaux, l'humour et la grâce.

Le problème, pourtant, dépassait le cadre ponctuel de

l'affrontement culturel entre deux générations. Mei-yu le devinait, qui scrutait avec anxiété les ténèbres. Sa fille avait des qualités qu'elle-même n'avait jamais possédées. Les nommer, Mei-yu n'y parvenait pas, mais elle constatait avec admiration et effarement que Fernadina avait une manière de parler de ses études, de son métier futur, de sa personnalité aussi qui la troublait énormément.

Ainsi, un jour qu'elle parlait de ce qu'elle voulait devenir, Mei-yu avait remarqué de manière très naïve :

— Que veux-tu dire ? Tu es ce que tu es !

— Oui, mais qui suis-je ? répéta Fernadina à plusieurs reprises.

Dans ces cas-là, Mei-yu hochait la tête. Elle se sentait désemparée. Sa fille posait des questions qui la dépassaient !

Qui donc était cette enfant si grave et si étrange ? Cette enfant aux deux visages, capable d'offrir le masque sombre de l'ennui et de la tristesse rancunière et le masque pur de l'innocence adolescente !

La mère revoyait alors ce jour béni où Kung-chiao avait serré ce bébé dans ses bras, retrouvait les doutes d'antan : « Est-ce bien la chair de ma chair, cette fillette pleine de vie ? »

Alors, dans l'obscurité environnante, Mei-yu entendait résonner à ces oreilles la question qui l'avait effleurée alors que Fernadina dévalait les marches de l'escalier : « Est-ce bien la chair de ma chair, cette splendide jeune fille aux cheveux de jais ? »

— Barnard ? Mais pourquoi Barnard ? Que vas-tu faire à New York ? Voyons, des universités intéressantes, ça ne manque pas ! répétait Mei-yu.

Cette discussion durait depuis des semaines maintenant. Fernadina explosa :

— Barnard et Columbia comptent parmi les meilleures universités du pays ! Je ne vois pas pourquoi tu fais tant d'histoires !

— Parce que c'est à New York !

Mei-yu jetait un regard de détresse vers Richard, l'appelait à l'aide.

Fernadina, de son côté, revoyait la conversation qu'elle avait eu avec son professeur principal.

— C'était bien à New York que votre père suivait des cours, non ? lui avait demandé M. Bolton.

A cette question, Fernadina avait compris qu'il avait déjà eu un entretien avec sa mère et son beau-père.

— Pourquoi ne pas vous inscrire...

Il avait alors mentionné des universités fort connues du Massachusetts, du Connecticut ou de Pennsylvanie.

— New York est une ville dangereuse et Barnard si proche de Harlem ! Il s'agit des quartiers les plus difficiles de Manhattan, vous savez ! En plus, il y a tant de distractions à New York que l'on se disperse et que l'on y perd son temps. En outre, il n'y a pas de vrai campus ! Tenez, regardez plutôt ça !

Il lui avait tendu une brochure concernant un établissement situé dans le Vermont.

— C'est joli, n'est-ce pas ? Il y a trois cent hectares ! Et leurs programmes d'études sont tout à fait remarquables !

Fatiguée de ces discours, Fernadina avait pris congé en déclarant d'un ton qui n'admettait pas de réplique :

— J'irai à Barnard.

Pour l'heure, c'était au tour de Richard de l'interroger :

— Pourquoi veux-tu vivre à New York ?

Fernadina ne chercha pas à tricher. Après tout, qui paierait ses études sinon Richard ?

— Il y a tout, là-bas. Des musées, des théâtres. Je pourrais assister à des concerts, aller voir des ballets, rencontrer des tas de gens. Je crois que c'est un autre aspect de la vie. Tout aussi important. Pourquoi le nier ?

— Ne penses-tu pas que ces occupations pourraient te gêner, te distraire ?

— Non !

Elle souligna sa réponse d'un grand soupir fatigué.

Mei-yu observait l'expression méprisante de sa fille, admirait la patience de son mari. Les années avaient coulé, mais Fernadina refusait toujours de l'appeler papa alors qu'il l'avait légalement adoptée ! Elle s'obstinait à l'appeler Richard comme s'il eût été un vulgaire étranger. Il y avait pourtant treize ans que Kung-chiao avait trouvé la mort ! Et pourquoi vouloir aller à New York ? Pour retrouver un peu de ce père idéalisé ?

A cette pensée, Mei-yu frissonna, songea à cette nuit où elle avait surpris Fernadina qui fourrageait dans une vieille boîte descendue du grenier. Cette vieille boîte, c'était Fernadina qui avait insisté pour qu'on ne la laissât pas dans l'ancien appartement sur Washington Boulevard. Par l'entrebâillement de la porte, Mei-yu avait discerné maintes photographies jaunies. Il y avait un cliché où l'on apercevait Kung-chiao et Mei-yu, côte à côte dans le parc devant leur faculté, Kung-chiao et Mei-yu semblables à deux enfants.

Le cœur serré par l'émotion, Mei-yu avait fait mine de donner une autorisation à sa fille :

— Tu peux les garder ! avait-elle dit.

Don inutile ! Mei-yu le comprit aussitôt au regard que lui lança la toute jeune fille. Manifestement, Fernadina n'avait jamais eu l'intention de rendre ces trésors à sa mère !

Pour l'instant, Richard se montrait autrement plus simple que Mei-yu. Il se levait, ramassait le dossier d'inscription qu'il tendait à Fernadina en lui disant :

— Allez, tiens ! Puisque tu le désires tant, je ne vois pas pourquoi nous t'en empêcherions, Fernadina. Cela dit, je suis heureux de constater que tu envoies un dossier à deux autres universités. Bravo ! Voilà qui est bien pensé !

Le téléphone l'interrompit. L'espace d'un instant, Mei-yu et Fernadina s'observèrent comme deux lutteurs fatigués après un trop long combat, quand le cri d'angoisse de Richard les alarma. Elles l'entendirent qui parlait mandarin, d'un ton haché, oppressé. Lorsqu'il revint dans la pièce, il était livide.

— C'était le docteur Toy. Ma mère vient de faire une attaque, expliqua-t-il d'une voix rauque.

— Richard ! C'est grave ? s'écria Mei-yu.

— Oui. Je dois me rendre à New York immédiatement. Je saute dans le prochain avion.

— Ça s'est passé quand ?

— Il y a une heure ! Je vous appelerai dès que j'en saurai davantage. Peut-être vous faudra-t-il me rejoindre très bientôt !

Quelques minutes plus tard, Mei-yu finissait de préparer les affaires de Richard pendant qu'il appelait un taxi.

Un cri retentit alors. C'était William qui faisait irruption dans la pièce où se tenait Fernadina.

— C'est vrai ce que dit maman ? Grand-mère est malade ?

— Oui, mais tais-toi ! Il faudra peut-être qu'on aille tous à New York ! Tu as fini tes devoirs ?

Il acquiesça. Dans le hall voisin, Richard raccrochait, puis Mei-yu réapparut, un bagage à la main.

Malheureuse et désireuse de lui trouver sa sollicitude, elle demanda :

— Je te prépare quelque chose à manger ?

— Non, merci. Le taxi ne va pas tarder.

On patienta donc dans le hall, puis Richard s'en fut, seul dans la nuit.

Mme Peng se reposait maintenant dans une chambre de l'hôpital presbytérien de Columbia où, malgré l'avis du docteur Toy, Richard l'avait fait transporter, dès son arrivée à New York.

Pour le moment, Fernadina et William attendaient dans le couloir tandis que Richard et Mei-yu s'entretenaient avec le médecin.

Le visage blême, le praticien répétait :

— Nous ne pouvons pas encore nous prononcer. Elle est extrêmement faible. Que lui a-t-on administré jusqu'à présent ?

Richard eut une grimace exaspérée.

— Elle est d'ordinaire suivie par un docteur de Chinatown, un herboriste. J'ignore ce qu'il lui prescrit. Du ginseng séché mélangé à d'autres poudres, peut-être ? Non, franchement, je ne sais rien à ce sujet. Elle se montrait très têtue et refusait de voir quelqu'un d'autre.

— Son cœur est très fatigué. Saviez-vous qu'elle avait fait un rhumatisme articulaire ? Franchement, elle est en mauvais état !

A bout de ressources, Richard hocha la tête.

Le docteur hésitait à poursuivre.

— Pardonnez ma franchise. Je sais combien mon diagnostic peut vous sembler horrible, mais je dois me montrer honnête. Je crains qu'elle ne succombe à cette attaque.

— Oui, je comprends. Je vous comprends, fit Richard.

— Vous aurez libre droit de visite, ajouta le médecin. En cas de besoin, n'oubliez pas la sonnette d'alarme.

L'infirmière viendra vous voir immédiatement.

Une fois le docteur parti, Richard invita sa famille à entrer dans la chambre de sa mère.

A peine eut-elle franchi le seuil que Fernadina s'arrêta, brusquement frappée par l'aspect inhabituel de Mme Peng. Jamais encore, elle ne l'avait vue ailleurs que dans la pénombre de son salon ou de son antichambre.

Fernadina et William n'osaient approcher de cette forme immobile cernée de tant de tuyaux, de tant de machinerie.

— Elle est morte ? demanda William avec la brutalité commune à bien des enfants.

— Non ! Regarde donc ! Elle respire ! Elle se repose !

Longtemps, Fernadina contempla la vieille dame figée dans la vieillesse et la maladie. Malgré elle, la jeune fille évoqua ces plongueurs des grandes profondeurs obscures. Une peur insidieuse la tenaillait. Elle leva les yeux vers sa mère.

Mei-yu comprit aussitôt l'angoisse de ses enfants, s'insurgea :

— Allez, vous deux, sortez maintenant !

Elle les raccompagna à la porte, leur indiqua la salle d'attente d'un doigt autoritaire et les chassa. Puis, elle revint s'asseoir aux côtés de Richard.

Maintes questions lui venaient à l'esprit. Depuis combien de temps Mme Peng était-elle souffrante ? Lors de leur dernière visite, à l'automne passé, elle n'avait pas semblé si malade ! Et le docteur Toy ? Était-il au courant depuis longtemps ? L'avait-il aidée à dissimuler la vérité ? N'avait-il pas répété qu'un changement de climat lui serait salutaire ? Pourquoi n'avait-il pas insisté ? Cette solution, la vieille dame la refusait aussi !

L'exclamation étouffée de Richard la tira de sa rêverie.

— Regarde, dit-il.

Les paupières de Mme Peng s'agitaient faiblement, déchiraient peu à peu l'épaisseur du coma, s'ouvraient sur l'iris brun clair. Puis, la bouche esquissa un sourire, frêle ébauche qui s'estompa rapidement. Bouleversé, Richard se pencha pour mieux saisir d'éventuelles paroles.

Mei-yu observait le visage de la vieille dame. Jamais encore, elle ne l'avait vue sans maquillage. Elle ne reconnaissait plus les traits de cet être respecté, admiré et même légèrement redouté. Son examen ne dura guère. Déjà, les paupières retombaient, la bouche se figeait en une immobilité terrifiante. Mme Peng n'était plus qu'un masque d'argile, pétri dans l'impassibilité.

Le lendemain que Richard et Mei-yu se trouvaient assis à côté du lit, des voix déchirèrent le silence du couloir. Une infirmière entra dans la chambre pour leur annoncer que quelqu'un désirait voir leur mère, mais que, compte tenu de son état, on ne savait s'il fallait autoriser les visites... La malheureuse s'empêtrait dans ses explications. Finalement, une idée de génie lui vint :

— Connaissez-vous ce monsieur ? fit-elle.

C'était le président Leong qui, à bout de patience, poussait la porte de la chambre.

A la grande surprise de Mei-yu, Richard salua chaleureusement le vieux monsieur comme s'il faisait partie de la famille.

Le président Leong lui rendit son salut, puis, très poli, se tourna vers Mei-yu :

— Madame Peng ! fit-il en se penchant.

Mei-yu en frémit. Certes, il avait raison, mais la jeune femme acceptait mal ce patronyme. Du moins, en cet instant. Le président Leong parut ne rien remarquer. Toute son attention s'attachait à la forme frêle qui gisait au creux du lit d'hôpital. Il s'était installé sur une chaise métallique où il passa un long moment. Puis, il se leva et prit congé. Richard le raccompagna jusqu'au couloir. Là, le vieillard se contenta de déclarer :

— Il n'y a plus grand-chose à faire, je le vois bien.

Il serra alors la main de Richard avant d'ajouter :

— Plus tard, n'oublie pas de venir me trouver. Elle a laissé un testament.

La vieille dame s'éteignit deux jours plus tard sans avoir rouvert les yeux ni prononcé un seul mot.

Lorsque tout fut terminé, Richard prit doucement Mei-yu dans ses bras et murmura d'une voix morne :

— Ramène les enfants à la maison. Il ne faut pas qu'ils manquent davantage de cours. Maintenant, ce serait inutile. Pour le reste, ne t'inquiète pas ! Je m'occuperai de tout.

Dans le train qui les ramenait vers Washington, Mei-yu songeait aux années passées, au premier voyage en autocar, à sa tristesse d'antan. Une page désormais venait d'être tournée. Mme Peng n'était plus.

Désormais, ce serait au tour de Fernadina d'effectuer ce long voyage. Ensuite, ce serait peut-être au tour de William ! Que faire ? Le rôle des parents ne dépassait jamais certaines limites fixées par le destin. On ne pouvait empêcher les enfants de voler de leurs propres ailes, le jour venu...

Fernadina, de son côté, se délectait d'une nouvelle lecture et ne percevait pas le regard de sa mère posé sur elle. Les larmes aux yeux, Mei-yu revivait ce long cheminement de l'amour maternel : elle avait porté Fernadina dans son ventre, dans ses bras, sur son dos ensuite. Désormais, ce rôle ne lui appartenait plus. Leurs chemins se séparaient.

Fernadina ressemblait à ces chevaux fous de jeunesse, ivres de grand air et de liberté, possédés de certitude inconsciente. Pourtant, ne donnait-elle pas l'impression de savoir où elle allait ?

Les épaules brisées de lassitude, Mei-yu se rejeta en arrière. Derrière ses paupières lourdes, elle entrevit encore un jeune poulain au galop...

Maintenant, elle ne pouvait plus rien faire pour sa fille. Elle le savait.

L'avenir, désormais, se trouvait aux mains de Fernadina.

TROISIEME
PARTIE

NEW YORK 1968

Cette ville constituait une agression permanente. Fernadina le sentait dans ses veines, dans son corps. Rien qu'en grimpant les marches qui menaient à son dortoir, elle avait presque les tympans percés par le vacarme des bus qui sillonnaient inlassablement Broadway. Même les pigeons s'en mêlaient qui vous narguaient d'une aile menaçante. Agacée, la jeune fille rentra la tête et pressa le pas.

Une fois dans sa chambre, elle soupira. L'étudiante avec qui elle partageait cette pièce n'était pas encore rentrée. Ouf! Elle bénéficierait donc de quelques instants de tranquillité. Dès le réveil, il lui avait fallu subir les délices de la cohabitation en la personne de Debbie Mitchell et de ses bigoudis !

Les deux jeunes filles étaient arrivées en même temps, pour le week-end d'information. Debbie avec ses parents, Fernadina avec Richard qui, lui, avait eu la délicatesse de lui dire au revoir sur le perron. La famille de Debbie n'avait pas hésité à grimper les deux étages menant à la chambre de leur fille. Une fois là, la mère avait élu domicile sur un matelas et assisté au déballage des effets ! Dieu merci, le père s'était montré un peu plus discret. Il avait vite filé vers le couloir où il avait fait les cent pas un bon moment.

Pendant ce temps, la mère, délicate en diable, lançait des coups d'œil en coin vers Fernadina et décrétait :

— Je suis certaine que vous allez bien vous entendre, n'est-ce pas, les filles ?

Puis, sournoise :

— Et vous, mon petit, d'où êtes-vous ?

Maligne, Fernadina lui avait répondu qu'elle était de Washington. En son for intérieur, la jeune fille était ravie. Cette vieille bique n'avait qu'à lui poser des questions directes ! L'autre continua cependant à tourner autour du pot et Fernadina finit par lui dire qu'elle était d'origine chinoise. Ce à quoi la chère dame ajouta en bonne logique :

— Oh ! la la ! Ce doit être un beau pays ! Non ?

Le non s'adressait à Debbie en personne qui décocha à sa mère un regard torve des plus réussis. On en resta là.

Plus tard, quand les deux étudiantes se retrouvèrent seules, Fernadina interrogea Debbie pour savoir d'où elle venait.

— D'Elyria, dans l'Ohio, lui répondit-elle.

Très brave, Fernadina chercha à s'informer. Que voulait donc faire Debbie de ses études ?

Le cheveu blond mousseux, les lèvres exsangues grâce à un maquillage savamment étudié, Debbie offrait des langueurs de phtisique. D'une voix mourante, elle déclara qu'elle finirait peut-être par enseigner l'an-glais ! Cette déclaration dut l'anéantir car elle poussa un soupir d'outre-tombe. Fernadina n'insista pas. Quand vint la nuit, elle se tourna face au mur afin de se préserver un rien d'intimité...

Il fallait cependant s'habituer à ce mode de vie. La jeune fille en avait conscience et se le répétait même en observant leur pièce et sa disposition. Là, sur la droite, c'était son coin avec sa machine à écrire, ses dictionnaires, son réveil, sans oublier le lit tiré au cordeau, les couvertures marine soigneusement bordées. Sur le côté gauche, en revanche, régnait l'anarchie la plus complète. Il y avait une grosse couette jaune roulée en boule, une collection d'animaux en peluche, la pochette de bigoudis astucieusement pendue au-dessus du lit. Sur le bureau, une volée de photographies où Fernadina put admirer les six frères et sœurs en compagnie des parents et des grands-parents. Sans doute une famille unie, ces Mitchell! songea Fernadina.

Cette pensée aussitôt en amena une autre, un visage aussi. Le visage en larmes de Mei-yu qui, de l'été, n'avait pu se décider à choisir entre les cris et les pleurs. Au point qu'en partant, Fernadina avait poussé un soupir de soulagement. Que de tracasseries inutiles : il y avait eu la corvée des courses où mère et fille s'étaient précipitées dans la joie vers les magasins; mais l'enthousiasme n'avait pas duré, on s'était vite disputé. Ainsi, un jour que Fernadina hésitait entre deux chemisiers, Mei-yu, acerbe, avait lancé :

— Tu n'as qu'à décider toi-même puisque tu vas vivre seule! Moi, je ne serai plus là pour te dire ce que tu as à faire!

Alors, l'œil mauvais, Fernadina avait repoussé une jupe qui plaisait fort à sa mère :

— Je n'en veux pas!

— Gagne ta vie d'abord et on discutera ensuite! riposta Mei-yu d'un ton sans réplique.

Comment lui dire que son attitude frisait l'absurdité la plus totale? C'était impossible! Alors, Fernadina se taisait, rongeait son frein.

Il y avait eu une scène particulièrement pénible. Mei-yu, un jour, vint se planter sur le seuil de la chambre de Fernadina, puis, tout à trac, lui demanda si elle n'avait pas de questions à lui poser concernant les garçons.

— Non, répondit Fernadina.

Il y avait déjà longtemps qu'Ellen Hirsch et ses amies lui avaient chuchoté à l'oreille bien des secrets...

— Euh... je veux dire que... un jour, tu rencontreras peut-être quelqu'un qui... euh... un homme qui t'aimera beaucoup, beaucoup.

Fernadina haussa les épaules pour dissimuler la honte mêlée d'excitation que cette idée faisait naître en elle.

— Tâche de te comporter comme quelqu'un de responsable!

Fernadina n'osa lui demander des éclaircissements et, après un long silence embarrassé et embarrassant, sa mère quitta la chambre sur un froncement de sourcils destiné à souligner la gravité de ses propos.

Juste avant son départ pour New York, Fernadina la trouva qui pleurait à chaudes larmes dans la cuisine. Quand elle lui demanda la raison de son chagrin, Mei-yu se contenta de hocher la tête en gémissant que la chambre de sa fille était dans un désordre indescriptible :

— Tu vas passer pour une souillon ! Et moi, on dira que je t'ai mal élevée ! Dans ces conditions, comment puis-je te laisser partir ?

Même son frère William lui semblait changé ! Il l'évitait. Elle mit cet éloignement sur le compte de leur différence d'âge. Ils n'avaient plus désormais les mêmes amis ni les mêmes goûts ! Pourtant, la jeune fille trouva sur son lit et son bureau une foule de cadeaux émouvants : des pochettes de crayons, quelques rubans de machine à écrire, un superbe réveil ! Quand elle voulut le remercier, il se retrancha dans sa chambre de garçon et lui en interdit l'entrée, prétextant qu'elle était trop encombrée par sa collection de pierres et ses cartes du ciel.

Ce furent d'affreux moments de solitude, d'autant plus dramatiques que Fernadina se sentait placée sous le signe de la séparation : toutes ses amies s'en allaient également, qui avaient été admises dans des écoles très connues. Ellen, par exemple, entrait au célèbre collège de Bryn Mawr. Elle en profita pour donner une soirée d'adieu à la fin de l'été. On échangea des adresses en promettant de s'écrire souvent. On décida de se retrouver, toutes ensemble, à Noël. A la fin de la fête, Ellen se jeta brusquement au cou de Fernadina, éclata en sanglots et lui jura que jamais plus elle n'aurait une amie comme elle.

— Tu m'écriras, Fernadina ? Dis, tu me le promets ?

Fernadina promit.

— Et si je viens à New York, tu me recevras ? Je vais m'ennuyer à mourir dans ce collège ! Et sur le plan culturel, il y a de fortes chances pour que ce soit zéro !

Les deux amies parlèrent longuement de leurs souvenirs communs, de leurs espoirs futurs, mais aussi des êtres chers qu'elles allaient quitter.

— Ma mère aussi devient bizarre, avoua Ellen. Parfois, je me demande si elle n'est pas ravie d'être enfin débarrassée de moi.

— Oui, mais elle, au moins, elle va t'accompagner au collège. La mienne n'ira même pas à New York. Je crois qu'elle ne m'a pas encore pardonné ma décision d'aller à Barnard.

— N'y pense plus ! Vis ta vie.

Fernadina fit mine d'acquiescer, mais, au fond, le refus de sa mère la blessait énormément.

C'est Richard qui, pendant le voyage en train, lui expliqua l'attitude de Mei-yu.

— Essaie de la comprendre, dit-il. Elle ne supporte pas de te voir grandir. Si elle refuse de t'accompagner, c'est parce que, désormais, tu t'en vas vivre loin d'elle. Laisse-lui le temps de s'habituer à la séparation. Quand tu reviendras, aux prochaines vacances, elle se sera faite à cette idée.

C'est aussi Richard qui l'accompagna au service des inscriptions et l'aida à se repérer dans le dédale des nombreux bâtiments de l'université pour trouver l'emplacement de sa chambre. Il l'invita même à déjeuner dans un petit restaurant, à deux pas de Broadway, mais la jeune fille était si énervée qu'elle toucha à peine les plats qu'on lui apporta. Richard l'observait avec une indulgence gentille tandis qu'elle déchirait nerveusement sa serviette en papier. Ensuite, ils revinrent à pied et, devant la porte de la résidence universitaire, il lui remit un chèque :

— Pour que tu profites un peu de la ville ! lui dit-il.

Ils restèrent quelques instants face à face dans un silence

ému, puis il lui dit que c'était l'heure de son train. Il allait partir quand Fernadina, d'un geste gauche, l'attrapa par la manche de sa veste. Richard s'arrêta net et, prise d'un soudain accès de timidité, elle le lâcha et bredouilla un faible merci.

— N'oublie pas d'écrire à ta mère, et si tu as besoin de quelque chose, fais-moi signe ! dit-il en souriant.

Elle essaya de lui rendre son sourire, mais ses lèvres tremblaient et elle le regarda s'éloigner avec un mélange de soulagement et de chagrin.

Le lendemain matin, elle alla prendre son petit déjeuner au restaurant universitaire situé dans un bâtiment voisin. Comme tout le monde, elle dut patienter un long moment, puis alla s'installer à une table où se trouvaient déjà deux jeunes filles qui avaient l'air un peu perdu des étudiants de première année. L'une d'elles, une étonnante créature à la chevelure rousse et crépue tirée sur la nuque comme une queue de comète, déclara entre deux rires qu'elle allait emporter ses œufs brouillés au cours de biologie pour les faire analyser. Fernadina, amusée, lui répondit par un sourire et apprit ainsi que la jeune fille s'appelait Rhea Desjalb, qu'elle habitait Brooklyn et, ensuite, qu'elles auraient la chance de suivre deux cours ensemble.

Dans la grande salle du restaurant se côtoyaient maintes nationalités et maintes races. Il y avait là des Blancs, bien sûr, mais aussi des Indiens, des Asiatiques, des Latino-Américains et des Noirs. Fernadina remarqua également des jeunes femmes à l'air intellectuel et à la désinvolture longuement travaillée qui dégustaient leur café tout en parcourant avec ostentation des brochures politiques. En sortant, la jeune fille jeta un coup d'œil au tableau d'affichage couvert d'annonces diverses et de tracts contre la guerre du Viêt-nam. Un étudiant lui présenta même une pétition que Fernadina refusa de signer, faute de temps, grommela-t-elle.

Son premier cours l'attendait effectivement. Il traitait de

sciences politiques. Avec une vingtaine d'étudiants de première année, elle écouta le professeur se présenter, détailler le programme du semestre et donner la liste des ouvrages à consulter. Puis, il se mit en devoir d'expliquer la signification du mot « engagement ». A peine avait-il prononcé ce terme magique que Fernadina constatait avec surprise que ses condisciples se ruaient sur leurs cahiers. Bientôt, toute la salle bruissait des stylos courant sur le papier. « Un engagement, ajouta le professeur en écrivant le mot au tableau, c'est une promesse, un contrat oral ou écrit, entre deux personnes, deux pays et quelquefois deux générations. » Persuadée que cette remarque lui était personnellement destinée, Fernadina releva la tête, mais le professeur continua, les yeux rivés sur le sol, à discourir en faisant les cent pas. Intriguée, Fernadina regarda ses camarades qui notaient fébrilement toutes les paroles de l'enseignant comme s'il s'agissait d'une théorie... révolutionnaire ! Elle ne prit aucune note.

Le cours suivant était celui de sociologie. Il se tenait de l'autre côté du campus et, en passant, la jeune fille remarqua, dans la cour, un grand rassemblement d'étudiants. Un garçon, qui venait probablement de l'université Columbia située sur le trottoir opposé de Broadway, debout sur une estrade improvisée, criait dans un porte-voix : « Paix au Viêtnam » en invitant les autres à répéter ce slogan. Tous suivirent alors son exemple et, bientôt, l'endroit fut en proie à une grande agitation. Des jeunes femmes à la chevelure tombant en cascade jusque sur leurs reins levaient un poing convaincu. Les garçons hurlaient des injures d'une voix déjà enrouée. L'un d'eux tendit à Fernadina un tract annonçant la création d'une nouvelle organisation révolutionnaire à l'université, mais cette excitation gênait la jeune fille. Elle pressa donc le pas. Il y avait dans cette exaltation, dans cette frénésie quelque chose qui lui faisait peur. Instinctivement, elle baissait la tête comme si elle s'attendait à entendre le fracas d'une explosion.

— Quelqu'un te cherche, lui dit une étudiante du même étage.

Fernadina la remercia chaleureusement. Elle était passée par sa chambre pour y déposer ses livres avant d'aller déjeuner. Persuadée qu'il s'agissait de Rhea Desjalb, retrouvée au cours de sociologie, elle dévala l'escalier en courant, mais, à sa grande surprise, n'aperçut dans le hall qu'un jeune Asiatique.

Elle allait passer devant lui sans lui adresser la parole, quand il lui dit bonjour. Étonnée, elle ouvrit de grands yeux.

— Tu ne te souviens pas de moi ? C'est vrai ! il y a longtemps qu'on ne s'est pas vus !

Fernadina l'observa avec attention. Il était un peu plus grand qu'elle et ses prunelles sombres, derrière d'épaisses lunettes, paraissaient plus petites encore. Ses cheveux lui tombaient sur le front, sur la nuque... Il y avait quelque chose de vaguement familier dans sa façon de secouer la tête en parlant, mais ce fut à sa mèche, à cet épi qui marquait sa chevelure qu'elle le reconnut.

— Wen-wen ?

Il protesta en riant.

— Ah ! Enfin ! Mais c'était avant qu'on m'appelait Wen-wen, puis Jack. Maintenant, je porte le prénom que m'ont donné mes parents, Min. Comment vas-tu, Fernadina ?

— Moi, c'est Dina !

Elle souriait, mutine.

— Je vais bien ! Un peu perdue tout de même dans ce cadre si nouveau. Comment as-tu su que j'étais là ?

— J'ai vu ton nom sur la liste des étudiants nouvellement admis. Je ne crois pas qu'il puisse exister une autre Fernadina Peng !

— Et toi ? Tu es à l'université Columbia ?

— Oui. En deuxième année, mais j'habite toujours à Chinatown.

— Et tes parents, comment vont-ils ?

— Bien. Ils ont ouvert un restaurant qui a beaucoup de succès. Ils travaillent donc comme des forcenés malgré le personnel censé les aider. Enfin ! Je ne les vois pas vivre autrement ! Ils s'ennuieraient !

— Bon, fit Fernadina machinalement.

Un peu gênée, elle cherchait des yeux Rhea. Malgré la joie qu'elle éprouvait à revoir Min, elle ne savait que lui dire, s'emberlificotait dans d'inutiles complications.

— As-tu déjeuné ?

— Non.

Une fois encore, elle balaya la cour d'un œil affolé. Rhea ne viendrait plus !

— Écoute, ici, la nourriture est épouvantable, même pour une cantine estudiantine ! Je t'invite au Harbin. C'est sur Broadway, à deux pas. On va fêter nos retrouvailles.

L'espoir qui éclairait le regard de Min démentait son timbre de voix assuré.

— Pourquoi pas ?

Dans le cadre agréable du restaurant Harbin, Fernadina retrouva avec plaisir l'odeur familière de la cuisine chinoise. Des lanternes de soie diffusaient une lumière douce, apaisante. Fernadina, soudain en confiance et en proie à l'exaltation de son premier jour à l'université, entreprit de raconter ses cours.

— On dirait que tu vas t'orienter vers une licence en droit !

— Ça ne me déplairait pas.

— Comment peux-tu l'affirmer pour le moment alors que tu viens à peine de commencer tes études ?

— On croirait entendre mon beau-père !

— Excuse-moi ! je ne voulais pas t'offenser !

Il avisa alors le menu et lui conseilla les spécialités de la maison : des crevettes à l'ail.

— Et toi ? Que fais-tu comme études ? demanda à son tour la jeune fille.

— Psychologie. J'ai envie de faire du travail social.

Il faillit ajouter quelque chose, mais se tut. Par chance, le serveur apporta une théière fumante et Min s'empressa de servir le thé. Un ange passa.

Plus tard, quand le jeune homme releva la tête, il découvrit le regard de Fernadina posé sur lui.

— Pourquoi ce sourire ?

— Tu as beaucoup changé !

Il roula de grands yeux, prit un air faussement affolé.

— Heureusement ! Si j'en crois les histoires que ma mère raconte sur mon enfance, j'ai dû être insupportable ! Mais toi aussi, tu as beaucoup changé !

Fernadina plongea aussitôt le nez dans sa tasse.

— Tu as l'air plus... américaine. Note que... je n'ai rien à dire !

Fernadina sourit, mais, au fond d'elle-même, elle était très émue. En un sens, Min avait raison. Ils étaient tous deux vêtus à l'occidentale et s'exprimaient en anglais. Pourtant, leur ressemblance n'était qu'apparente ! Min, lui, paraissait heureux de vivre et en totale harmonie avec lui-même. Apparemment, son identité chinoise ne le gênait pas du tout. A l'observer, Fernadina devinait qu'il ne ressentait nulle honte de ses traits asiatiques, alors que le moindre miroir constituait pour elle une agression.

— Qu'as-tu ? demanda Min.

— Je ne sais pas. Je songeais... Min... ton enfance à Chinatown, comment l'as-tu vécue, toi ? Si je suis indiscrète, ne me réponds pas !

— C'est vrai que nous ne sommes pas du même milieu... Attends... en y réfléchissant, l'un de mes premiers souvenirs me ramène à un client de mes parents, un Blanc, énorme et coléreux. Je ne comprenais pas un traître mot de ce qu'il racontait et, lui, refusait systématiquement tous les gâteaux que mon père lui présentait et ne cessait de proférer des injures. J'avais trois ou quatre ans à l'époque et je me blottissais derrière le comptoir, terrorisé à l'idée qu'il allait frapper. Je l'entends encore hurler des insanités, je le revois cracher au visage de mon père qui n'osa même pas riposter. Mon pauvre papa ! Il se contenta de courbettes obséquieuses. De ce jour-là, les Blancs m'apparurent comme des êtres énormes, grossiers et méchants et il me fallut longtemps pour modifier mon opinion. Entre-temps, j'appris à les éviter, surtout quand ils parcouraient Mott Strett en klaxonnant à la volée, quand ils entraient dans les restaurants du quartier en parlant très fort et en exigeant d'être servis avant tous les autres clients. A l'école, je me suis un peu habitué à leur présence, à leur attitude. Aujourd'hui, je me demande si ces mauvais souvenirs ne m'ont pas marqué plus profondément que je ne le croyais. Tu comprends ?

— Bien sûr ! Mais dis-moi, comment ça se passait pour toi, à l'école ?

— Oh ! C'était un vrai dépotoir où l'on collait allègrement tous les étrangers ! Il y avait donc beaucoup de Chinois, quelques Noirs et quelques Italiens. Tous des cas sociaux ! C'est bien simple, le seul jour où la classe était au complet, c'était celui de la rentrée ! Après, les élèves se bornaient à faire quelques apparitions toujours très remarquées. Il faut avouer que nous étions presque tous obligés de travailler dans la boutique de nos parents ou dans un restaurant et, parfois, jusqu'à une heure fort avancée de la nuit. Nous étions si épuisés qu'il nous arrivait de nous endormir en plein cours, au grand désespoir de nos professeurs. Les pauvres ! Ils ne voyaient jamais les mêmes écoliers deux jours de suite ! Certains chenapans s'esquivaient même au milieu du cours pour revenir une heure plus tard. Au lycée, je faisais partie d'une bande. Je me prenais pour un dur et ça me rassurait. Dans ce groupe, la plupart travaillait l'après-midi et parfois jusqu'au soir. Quand ils rentraient chez eux, il était rare que leurs parents y soient déjà. En général, ils n'avaient pas terminé leur journée. Les seuls membres de la famille présents étaient les grands-parents, un vieil oncle, une tante qui ne cessaient de pleurer sur la belle époque de leur jeunesse ou qui reprochaient aux jeunes de ne plus avoir de vie familiale. Tu penses bien que, dans ces conditions, nous préférions tous traîner dans les rues. C'était moins déprimant. Au moins, on pouvait s'y défouler.

— Combien de temps es-tu resté avec cette bande ?

— Un peu plus de deux ans. J'ai fini par rompre avec tous ces garçons. Tu sais, mes parents m'obligeaient à aller à l'école tous les jours. Pour eux, c'était essentiel. Mon père, quand il était en colère contre moi, me jetait de la farine au visage pour me montrer ce qui m'attendait si je ne travaillais pas bien : je finirais boulanger ! Le pire des sorts, en quelque sorte ! Le matin, c'était ma mère qui m'accompagnait et le soir, mon père venait me rechercher. Tu imagines ma honte vis-à-vis de mes camarades ! Être escorté comme un gamin alors que je dépassais déjà ma mère d'une tête ! Mes parents s'en moquaient et ne voulaient rien entendre ! Et moi, tous les jours, je tremblais à l'idée de trouver mon père, derrière la porte, avec ce tablier qu'il ne prenait même pas la peine d'ôter. Les garçons de la bande se gaussaient de lui, le traitaient de face enfarinée ! Je souffrais tant de ces quolibets que j'ai fini par lui demander de ne plus venir me chercher. En échange de quoi, je lui promis de ne jamais manquer un cours. Je tins parole parce que j'avais compris. Certes, j'avais honte de voir mon père m'attendre à la sortie en tenue de travail, mais j'avais encore plus honte de l'obliger à subir cette humiliation. Je crois que c'est la raison pour laquelle j'ai rompu avec la bande. Je crois également que les autres n'ont pas été dupes un seul instant.

— Tu ne sortais jamais de Chinatown ?

— Oh, si ! Je me promenais souvent de l'autre côté de Chinatown, vers la mairie de New York. C'est fou ce que ces bâtiments officiels me semblaient gigantesques ! Tu sais, les gens du quartier chinois s'aventurent rarement jusqu'à la mairie ! C'est déjà la ville des Blancs, l'inconnu. Moi, je restais là à prendre le pouls de la cité si proche et si lointaine. Puis, je me suis risqué dans le métro. Peu à peu, je m'éloignais. Un jour, j'ai même osé entrer dans le grand magasin Macy's pour y acheter un cadeau d'anniversaire à ma mère. Tu comprends, je voulais absolument lui offrir quelque chose ne provenant pas de Hong Kong ou de T'ai-wan. Je lui ai choisi un superbe foulard de soie pastel importé d'Italie, mais ma pauvre maman s'est trouvée si gênée par ce présent inattendu qu'elle ne le met qu'à la maison, pour les grandes occasions. Une autre fois, je suis allé voir un film dans un grand cinéma de Times Square, avec un ami. C'était si impensable, dans mon milieu, que je n'en soufflai mot à mes parents ! Heureusement, j'ai eu la chance de rencontrer un étudiant de l'université Columbia, Chinois lui aussi, qui m'a piloté dans la zone de West Side, ce qui m'a donné envie de m'inscrire, moi aussi, dans cette université.

— Tu te plais dans ce quartier ?

Min regarda par la fenêtre la foule des passants qui se hâtait de regagner leur bureau et reconnut :

— C'est complètement fou, mais j'aime bien. Et toi, comment as-tu ressenti ton enfance dans la banlieue de Washington ?

Fernadina réfléchit un moment avant de répondre.

— Nous étions à l'aise, je veux dire financièrement, mais je ne me suis jamais vraiment intégrée. J'étais la seule Chinoise de l'école. Les professeurs me trouvaient intelligente, mais les autres élèves ne me considéraient pas comme l'une des leurs. Comme toi, j'ai beaucoup travaillé pour réussir dans mes études. Cela dit, il y avait des années que j'attendais l'occasion de quitter ce milieu, de devenir enfin moi-même.

— Et ta mère, comment va-t-elle ? Et Richard ?

Fernadina haussa les épaules.

— Ils vont bien. Ils courent après la réussite et cherchent à sauver la face, répondit-elle en détournant les yeux.

Fernadina se tut alors, observa son compagnon. Il mangeait à la façon chinoise, en tenant son bol de riz tout près de ses lèvres et en maniant les baguettes avec une dextérité époustouflante. Il dévorait son repas de bel appétit, sans se soucier des bonnes manières occidentales.

— Pourquoi ne manges-tu pas ? demanda-t-il. C'est délicieux.

Obéissante, Fernadina prit une grosse crevette entre ses baguettes. Min reprit la parole.

— On parle beaucoup de Richard et de son action au sein de la Communauté chinoise de Washington. Sincèrement, nous manquons de personnalités dynamiques dans son genre.

Agacée par cette remarque, Fernadina sauta sur le plat de poulet aux poivrons pour dissimuler son énervement, mais son agitation n'échappa nullement à son compagnon. Pourtant, la jeune fille, d'un ton très calme, demandait :

— Toi aussi, tu participes aux activités de la Communauté ? Comment fais-tu avec tes études ?

— Oh ! Quand on habite Chinatown, c'est encore assez facile ! Je partage un appartement tout près de Mott Street avec un autre étudiant.

Fernadina releva la tête. A la seule mention de Mott Street, son visage s'était éclairé.

— Tu vas toujours au Sun Wah ? fit-elle, curieuse.

— Tu penses ! J'y travaille comme serveur trois soirs par semaine !

— Alors, tu dois voir Bao. Comment va-t-il ?

Le sourire ravi de Fernadina remplissait de joie le jeune homme. Enfin le malaise était passé, ils se retrouvaient !

— Pas plus mal, et même mieux depuis que sa femme l'a quitté !

— Quoi ?

— Tu ne savais pas ? Elle est partie, il y a deux ans, avec un gars de Hong Kong. Bao en a été plutôt soulagé. Aujourd'hui, il crie toujours, mais peut-être un peu moins fort et, en tout cas, ça m'est égal, car je l'aime bien ! Comme le restaurant ne désemplit pas, il a besoin d'aides-cuisiniers. Hélas ! Il a tellement mauvais caractère que personne ne reste plus de trois mois à son service ! Si ça se trouve, il y en a un qui finira par le passer à la moulinette !

L'espace d'un instant, il taquina ses baguettes, puis, d'une voix timide, suggéra :

— Et si tu allais le voir ?

Fernadina hésita.

— J'en meurs d'envie... Pourtant, quelque chose me retient... comme si j'avais peur de retrouver mon passé.

— Il me demande toujours de tes nouvelles et parle de toi très souvent.

Devant l'embarras de sa compagne, Min changea vite de sujet.

— Au fait, sais-tu que l'on voit de plus en plus de Chinois américanisés se promener dans Chinatown ? Figure-toi que l'on remarque immédiatement la différence entre eux et les jeunes élevés dans le quartier. On le devine à leurs vêtements, à leurs coups d'œil curieux, comme s'ils n'avaient jamais rien vu de semblable. Certains, quand ils viennent au Sun Wah, demandent le menu en anglais. Ça met Bao dans une telle colère qu'il fait mine de ne pas comprendre. Il jette alors leurs assiettes brutalement sur la table et les injurie en cantonais. Même s'ils ne saisissent pas le détail des hurlements de Bao, ils ne se trompent pas sur l'essentiel, si j'en juge par leurs regards penauds. L'autre soir, j'en ai parlé à Bao. Il affirme que ces jeunes-là sont tellement assimilés qu'ils en ont perdu leurs racines ! C'est affreux ! Ils visitent Chinatown en touristes, sans se soucier aucunement des conditions de vie de la population ! En revanche, il y en a d'autres qui sont restés fidèles à leur culture. D'après Bao, ceux-là reviendront s'installer à Chinatown et travailleront pour améliorer le sort de leurs compatriotes. D'ailleurs, il dit que, toi aussi, tu reviendras un jour.

— Moi ?

— Il dit que oui, que de nombreuses raisons te pousseront à revenir. Qu'il ne s'agit pas seulement de ton identité culturelle.

— Min ! De quelles autres raisons veut-il donc parler ?

Min marqua un temps d'arrêt.

— Il dit que tu les connais.

Fernadina resta interdite tandis que Min s'essuyait les lèvres avec une lenteur calculée. Il semblait peser ses mots :

— Tu sais, Fernadina, toi et moi avons suivi des trajectoires diamétralement opposées. Nous voici donc obligés d'emprunter des chemins différents. Voilà pourquoi mes pas me guident vers la communauté blanche et l'université Columbia, et les tiens, vers la communauté chinoise et Chinatown.

Il surveilla alors son amie, puis, malheureux, poursuivit :

— Bao pense aussi que ta route sera plus difficile que la mienne... à cause de ce qui est arrivé autrefois à ton père, à ta famille !

Il remarqua l'émotion de Fernadina et enchaîna rapidement :

— Mais il m'a dit qu'il te faisait confiance, totalement confiance. « Elle trouvera sa vérité », m'a-t-il déclaré.

— C'est vrai ?

— Oui.

Pour le coup, la jeune fille s'essuya les yeux.

— C'est lui qui t'a chargé de ce message ?

— Non. Je souhaitais te revoir, te parler de notre organisation. Il ne s'agit pas d'un groupement politique. Nous espérons simplement sensibiliser les gens à notre programme d'aide à la Communauté de Chinatown. Pourquoi ne viendrais-tu pas à la prochaine réunion, la semaine prochaine, à Chinatown même ?

Fernadina, mal à l'aise, détourna le regard, joua avec ses baguettes pour se donner un semblant de contenance.

Min, de son côté, ne perdait rien de son émoi.

— Nous sommes un groupe d'étudiants et de bénévoles. Nous tenons compagnie et servons de gardes-malades aux personnes âgées, et nous informons la Communauté sur les problèmes de santé et d'éducation.

Fernadina affichait maintenant un air tellement buté et lointain que Min fit une pause. Il en venait à se demander si ses explications intéressaient réellement la jeune fille.

— Prenons, par exemple, le cas de monsieur Kam !

Son enthousiasme tira aussitôt Fernadina de sa torpeur. Elle releva la tête.

— Monsieur Kam a plus de quatre-vingts ans. Personne, dans le quartier, ne se souvient plus de son arrivée aux États-Unis. Nous autres, pourtant, avons tous eu l'occasion de contempler des photos de sa famille restée en Chine. Hélas ! de cette famille, que lui reste-t-il hormis ces clichés jaunis ? Depuis tant d'années, il a perdu la trace des siens et le voilà seul, désormais. Il ne parle pas un traître mot d'anglais et n'y voit plus suffisamment pour continuer à travailler. Il passe donc tous ses après-midi à rêver, assis sur un banc de Columbus Park. A tour de rôle, nous allons le chercher et le conduisons dans une gargote où il mange son seul et unique repas de la journée avant que nous ne le ramenions chez lui. Il habite une chambre minuscule au-dessus de la boutique Phoenix Gift et possède, pour tous meubles, un lit et une table. Il lave encore lui-même sa chemise dans l'évier. C'est une triste existence, mais ne nous leurrons pas : des monsieur et madame Kam, il y en a par centaines à Chinatown. Il ne sert à rien de les plaindre si l'on reste les bras croisés en espérant que les choses s'arrangeront comme par miracle !

— Min ! Je t'en prie ! Je suis prête à vous aider...

Min, lancé dans ses explications, fit mine de ne pas avoir entendu Fernadina.

— Nous avons décidé d'agir parce que nous avons pleinement conscience de notre héritage culturel. Pour certains, la gratitude, la culpabilité ou les remords constituent une motivation. Peu importe ! L'essentiel est que nous n'oublions pas les souffrances qu'ont subies nos parents afin de nous assurer un avenir meilleur.

— Je sais ! répondit Fernadina d'une voix faible.

— Dans ta résidence vit l'une des nôtres. Elle s'appelle Connie Wing. Pourquoi ne viendrais-tu pas avec elle pour la réunion ? Notre permanence est située sur Mulberry Street.

La jeune fille hocha la tête d'un geste lent et fatigué.

— D'ici, il est très facile de se rendre à Chinatown...

Aussitôt, Min lui donna maintes explications, puis ajouta :

— Tu te souviens de la pâtisserie de mes parents ?

— Oui.

— Maintenant, on y vend des plats cuisinés, porc grillé, canard, plein de bonnes choses appétissantes, mais je déteste passer par là tous les jours pour prendre mon métro ! Je regrette encore les gâteaux d'antan !

Min régla l'addition, puis les deux jeunes gens sortirent du Harbin Restaurant et se dirigèrent en silence vers la station de métro de la 103e rue. Ils allaient se séparer quand Min lui dit :

— Viens nous rejoindre à Chinatown !

Machinalement, il rejeta en arrière une mèche de cheveux inopportune et ajouta :

— Bao aimerait tant te revoir !

La gorge nouée par l'émotion, Fernadina se borna à lui adresser un petit signe amical de la main, un remerciement :

— Merci pour le déjeuner !

Alors, il fila vers le métro tandis qu'elle le regardait s'éloigner, happé par la foule et la pénombre. Un bref instant, elle faillit s'élancer sur ses traces. Elle se domina et rentra au campus.

Fernadina réfléchit longuement, finit par prendre une décision : elle irait à Chinatown tous les jours, c'était dit ! Le soir même, elle téléphona au Sun Wah.

A l'autre bout du fil, une voix familière marmonna une sorte de juron :

— Allô ! Ici, le Sun Wah !

Fernadina hésita, chercha les mots qu'elle avait tant préparés, se laissa troubler par un vacarme de casseroles. Puis Bao poussa un nouveau rugissement qui manqua lui percer les tympans et elle raccrocha en tremblant.

Quelques jours plus tard, alors qu'elle étudiait dans sa chambre, on frappa et la tête d'une jeune Chinoise apparut dans l'encadrement de la porte.

— Fernadina Peng ?

— Oui.

— Bonjour ! Je m'appelle Connie Wing. Min m'a parlé de toi et m'a dit que tu viendrais peut-être à la prochaine réunion.

Machinalement, elle s'appuyait sur la porte qui s'ouvrit davantage... et Connie remarqua alors Debbie, imperturbable, qui, assise sur son lit, dévorait quelque roman à l'eau de rose.

— Oh ! Pardon ! Je vous dérange sans doute ! Écoute, Fernadina, je sors de cours à l'instant et je dois passer par ma chambre. Tu m'accompagnes ? Je te montrerai notre programme.

— Entendu.

Avant de sortir, Fernadina jeta un regard à Debbie, mais l'heureuse nature n'avait pas bougé d'un pouce. Les deux jeunes Chinoises gagnèrent l'aile est où Connie avait une chambre individuelle. Une fois arrivée, Connie invita Fernadina à s'asseoir tandis qu'elle cherchait les feuillets en question.

Les lunettes sur le nez, elle grommelait :

— Ils sont pourtant bien quelque part !

A chacun de ses mouvements, ses cheveux bruns et courts lui balayaient joliment les joues.

— Min m'a dit que tu avais passé ton enfance à Washington.

Elle observait Fernadina avec intérêt, puis replongeait dans ses papiers.

— J'ai grandi à Arlington, dans la banlieue de Washington.

Tout en parlant, Fernadina examinait les lieux, remarquait les reproductions de peintures chinoises, les livres de poésie chinoise...

— Je parie que nous avons beaucoup de choses en commun ! Moi, je suis du New Jersey. Et ton père, c'est un médecin, aussi ?

Fernadina s'empara de la brochure que lui tendait maintenant Connie.

— Non. Il est mort.

— Oh ! Je suis désolée ! Je l'ignorais !

— Allons ! Tu ne pouvais pas savoir !

Gênée, Connie reprit la parole et déclara d'un ton pressé :

— Lors de notre prochaine réunion, durant le week-end qui vient, nous mettrons au point les détails techniques concernant nos différentes actions. Moi, je m'occupe de l'éducation. Tu pourrais m'aider en donnant des cours d'anglais, par exemple.

— Je... je ne peux pas ! J'ai complètement... oublié le mandarin !

— Oh ! Ce n'est pas grave ! J'étais dans le même cas lorsque j'ai commencé. Je n'avais plus parlé un mot de chinois depuis ma petite enfance. Ne t'inquiète pas ! Ça revient très vite ! Voyons ce que tu pourrais faire...

Connie, qui avait le feu sacré, consultait fébrilement quelques feuillets.

— Tiens, j'ai trouvé ! Nous avons besoin de quelqu'un pour faire les courses des personnes âgées.

L'espace d'un instant, Fernadina essaya de s'imaginer, de retour à Chinatown, les bras chargés de provisions pour M. Kam. Elle voyait d'ici la chambre du vieil homme, les photos au-dessus de son lit, la chemise propre en train de sécher. Cependant, Connie ne tarda pas à la rappeler à la réalité.

— Excuse-moi, je rêvais. Que m'as-tu demandé ?

— Ça fait combien de temps que tu n'es pas retournée à Chinatown ?

— Très longtemps ! Mes parents y font un pèlerinage annuel, mais, moi, j'y ai renoncé depuis belle lurette.

Connie, complice compréhensive, acquiesçait. Tout cela, elle connaissait.

— Moi, c'était pareil ! Des années durant, j'ai refusé de m'y rendre ! Peut-être parce que c'était devenu un piège à touristes et que les habitants me semblaient s'apparenter à des bêtes curieuses, des animaux de cirque visant à déplacer les badauds. Aujourd'hui, les choses ont bien changé. Tu en serais étonnée toi-même. De nouvelles idées commencent à se faire jour, d'où la naissance de notre organisation. Cependant, nous avons tenu à préserver les traditions. Ce ne fut pas chose aisée. Nous avons dû surmonter beaucoup d'obstacles, mais je crois que nous sommes désormais sur la bonne voie. En ce qui me concerne, cette expérience m'a énormément appris, sur le quartier bien entendu... et, surtout, sur moi-même.

L'ardeur de Connie était si communicative que Fernadina, à la regarder, éprouvait déjà un grand bonheur, un grand soulagement. Le cœur léger, elle s'en retourna vers sa chambre avec les programmes d'action qu'elle examina le soir même. Chaque ligne l'apaisait, sa décision était prise : elle irait à cette réunion.

Le samedi suivant, néanmoins, son courage flancha. Elle alla trouver Connie et marmonna quelques excuses embrouillées.

— Que t'arrive-t-il ? lui demanda cette dernière.

— Rien, je t'assure. Je ne peux pas t'accompagner, c'est tout. Une autre fois, peut-être.

— Tu es gênée de ne plus parler mandarin ?

— Non, je ne pense pas.

— Je te l'ai déjà dit, tu n'as pas besoin de t'en inquiéter.

— Non. Je suis désolée. Je ne peux pas y aller.

La tête basse, Fernadina reculait sous le regard inquisiteur de Connie qui finit par déclarer :

— Ça ne fait rien ! Je sais ce que tu ressens.

— La prochaine fois, peut-être, répéta Fernadina sur la porte close.

Dans le couloir, une vague de désespoir l'envahit. Mille questions la tourmentaient. Pourquoi ne pouvait-elle se résoudre à retourner à Chinatown ? Était-ce uniquement lié à la soi-disant barrière linguistique ? C'est vrai qu'elle ne parlait plus la langue de son peuple ! Appartenait-elle donc à cette génération de Chinois américanisée et coupée de ses racines ? La génération de bambou, comme on disait souvent avec mépris ! Bambous vides de leur substance tels ces êtres privés de leur héritage culturel et, par suite, de l'âme d'une nation ? Était-ce vraiment cette réalité-là qu'elle désirait fuir ou, comme l'affirmait Bao, redoutait-elle d'y retrouver les fantômes de son enfance ?

Fernadina avait à peine posé cette question qu'elle frémit devant l'évidence. Son passé lui collait à la peau, la rongeait, mais une crainte terrible l'empêchait pour le moment de revenir sur les lieux de son enfance. Elle savait cependant qu'elle ne pourrait fuir indéfiniment. Il lui faudrait tôt ou tard affronter ses souvenirs.

Alors, l'âme en peine, elle se murmura un : « plus tard, plus tard », qui la rassura quelque peu.

Au cours des jours qui suivirent, Fernadina s'abandonna aux charmes de la ville. En compagnie de Rhea, elle parcourut Manhattan, explora des quartiers entiers. Un sourire aux lèvres, les deux jeunes filles musardaient au hasard des pâtés de maisons. Dans la 96e rue, elles se trouvèrent happées par une foule enthousiaste et colorée qui ondulait au rythme d'une musique entraînante. C'était à croire que toutes les radios des immeubles voisins s'étaient donné le mot ! Alors, au son des congas, trompettes et batteries, elles virent défiler une procession heureuse et animée de visages blancs, bruns et dorés. Sur les trottoirs, des hommes vissés sur une chaise de fortune sifflaient les jeunes filles, leur lançaient des œillades audacieuses, les taquinaient.

Instinctivement, Fernadina avait pressé le pas, mais Rhea, hilare, l'avait retenue par la manche.

— De quoi aurais-tu peur ? Regarde-les bien ! Ce sont de vrais péquenauds en goguette ! Tu as vu leurs cernes ? Ça doit faire un moment qu'ils n'ont pas fermé l'œil.

Décontenancée, Fernadina s'efforça d'écouter son amie. Elle ralentit l'allure. La méfiance ne la quitta pourtant pas tout à fait, car à chaque fois qu'on l'approchait d'un peu trop près, elle s'esquivait, rétive et embarrassée.

A l'université, les manifestants continuaient de scander leurs slogans, de vitupérer le gouvernement. Ces vociférations montaient jusqu'à la chambre de Fernadina tandis qu'à la caféteria, le sol disparaissait sous un amas de tracts. Parfois, dans la soirée, quand elle avait terminé son travail, Fernadina sentait une étrange impatience la dévorer. Elle s'en allait marcher afin d'oublier son énervement. Il lui semblait, en effet, que la ville l'attendait et elle en éprouvait des fourmis dans les pieds.

Rhea tenta de la réconforter, lui assura que tout cela était tout simplement normal.

— Tu traverses une période d'adaptation difficile. En outre, il y a, en ce moment, une énorme tension sur le campus, ou plutôt sur tous les campus des États-Unis. Nous vivons la guerre et ses répercussions. Tout le monde y perd la raison.

Fernadina accepta de bon cœur l'explication de Rhea, mais elle savait que son malaise avait une autre cause. Elle ne pouvait encore la nommer, mais en ressentait les effets avec chaque seconde qui passait.

Il lui arrivait d'étouffer entre les quatre murs de sa chambre. Ainsi, un dimanche, début novembre, alors qu'elle révisait un examen, elle regarda par la fenêtre le ciel gris et lourd. C'était une telle oppression qu'elle décida de sortir, de s'aérer le corps et l'esprit. Elle résolut donc de se rendre au Metropolitan Museum qui était devenu son musée préféré. Son parapluie à la main, elle traversa le campus...

Les rues, dans Manhattan, étaient quasiment désertes et Fernadina, tranquillement installée dans un bus brinquebalant, observait le ballet défait des promeneurs indécis. Il y en avait qui erraient, un gros *New York Times* sous le bras. D'autres, à peine sortis du restaurant, cherchaient sur l'asphalte un remède à leur ennui. Les feuilles, insensibles à ces multiples états d'âme, tourbillonnaient allègrement.

La jeune fille descendit donc au coin de la 5e avenue et remonta lentement jusqu'au musée où, comme tous les dimanches, une foule compacte se pressait devant l'entrée.

Elle commença par admirer une exposition de photos d'art, puis fila regarder quelques impressionnistes et des tableaux de l'école flamande. Ces derniers l'enthousiasmèrent. Elle adorait leurs clairs-obscurs savamment dorés, leur luminosité secrète. Avant de partir, elle fit un tour par les salles des antiquités égyptiennes où elle s'étonna devant les sarcophages et les idoles à têtes de chat qui paraissaient garder les lieux.

Quand elle retrouva la rue et sa mouvance, la nuit était déjà tombée et les réverbères allumés. Elle reprit donc le chemin de Broadway. En descendant du bus, sur la 110e rue, elle se dirigea vers un magasin où elle acheta un sandwich, une pomme et un carton de lait. Munie de ces provisions, elle regagnait l'université quand elle remarqua quelqu'un à la démarche suspecte...

A cette heure-ci, il y avait peu de gens dehors ! Le cœur battant, Fernadina décida de presser le pas. D'ailleurs, Rhea lui avait toujours conseillé de marcher à bonne allure, de faire montre d'assurance...

Néanmoins, Fernadina courait presque lorsqu'elle franchit le portail de l'université et fut soulagée de constater que bon nombre d'étudiants s'y promenaient encore.

Forte d'un courage nouveau, elle se dirigea vers sa résidence où elle alla vérifier s'il n'y avait pas un message dans son casier. Elle revenait sur ses pas pour grimper le grand escalier menant à sa chambre quand un homme sortit soudain de l'ombre et lui barra le passage. Fernadina se figea, en proie à une peur monstrueuse...

— Fernadina, excusez-moi ! Il fallait absolument que je vous parle !

Il avança d'un pas, et la jeune fille, terrorisée, recula d'un bond.

— Écoutez-moi, je vous en supplie. N'ayez pas peur et regardez-moi. Ne me reconnaissez-vous pas ? Ne m'avez-vous pas déjà rencontré ?

A contrecœur, Fernadina releva la tête... découvrit avec stupeur le visage de l'inconnu qui, quelques mois plus tôt, l'avait suivie à Washington !

— Pourrions-nous nous asseoir ici ?

Du doigt, il désignait l'entrée du bâtiment, ses chaises et son sofa. Ce choix rassura Fernadina. A cet endroit, n'importe qui pouvait les voir. Cet homme n'avait donc pas de mauvaises intentions !

Elle finit par acquiescer, mais laissa l'inconnu la précéder et le suivit d'un pas prudent. Lui s'assit sur le sofa tandis qu'elle avisait une chaise, mettait entre eux une table couverte de revues diverses. Une lampe de bronze dispensait une lumière très douce, apaisante.

Fernadina en profita pour observer son vis-à-vis qui tirait une cigarette de sa poche et lui en offrait une qu'elle refusa. Souriant, il s'empara du cendrier, puis observa longuement, très longuement la jeune femme avant de déclarer d'une voix grave aux inflexions caressantes :

— Fernadina... je m'appelle Yung-shan et je suis le fils du colonel Chang. Ce nom ne vous est pas inconnu, n'est-ce pas ?

— Non, en effet.

— Ce nom, vous le haïssez ?

Fernadina tressaillit, chercha à déchiffrer les émotions qui se cachaient derrière ce masque impassible.

— Non. Ce n'est pas de la haine que j'éprouve.

— J'en suis heureux, Fernadina, très heureux. Sans doute, ma tâche en sera-t-elle facilitée !

— Quelle tâche ? Que voulez-vous dire ?

Yung-shan parut méditer sa réponse, puis déclara tout à trac :

— Je suis venu vous dire que mon père n'a pas commandité le meurtre de votre père, Fernadina.

Devant le regard interrogateur de Fernadina, il ajouta :

— C'est madame Peng qui a tout manigancé.

Abasourdie, la jeune fille ouvrait de grands yeux. Cette révélation l'anéantissait. Yung-shan, pendant ce temps, l'étudiait. Dans ses prunelles se lisait un mélange de tendresse et de commisération.

— Pourquoi vous croirais-je ?

Yung-shan avait le cœur serré de compassion pour cet être si jeune et si fragile encore.

— Sans doute vaut-il mieux que je vous expose les raisons qui ont poussé madame Peng à commettre un tel forfait ! Cela vous aiderait à comprendre.

L'espace d'un instant, il se tut, mais devant le mutisme de son interlocutrice, il reprit ses explications :

— Madame Peng était une femme d'une extrême lucidité. Dès le premier regard, elle devinait un individu, le jaugeait. Il en alla de même avec vos parents. Votre mère, surtout, retint son attention. Lors de leur arrivée à Chinatown, madame Peng commençait à avoir un net avantage sur mon père dans la lutte acharnée qu'ils se livraient en vue de s'octroyer les pleins pouvoirs sur le quartier. Cette femme incroyable travaillait depuis fort longtemps avec la police afin de mieux surveiller les activités de la communauté. Lorsque mon père tomba malade, elle décida d'agir. Le piège allait donc se refermer sur lui. Elle soudoya ses hommes de main, leur fit miroiter la légalisation de leurs papiers, de leurs visas. L'affaire ne fut pas très compliquée. Mon père y perdit la vie.

— Comment pouvez-vous en être aussi sûr ?

— J'ai retrouvé son homme de main, ce traître, mais je doute que son nom vous dise quelque chose : Quan Wo-fu.

Yung-shan se trompait, car ce nom avait souvent marqué les jours de son enfance, les discussions qui avaient suivi la mort de Kung-chiao.

— Huit années durant, j'ai couru sur les traces de Wo-fu. J'ai fini par le rattraper à Hong Kong et par le menacer de le remettre à des amis de mon père installés dans cette ville. Il a pris peur et m'a tout avoué.

Bouleversée, horrifiée, Fernadina se levait.

— Attendez ! L'histoire ne s'arrête pas là. La suite vous concerne tout autant. Elle est affreuse, bien sûr ! Pourtant, il vous faut la connaître.

Il parlait d'une voix très douce, presque caressante. Fernadina se rassit. Alors, seulement, il poursuivit :

— Comme je vous l'ai déjà dit, madame Peng voyait en votre mère une perle. La vieille dame savait également qu'une fois votre père disparu, Mei-yu se retrouverait seule avec vous, désemparée, sans aucun recours. C'est exactement ce qui arriva, et madame Peng intervint, la protégea, la guida jusqu'à ce qu'elle aille mieux. Puis elle l'envoya à Washington où vivait son fils.

Fernadina qui entrevoyait la vérité frissonnait maintenant de crainte, de dégoût aussi.

— Fernadina... Vous comprenez mieux ce plan diabolique que votre mère a parachevé à son insu ?

— En épousant Richard et en lui donnant un... enfant, mon frère ?

— Oui. Madame Peng voulait assurer sa postérité.

— Oh ! Mon Dieu !

Fernadina revoyait l'expression de Mme Peng lorsque Richard et Mei-yu lui avaient présenté William ! Oh ! Son expression de triomphe ! Ce regard brillant d'exaltation ! Sans doute, Yung-shan devina-t-il son émotion car il partit d'un petit rire sec qui ressemblait à une toux, puis déclara :

— Nous avons tous respecté son scénario à la lettre ! Nous avons été parfaits ! Ceci dit, voulez-vous, Fernadina, connaître maintenant les raisons qui la poussaient ?

La jeune fille frémit, mais, lui, impitoyable, ajoutait déjà :

— Allons ! Pourquoi vous cacherais-je l'essentiel ?

On eût juré qu'il se parlait à lui-même. D'ailleurs, son regard errait en d'étranges contrées.

— Vous saviez que madame Peng était veuve, n'est-ce pas ?

— Oui. Ma mère m'a raconté qu'autrefois elle avait été mariée à un seigneur de la guerre.

— Et que son mari avait été tué par un rival ?

— Oui.

— Laissez-moi donc vous conter toute l'histoire. Un jour, longtemps après son arrivée aux États-Unis, madame Peng apprit que le responsable de la mort de son époux se trouvait à New York sous un nom d'emprunt. Elle possédait alors un avantage certain : lui ne l'avait jamais vue, ne la connaissait pas. En outre, elle portait, comme le font encore aujourd'hui toutes les Chinoises, son nom de jeune fille. Madame Peng s'efforça à la patience. Elle ne voulut pas agir immédiatement. Elle craignait la justice américaine. La Chine était loin, désormais, et le temps des seigneurs de la guerre était révolu. Méthodiquement, et des années durant, elle chercha à accroître sa puissance en attendant le moment opportun. Comme l'araignée tisse sa toile, madame Peng préparait son plan. Finalement, quand tous les auspices se révélèrent favorables, elle donna l'estocade à son adversaire.

Yung-shan posa alors un regard brillant de fièvre sur la toute jeune fille.

— Le meurtre de votre père concrétisa son triomphe, marqua son heure de gloire. Cet acte barbare entraînait la chute de son ennemi juré, celui qui avait assassiné son propre mari. Cet homme, cet ancien seigneur de la guerre... c'était mon père, le colonel Chang.

***

La porte d'entrée se referma brutalement et les tira de leurs réflexions. Mus par un même réflexe, Yung-shan et Fernadina se retournèrent d'un mouvement identique. Pendant un instant, l'un comme l'autre frissonnèrent face aux rires éclatants des étudiantes qui échangèrent quelques mots avec la réceptionniste avant de regagner leurs chambres. Longtemps, Yung-shan et Fernadina attendirent que le bruit de leurs pas se fût estompé, puis Fernadina demanda :

— Pourquoi m'avoir raconté tout cela ? Par vengeance ?

Cette question amena un pâle sourire sur les lèvres de Yung-shan qui prit toutefois le temps d'allumer une cigarette avant de répondre calmement :

— Non ! L'heure n'est plus à la vengeance.

Il ferma à demi les yeux, contempla le visage ourlé d'ombres de Fernadina.

— Savez-vous que je ne regrette pas ces huit années passées à rechercher Wo-fu ? Hélas ! Il me reste pourtant un regret : je connais aujourd'hui la vérité, mais, ô ironie du sort, ne puis l'étaler au grand jour et innocenter mon père. Vous êtes la seule personne au monde à qui je puisse me confier. Comprenez-moi, Fernadina.

— Vous me suiviez depuis longtemps, déjà, n'est-ce pas ?

— Oui. Une fois, j'ai même failli vous aborder. Puis, comme je passais devant votre maison, j'ai craint que vous n'alliez tout répéter à votre mère. Je ne me sentais pas le droit de prendre un tel risque ! J'ai préféré attendre que vous soyez loin d'elle.

Il se tut un instant, s'éclaircit la voix et reprit le fil de son récit :

— Fernadina... vous n'imaginez pas à quel point j'aurais aimé déjouer les plans de madame Peng et informer votre mère de ce qui se tramait ! Tout aurait été différent... A présent, comment dire...

Il s'interrompit une fois encore, soupira.

— Oh ! Le passé est mort et bien mort ! A quoi bon essayer de modifier le cours du destin ?

Il écrasa furieusement sa cigarette dans le cendrier, contempla les volutes de fumée d'un air de somnambule.

— Votre mère a refait sa vie et semble heureuse, en paix. La vérité ne servirait qu'à raviver sa peine, et elle n'a que trop souffert ! En ce qui vous concerne, en revanche, notre conversation vous aidera sûrement à exorciser les démons de votre enfance. Ce n'est qu'à ce prix que vous parviendrez à vous libérer afin de vous bâtir une existence nouvelle.

Maintenant, je dois vous dire également que ma démarche n'était pas totalement désintéressée. J'ai un service à vous demander.

L'espace d'une minute, il observa Fernadina qui, patiente, attendait la suite.

— Voilà, je ne désire pas que l'on se penche à nouveau sur le meurtre de votre père. La réouverture du dossier me porterait préjudice. Mes affaires, aujourd'hui, sont tout à fait légales. Cependant, en cas de complément d'enquête, on ne manquerait pas de prononcer le nom de mon père et, par suite, le mien. Nombre de gens en profiteraient pour détruire ce que j'ai construit au prix de tant d'efforts ! C'est pourquoi je vous supplie d'oublier le passé. Le meurtrier de votre père a péri lui aussi. La vérité vous appartient. Cela ne vous suffit-il pas ?

— Vous songiez aussi à mes études ?

— Oui. N'avez-vous pas l'intention de faire du droit pour vous poser en défenseur des honnêtes gens ?

— C'était dans la logique de mon histoire !

Ils se regardèrent alors, échangèrent un pauvre sourire. Yung-shan paraissait épuisé. Fernadina se carra sur sa chaise. Elle avait grand besoin de réfléchir. Son instinct lui disait qu'elle pouvait faire confiance à cet homme. Pourquoi ? Parce que, tout comme elle, il chérissait et respectait la mémoire de son père ? Restait cependant une zone d'ombre qu'elle désirait éclaircir.

— N'auriez-vous pas une preuve à me donner afin que je tire un trait sur ce passé ?

— Je ne sais pas... Enfin ! Peut-être y a-t-il une personne qui en sache autant que moi... quelqu'un susceptible de vous apporter de meilleures explications...

— Qui cela ?

Après un instant d'hésitation, Yung-shan finit par lancer :

— Bao. Il vous confirmera ma version des faits.

— Pourquoi n'en a-t-il jamais parlé ?

— Il ne possédait aucune preuve, sinon quelques malheureux indices. Bien sûr, il connaît Chinatown mieux que quiconque et devine aisément tout ce qui s'y passe. Mais il préférait attendre que vous soyez en âge de supporter la vérité.

— Et pourquoi n'a-t-il pas averti ma mère ?

— Il n'était sûr de rien et respecte beaucoup votre mère. Peut-être même a-t-il pensé qu'inconsciemment, elle avait tout compris.

— Comment osez-vous ?

Indignée, Fernadina s'était levée d'un bond. Une sainte colère illuminait son regard.

— Pourquoi ne pas interroger Mei-yu ?

Yung-shan ne détournait pas les yeux. Longtemps, il la contempla, puis se releva du sofa.

— Vous n'avez pas à me répondre maintenant. Cela dit, j'ai confiance en vous. Je crois que vous accèderez à ma requête, car vous finirez sûrement par comprendre qu'il n'y a qu'une solution : le silence.

Il allait partir. Fernadina le vit et, affolée à l'idée de rester seule face à la cruelle vérité, tenta de le retenir encore un instant.

— Je vous en prie ! Comment pourrais-je vous joindre ? Laissez-moi une adresse ! Un numéro de téléphone !

Yung-shan, inébranlable, hocha la tête. Cependant, la détresse de la jeune fille l'émut. Il décida de lui faire une concession :

— Attendez une année ! Si vous désirez vraiment me rencontrer, une fois ce laps de temps écoulé, Bao saura où me trouver.

Il la salua alors et s'éloigna dans la nuit.

Les heures passèrent, les jours aussi. Une semaine plus tard, Fernadina, mue par un réflexe soudain, se mit en demeure de rayer le nom de Peng pour le remplacer par

Wong. Après tout, n'était-ce pas là son vrai patronyme ? Les yeux brillants d'un défi nouveau, elle observa le ciel de novembre, morose, lourd de neige, et sortit d'un tiroir une lettre de sa mère.

Ma chère Fernadina,

Voici bien longtemps que nous n'avons eu de tes nouvelles ! Les cours te prennent-ils donc tant de temps ? Es-tu parvenue à t'habituer à ton professeur de sociologie ? Il nous tarde beaucoup de te voir aux prochaines vacances. Kay Lynn, Tim et leurs enfants seront des nôtres. J'ai déjà réfléchi au menu. Finalement, la dinde ne me dit pas. Je préparerai donc du canard laqué et des crêpes, style Pékin.

Ton beau-père est impatient de te voir ce week-end. J'avais bien espéré que William et moi pourrions l'accompagner, mais il m'a dit qu'il ne ferait que l'aller et retour. Dommage ! J'aurais été si heureuse de te retrouver à New York ! Je devrais attendre jusqu'aux vacances pour te serrer dans mes bras ! Comme le temps me paraît long ! Enfin ! J'espère que tu pourras déjeuner avec Richard, et, s'il te plaît, Sing-hua, sois gentille avec lui.

Je te joins une photo de William défendant son projet scientifique au concours régional des jeunes inventeurs. Il a réussi à décrocher la troisième place. Nous sommes très fiers de lui.

Je te laisse car je dois emmener ton frère chez le dentiste.

Dans l'attente de tes nouvelles, je t'embrasse tendrement.

Ta maman

Les doigts gourds d'émotion, Fernadina replia la lettre et la rangea dans son tiroir. Inlassablement, le cours de ses pensées la ramenait vers Yung-shan. Ses paroles ne cessaient de résonner à ses oreilles. Une angoisse alors lui venait. Que dirait-elle donc à Richard maintenant ? Et à sa mère ? Oh ! Comme la vérité la blessait ! Et pourtant... cette vérité même la soulageait.

A cet instant précis, on frappa à la porte et la blonde Libby dont la chambre donnait sur l'escalier principal lui lança :

— Dina, il y a ton père en bas !

— Merci.

Fernadina ne prit même pas la peine de détromper sa camarade. A quoi bon ? Elle attendit simplement qu'elle se fût suffisamment éloignée pour sauter sur son manteau et dévaler les marches.

Richard, souriant, l'attendait. Néanmoins, derrière le masque affable, Fernadina crut déceler une pointe d'inquiétude.

— Bonjour ! dit-il. J'ai bien reçu ta lettre. Ta mère me croit à un congrès de juristes...

— Je sais !

— Où pouvons-nous parler tranquillement ?

— Je connais un petit café, très calme, dans le coin.

Déjà, Fernadina s'élançait. Docile, Richard lui emboîta le pas.

L'endroit en question se trouvait sur Broadway, près de la 112e rue. Ils s'assirent en silence et une serveuse leur apporta deux grandes tasses de café à l'arôme délicieux.

L'espace d'un instant, Richard et Fernadina se regardèrent, puis Richard prit la parole :

— Dina, j'aime profondément ta mère et désire son bonheur plus que tout au monde. Cela, tu dois le savoir.

Les yeux remplis de larmes, Fernadina confessa :

— Que croire ? Je n'en sais plus rien ! Elle, ma mère, vit dans le mensonge le plus total. Comment peut-elle ignorer la vérité ? Et toi, si tu l'aimes, pourquoi acceptes-tu de vivre ainsi ?

— Parce que ce mensonge est devenu une réalité. Comment mener une existence différente à présent ?

— Quand tu as épousé maman, tu savais ?

— Non. Je connaissais certains détails. Je soupçonnais

bien quelque chose, mais je n'ai appris la vérité qu'après la mort de ma mère.

La serveuse qui leur apportait le menu les interrompit un instant, puis Richard reprit :

— Écoute-moi avant de juger. Je te jure que j'ignorais l'identité du meurtrier de ton père avant mon mariage. A l'époque, j'avais déjà pris des distances avec ma mère. Délibérément. C'est difficile de t'expliquer nos relations. Lors de notre arrivée aux États-Unis, nous étions très proches. Elle m'emmenait partout avec elle, puis elle se rendit compte qu'il valait mieux m'éloigner, qu'elle me protègerait mieux des pièges de Chinatown. Elle m'envoya donc dans les meilleures écoles. Au début, je souffris le martyre. La séparation m'était odieuse. Puis, je changeai. Lorsque j'entrai à l'université, je compris que je m'étais terriblement éloigné d'elle. Moi, je m'adaptais à ce pays nouveau et à ses valeurs. Elle, elle voyait son rôle renforcé dans la hiérarchie de Chinatown. Ensuite, je commis l'irréparable : j'épousai une Américaine. Ce fut un mariage d'amour et un acte d'indépendance envers ma mère. Elle souhaitait que j'épouse une Chinoise, que je m'installe à Chinatown et que je prenne sa succession. C'est là le désir que toute mère chinoise nourrit et que tout fils obéissant respecte.

A ces mots, Richard leva les yeux vers Fernadina et, dans son regard, la jeune fille découvrit honte et regret.

— Après mon divorce, ma mère se manifesta à nouveau. Elle affirma m'avoir pardonné, me jura que je serais toujours son fils. Je me sentais très lié par cet amour filial, mais savais également que je ne pourrais reprendre son affaire. J'allais donc m'installer à Washington où j'eus la chance de trouver du travail auprès d'une très grande entreprise. Je gardai, cependant, d'étroites relations avec ma mère, en ce sens que j'écrivais, que je m'occupais de ses problèmes fiscaux et autres. Plus tard, j'en vins à m'intéresser de près à la Communauté chinoise de Washington. Étais-je guidé par un sentiment de culpabilité ? Je n'en sais rien. Toujours est-il que je m'occupais de questions sociales ou économiques sans me trouver mêlé à des luttes pour le pouvoir comme à New York.

Une fois encore, Richard s'interrompit. Ces confidences lui coûtaient manifestement beaucoup. Il n'en continua pas moins :

— C'est à cette époque que je rencontrai Lilian, une jeune femme originaire de T'ai-wan. Nous avions décidé de nous marier. Je pensais que mon choix plairait à ma mère et, très fier, je lui présentai ma fiancée !

Il eut alors un petit rire nerveux, affreusement triste.

— Comment ai-je pu commettre pareille erreur ! Je n'oublierai jamais les paroles de ma mère ! « Je t'interdis d'épouser cette femme-là !... » Ce furent ses propres mots ! Pourquoi une telle attitude ? Elle jugeait Lilian trop âgée pour me donner de beaux enfants ! De plus, elle trouvait ses idées trop modernes. Je rentrai à Washington, furieux. J'essayai de me raisonner. Un homme mène sa vie comme il l'entend. Il n'a pas de comptes à rendre à sa mère. Je me trompais lourdement. Elle me tenait.

Là, il marqua un temps d'arrêt, regarda Fernadina et lui dit gentiment :

— Je sais que cela doit te sembler difficile à accepter, mais qu'y puis-je ?

Gênée, la jeune fille essaya de le rassurer.

— Ma mère m'ordonna alors d'aller voir ta mère, qu'elle m'avait choisie pour épouse. Je n'avais alors rencontré Mei-yu que deux ou trois fois. J'avais espéré outrepasser les volontés de ma mère. Je n'en eus pas la force. Mei-yu m'avait apporté un coffret contenant soi-disant toutes les instructions de ma mère. J'allai donc retirer ce coffret. A l'intérieur, j'y découvris un bout de papier sur lequel étaient griffonnés les derniers mots que mon père avait eu le temps d'écrire avant sa mort. Ce message, ma mère l'avait jalousement gardé au cas où le destin m'aurait détourné de mon devoir. Je compris qu'il me fallait plier, que mon père s'était volontairement sacrifié pour moi, alors que j'avais toujours voulu croire que c'était ma mère qui l'avait sacrifié pour me sauver, moi. Le message était d'une simplicité enfantine : « venge-moi et préserve notre lignée ». Je n'avais pas la force de faire fi d'une telle volonté. J'acceptais la décision de ma mère.

— Pourtant, tu n'as pas vengé ton père ! Tu m'as dit ne rien avoir su de la vérité avant la mort de ta mère !

— C'est exact. Je n'étais qu'un petit garçon à la mort de mon père et je n'avais pas vu son meurtrier. Ensuite, ma mère me cacha ce qu'elle savait. En fait, elle m'expliqua tout dans une lettre que le président Leong me remit après sa disparition. Elle jurait avoir obéi aux ordres de mon propre père. Pourquoi m'a-t-elle tenu à l'écart ? Pour me protéger ou par fierté ? Je l'ignore !

Longtemps, Richard et Fernadina ne dirent mot. Plus tard, Richard déclara d'une voix brisée :

— Dina, je suis horrifié, déchiré ! Parfois, la colère me ronge, le désespoir aussi, mais que puis-je faire ?

Brusquement, Fernadina le trouvait vieilli. Elle remarquait les fils d'argent qui teintaient ses tempes.

— Je sais bien qu'en un sens, j'ai le choix. Je peux renoncer, me laisser emporter par la catastrophe et périr, ou je peux décider d'ignorer le passé, de regarder dans une autre direction tout en acceptant d'avoir été berné, en me disant que mon destin s'est forgé à mon insu. Eh bien ! c'est cette seconde solution que je choisis, Fernadina. Je peux ainsi continuer à vivre, comprends-tu ?

— Tu te conduis en lâche !

Richard garda le silence. Longtemps, ils restèrent ainsi à réfléchir jusqu'à ce que la serveuse, lassée d'attendre, glissa l'addition sous le coude de Richard.

— Je t'en prie, pense à ce que je viens de te dire. Pour toi, la vie commence à peine. Regarde autour de toi. Ici, il y a tant à faire, tant de gens à rencontrer ! Quand tu viendras à la maison, pour les vacances...

— Je n'irai pas ! s'écria Fernadina d'un ton sec.

— Quoi ?

— J'ai d'autres projets. J'ai décidé de participer à l'action du Comité contre la guerre du Viêt-nam.

— Et ta mère ?

— Que veux-tu que je lui dise, maintenant ?

Fernadina haussait le ton.

— Que je l'admire de vivre dans le mensonge comme elle le fait ? Que, par conséquent, moi, je me porte comme un charme ?

Richard hocha la tête. Ses mains tremblaient désespérément.

— Pourquoi ces méchancetés ? Pourquoi ne pas l'aimer tout simplement ?

Il releva les yeux, vit les larmes de la jeune fille.

— Et elle ? Tu crois qu'elle savait ?

Richard demeura silencieux si longtemps que Fernadina finit par sécher ses pleurs et le regarder.

— Sans doute a-t-elle soupçonné certaines choses, comme moi-même, mais je crois sincèrement qu'elle a préféré ignorer la vérité. Fernadina... Pourquoi juger avec férocité ? Le passé appartient au passé. Occupe-toi donc de l'avenir !

Il chercha son regard.

— Considère-moi comme un faible ou un lâche, mais, je t'en supplie, ne juge pas ta mère. Tout ce qu'elle a fait, elle l'a fait pour toi, pour ton bonheur.

***

Aux yeux de Fernadina, la bibliothèque constituait un havre de paix. Un merveilleux refuge !

Malgré le livre de sociologie placé sous son nez, la jeune fille ne parvenait pas à se concentrer. Elle observait les autres étudiants assis autour des longues tables de bois clair. C'était une succession de têtes penchées sur des manuels divers. Le silence épais se teintait simplement de bruissements légers, de froissements infimes. L'imminence des examens suscitait une fièvre laborieuse sans égal. Fernadina, cependant, ne se sentait guère concernée. Ses pensées la ramenaient à son passé, à la manière dont on avait guidé ses choix.

Il y avait eu Bao, par exemple, Bao qui tenait d'une main une mandarine et de l'autre une sucrerie à la noix de coco en criant : « Choisis, Sing-hua, choisis ».

Ce choix-là était encore relativement simple.

Il y avait eu aussi un jour terrifiant. Sa mère l'avait laissée à la garde de Bao et, de longs moments durant, elle avait hésité entre les larmes et le rire. C'est alors que Bao, le visage sévère, lui avait lancé : « Tu ris ou tu pleures, mais tu choisis ! » Dilemme déchirant auquel, Dieu merci, un ordre du cuisinier avait mis un terme. Bao, en effet, lui avait tout bonnement interdit de faire mauvaise figure au restaurant. Du coup, tous les problèmes s'étaient aussitôt trouvés résolus.

Était-ce toujours aussi simple de prendre une décision ? se demandait maintenant Fernadina.

Elle en resta là de ses réflexions car quelqu'un lui tapotait l'épaule. C'était Connie Wing.

— Salut !

— Salut ! répondit Fernadina.

— Tu ne regardes plus ton casier ? Min t'a déjà laissé deux messages et moi un !

Pour toute réponse, la jeune fille haussa les épaules. Elle n'avait pas répondu davantage aux appels de Richard.

— On voulait te parler de notre prochaine réunion, comme tu avais dit que tu viendrais un de ces jours...

— C'est quand ?

— Mardi prochain, juste avant les vacances. Tu restes à New York ou tu vas chez toi ?

— Je n'ai encore rien décidé.

— On se réunit au Sun Wah. Min dit que tu sais où c'est.

— Au Sun Wah ?

— Oui. Ça nous est déjà arrivé, figure-toi. Bao nous prépare un super dîner et ensuite on discute.

Sur ce, Connie ramassa ses livres et se leva.

— Viens donc si tu peux.

Fernadina n'eut pas le temps de répondre qu'elle était déjà partie.

Le mardi en question, la neige tombait en gros flocons épais quand Fernadina et Rhea sortirent de leur salle d'examen.

— Ouf! Enfin libres ! s'écria Rhea.

Taquine, elle rejetait la tête en arrière, faisait mine d'offrir son visage à la neige.

— Allez, viens ! On va faire des folies ! Et si on filait chez Bloomingdale ? Je t'assure, c'est un magasin fa-bu-leux ! On a largement le temps d'y être avant la fermeture.

Tout en parlant, Rhea observait son amie à la dérobée. Pour l'heure, un groupe de manifestants les accostait, leur demandait de signer une pétition. Rhea, bonne pâte, acquiesça, tandis que Fernadina refusait d'un air agacé. Cette fois, Rhea n'y tint plus.

— Que t'arrive-t-il ? Je croyais que tu approuvais leur action ! Tu m'avais même dit devoir rester là pour préparer avec eux la manifestation de fin décembre.

— J'ai changé d'avis. Finalement, ça me paraît plus important de rentrer chez moi.

Gênée, elle détourna les yeux, tenta de se rassurer. Il y aurait d'autres manifestations. Au printemps, par exemple. Elle aurait toujours le temps de leur montrer qu'on pouvait compter sur sa loyauté. Alors, d'une voix plus ferme, elle répéta :

— Il faut absolument que je rentre chez moi.

Rhea ne se laissa pas désarmer facilement.

— Tu n'es pas malade, au moins ? Depuis quelque

temps, tu ne dis plus un mot ! Note qu'à travailler comme tu le fais, il y a de quoi tomber neurasthénique ! Moi, ça me dépasse ! Je comprends que tu éprouves le besoin de changer d'air.

Ravie, elle flanqua un grand coup de coude à son amie et insista :

— Viens avec moi chez Bloomingdale. Je suis sûre que tu y trouverais une chouette chemise pour ton frère ou quelque chose de sympa pour ta mère.

Fernadina hésita, rêva un instant à ce grand magasin célèbre dont le simple nom évoquait mille magies. Elle finit par capituler.

— D'accord, mais il faut d'abord que je passe un coup de téléphone.

— Dépêche-toi ! lui cria Rhea tandis qu'elle s'éloignait.

Une fois dans le hall de sa résidence, Fernadina fila vers la première cabine téléphonique inoccupée, composa le numéro griffonné sur l'un des messages.

— Puis-je parler à Min, s'il vous plaît ?

— Il n'est pas là pour le moment. Faut-il lui transmettre une commission ?

— Non, merci.

— Voulez-vous le numéro du restaurant où il travaille ?

— Non. Tant pis. Merci beaucoup.

Dehors, Rhea l'attendait avec une boule de neige. Elle essaya de la jeter sur Fernadina, mais manqua son coup. La boule s'était désintégrée en plein vol.

— Trop molle ! Zut ! Et dire que ça n'a pas l'air de s'arrêter tout de suite !

Sur Broadway, elles jouèrent un moment. Rhea, surtout, semblait déchaînée. Elle glissait sur le trottoir, faisait des farces, invitait Fernadina à l'imiter.

— Viens ! On court jusqu'à la station de métro !

Fernadina releva le défi et les deux jeunes filles arrivèrent essoufflées devant la rame.

— Tu sais ! Cela fait bien un mois que je ne suis pas allée chez Bloomingdale ! C'est dingue !

Sur cette déclaration importante, les deux amies sautèrent dans le wagon, s'installèrent sur des sièges particulièrement inconfortables.

Quelques instants plus tard, elles filaient à toute vitesse vers le centre ville.

Dans les vitres en face d'elle, Fernadina contemplait le reflet des visages alentour, l'image de Rhea et sa chevelure rousse et mousseuse qui cernait sa peau très pâle. Rhea qui sifflotait, heureuse, le regard collé sur les panneaux publicitaires çà et là. Elle contemplait le reflet de la dame qui somnolait à leurs côtés, puis son œil s'arrêta sur son propre reflet... ô surprise ! Fernadina frémit de bonheur ! Pour la première fois de sa vie, elle s'acceptait. Pour la première fois de sa vie, elle acceptait ses cheveux noirs et épais, son teint d'Asiatique, ses yeux bridés. Bouleversée, elle s'observa plus attentivement, s'étonna même de se trouver... jolie !

A cette simple idée, mille souvenirs lui vinrent. Des souvenirs où se pressaient tous les êtres chéris. En tête de ce cortège se trouvait Mei-yu qui lui souriait et l'invitait à reprendre sa place, à accomplir les gestes simples de la tradition retrouvée.

Le train, dans un bruit d'enfer, ralentissait. Rhea en profita pour pousser du coude son amie.

— Viens, hurla-t-elle. Je ne peux pas supporter ce bruit-là. Sortons ! Je préfère marcher ou prendre le bus !

Elles se trouvaient à la hauteur de la 59e rue. Rhea insistait.

Subitement, Fernadina sut ce qu'elle avait à faire.

— Vas-y toute seule. J'ai changé d'avis. J'ai un rendez-vous.

Exaspérée, Rhea poussa un cri de rage. L'espace d'un instant, elle hésita, puis jeta :

— Mais où vas-tu donc ?

Les portes déjà se fermaient, ne lui laissaient pas le temps d'en dire davantage. Elle sauta prestement sur le quai. Fernadina, de son côté, répondait en criant :

— Je dois voir des gens...

Elle eut un vague geste d'excuse, une petite grimace, puis se rassit. Le train reprenait de la vitesse.

A l'arrêt de la 42e rue, Fernadina changea de direction, prit la ligne du BMT. Là, une fois encore, elle observa le reflet que lui renvoyaient les vitres. Elle ne s'était pas trompée. C'était bien elle, Fernadina !

Le métro, pendant ce temps, filait à folle allure dans la galerie sombre. Il s'arrêta d'abord à la 34e rue, puis à la 14e... C'est alors que Fernadina découvrit que les gens qui l'entouraient étaient tous, comme elle, d'origine chinoise ! Il y avait là des étudiants aux bras chargés de livres, des hommes d'un certain âge munis d'un panier à provisions et bien d'autres.

Quand le train fit une nouvelle halte, la jeune fille se rendit compte que tout le monde ou presque se dirigeait vers la sortie. Elle releva la tête et vit le panneau indicateur en face d'elle : Canal Street.

Alors, elle se leva à son tour, suivit la foule qui s'écoulait du wagon. Dehors, en pleine lumière, on la bouscula. Elle crut reconnaître des gens, avança comme une somnambule...

Elle remonta Canal Street, admira les étals, les boutiques, écouta le bruit des conversations qu'elle ne comprenait plus, hormis un mot de temps à autre. Arrivée à un carrefour, elle hésita, jeta un coup d'œil sur sa droite. D'abord, elle ne vit rien tant il y avait de néons alentour. Ensuite, elle ne vit qu'elle, cette enseigne merveilleuse sur laquelle s'inscrivait : Sun Wah. Une certitude lui vint : Bao l'attendait. Elle allait le retrouver et profiter avec lui, avant la bousculade du dîner, de l'accalmie de la fin de l'après-midi, qui ne durait que le temps d'une tasse de thé et de deux cigarettes.

Elle marqua un temps d'arrêt et s'élança vers Mott Street, vers son passé.

Cet ouvrage a été achevé d'imprimer sur presse CAMERON
dans les ateliers de la S.E.P.C. à Saint-Amand (Cher)
pour le compte des Éditions CARRÈRE le 20 mars 1986

Imprimé en France
Dépôt légal : mars 1986
N° d'édition : 3901. — N° d'impression : 249-142.
ISBN 2-86804-258-9